Littérature
et
politique

DU MÊME AUTEUR

Aux Éditions Flammarion

Portraits de femmes, 2013.
Dictionnaire amoureux illustré de Venise, Plon-Flammarion, 2014 ; *Venice, an illustrated miscellany*, Flammarion, 2014.

Aux Éditions Gallimard

Femmes, roman, 1983 (Folio n° 1620).
Portrait du Joueur, roman, 1985 (Folio n° 1786).
Théorie des exceptions, 1986 (Folio essais n° 28).
Paradis II, roman, 1986 (Folio n° 2759).
Le Cœur Absolu, roman, 1987 (Folio n° 2013).
Les Folies françaises, roman, 1988 (Folio n° 2201).
Le Lys d'or, roman, 1989 (Folio n° 2279).
La Fête à Venise, roman, 1991 (Folio n° 2463).
Improvisations, essai, 1991 (Folio essais n° 165).
Le Rire de Rome, entretiens avec Frans De Haes, 1992 (« L'Infini »).
Le Secret, roman, 1993 (Folio n° 2687).
La Guerre du Goût, essai, 1994 (Folio n° 2880).
Sade contre l'être suprême précédé de *Sade dans le temps* (Quai Voltaire, 1989), 1996.
Studio, roman, 1997 (Folio n° 3168).
Passion fixe, roman, 2000 (Folio n° 3566).
Éloge de l'infini, essai, 2001 (Folio n° 3806).
Liberté du XVIIIe, essai, 2002 (Folio 2 € n° 3756).
L'étoile des amants, roman, 2002 (Folio n° 4120).
Poker, entretiens avec la revue *Ligne de Risque*, 2005 (« L'Infini »).
Une Vie divine, roman, 2006 (Folio n° 4533).
Les Voyageurs du temps, roman, 2009 (Folio n° 5182).
Discours parfait, essai, 2010.
Trésor d'Amour, roman, 2011 (Folio n° 5485).
Fugues, essai, 2012 (Folio n° 5697).
L'Éclaircie, roman, 2012 (Folio n° 5605).
Médium, roman, 2014.

Suite en fin d'ouvrage

Philippe Sollers

LITTÉRATURE
ET
POLITIQUE

Flammarion

L'essentiel de ces chroniques a vu le jour dans *Le Journal du dimanche*, quelques-unes ont été publiées dans *Le Point*.
L'auteur en a fait un choix personnel et une révision approfondie.

© Flammarion, 2014.
ISBN : 978-2-0812-5285-1

« Je prendrai la politique, je la baptiserai littérature et elle le deviendra aussitôt. »

Mauriac

ÉLOGE DE LA POLITIQUE

Il m'est arrivé d'écrire, une fois par mois, pendant plus de dix ans, dans un hebdomadaire. Une fois par mois, dans ce genre d'exercice, est la bonne distance. L'accélération du temps est devenue telle que les informations ont l'air de s'évaporer sans laisser de traces. Le changement fonctionne du matin au soir dans la bousculade des médias, des commentaires, des tweets, du Net. Le Spectacle est permanent et ne souffre aucune pause, d'où un effet nouveau de répétition immobile. Ce matin est déjà loin, ce soir est effacé par demain. Restent, évidemment, les problèmes lourds, toujours les mêmes : le chômage, l'emploi, le pouvoir d'achat, la sécurité, l'identité, l'environnement, les catastrophes, les guerres, le sport, la corruption, les scandales, le tout noyé dans la publicité colorisée. La politique, n'est-ce pas, est une bataille sévère, ou, du moins, sa représentation illusoire. Elle doit sans cesse répéter qu'elle va de l'avant, même si elle revient en arrière.

Il fut un temps où certains pouvaient encore s'intéresser à l'envers de l'Histoire contemporaine, et où il était possible de déchiffrer ce qu'on vous cache dans ce qu'on vous montre. Mais comment puis-je savoir aujourd'hui, à coups de centaines de milliards de dollars ou d'euros, ce qu'ont réellement en tête les marchés financiers ? Rien que le maintien de leur propre machination, sans doute, dont personne ne connaît exactement le flux et la rotation. La littérature, dans ce chaos d'autant plus opaque qu'il semble plus visible, paraît, comme la presse écrite, vouée à disparaître dans la communication instantanée, minimale, numérique, vide, dont le moindre SMS vous donne l'idée. Aucun complot, dans tout ça : pure technique de dissolution rapide.

Et pourtant, non : il ne s'agit pas de suivre l'actualité, de s'étonner, de s'indigner, de rester attaché à la routine du commentaire. Regardez dix minutes de télé, où les mêmes actrices, les mêmes acteurs, réduits à leurs troncs bavards, rebondissent dix fois par jour sur le même événement local ou mondial. Ils, ou elles, s'accrochent à leurs plateaux, débats d'un côté, dérision de l'autre. Bien entendu, l'écrivain reste à l'affût, il guette les grimaces et les mots, il les voit et les entend d'une certaine façon, comme si un grand roman, inconscient de lui-même, venait s'agiter ou se tordre devant son silence. Silence très actif, en somme, journaux, magazines, enquêtes scientifiques, critiques littéraires, déferlantes de cinéma : un, deux, trois, quatre, le choix est fait, le mois est bouclé.

En réalité, c'est toute la bibliothèque qui trouve son plein emploi pour comprendre et juger l'actualité. La politique fait semblant de maîtriser un monde qui lui échappe, elle va toujours dans le même sens (gauche effondrée, droite en miettes), alors que la littérature, elle, est sans arrêt partout et nulle part. La politique ne lit rien, la littérature est une frénésie de lecture. Il était fatal que le pays qui aura été le plus « littéraire » du monde souffre particulièrement de la mondialisation.

Du coup, la politique moralisante s'insinue partout et juge la littérature, alors que, sans efforts, c'est à la littérature de juger la politique. Ouvrez un livre digne de ce nom : la vraie morale est là, avec l'acide ou l'ironie qui conviennent à chaque situation. Son intervention est un acte d'interruption, d'éveil, et, malgré le tragique, une anticipation d'identité heureuse. La politique favorise beaucoup l'identité malheureuse, c'est-à-dire le contraire de la liberté et de la singularité poétiques. J'aime ainsi que ce volume commence par Alfred Jarry et Nabokov, et s'achève, pour ne pas finir, sur une anecdote très peu connue à propos du grand Alfred Hitchcock. Mais je m'aperçois maintenant de ce paradoxe : pour avoir su mobiliser, à travers moi, toute la littérature depuis si longtemps, ce livre est en définitive, au moment dangereux où elle semble déconsidérée partout, un vibrant éloge de la politique.

Philippe Sollers
mai 2014

JARRY, DEBORD

Je relisais Alfred Jarry pendant l'été, et Ubu me paraissait d'une actualité flagrante (Jarry au Panthéon ? C'est une idée) :

« Il part, courbant le dos, dans le vent du matin,
Et va, de tout son cœur étrangler son prochain. »

Ubu, précise Jarry, « dit des phrases stupides, avec toute l'autorité du mufle ». *Le Surmâle*, roman de 1902, est aussi trop peu connu. Le personnage principal formule, à un moment, cet aphorisme pointu : « Mentir est classiquement féminin, mais vague. » Et ailleurs, cette définition de Dieu : « Le plus court chemin de zéro à l'infini, dans un sens et dans l'autre. » La scène d'*Ubu roi* qui se déroule en Pologne pourrait être de nos jours située en Russie, « c'est-à-dire nulle part ».

Le beau, pour Jarry, était « la fusion d'une mathématique inexorable avec un geste humain ».

Et ceci : « Il est plus ardu à l'esprit de créer un personnage qu'à la matière de construire un homme, et si l'on ne peut absolument créer, c'est-à-dire faire naître un être nouveau, qu'on se tienne tranquille. »

Il faudra quand même s'habituer à penser que la société, le plus souvent, n'a eu de grands écrivains que *malgré elle*. La plupart des rôles qu'elle distribue aujourd'hui seront oubliés demain. Dans les trente dernières années, il y a eu incontestablement un grand écrivain français, rebelle, et pour cause, à toute reconnaissance sociale. C'est lui qui a écrit : « Je connais très bien mon temps. Ne jamais travailler demande de grands talents. Il est heureux que je les ai eus. » Et aussi : « Je voulais tout simplement faire ce que j'aimais le mieux. En fait, j'ai cherché à connaître, durant ma vie, bon nombre de situations poétiques, et aussi la satisfaction de quelques-uns de mes vices, annexes mais importants. »

Il s'agit, bien entendu, de Guy Debord. Sa gloire commence à peine. La société, qu'il a farouchement critiquée et niée, se verra ainsi de plus en plus forcée de le reconnaître. Il sera intéressant de voir comment.

26/09/1999

LIBERTÉ DE NABOKOV

Rien de plus électrique et frais à lire, ces temps-ci, que le recueil réédité des entretiens de Vladimir Nabokov, *Parti pris*[1]. Nabokov, qui ne craignait pas de dire de lui-même : « Je pense comme un génie, j'écris comme un auteur distingué et je parle comme un enfant », écrivait toujours ses réponses (qu'il posait souvent lui-même) sur le ton de la conversation à bâtons rompus, avec une désinvolture et une insolence constantes. Les grands écrivains sont naturellement mégalomanes, on le sait, d'où leur intérêt, puisqu'ils ne font qu'amplifier, en couleurs,

un phénomène courant chez chaque être humain hypocrite (d'où le gris général). Il faut se méfier des papillons
comme Nabokov : ce sont eux qui finissent par vous épin-
gler, en disant la vérité que personne ne souhaite
entendre. Méfions-nous d'eux, dissuadons-les et, si c'est
possible, interdisons-les. Regardez ça :

« Un écrivain créatif doit étudier avec soin les œuvres
de ses rivaux, y compris celles du Tout-Puissant. Il doit
posséder la faculté innée non seulement de restructurer
mais de re-créer un monde particulier. [...] L'art n'est
jamais simple. Quand j'étais professeur, je donnais automatiquement une mauvaise note à l'étudiant qui utilisait
cette expression affreuse "simple et sincère" – "Flaubert
écrit dans un style qui est toujours simple et sincère" –
en pensant ainsi faire le plus grand compliment possible
à un écrivain ou un poète. Quand je barrais l'expression,
ce que je faisais avec une telle rage dans mon crayon que
le papier se déchirait, l'étudiant venait se plaindre en
disant que c'était ce que ses professeurs lui avaient toujours appris : "L'art est simple, l'art est sincère." Il faudrait qu'un jour je remonte à la source de cette vulgaire
absurdité. Une maîtresse d'école bornée de l'Ohio ? Un
âne progressiste de New York ? Parce que, bien sûr,
quand il atteint des sommets, l'art est fantastiquement
trompeur et complexe. »

Et ça (en 1965) : « La mentalité primitive et banale
d'une politique imposée par la force – comme de toute
politique d'ailleurs – ne peut produire qu'un art primitif
et banal. Cela est particulièrement vrai de la littérature
"social-réaliste" et "prolétarienne" encouragée par l'État
policier soviétique. Les babouins chaussés de bottes ont
peu à peu exterminé les auteurs qui avaient réellement

15

du talent, les individus hors du commun, les génies fragiles [...]. Les tyrans et les tortionnaires ne parviendront jamais à dissimuler leurs faux pas comiques derrière des acrobaties cosmiques. Quand je lis les poèmes de Mandelstam composés sous le régime maudit de ces brutes, j'éprouve un sentiment de honte impuissante en me voyant si libre de vivre, de penser, d'écrire et de parler dans la partie libre de notre monde. Ce sont les seuls moments où la liberté est amère. »

24/10/1999

DES INSULTES

Un universitaire, l'autre jour, à la télévision, me traite brusquement de « papillon médiatique ». Je me demande s'il a bu, mais non. Un autre universitaire, professeur au Collège de France et dont, paraît-il, les travaux sur Wittgenstein, Musil et Frege sont « réputés dans le monde entier », me voit, lui, comme « le prince de la grande truanderie médiatico-intellectuelle, affichant son mépris mondain pour les pauvres "caves" que sont les universitaires ». Allons, allons, restons zen. Et relisons Nabokov : « Quelqu'un, un jour, annoncera que loin d'avoir été un oiseau de feu frivole, je fus un moraliste inflexible qui n'a cessé de distribuer des coups de pied au péché, des gifles à la bêtise, qui s'est moqué du vulgaire et des cruels – et qui a conféré un pouvoir suprême à la tendresse, au talent et à la fierté. »

24/10/1999

Qu'est-ce que la littérature ?

Difficile de dire mieux que Hemingway : « Tous les bons livres ont en commun d'être plus vrais que la réalité et, après les avoir lus, vous avez l'impression que tout cela s'est produit, que tout cela vous est arrivé et vous appartient à jamais : le bonheur et le malheur, le bien et le mal, la joie et la peine, la nourriture, le vin, les lits, les gens et le temps qu'il faisait. Quand on peut apporter cela à un lecteur, alors on est un véritable écrivain. »

24/10/1999

Les surprises de l'Histoire

Saviez-vous qu'Eisenstein, ce génie du cinéma, dessinait sans cesse des scènes érotiques ? Les voici enfin publiées, après avoir dormi dans un coin de la censure soviétique [2]. On ne dira jamais assez à quel point la pruderie sociale est une des clés de la comédie. Des corps en mouvement, des spasmes : un chef-d'œuvre. Il faut *revoir* Eisenstein à partir de là.

Et puis une correspondance attendue : celle, pendant vingt-cinq ans, entre Hannah Arendt et Martin Heidegger. C'est l'histoire d'un grand amour, une passion de pensée. Arendt compare Heidegger à Picasso (intensité du regard). Le 18 juin 1972, alors qu'elle est en train de lire le livre de Heidegger sur Schelling, elle lui écrit simplement : « Personne ne lit ni n'a jamais lu comme toi. » Voilà, il me semble, un des plus merveilleux « Je t'aime ».

24/10/1999

BRETON

Une des dédicaces auxquelles je tiens le plus, comme un talisman, est celle d'André Breton lors de la réédition des *Manifestes du surréalisme* (Pauvert, 1962) : « À Philippe Sollers, aimé des fées. » J'ai quelques lettres de Breton, mais elles ne pourront être publiées qu'en 2016. En attendant, on peut lire l'excellente biographie de l'Américain Mark Polizzoti [3], surtout ce qui concerne la vie de Breton à New York pendant la guerre, et les difficultés qu'il a rencontrées en rentrant en France à la Libération, en plein stalinisme local.

On le considère alors, dit Polizzoti, comme un étranger, presque comme un lâche. On l'accuse d'être devenu « réactionnaire ». Les déclarations d'Éluard, à cette époque, sont consternantes. Et on n'ose pas croire à ce que raconte Polizzoti : « Les accusateurs staliniens de Breton comptent à présent dans leurs rangs certains de ses anciens amis. René Char, qui est apparu, au sortir de la guerre, comme l'un des poètes majeurs de la Résistance, refuse l'invitation qui lui est faite de rejoindre le surréalisme et confie, sur un ton mi-plaisant mi-sérieux, à un jeune collègue : "Vous savez, je crois qu'il faut fusiller Breton". »

Humour, sans doute, mais quand même.

Le style de Breton ? Voici : « Assez de faiblesses, assez d'enfantillages, assez d'idées d'indignité, assez de torpeurs, assez de badauderie, assez de fleurs sur les tombes, assez d'instruction civique entre deux classes de gymnastique, assez de tolérance, assez de couleuvres ! »

De l'air frais, enfin.

28/11/1999

LOUISE MICHEL

Le livre le plus émouvant ces temps-ci ? L'édition, par Xavière Gauthier, de la correspondance générale (1850-1904) de Louise Michel, *Je vous écris de ma nuit*[4]. On ne sait ce qu'il faut admirer le plus : le courage, l'endurance inflexible ou le style. C'est la grande voix révolutionnaire de la Commune, ce spectre qui rôde autour du Panthéon et de ses escaliers couverts de sang.

À Victor Hugo, en avril 1872 : « Si je vous parle de moi, c'est que je suis et je resterai de ceux qui portent d'autant plus haut leur bannière qu'elle est plus brisée, tant qu'il me restera un souffle de vie, il appartiendra à la révolution vaincue et je crois que si jamais elle se levait de nouveau, je sortirai de la tombe. »

À Thiers, « chef du pouvoir, Exécuteur, Président de la République, le 28 mai 1872, à 7 heures du matin » : « Vieillard, la tombe vous appelle, l'histoire vous attend ; la vile multitude vous jugera. Que les souvenirs de Transnonain et de Satory planent sur votre dernier sommeil. Assassin ! soyez maudit, vous et les vôtres. »

Louise Michel n'est jamais *triste*. Pensant à sa déportation en Nouvelle-Calédonie, elle écrit : « Nous partirons l'hiver, par les tempêtes. Pardonnez-moi cette folie-là, mais j'aime le danger. » Encore ceci, au communard Ferré (avant son exécution) : « J'espère qu'en fait d'opinion sur les femmes, vous n'êtes plus réactionnaire et que vous leur reconnaissez le droit au péril et à la mort. »

Et encore : « Il y a des instants où on voit si peu dans le présent et si largement dans l'avenir qu'on a tout l'éblouissement des temps futurs. Qui les verra ? »

Jamais triste, jamais découragée. Ainsi, en 1881 (elle a cinquante et un ans) : « Le mouvement des provinces est si beau que nous devons être à la hauteur de leur courage. De nouvelles élections donneront la majorité à l'ennemi et diminueront nos amis, faisons donc de l'action révolutionnaire. »

On sait à quel point André Breton est resté fidèle à la pensée anarchiste. Le fond noir est aussi au cœur du bonheur. La liberté, la poésie, l'amour y puiseront toujours leurs couleurs les plus éclatantes. Lautréamont et Rimbaud viennent de là.

28/11/1999

L'AMOUR DE STALINE

Pour comprendre la profondeur de l'éducation historique et physique dont vient un Poutine (ou le suivant, ce sera pareil), il faut lire l'extraordinaire lettre inédite de Boukharine à Staline, datée du 10 décembre 1937, juste avant son exécution[5].

« Je n'ai pas une once de ressentiment. Je ne suis pas un chrétien. Certes, j'ai mes étrangetés. Je considère que je dois expier pour ces années durant lesquelles j'ai réellement mené un combat d'opposition contre la ligne du Parti. » Plus loin : « Cet épisode me tourmente, c'est le péché originel, c'est le péché de Judas. » Plus loin : « Pardonne-moi, Koba, je ne peux pas me taire sans te demander pardon. » Plus loin : « Il n'y a plus d'ange qui puisse détourner le glaive d'Abraham ! Que le Destin s'accomplisse ! » Plus loin : « Je me prépare intérieurement à quitter cette vie, et je ne ressens envers vous tous, envers le Parti, envers notre Cause, rien d'autre qu'un immense amour sans bornes. » Enfin : « Ma conscience est pure devant toi, Koba. Je te demande une dernière fois pardon (un pardon spirituel). Je te serre dans mes bras, en pensée. Adieu pour les siècles des siècles, et ne garde pas rancune au malheureux que je suis. »

Boukharine *supplie* Staline de lui octroyer de la morphine pour mourir. Il propose même, si on lui laisse la vie sauve, de « lutter à mort », en exil, contre les trotskistes et les anarchistes. Nous sommes alors en pleine guerre d'Espagne.

Pas « chrétien », Boukharine ? Mais qu'y a-t-il de plus violemment chrétien retourné que ces histoires de « Parti » ? Le pire des crimes n'est-il pas de forcer des victimes à adorer leurs bourreaux ? On l'a encore vu récemment, à Cuba, lors du procès Ochoa. Oui, le pire des crimes : abaisser un être humain jusqu'à ce qu'il réclame l'*expiation* de sa prétendue faute. Staline ou Castro déguisés en Abraham, il me semble difficile d'aller plus loin dans l'abjection. Mais on en apprendra d'autres, les archives s'entrouvrent à peine.

26/12/1999

SIXTINE

Chrétien pour chrétien, mieux vaut l'original que la copie criminelle. Voici le vieux Jean-Paul II, le 11 décembre, clignant des yeux sous les couleurs rénovées de la chapelle Sixtine, à Rome. Le *Jugement dernier* de Michel-Ange et les fresques de Botticelli flamboient. La chaîne de télé japonaise Nippon Television Network (NTN) a dépensé douze millions de dollars pour financer ce travail de restauration. Quatre siècles de fumées de cierges, noircissant les voûtes, s'évaporent. C'est la marée noire à l'envers. Ça vaut bien une messe. Voilà, elle est dite.

« Le pape ? Combien de divisions ? » demandait Staline, qui aurait été ahuri d'apprendre qu'il y avait brusquement un pape polonais. Le pacte hitléro-stalinien débouchant sur un jubilé : quel raccourci sanglant, si on y pense. Pour fêter tout cela, rien de mieux que d'écouter l'éblouissante Cecilia Bartoli dans son *Vivaldi Album*. Personne ne savait plus qui était Vivaldi en 1940. Les résurrections existent, elles passent par la musique, les mots, les voix.

26/12/1999

BONNE ANNÉE

Voilà, le premier mois de l'an 2000 s'achève, les jours rallongent, la planète tourne, la tempête, le fioul et les feux d'artifice sont déjà oubliés. Il faut s'habituer vite à tracer ces trois zéros après le chiffre deux. Le 5 février, la Chine entre dans l'année du Dragon. Le vieux pape, lui, tremblant et tenace, pousse la porte de son Jubilé. Il tombe à genoux devant le troisième millénaire, on réclame sa démission, mais il est en divine mission. Se passe-t-il vraiment quelque chose ? Helmut Kohl va-t-il se tuer pour protéger les dessous d'Elf ? En tout cas, mieux vaut ne pas être en prison, par exemple à Paris, à la Santé. Le terrible témoignage de Véronique Vasseur[6] nous rappelle que l'enfer existe : suicides, viols, insalubrité, peur, folie…

« J'ai les larmes aux yeux. Je découvre que les détenus, avant la détention, arrivent parqués dans un camion dans des sortes de placards individuels, comme du bétail. On les emmène au sous-sol avant les empreintes et la photo : là, ils sont mis dans des placards grillagés minuscules, à quatre, où ils ne peuvent que se tenir debout, serrés les uns contre les autres, les malades comme les bien-portants... »

Même Jean Genet, aujourd'hui, serait surpris d'une telle persistance dans la misère et l'abjection. En comparaison, *Un condamné à mort s'est échappé*, de Robert Bresson, malgré les détonations qui signalent, de loin en loin, des exécutions invisibles, a l'air d'un séjour dans un couvent un peu rude. Quant à la réforme de la justice, n'est-ce pas, elle attendra un calendrier meilleur.

30/01/2000

Les apocalyptiques

Symétriques de la béatitude niaise des publicitaires, il y a des intellectuels qui se plaignent systématiquement de tout : du bruit, des téléphones portables, des festivités idiotes, des médias, de l'art moderne, de l'ignorance croissante, de l'insensibilité, selon eux, de leurs contemporains. Leur enfer, c'est les autres. On peut supposer, malgré tout, qu'ils ne vivent pas si mal pendant que les affaires continuent. Ils montent en chaire, font leurs sermons négatifs, sont accueillis à bras ouverts dans les magazines, et rentrent chez eux, le soir, leur devoir accompli, pour retrouver la mauvaise humeur de leur partenaire. La société est plutôt noire, c'est vrai, mais le ciel est aussi, par-dessus le toit, très bleu et très calme. « On n'est pas là pour rigoler », disait récemment Bourdieu au vieil Indien Günter Grass. Ce dernier lui a fait opportunément remarquer qu'un certain rire, celui de Voltaire, par exemple, gardait toute sa force de subversion. Il est vrai que Grass est écrivain, pas professeur.

30/01/2000

LES LAMAS

On souhaite bonne chance au jeune lama échappé du Tibet à la barbe des autorités chinoises. Il rejoint le dalaï, dont le sage sourire illuminé s'affiche depuis longtemps partout. Mais ces affreux Chinois, paraît-il, ont décidé, pour brouiller les pistes, d'inventer de nouveaux lamas à tour de bras. Chaque bébé tibétain mâle a ainsi la possibilité de réincarner un lama antérieur. Voilà une religion sympathique qu'il faut toute la grossièreté communiste pour persécuter. Mon avis est qu'on devrait mieux l'implanter en France. En faisant le tour des maternités, ce serait bien le diable si un nouveau-né, un peu aidé, ne reconnaissait pas un objet ou deux ayant appartenu, je ne sais pas, moi, à Jeanne d'Arc, à Danton, à Napoléon, à Marie Curie, à Clemenceau, à de Gaulle. Les revoilà ! C'est lui ! C'est elle ! Pas besoin d'ADN : la foi suffit. Je m'étonne que les bouddhistes de plus en plus nombreux de l'Hexagone n'y aient pas pensé. C'est pourtant lumineux. Ne cherchons plus de grands hommes : réincarnons-les. La science n'était pas là pour les cloner de leur vivant, rattrapons cette injustice. Quelle pacification,

soudain, dans un pays trop agité par les rivalités personnelles ! Clemenceau réincarné ferait un très bon maire
de Paris.

30/01/2000

MENDÈS FRANCE AU PANTHÉON

Cette réunion étrange, un matin, au Sénat : il s'agit de
demander au président de la République le transfert des
cendres de Pierre Mendès France au Panthéon. Les
témoignages de Jean-Denis Bredin (ému) et de Pierre
Joxe (nostalgique) sont remarquables. Bredin rappelle
que Mendès, en 1936, a été le seul député à réclamer le
boycott des jeux Olympiques de Berlin. Si seul, déjà ? Eh
oui. Et, un peu plus tard, un des premiers aviateurs français courageux de la Royal Air Force. Mendès France a
été, sans aucun doute, l'homme politique le plus ignoble-
ment insulté dans son pays. Mauriac, dans son *Bloc-Notes*,
le défend inlassablement. Ainsi, en 1957, jugeant le personnel politique qui fait front contre Mendès : « Si la
coloration idéologique diffère, si certains intérêts en jeu
s'opposent d'un parti à l'autre, ce qui les fait persévérer
dans l'être est de même nature et les réconcilie dans la
haine des grandes individualités. »
La haine des grandes individualités, une passion française. Alors, Mendès au Panthéon ? Oui, ce serait bien.
Je note que, ce matin-là, le nom de Mitterrand n'a pas
été une seule fois prononcé par les différents orateurs. On
peut en conclure qu'ils étaient en position d'inventaire.

30/01/2000

BONHEUR DE SARTRE

Si quelqu'un a été constamment et passionnément haï, Lévy le montre bien dans son livre [7], c'est Sartre. À cause de ses erreurs politiques ? Oui, sans doute, mais le phénomène est autrement plus viscéral, plus profond. Encore une fois, il s'agit d'une certaine façon de vivre, et surtout d'un style. D'abord, cet amour : « Mon charmant Castor », « Mon cher amour », « Mon doux petit ». « J'ai des tas de fois dans la journée d'humbles petits désirs tout particuliers et sans histoires d'être près de vous et de vous embrasser sur vos petites joues. » Ou encore : « Je vous aime tant. Je voudrais tant revoir votre petit visage. Vous savez, ça me bouleverse encore quand je me rappelle comme il était le matin de mon départ. » Et elle à lui : « Tout cher petit être », « Petit bien-aimé », « Mon cher bonheur et mon beau petit absolu », « Je suis toute effondrée de tendresse pour vous. » Et encore : « Cher petit vous autre », « vous seriez donc un bien grand philosophe, petite bonne tête ? » Bien entendu, les contemporains n'ont pas ces lettres sous les yeux, mais ils les devinent, ils les sentent, ils les trouvent indécentes, obscènes, ridicules, ça les rend furieux. Rien de plus asocial, en réalité, que l'amour entre un homme et une femme. On ne parle que de ça, mais pour conclure très vite à l'impossible, au drame, à la rupture, au ressentiment réciproque, à l'impasse mélancolique. Sartre et Beauvoir sont joyeux, voilà le crime. Beauvoir : « Ne vous laissez emmerder par personne, mon petit, et ne vous rongez pas pour l'argent ; vous savez bien qu'à la dernière minute les finances se rétablissent toujours. » Et encore : « Mon amour, je suis en haut du Flore, il est sept heures du soir, c'est plaisant parce qu'on entend le monde qui grouille en dessous de soi et on est tout paisible entre deux tablées de joueurs d'échecs. »

La grande complicité entre un homme et une femme est donc une première cause de haine. Circonstance aggravante : ils sont intelligents, ce qui dérange fondamentalement la Bêtise, « cette incroyable densité, cette puissance paisible et noire ». Mais il y a pire : le dévoilement, par Sartre, des ressorts cachés de l'humanisme bourgeois comme étant un mensonge, une tartufferie permanente, un « humanisme de la haine » pour lequel le pire est, par définition, toujours sûr. « Le fondement de l'humanisme bourgeois, écrit-il, n'est autre que la misanthropie. » Son produit est l'homme haineux-haï, une distillation de la haine de soi comme sentiment *a priori*. Contrairement aux déclarations incessantes d'amour de l'humanité ou de l'autre qui fleurissent dans les discours, tout autre chose *fonctionne*. Voici :

« Le sujet de cette haine universelle devient l'homme en soi, c'est-à-dire le propriétaire en tant qu'il se hait soi-même... Pour que l'homme s'accomplisse dans son humanité par l'exploitation légitime de son semblable, il faut que la détestation soit l'unique rapport de chacun à l'autre, en tant qu'elle est fondée sur celle de chacun pour soi. »

Quel tableau ! Ne dirait-on pas la description même de la « culture d'entreprise » ? De la vie sociale tout entière ? Non, non, diront les tartuffes, ici tout le monde s'aime, se respecte, s'entraide, personne ne dit de mal de personne, nous ne voulons que la paix universelle, les droits de l'homme sont notre catéchisme sacré. Ah oui, vraiment ? C'est la question, au fond, posée par Sartre. Telle aura été son « erreur ».

30/01/2000

ROMAN

On travaille trois ans, en douce, à un roman, il vous a suivi partout, le jour, la nuit, en rêve. La fin s'annonce, les scènes et les dialogues d'adieu s'organisent, deux personnages doivent se rencontrer dans un restaurant et laisser leur aventure en suspens. Voici la dernière phrase. Elle va s'éloigner, rejoindre la première, là-bas. Un matin, très tôt, alors qu'il pleut violemment dehors, on boucle le manuscrit, et on sait que la seule chose à faire est d'en commencer aussitôt un autre. Le titre ? Trouvé. La première phrase ? Ça, c'est le plus dur, il faut la laisser venir et s'imposer d'elle-même. Le reste suivra.

30/01/2000

DIGESTION

Vingt milliards, trente milliards, quarante, cinquante ? La Roue de la fortune hésite, bégaie. L'État est riche, l'individu est pauvre. L'individu doit se réjouir que l'État soit riche et diminue ses déficits. L'individu est toujours trop individualiste. On le lui répète beaucoup ces temps-ci. Ce moi est haïssable. Ne dites pas « Je », pensez « nous ». L'État, c'est nous. Le plus froid des monstres froids est au service de l'argent qui, comme dit Hegel, est « la vie mouvante en elle-même de ce qui est mort ».

On s'indigne bien haut de la course aux profits, mais le cirque de la dévastation n'est pas près de finir. Après l'Atlantique au fioul, voici le Danube au cyanure. La langue de porc me paraît douteuse. La rillette ne me dit rien qui vaille, le saumon fumé non plus. Ce poisson ne vient-il pas du Danube ? N'aurons-nous pas, bientôt, Dieu sait comment, le spectacle désolant d'une Seine à la strychnine ? D'un Rhône à la mort-aux-rats ? Certes, les marchés financiers veillent, il ne faudra pas dépasser les doses prescrites. Mais tout de même, je suis inquiet.

M. et Mme Davos ont donné un cocktail splendide pour célébrer leurs nouveaux ordinateurs interactifs et, comme le dit le slogan affiché ces jours-ci sur les murs de Paris : « Être interactif ou ne plus être. » Voilà ce qui s'appelle relooker Hamlet. Des banques n'hésitent pas à proposer l'image attrayante de Marx fumant un gros cigare, de Mao avec un chapeau melon, très content de lui, très « City ». M. et Mme Davos ont déploré que quelques énergumènes, dehors, cassent un McDonald's. Heureusement, les photographes étaient là. On a proposé aux manifestants de venir prendre à l'intérieur une coupe de champagne. Rien à faire, ils ont refusé. Ces gens sont butés, les meneurs étaient d'ailleurs déjà à Seattle. Allons, ce n'est pas grave, eux aussi seront digérés. Des émeutes racistes en Espagne ? Dominique Voynet légèrement mazoutée ? Le programme de Cohn-Bendit ? La célébration du martyre de Giordano Bruno à Rome ? Digestion, digestion.

27/02/2000

LE CRIME EN PLEIN JOUR

Le mot russe est *opouskanie*. Il est connu de tous, en Russie, pour désigner la sodomisation imposée par les matons du goulag. On nous apprend qu'il s'agit d'une pratique courante dans les camps de « filtration » tchétchènes. Les soldats russes donnent à chacun des détenus un nom de femme et les convoquent ainsi à tour de rôle, en tuant sur place celui qui ne répond pas immédiatement. Un témoin : « Ils savent qu'on peut supporter les bombes, les tirs, la mort, mais ça, cette affaire terrible, on en sort l'âme cassée. » Le même témoin : « Nous vivons dans la merde, le froid, le béton. » Des femmes nues défilent devant les soldats. Le viol des hommes se pratique avec des bâtons plongés dans la neige. Des meurtres ont lieu au hasard, femmes enceintes, bébés flingués dans leurs berceaux. Cassage des os ou de la colonne vertébrale, hurlements, drogue et vodka pour les bourreaux. On lime même les dents, c'est un raffinement de Cosaques. Un témoin : « Cette femme a été battue et violée quatre jours durant, on entendait tout, elle a été libérée à moitié morte, après le passage d'une espèce de commission. »

Car, voyez-vous, il y a des « commissions ». Le camarade Poutine, après avoir encaissé ses dix milliards de dollars, a même nommé un « M. Droits de l'homme ». Nous sommes à un mois et demi de l'élection présidentielle russe, et il s'agit d'habiller un peu les choses pour les conseils d'administration de la Deutsche Bank, du Crédit lyonnais, de la BNP et de la Bank of America. Vous êtes d'ailleurs priés de ne pas exagérer vos sentiments négatifs à propos de la faiblesse ou du cynisme des puissances démocratiques. Car ce pourrait être pire. Nous faisons ce que nous pouvons, nous évitons une aggravation de la situation. Peu importe que le disque ait été passé cent fois, mille fois, il sert encore. Il faut composer avec la Mafia, puisque cela pourrait être beaucoup plus catastrophique. Digestion, digestion.

27/02/2000

MAURIAC

« Croyez-vous donc que Staline s'émeuve d'être considéré par nous comme un homme couvert de sang ? C'est un bon laboureur appliqué à sa tâche, dont le soc déchire la glèbe humaine et la fouille jusqu'aux entrailles. Consentez à être comme lui ce que vous êtes : l'ouvrière d'une cité où seul compte dans l'homme son rendement, et qui a perdu le droit et l'envie de s'attendrir, fût-ce sur les victimes des autres. Remettez ce mouchoir dans votre petit sac, et osez regarder en face d'un œil sec votre épouvantable vérité[8]. »

Voilà ce qu'écrivait Mauriac, le 4 avril 1949, à une journaliste communiste qui niait l'existence de « victimes soviétiques ». Un demi-siècle après, ce jugement cinglant s'adresse à toutes et à tous.

27/02/2000

EXÉCUTION

Odell Barnes a été chimiquement supprimé aux États-Unis par « injection létale ». Le MRAP parle à juste titre de « crime d'État ». Pas une ligne dans la presse américaine, rien à la radio, rien à la télévision. Ce Noir de trente et un ans, condamné pour meurtre, était probablement innocent. Déjà cent vingt-deux exécutions au Texas, sous la responsabilité de George Bush, le candidat républicain à la Maison-Blanche. Il a l'air en très bonne santé, Bush, et il n'oublie pas que 70 % des Américains sont favorables à la peine de mort. L'« injection létale » est beaucoup plus humaine, n'est-ce pas, que la chaise électrique ou la guillotine. Ça fait plus propre, plus laboratoire, plus sommeil. On attache le corps, on le pique, c'est l'anesthésie définitive, la communauté peut dormir tranquille. Quel progrès depuis la crucifixion. Le puritanisme a ses raisons, toujours plus normales et plus efficaces. Les protestations minoritaires n'y changeront rien. Il faut regarder en face un partisan ou une partisane de la peine de mort : tout est dit sur un tel visage.

26/03/2000

HAMLET

Au cinéma, désormais, Mel Gibson est Hamlet, et Gertrude, sa mère, est interprétée par Glenn Close. Le prince métaphysique brutalise sa splendide maman, et finit par l'embrasser rageusement sur la bouche. J'imagine Freud voyant cette scène : est-ce qu'elle ne va pas *trop loin* ? Glenn Close, on s'en souvient, était la merveilleuse marquise de Merteuil dans *Les Liaisons dangereuses*, et Baudelaire, à la fin de sa vie, dans un projet de préface au chef-d'œuvre de Laclos, dit soudain : « La Révolution a été faite par des voluptueux. » Hamlet voluptueux ? Et comment ! Révolutionnaire ? De même. Il y avait quelque chose de pourri dans le royaume de Danemark, comme il y avait quelque chose de pourri à Thèbes. Œdipe et Hamlet sont des héros de la vérité, et il faut bien qu'elle soit dite de temps en temps, quel que soit le prix à payer. Notons que le poison, chez Shakespeare, est le signe de la traîtrise qui tue la mère et le fils, comme il a précédemment assassiné le père. Il y a eu un crime d'État, et ce crime devait rester dans l'ombre. L'injection létale est un comble de mensonge. Ce soir, à la télévision, Shakespeare est le plus actuel des poètes, il crève l'écran virtuel.

26/03/2000

MATIÈRE NOIRE

90 % de la matière de l'Univers est formée de matière noire, objets massifs (naines brunes) et particules élémentaires (neutrinos) échappant aux télescopes les plus puissants. Traduisons : *on ne voit pas l'essentiel.* Beaucoup de particules restent à découvrir. On peut rêver au fait que nous jugeons constamment les phénomènes existants avec seulement 10 % de probabilité. Un être humain pourrait-il se ressentir lui-même comme formé, à 90 %, de « matière noire » ? Pourquoi pas ? Cela rend aussitôt ridicule l'agitation de surveillance des apparences. Cet individu m'échappe, je n'arrive pas à le cadrer, à le cerner, il doit avoir plusieurs identités, plusieurs vies. Il bouge sans cesse, perturbe les calculs, oblige les clans et les familles à ruminer, inquiète la culture d'entreprise. Son existence ressemble à un roman dont nous n'avons pas

les clés. Ces clés pourtant doivent être trouvables, un personnage dont on n'a pas la clé n'est pas pensable. En chasse, trouvez-moi ces clés. Deux suffiront, trois seraient troublantes, quatre révoltantes, cinq ou six carrément intolérables. Argent, sexualité : il faut que tout soit clair. Ah voilà, nous le tenons, au suivant : qui prétend à la liberté inconditionnelle ? Qui ose ? Envoyez votre rapport à la centrale Leymarché-Financier.

26/03/2000

TOUJOURS JOYCE

Rien de plus reposant, pour combattre le bavardage universel, que de lire des auteurs réputés difficiles. Quelle musique, quel silence, quelle souplesse, quel bain de clarté. Obscur, Joyce ? Allons donc. Deux ou trois pages de *Finnegans Wake*[9], et la journée est gagnée. Vous n'entendrez aujourd'hui que des rengaines : obsessions monétaires, litanies psychologiques, médisances, calculs, glissements de pouvoirs. Vous ouvrez Joyce, et ce tourbillon de bêtise et de méchanceté devient aussitôt comique, émouvant, pardonnable. Joyce était un très bon chanteur, les lectures qu'il a faites d'*Ulysse* et de *Finnegans Wake* le prouvent. Il est aérien, lyrique, cocasse, tendre, chuchotant, *pluriel*. Il est donc logique que dans le flot de la grosse marchandise du livre il garde la réputation d'un terroriste dissous dans des études universitaires incessantes. Ainsi, John Irving, dans *Libération* : « *Ulysse*, c'est de la merde. J'ai lu ça avec intérêt à l'université, mais j'ai terminé mes études, Dieu merci. Je ne suis plus étudiant. » Irving écrit de gros livres à succès, son propos

34

rappelle étrangement ceux des staliniens traitant Joyce, le merveilleux et printanier Joyce, de réactionnaire ou de bourgeois. Il est vrai que l'auteur d'*Ulysse* avait l'habitude de dire que l'Histoire était un cauchemar dont il essayait de s'éveiller. L'empire Leymarché-Financier ne tient pas à ce que qui que ce soit se réveille. Pourtant, une fois que c'est fait, c'est fait.

26/03/2000

BIZARRERIES

On a parfois l'embarras du choix : événements cocasses ou pénibles ? Les deux. Que Sartre et Beauvoir, par exemple, se voient attribuer un petit coin de Saint-Germain-des-Prés sous la houlette de Jean Tiberi est à la fois comique et pesant. Un chapitre supplémentaire à *La Nausée* reste à écrire. On se croyait à Paris, on était à Bouville. Tiberi, quelques jours plus tard, se proclamant « héritier de la Commune de Paris » ne manque pas non plus de sel. À vrai dire, la planète ressemble, jour après jour, à une gigantesque province en folie. Prenez Jiang Zemin en Israël : il vante une « nation » qui a produit des génies comme Marx et Einstein. Il oublie Freud, bien entendu, les Chinois n'ont pas d'inconscient, les Tibétains non plus. Mais voici déjà la molécule magique qui va freiner votre angoisse de vieillissement, dépêchez-vous de la prendre, votre peau en dépend, votre teint, vos os, votre libido. Avec le DHEA du Pr Baulieu, plus de problème : vous pétillez à soixante ans comme à trente. En s'y prenant à temps, la France aurait peut-être pu conserver vingt ans de plus Sartre, Beauvoir, Mitterrand, de Gaulle.

Vous dites qu'il s'est passé quelque chose depuis eux ?
Mais non.

30/04/2000

CLERGÉ

La drôlerie est sans doute à son comble quand un membre du clergé se plaint du clergé. Pour mettre cela en scène, Molière nous manque. Ainsi de Régis Debray : il se déclare excommunié et persécuté, c'est Mgr Gaillot médiologue, et bien entendu on se l'arrache, on le défend, on le pourfend un peu, pour rire, histoire d'alimenter le débat. Les journalistes sont-ils les descendants de l'Inquisition, ont-ils le pouvoir de martyriser un intellectuel hérétique ? Grave question. J'aperçois Debray interrogé par Giesbert à la télévision : sa petite moustache scintille, il a l'air fatigué, ravi, avec de temps en temps des yeux d'enfant ébloui. Il est pur, il est innocent, il ferait sans nul doute régner sur la presse, s'il en avait le pouvoir, la plus raisonnable et douce des dictatures, celle qui correspond à ses intérêts, qu'il présente comme des convictions. Debray ministre de l'Information, ce serait quelque chose. D'un air pénétré, il dit : « Je n'attaque jamais les personnes. » Giesbert ne le reprend pas. Je pourrais pourtant leur envoyer, à l'un comme à l'autre, la photocopie d'un interminable article de l'année dernière, paru dans *Marianne*, où Debray me traite de tous les noms. Mais à quoi bon ? Les affaires cléricales se traitent entre membres. Poursuivons, passons, oublions. Il paraît que, dans tout cela, il s'agissait du Kosovo. Ah oui, vous êtes sûrs ?

30/04/2000

36

ELIAN

On s'étonne et s'indigne des réseaux pédophiles, comme de la tenace perversion dont ils sont les symptômes, mais on assiste, dans la foulée, au plus beau spectacle de pédophilie inconsciente mondiale, la dispute sur le corps du petit Cubain Elian. Là, rien ne manque : les manifestations patriotiques succèdent aux crises d'hystérie, les femmes se pâment et pleurent, le dictateur Castro pointe son doigt, la justice américaine est représentée par une matriarque de choc, le petit garçon est mitraillé par les caméras et les photographes. Veut-il ou ne veut-il pas rentrer à Cuba, on ne sait pas bien, il est probable qu'il voudrait continuer à jouer tranquillement dans son coin. Elian est devenu un héros national, un militant malgré lui, un guérillero du socialisme. Voici son père, maintenant, un bébé dans les bras, venu rechercher son fils. Les exilés de Miami protestent, la nursery explose, Salomon est absent et ne peut donc pas proposer qu'on coupe le petit garçon en deux pour voir qui l'aime vraiment. Plan suivant : commando de choc, on arrache l'enfant à son placard, force reste à la loi, hurlements divers. Elian, de héros, devient star : le film cinéma prend bientôt la relève du *reality show.* Mise aux enchères : quelle est la première marque américaine qui achètera les droits publicitaires de l'enfant prodige ? Le contrat est en cours. Pas mauvaise opération, pense Castro en allumant un cigare. Tel est donc le village planétaire. Debord, dans ses *Commentaires sur la société du spectacle*, nous a prévenus : « Les villages, contrairement aux villes, ont toujours été dominés par le conformisme, l'isolement, la surveillance mesquine, l'ennui, les ragots toujours répétés sur quelques mêmes familles. » Ce n'est qu'un début.

30/04/2000

CHEVÈNEMENT, CHEF DE GARE

Si on comprend bien le langage imagé du ministre français de l'Intérieur, l'Histoire est un train qui, souvent, n'arrive pas à l'heure. Ainsi de l'Allemagne : elle était sur une bonne voie, elle a « déraillé » dans le nazisme, elle n'est sans doute pas aujourd'hui complètement guérie de cet accident. Une telle conception ferroviaire du temps est plaisante, et on devrait l'enseigner dans toutes les écoles. Autres exemples : la Révolution française n'a-t-elle pas vu sa locomotive s'emballer sous la Terreur ; le stalinisme en Russie, par une erreur d'aiguillage, ne s'est-il pas engagé sur une voie tragique sans issue ; la France pétainiste n'a-t-elle pas encouragé des gares de triage douteuses ? Sommes-nous vraiment guéris de ces défaillances mécaniques ? Ne risquent-elles pas de se reproduire ? Décidément, les trains ne sont pas sûrs, et les trains allemands sont les plus dangereux de tous.

Cependant, du haut de sa tour de contrôle, Chevènement a une vue globale du trafic. La SNCF lui paraît un modèle de sécurité, et il a peut-être raison. Méfions-nous de tout ce qui dépasse la campagne de France. Le fédéralisme est une vieille idée girondine qu'un jacobin de stricte observance se doit de surveiller sans arrêt. Les Français de souche nous comprendront. Quant aux immigrés plus ou moins bien assimilés, ils ne sont pas tous, Dieu merci, comme Rezala, dont *Le Figaro Magazine* nous relate avec délices les exploits dans les trains français : « Ce n'est pas très difficile de faire les sacs, surtout la nuit, en plus les contrôleurs te laissent tranquille... Émilie, trente secondes avant, je ne savais pas que j'allais la tuer. C'est un flash, tu la vois morte, c'est comme un ordre qu'on te donne en images et après tu l'exécutes. » Les trains, les bus, les métros, que d'histoires ! Y a-t-il au moins des avions en Allemagne ? Il faut l'espérer.

28/05/2000

LE QUINQUAGÉNAT

Le problème, avec le débat sur le quinquennat présidentiel français, est de nous obliger désormais, en période unanimiste, à calculer l'âge du capitaine. Le spectacle ayant évolué à grande allure, ce sont des images, et non des programmes, dont nous devons prévoir le vieillissement. Chirac et Jospin dans cinq ans, dans sept ans ? Encore des photos dans *Paris Match* ou au Festival de Cannes ? On imagine les clichés, c'est comme s'ils avaient déjà été publiés. D'où ma proposition : le quinquagénat. Tout candidat (ou candidate) à la direction de l'État devra impérativement avoir cinquante ans et sera élu pour un an renouvelable pendant cinq ans. Ensuite, stop, à la retraite. Place aux nouveaux acteurs. Le film l'exige. Cette procédure enfin démocratique permettra de susciter des vocations, des épanouissements, des rebondissements, des appétits. L'opinion, de plus en plus désabusée et morose, sera passionnée par le scénario. Ce sera une explosion de débats, d'empoignades, de reportages. Il n'est pas impossible qu'on recommence à se dire des vérités. Que cent fleurs s'épanouissent, que des talents se révèlent. De plus en plus de femmes auront leur chance, et ce ne sera pas trop tôt. Car le quinquagénat, d'après moi, devra être paritaire. Après un homme, une femme.

39

Et de nouveau un homme. Et puis une femme. Voilà le progrès.

28/05/2000

POUR UN VRAI RASSEMBLEMENT

Allons plus loin, les manœuvres pour la mairie de Paris nous y conduisent. Là, le film était terminé d'avance, le flop de la représentation est piteux. En somme, beaucoup de Tiberi pour rien. Reste une solution : le cumul absolu des mandats, un régime présidentiel total, où l'élu sera à la fois chef de l'État, Premier ministre et maire de la capitale. Après tout, Chirac aurait pu faire cela très bien. Ou Jospin. On nommera des cabinets pour chaque fonction, on organisera une seule élection pour les trois postes. Que de temps gagné, quelle simplicité, quel *train* !

Français, encore un effort, évitez les simulations, les faux congrès, les nominations manipulées. En route ! Élysée-Matignon-Hôtel de ville, mêmes rails ! L'élu providentiel gardera une énergie intacte grâce au quinquagénat. Le festival des quinquas, à Cannes, sera une grande fête républicaine. Regardez les films français présentés cette année, *Vatel*, *Saint-Cyr* : tout y respire un désir de restauration monarchique, une nostalgie de Louis XIV, un rêve de royaume perdu. En revanche, ce prince-président-Premier ministre-maire de Paris aura une popularité accréditée par les sondages, de la chaleur, un naturel fraternel, un génie populaire spontané. Il sautera sans embarras d'un rôle à l'autre, d'un plateau à l'autre : à lui la palme d'or, le grand prix d'interprétation.

28/05/2000

BORDEAUX EN CHINE

La Chine, en entrant dans l'Organisation mondiale du commerce, réduit ses tarifs douaniers sur les vins et les spiritueux. Les taxes étant supérieures à 120 %, les boissons de qualité étaient inabordables pour le client chinois. La contrebande et la contrefaçon régnaient. Les réductions vont donner un coup de fouet aux exportations de vins de Bordeaux. Voilà les virus I love you ou New Love introduits en Chine. Ils s'appellent maintenant Yquem, Pomerol, Graves, Saint-Émilion, Margaux. L'effet sera long à constater, sans doute, mais la Chine peut ainsi espérer guérir de ses déraillements successifs. Rendez-vous dans un siècle à Pékin ou Shanghai. Quelque chose de léger traversera l'air, les phrases, les gestes. On pourra porter un toast amoureux presque ému : à la santé de Mao ! J'aurai écrit d'ici là mon guide taoïste du buveur calme. Il sera dans toutes les bonnes librairies.

28/05/2000

FATIMA

On se moque, ici et là, du vieux pape et de sa dévotion à la Vierge de Fatima. Il s'en fout, il suit son idée, après tout c'est lui et personne d'autre qui a senti les balles lui perforant l'intestin. Elles ont déraillé au dernier moment, ces balles, ce qui a étonné le tueur turc, qui a confié à sa victime : « C'est curieux, je suis pourtant sûr d'avoir bien visé. » Le pape n'est pas mort, il pense qu'il s'agit d'un miracle, il doit avoir ses raisons. Il offre une balle au sanctuaire de l'apparition supposée, il révèle dans la foulée le fameux « troisième secret » et ça semble énerver ou faire sourire tout le monde. Quand même, ce parkinsonien têtu exagère. Ce n'était que ça, le « secret » ? La prédiction de son assassinat raté ? Plutôt l'Apocalypse ou une cinquième guerre mondiale, quelque chose de sérieux, quoi. Non, un petit coup de feu dont la plupart des observateurs semblent vouloir oublier les circonstances historiques. Toujours le cinéma fasciné et déçu. La caméra n'était pas là pour l'apparition, soit, mais dites-moi, ne pouvez-vous pas nous arranger un spectacle à Rome ? Un jeune berger, deux bergères, une Vierge un peu dénudée au sommet d'un obélisque ? Non, désolés. Mais toutes les télés seraient là ! Mieux que les images d'amateur pour l'attentat ! Allez, dix milliards de dollars pour le scoop des siècles ! Désolés, désolés.

Ah, ces catholiques sont fous, mais très forts. Voyez le suaire de Turin : une photo en négatif dans un linge avant l'intervention de la photographie. Aucun trucage acrobatique ne les arrête. Ce sont les as du virtuel. N'y a-t-il pas du diabolique dans cette affaire ? Ne me dites pas qu'on peut être à la fois pape et star des médias, il y a contradiction dans les termes. Et pourtant, il tourne, celui-là, il n'arrête pas, on a beau lui conseiller de passer la main, il s'obstine. Les Russes l'ont raté à l'époque, et il s'envole avec sa Vierge Marie ! Il serait quand même consternant que le XXe siècle s'achève sur une telle image. Ce pape est un perturbateur de studios, un gauchiste infiltré dans la production, un virus laissant les pellicules vierges.

28/05/2000

CLEMENCEAU ET MONET

En ces temps de grande misère mentale à peine dissimulée sous des flots de richesses, à notre époque, donc, où, comme le constate *Le Monde*, « l'art est devenu un réservoir de sens publicitaire » et où « la souffrance elle-même sert d'argument de vente », rien de plus stimulant que de lire la réédition du livre de Clemenceau sur Monet [10]. Prodige : un homme politique a pour ami un des plus grands peintres vivants, il l'admire et le défend sans cesse contre la bêtise ambiante. On a préféré oublier, bien sûr, les insultes dont les impressionnistes ont été l'objet. « Peinture vague et brutale, négation du beau comme du vrai », « aliénés atteints de la folie de l'ambition », « malades menteurs », etc. *Le Figaro*, sous la plume d'un certain Wolff, se déchaîne. Un inspecteur des Beaux-Arts écrit en 1877 : « MM. Claude Monet et Cézanne, heureux de se produire, ont exposé, le premier trente toiles, le second quatorze. Il faut les avoir vues pour s'imaginer ce qu'elles sont. Elles provoquent le rire et sont lamentables. Elles dénoncent la plus profonde ignorance du dessin, de la composition, du coloris. Quand des enfants s'amusent avec du papier et de la couleur, ils font mieux. » Ce n'est pas encore le temps de l'aquarelliste Hitler ou du commissaire Jdanov, mais on y va.

Clemenceau, lui, parle avec passion de son ami, de ses *Meules*, de ses *Cathédrales*, de ses *Nymphéas*. Il est un jour avec Monet au Louvre, il constate qu'on ne peut pas voir *Un enterrement à Ornans*, de Courbet, et dit qu'il emporterait volontiers ce tableau. Monet lui répond qu'il partirait, lui, tout de suite avec *L'Embarquement pour*

Cythère. Commentaire de Clemenceau : « Ainsi, voilà le chef de l'école dénoncé avec tant de virulence par la critique officielle comme le négateur de l'art, qui se classe, avant tout, parmi les fidèles de la lumière éthérée de Watteau, qu'il rejoint en souriant, sous des torrents d'injures. Nous découvrons aujourd'hui qu'il avait des raisons fondamentales pour cela. »

28/05/2000

LIGNE

Et puis ceci, du prince de Ligne (1735-1814) : « Je n'ai jamais fait de mal à personne. Si cela avait été, on m'aurait fait plus de bien. » Ou encore : « Je ne me repens pas de n'avoir jamais fait de mal à personne, mais en considérant l'injustice, l'ingratitude et les peines qu'on se donne ou éprouve pour les autres, on est tenté de se repentir du bien qu'on a fait [11]. »

28/05/2000

SECTES

Alain Vivien est président de la Mission interministérielle de lutte contre les sectes. Voici ce qu'il dit : « Les sectes infiltrent des instances apparemment neutres, comme la Fédération internationale d'Helsinki pour les droits de l'homme. Même si elle est proche de l'OSCE, instance très respectable, cette ONG semble être passée aujourd'hui entre les mains des scientologues et peut-être

44

d'autres sectes transnationales. Cela explique les critiques virulentes contre la France, accusée de discrimination religieuse. À Moscou, par exemple, la dernière publication du bureau d'Helsinki consacrée aux violations des droits de l'homme remercie noir sur blanc l'Église de scientologie d'avoir imprimé ses documents. Le lien est très clair : il est financier. Des organismes internationaux en perte de vitesse peuvent ainsi devenir des proies faciles pour les sectes riches et puissantes. » Vivien poursuit : « Les dernières déclarations de Bill Clinton en faveur de la Scientologie ou de Moon semblent d'ailleurs ahurissantes. De nombreux observateurs se demandent si le Président n'est pas en train de solder des comptes avec ces grandes sectes qui offrent une manne inépuisable de financement politique. »

Voilà. Sans commentaire.

25/06/2000

CITATIONS

Le critique de télévision de *Libération*, Philippe Lançon, trouve que tout le monde se met à faire des citations pour cacher sa pauvreté de pensée. Il en profite pour glisser qu'il y en a beaucoup (trop ?) dans mes livres. Rappelons-lui ce que disait Debord dans son magnifique *Panégyrique* (1989) : « Les citations sont utiles dans les périodes d'ignorance ou de croyances obscurantistes. Les allusions, sans guillemets, à d'autres textes que l'on sait très célèbres, comme on en voit dans la poésie classique chinoise, dans Shakespeare ou dans Lautréamont, doivent être réservées aux temps plus riches en têtes capables de reconnaître la phrase antérieure, et la distance qu'a introduite sa nouvelle application. On risquerait aujourd'hui, où l'ironie n'est plus toujours comprise, de se voir de confiance attribuer la formule, qui d'ailleurs pourrait être aussi hâtivement reproduite en termes erronés. La lourdeur ancienne du procédé des citations exactes sera compensée, je l'espère, par la qualité de leur choix. Elles viendront avec à-propos dans ce discours : aucun ordinateur n'aurait pu m'en fournir cette pertinente variété. »

25/06/2000

PILLAGE

L'Institut archéologique de Cambridge appelle à une « révolution éthique » face au pillage artistique qui prive de nombreux peuples de leur culture. Nous apprenons ainsi, dans un rapport intitulé *Le Vol de l'Histoire*, que les revenus annuels tirés du trafic des biens culturels sont évalués à vingt milliards de francs, ce qui en fait le plus important après celui de la drogue. « Plus aucune église en France ou en Italie, aucun monument hindou ou bouddhiste n'est à l'abri de pillards qui ont remplacé les traditionnels pics et pelles par les bulldozers, la dynamite et la tronçonneuse. » Un exemple : on recense mille six cents figurines de marbre cycladiques, dont seulement cent cinquante découvertes légalement. La destruction des sites est telle que les spécialistes pensent désormais impossible de développer une connaissance de la préhistoire des Cyclades. Autre exemple : une statue d'Hercule voit une de ses moitiés exposée dans un musée en

Turquie, où la statue a été découverte, et l'autre à Boston. Hercule passé à la tronçonneuse, qui dit mieux ? Une tête par-ci, un bras par-là. Un bout de partition de Mozart. Un morceau de bouddha.

25/06/2000

MYSTÉRIEUX AGÇA

La justice italienne, avec la bénédiction du Vatican, réexpédie Ali Agça, le tueur du pape, en Turquie. Ce qui frappe, dans les commentaires, c'est le flou général visant à laisser croire à une affaire indémêlable, comme si Moscou, à l'époque, n'était pas commanditaire de l'attentat. Agça était-il fou ? Il l'a laissé croire. Sait-il vraiment qui l'a manipulé, et comment ? Sans doute, mais jusqu'où ? Et qu'a-t-il chuchoté à sa victime, rescapée de justesse, lors de cette fameuse visite en prison ? Il faut, de temps en temps, ne pas hésiter à faire sa propre publicité. Sur le trafic d'art mondial, lire un de mes romans, *La Fête à Venise* [12]. Sur le coup de feu de Rome, encore un, *Le Secret* [13]. Enfin, sur l'antisémitisme français pendant l'Occupation, les pages 70 à 75 de *Passion fixe* [14]. Dans ce dernier livre, le personnage féminin principal, Dora, est une avocate d'origine juive. Ce point n'a pas été remarqué par la critique, on se demande pourquoi.

25/06/2000

SEXUALITÉ

Plus la sexualité devient officielle, permise, encouragée, cadrée, et plus – c'est facile à comprendre – elle perd de son intérêt. La pornographie de la misère se change en misère de la pornographie. Il n'est plus question de trouble, de vertige, d'excitation, mais de vengeance. Le nouveau puritanisme est là. La dépression et la violence, régulièrement liées à Éros, en font désormais un serviteur balbutiant de Thanatos. Une drôle de *vertu* pornographique est à l'œuvre, marchandise comme une autre, aussi ennuyeuse qu'un sermon moral. De même pour le militantisme sexuel, aussi accablant que le réalisme socialiste des années sombres. À l'endroit, un déluge de publicité pour les corps sains, sportifs, emblèmes de la mode et des produits de beauté. À l'envers, toutes les propositions de vices racornis possibles, sur fond de rock stéréotypé. Des centaines de livres paraissent sur le malheur de vivre en banlieue. Un roman d'aujourd'hui, intitulé *La Vie voluptueuse d'un milliardaire immoral*, serait impubliable.

25/06/2000

SUR LA ROUTE

Petites vies, petits commerces, grandes douleurs : dépenses inouïes, trous noirs financiers, médiocres plaisirs. Tel est le film actuel. Pour prendre un peu l'air, on lira les *Lettres choisies* de Jack Kerouac [15], grand aventurier de l'existence. On le voit errer, boire, se perdre dans le bouddhisme, revenir à lui, écrire sans cesse pour trouver ce qu'il appelle la « prose spontanée », c'est-à-dire la vie réellement vécue, la poésie rythmée et *soufflée* (comme le jazz). C'est électrique, confus, mais imprégné d'une foi peu commune. Il faut atteindre la « forme sauvage », dans un monde « submergé de livres et de mots trop nombreux ». Ceci, en tout cas, à Carolyn Cassady, en avril 1955 : « Oh bon, nous pourrions parler toute la nuit et passer un bon moment et boire du vin et nom de Dieu nous le ferons quand j'aurai de l'argent pour voyager. Entre-temps, petite, sois fraîche, sois bénie, sois détendue, comme les roses sous la pluie que je vois d'ici à l'instant devant ma fenêtre. »

25/06/2000

OKINAWA MON AMOUR

C'est intéressant de voir les maîtres du monde réunis au Japon pour gérer la démocratie mondiale. Clinton vient avec sa fille Chelsea, il est gai, détendu, les négociations impossibles de Camp David n'ont pas l'air de le préoccuper beaucoup, il marche sans cesse sur un terrain de golf imaginaire, lève le bras, sourit, recommence, c'est l'été, tout va bien, on va de cocktail en cocktail. Tony Blair est son frère presque jumeau, souplesse et bonne humeur, dents plus apparentes, style étudiant prolongé, les Irlandais s'agitent, d'accord, mais le Japon, quel rêve. Schröder me paraît triste : qu'est-ce qui ne va pas ? Mauvaise digestion ? Soucis personnels ? C'est le seul à avoir l'air de se demander ce qu'il fait là, on l'oublierait

49

presque. Mais le vrai clou du spectacle, la vedette incontestée, c'est Chirac. Le Japon lui va comme un gant, Paris est loin, Séguin et Tiberi aussi, le quinquennat, le référendum, le RPR, les socialistes, l'Europe. De l'air, nom de Dieu, de l'Asiatique, du sumo ! Ces gros bonzes qui se jettent les uns contre les autres après avoir répandu des poignées de sel, ce choc de buffles engraissés pour se cogner en un éclair, voilà du réel, du concret, du vrai. Bernadette est là, peut-être un peu sceptique, mais bon, son mari est heureux, il rayonne, il fait des jeux de mots pendant sa conférence de presse, ce n'est pas la mauvaise humeur de Poutine qui va l'impressionner. Poutine, lui aussi, est une vedette, mais d'un autre genre. Il est oblique, silencieux, pseudo-timide, très conscient d'être le parent pauvre et couvert de dettes invité chez les riches, il faut filer doux, menacer quand il faut, on peut vous faire des ennuis, savez-vous, n'oubliez pas que le Kremlin existe. Il y a désormais un *gris Poutine* auquel il faut s'habituer. Allons, à table. Et puis après, il y aura un spectacle très couleur locale. Les spécialistes s'occuperont des questions à régler, ou plutôt des vagues promesses à faire. Silence, les pauvres, admirez la machinerie mondiale. Elle a des défauts, nous le savons, mais que faire d'autre ? Rien, n'est-ce pas ? Vous l'avez dit.

30/07/2000

IL NE FAUT PAS ÊTRE TCHÉTCHÈNE

André Glucksmann, dans *Le Monde* du 13 juillet, a publié un long article accablant pour la Russie : « Un mois dans le ghetto tchétchène. » Il a en tête *Les Possédés*, de Dostoïevski (voilà un livre à relire cet été), et il a raison. « Jeter de l'huile sur le feu, encourager l'escalade des extrêmes, incendier les têtes, les cœurs et les rues, les jeux favoris des *Possédés* de Dostoïevski annonçaient Lénine. Lequel tira les marrons du feu et parvint à corrompre une partie de l'intelligentsia mondiale. On imagine combien les banques et les hommes d'affaires, séduits à leur tour, résisteront mal aux entreprises de corruption mentales et financières machinées par les nouveaux possédés de Moscou. » Est-ce que Glucksmann n'exagère pas, comme tous les anciens gauchistes ? Poutine « possédé » ? Mais non, regardez-le pousser Blair du coude, et l'autre de se retourner et de lui dire bonjour comme à un vieux copain. Il est membre du club, Poutine, un peu récent, c'est vrai, mais il va s'améliorer. On lui fera faire des croisières. Qu'il massacre quelques Tchétchènes pendant ce temps, en dehors des caméras, bien sûr, ce n'est pas si terrible. Il faut quand même lire Glucksmann : « Les conflits d'intérêts divisent l'équipe au sommet. Les héritiers des organes vétéro-staliniens roulent des mécaniques pour brider la moitié de la Russie, qui désespère, tant sa vie se dégrade. Les oligarques aux poches pleines s'affichent indispensables, vu les bonnes relations qu'ils garantissent avec l'Occident créditeur. Les protagonistes s'entre-déchirent en vertu des lois de la concurrence mafieuse. L'issue reste en suspens, chacun demeure solidaire des autres, mais aiguise ses couteaux. » Pauvre Russie ! Il y a eu le cuirassé *Potemkine*, il y a maintenant le *Sedov* poursuivi pour dettes. Vous avez des dettes, Poutine ! Reprenez donc un peu de saké.

30/07/2000

GÉNOME

La proposition japonaise consiste à étudier sur moi en laboratoire le gène éventuel du talent littéraire. Il y aurait des examens à subir. C'est normal : l'homme est désormais un livre ouvert, c'est la ruée vers le décryptage de ses trois milliards de signaux par corps. Je veux me faire séquencer. Il n'est pas exclu qu'on puisse tirer de moi une thérapie contre le manque d'imagination romanesque, la pauvreté du style et autres inhibitions à la création. À propos de la percée scientifique dans le génome humain, *Libération* a titré un de ses articles « On a le livre, reste à le déchiffrer ». Eh bien, je suis volontaire. Qu'on me déchiffre enfin. J'en ai plus qu'assez d'être incompréhensible. Comme j'apprends en même temps, ou presque, que la dernière particule élémentaire, le neutrino-tau, a été enfin captée, je pense qu'il y a lieu d'être modérément optimiste. Tout est pour le mieux dans le meilleur des mondes possibles, et c'est d'ailleurs ce que les médias me répètent chaque jour. Bien entendu, je regrette que les otages des Philippines ne soient toujours pas libérés, je déplore les nouveaux massacres en Algérie, je frémis devant la colère irresponsable des ouvriers licenciés de Cellatex, mais rien ne peut me faire démordre de ma bonne humeur. Mon génome est dans de bonnes mains. Peut-être pourra-t-on tirer de moi, au Japon, un produit d'accélération rythmique. Il n'y a pas que le sumo, que diable. J'ai écrit à l'Élysée et à Matignon pour demander de favoriser l'expérience. La découverte d'un gène français unique décuplant le génie littéraire n'est quand même pas rien. Pour l'instant, pas de réponse. Mais je suis serein. Mon mauvais dossier, établi par des jalousies réactionnaires malveillantes, sera réexaminé. J'ai confiance.

30/07/2000

TÊTE DE TURC

Un qui n'a pas fini de nous étonner, c'est Ali Agça, le tueur du pape. À peine libéré d'Italie, à la demande de sa sainte victime, le voilà en prison en Turquie faisant des déclarations étranges. Il demande à Jean-Paul II de démissionner, car, dit-il, il ne peut pas rester au Vatican, « cette poubelle de l'Histoire, ce quartier général du diable ». Ce Turc, de plus en plus énigmatique, annonce donc qu'il va désormais se consacrer à l'abolition de la papauté : « Je déclare une guerre culturelle internationale contre le Vatican. » On ne connaît pas encore son programme dans le détail, mais Rome a de quoi trembler. D'ailleurs, comment savoir d'où émane exactement ce message ? « Poubelle de l'Histoire » est un vieux cliché stalinien. « Quartier général du diable » pourrait venir des extrémistes protestants, des intégristes islamiques ou encore de certains groupes traditionalistes catholiques fanatiques. Mais peut-être Ali Agça a-t-il voulu soutenir à sa manière la Gay Pride de Rome, la Love Parade de Berlin ? Tout est possible, et peut-être même une ultime plaisanterie de l'ex-KGB reconverti dans le gris Poutine. Pauvre pape ! De plus en plus voûté, le voici dans la prison Regina Caeli, à Rome, demandant un statut plus juste pour les détenus. Il dit sa messe, sa main tremble. On l'installe dans un fauteuil au Val d'Aoste, les photographes sont là, il faut qu'il ait l'air de respirer l'air des cimes. Plus de ski ? Eh non. Que pense-t-il de Camp David, des négociations entre Israéliens et Palestiniens ? Long regard au loin sur les neiges. Et le sommet d'Okinawa ? Geste accablé du bras droit.

30/07/2000

ULYSSE

Et puis tout à coup, dans ce mois de juillet maussade, la lumière, l'éclair : la retransmission, depuis Aix, du *Retour d'Ulysse dans sa patrie*, de Monteverdi. William Christie dirige son orchestre et ses chanteurs depuis le clavecin. Et c'est tout simplement sublime d'énergie, de violence, de justesse sarcastique et âpre. Ce Vénitien de Monteverdi a tout compris du drame physique d'Ithaque. Et, grâce à lui, le vieil Homère envahit la scène. On écoute, on touche, on voit. « Ulysse avait tiré : la flèche avait frappé Antinoos au cou : la pointe traversa la gorge délicate et sortit par la nuque. L'homme frappé à mort tomba à la renverse : sa main lâcha la coupe ; soudain, un flot épais jaillit de ses narines : c'était du sang humain ; d'un brusque coup ses pieds culbutèrent la table, d'où les viandes rôties, le pain et tous les mets coulèrent sur le sol, mêlés à la poussière. » (*Odyssée*, XXII). Je me demande s'il est bien raisonnable de laisser ce genre de littérature en circulation. Qu'en pense le Conseil d'État ? N'y a-t-il pas là incitation à la violence et au meurtre ? Je vais préparer un dossier : la Bible n'est pas nette, c'est un fait. Shakespeare devrait être expurgé. Quant à Homère, écoutez encore ça : « Ah ! chiens, vous pensiez donc que, du pays de Troie, jamais je ne devrais rentrer en ce logis !

vous pilliez ma maison ! vous entriez de force au lit de mes servantes ! et vous faisiez la cour, moi vivant, à ma femme !... sans redouter les dieux, maîtres des champs du ciel !... sans penser qu'un vengeur humain pouvait surgir !... Vous voilà maintenant dans les nœuds de la mort ! » Pas mal, n'est-ce pas ?

30/07/2000

AVION

Imaginons les passagers allemands du Concorde bientôt en feu. Ils partent pour un beau voyage vers les Caraïbes. Ils sont détendus, joyeux, déjà dans l'horizon du champagne et du foie gras à bord. Le grand oiseau, merveille de la Technique, les emporte vers les paradis artificiels des croisières. Ce sont de braves gens, comme des millions d'autres, ils parlent un peu fort, ils bavardent, ils se congratulent, ils s'installent confortablement, ils plaisantent. Et puis, en deux minutes, plus rien, fumée. Commence alors, après le moment religieux et la souffrance des familles (sans oublier celles des pilotes et du personnel de bord), le catalogue sinistre, à la Prévert, des causes possibles du crash. Un pneu crevé, un déflecteur qui explose, une lamelle de métal sur la piste, une panne de moteur, une fuite de kérosène, le tout enveloppé dans une torche volante. Jamais le décalage entre la fragile vie humaine et son habillage mécanique n'a été aussi brutal, aussi troublant. L'expression qui revient ensuite, dans les commentaires, est que le super-avion reste désormais « cloué au sol », puisque aucun scénario probant n'a été trouvé pour expliquer l'enchaînement des défaillances. Voilà, c'était un départ en vacances.

27/08/2000

SOUS-MARIN

Imaginons maintenant les militaires du sous-marin russe *Koursk*. Ils sont tranquillement en manœuvres, tout va bien, même si l'ennui l'emporte, le manque d'information, la vétusté du matériel, l'absence de perspectives. Soudain, le choc imprévu, l'explosion. L'eau envahit tout, quelques survivants vont agoniser à l'arrière par manque d'oxygène. Alors commence la mise en scène à l'ancienne, à la soviétique, c'est-à-dire la désinformation systématique. On croyait ce cirque dépassé, mais non. On vous ment pendant huit jours, sur tous les tons, l'honneur de la marine l'exige, et le gris Poutine s'en fout éperdument. Les familles ? Qu'elles aillent se faire voir. L'opinion internationale ? Aucune importance. L'aide des Anglais ? Ils ne retrouveront que des cadavres, et s'ils veulent les remonter, grand bien leur fasse. Avez-vous vu cette mère de famille, hors d'elle, en train d'insulter un officiel en lui demandant ce qu'il a fait de son fils marin qui gagnait trois cent cinquante francs par mois ? Qu'elle crie, ce n'est pas grave, tout s'oublie vite aujourd'hui, et il est plus urgent de canoniser le tsar Nicolas II. De mieux en mieux : pour faire taire la mère de famille en colère, une policière de la sécurité la *pique* en direct à travers sa veste. Voilà qui va calmer sa protestation. En effet, elle s'effondre. De chagrin, bien sûr. Mais l'image est enregistrée.

27/08/2000

56

TERREUR

Vous vous demandez sans doute ce que des otages français font aux Philippines pendant que la Libye de Kadhafi s'occupe de leur libération. Mystère. Qui paie qui ? Qui ne veut pas payer quoi ? Mystère. Nul doute : les responsables suivent cette misérable affaire heure par heure. Le président de la République, en vacances, téléphone même aux familles pour leur dire de ne pas désespérer. Voilà un geste humain dont le gris Poutine semble incapable. C'est pourtant simple comme un coup de fil. Évidemment, ce serait mieux si la liberté s'ensuivait, mais ne soyons pas trop exigeants avec les rebelles. Tout finira bien par s'arranger.

Ce qui ne semble guère aller mieux, en revanche, après l'Algérie (trois cents assassinats en juillet), c'est le Pays basque espagnol. Là, les voitures ont tendance à sauter en l'air, les cagoules fleurissent, les coups de revolver en pleine tête sont devenus une habitude locale. Dans quel but ? Obscurité. Sous quelle influence ? Obscurité. Heureusement, l'Amérique radieuse tient le bon cap. Laura Bush, sage ménagère mondiale au tailleur tilleul, rassure les parents de toutes les jeunes filles des États-Unis : non, mon mari ne les fera pas venir dans le bureau Ovale pour s'amuser d'elles avec ses cigares. Mon mari est un homme respectable, et la preuve c'est qu'avec lui, au Texas, la peine de mort se porte à merveille. Surenchère dans le sentiment religieux : Clinton se repent pour la centième fois en courbant la tête (il doit y prendre goût). Al Gore adore la Bible, le prochain vice-président sera impeccablement traditionnel. Qui dit mieux dans le meilleur des mondes possibles ?

27/08/2000

MAFIA

Faisons donc mieux connaissance avec le monde dans lequel nous vivons. Debord, *Commentaires sur la société du spectacle* : « La Mafia n'était qu'un archaïsme transplanté quand elle commençait à se manifester au début du siècle aux États-Unis, avec l'immigration de travailleurs siciliens [...]. Elle a par la suite trouvé un champ nouveau dans le *nouvel obscurantisme* de la société du spectaculaire diffus, puis intégré : avec la victoire totale du secret, la démission générale des citoyens, la perte complète de la logique, et les progrès de la vénalité et de la lâcheté universelles, toutes les conditions furent réunies pour qu'elle devînt une puissance moderne, et offensive [...]. La Mafia vient partout au mieux sur le sol de la société moderne. Elle grandit avec les immenses progrès des ordinateurs et de l'alimentation industrielle, de la complète reconstruction urbaine et du bidonville, des services spéciaux et de l'analphabétisme. »

27/08/2000

CASSETTE

Les intellectuels ne nous parlent jamais de Molière, et c'est dommage, il est incontestablement l'homme de la situation. Lui et Jarry sont les deux auteurs principaux de la fin du XXᵉ siècle. Tartuffe, Ubu, les Précieuses, le Bourgeois gentilhomme sont de nouveau parmi nous, ils nous parlent, ils nous font des grimaces, jamais leur profond et terrible comique n'a été aussi évident. Les Guignols télévisés s'éloignent, mais eux sont plus présents que jamais. L'Histoire est une tragédie qui ne demande qu'à s'achever en farce. J'entends déjà les murmures désapprobateurs des puritains de tous bords, de l'esprit de sérieux indéfiniment renouvelé sous d'autres habits depuis la Compagnie du Saint-Sacrement. On ne peut pas rire de tout, la misère et la mort sont là, nous allons vers l'Apocalypse, vos pirouettes sont indécentes, nous devons réinventer le lien social, l'ordre, les bonnes manières, la flamme de la République. Molière doit être cantonné à la Comédie-Française. Quant à applaudir une pièce qui commence par le mot MERDRE, très peu pour nous.

L'Avare a été représenté le 9 septembre 1668 au Théâtre du Palais-Royal, avec un succès médiocre. Le public se précipitait sur *Tartuffe* et boudait *L'Avare*. Est-ce à dire que Tartuffe est toujours l'autre qu'on aime démasquer, alors que l'Avare pourrait être moi, et que je supporte mal qu'on me le montre ? On peut le penser. Mais enfin, écoutons Harpagon : « Que diable, toujours de l'argent ! Il semble qu'ils n'aient autre chose à dire : "De l'argent, de l'argent, de l'argent." Ah ! ils n'ont que ce mot à la bouche : "De l'argent". Toujours parler d'argent. Voilà leur épée de chevet, de l'argent. » Molière n'est jamais plus prophète que lorsqu'il répète un mot jusqu'au vertige. Et de quoi en effet nous parle-t-on sans arrêt ? De l'argent. Écoutez bien, il n'est question que d'argent. Les gens sont définis par l'argent, et ceux qui n'en parlent pas le sous-entendent. Vous valez quoi en argent ? Votre roman aura-t-il un prix ? Soyez gentil, demandez l'argent aux penseurs, parlez-nous des grands sujets mais pas d'argent. Or, qu'y a-t-il, finalement, dans les têtes ? Une cassette. Ma cassette ! Tout le reste est indifférent.

01/10/2000

FILM

La cassette, à la fin du XXe siècle, est une vidéo où il est question d'argent. C'est un mort qui vous parle, et sa fonction était de rassembler politiquement de l'argent. Où donc est passé l'original de cette cassette ? Voilà un vrai casse-tête. Bien entendu, le clergé, comme d'habitude, parle de mensonge, de calomnie, de manipulation, de machination, ou encore d'atteinte à la démocratie, de fosse à purin, de parfum nauséabond. Les affaires c'est vous, disent les uns. Non, c'est vous, répondent les autres. Une cassette peut-elle dire la vérité ? Un mort est-il crédible ? La cassette en question parle d'une mallette pleine de billets. Soudain, magie de l'image, on la voit, on l'ouvre, on palpe les grosses coupures, un président est ravi, la pompe à phynance fonctionne. Après quoi on peut toujours s'étonner qu'un ministre trésorier se soit retrouvé avec cette cassette, n'ait pas eu la curiosité (dit-il) de la visionner et, plus cocasse encore, ait oublié l'endroit où il l'a fourrée. Faudra-t-il draguer la Seine ? Creuser dans les parcs ? Sacrée cassette ! Soudain, le film en cours est déréalisé. Le départ de Chevènement, le prix de l'essence, les barrages de routiers, la chute de Jospin dans les sondages, le référendum pour le quinquennat, les problèmes de la Corse deviennent fictifs. Il n'y a que Sydney qui résiste. Là il est difficile d'imaginer que les nageurs n'ont pas nagé, les coureurs couru, les tireurs tiré, les judokas judoké. Il y a heureusement un héros français au nom paradoxal, David Douillet. Un vrai champion, lui, filmé ou pas. Avec ou sans cassette.

01/10/2000

MOLIÈRE

Le lecteur ou la lectrice ne m'en voudront pas de leur remettre sous les yeux un auteur *moderne*. Le voici, c'est l'avare, Harpagon qui parle : « Au voleur ! Au voleur ! À l'assassin ! Au meurtrier ! Justice, juste Ciel ! Je suis perdu, je suis assassiné, on m'a coupé la gorge, on m'a dérobé mon argent. Qui peut-ce être ? Qu'est-il devenu ? Où est-il ? Où se cache-t-il ? Que ferai-je pour le trouver ? Où courir ? Où ne pas courir ? N'est-il point là ? N'est-il point ici ? Qui est-ce ? Arrête. Rends-moi mon argent, coquin... (*Il se prend lui-même le bras.*) Ah ! c'est moi. Mon esprit est troublé, et j'ignore où je suis, qui je suis, et ce que je fais. Hélas ! mon pauvre argent, mon pauvre argent, mon cher ami ! on m'a privé de toi ; et puisque tu m'es enlevé, j'ai perdu mon support, ma consolation, ma joie ; tout est fini pour moi, et je n'ai plus que faire au monde, sans toi, il m'est impossible de vivre. C'en est fait, je n'en puis plus ; je me meurs, je suis mort, je suis enterré. »

Voilà *l'homme à la cassette* : *Cassetto, ergo sum.* Il n'y a plus d'autre cogito. Descartes et Pascal ont dit à la même époque des choses fondamentales, mais Molière aussi, et peut-être davantage. Voyez : « De grâce, si l'on sait des nouvelles de mon voleur, je supplie que l'on m'en dise. N'est-il point caché là parmi vous ? Ils me regardent tous, et se mettent à rire. Vous verrez qu'ils ont part sans doute au vol que l'on m'a fait. Allons vite, des commissaires, des archers, des prévôts, des juges, des potences et des bourreaux. Je veux faire pendre tout le monde ; et si je ne retrouve mon argent, je me pendrai moi-même après. »

L'argent roi, c'est Ubu roi. Et, désormais, le spectacle est permanent, chaque jour a son cinéma. Demain, une autre cassette ? Peut-être est-on en train de la tourner quelque part. Un des otages de Jolo, aux Philippines, a eu, après sa libération, un mot profond : « On se serait cru dans un film.» Mais oui, la réalité, même la plus pénible, est un film, rien d'autre. Pourquoi aller voter ? Le film est déjà tourné. Il n'en va pas de même partout : ainsi, les Serbes ont envie de changer de programme, leur Milosevic ne passe plus la rampe, on l'acclamait, on le hue. Ils ont envie de changer de cassettes, l'Europe leur en promet plein de meilleure qualité, ils se rendent aux urnes, on les félicite. Personne ne regrettera le vieux salaud de Belgrade, sauf quelques nostalgiques du noir et blanc.

01/10/2000

CHIRAC ET RIMBAUD

L'actuel président de la République a surpris tout le monde en trouvant la cassette Méry « abracadabrantesque ». Le mot a couru partout, belle trouvaille, trait de génie. Il a fallu un peu de temps pour retrouver le mot dans un poème très étrange de Rimbaud, *Le Cœur du pitre*, écrit en mai 1871.

« Ô flots abracadabrantesques,
Prenez mon cœur, qu'il soit sauvé !
Ithyphalliques et pioupiesques
Leurs insultes l'ont dépravé ! »

Faire surgir un poème de Rimbaud écrit pendant la Commune de Paris, peu avant la Semaine sanglante, voilà la force de la cassette. Voyons les faits : Rimbaud, très beau garçon ultérieurement convoité avec frénésie par Verlaine, tombe à la caserne de Babylone, à Paris, sur des communards ivres. L'expérience « ithyphallique » a lieu (un viol évident) et cela, non sans humour, lui soulève le cœur. D'où l'appel aux flots purificateurs « abracadabrantesques ». On sait, grâce aux recherches sur Rimbaud, que ce dernier avait glissé, enfant, dans son cahier de grammaire, un signet recouvert du triangle magique *Abracadabra*, en notant sur le papier : « pour préserver de la fièvre ». Le Président était-il ithyphallique en apprenant le contenu de la cassette ? Son expérience militaire lui est-elle revenue à l'esprit ? A-t-il voulu se préserver de la fièvre ? Je n'affirmerai rien, je n'attaque la santé de personne. La rumeur prétend que Villepin étant poète, c'est lui qui aurait soufflé le mot au Président. Mais non, le Président se récite souvent du Rimbaud, me dit quelqu'un de bien informé. *Abracadabra*, en tout cas, peut toujours servir, notamment s'il s'agit d'exorciser les fantômes de la République. Il faut que j'en parle à Jospin. Ses discours pourraient être plus insolites, plus conjuratoires, plus magiques, plus poétiques. Qu'on ne me dise pas, en tout cas, que la politique, par cassettes interposées, ne mène pas à la littérature. Voilà une preuve, et ce n'est qu'un début. Je compte d'ailleurs enregistrer bientôt, en Suisse, un lot de cassettes où je dirai tout, vraiment tout, sur l'envers de l'histoire contemporaine. Document posthume, évidemment. J'attends l'accord de Bernard Pivot pour la mise en scène. Le titre est tout trouvé : *Tourbillon de culture.* Ça décoiffera, vous verrez, j'en ris déjà dans l'au-delà. Je ferai lire quelques documents effarants par Christine Angot. Ah, la fête !

01/10/2000

CECILIA

La musique est la vérité. Quand ces lignes seront publiées, Cecilia Bartoli aura de nouveau enthousiasmé Paris. « On peut détester, dit-elle, notre façon sanguine et violente de jouer Vivaldi loin de l'imagerie habituelle. » Un médecin a voulu en savoir plus sur sa prodigieuse virtuosité et la délicatesse de sa voix, y compris dans les démonstrations de force. Il lui a mis une caméra dans la gorge. Voici ce qu'elle raconte : « Quand vous chantez, avec un souffle bien placé, soutenu par le diaphragme, les cordes vocales restent bien tendues, vibrent latérale-ment, un peu à l'image des cordes d'un violon frottées par l'archet... Sur mon fauteuil, avec ma caméra dans la gorge, les yeux rivés sur l'écran, je me suis mise à chanter des pianissimi, en dosant différemment le souffle, en ten-tant plusieurs façons de le projeter sur le son. C'était cho-quant, presque effrayant, obscène. Mais désormais, quand je travaille, je garde cette image à l'esprit. »
Cecilia Bartoli est aussi extraordinaire dans Vivaldi que dans Haendel, Haydn ou Mozart. Elle peut être tour à tour radieuse, enjouée, mélancolique, tendre, déchirée, furieuse, à l'attaque. C'est une guerrière de la grande tra-dition italienne, aussi simple et gaie dans la vie que savante et déchaînée sur scène. On ne dira jamais assez à quel point le déferlement « baroque » aura été une révo-lution vers la fin du XXᵉ siècle. La vie voulait se ressentir de nouveau et elle a trouvé pour cela des corps, des gorges, des voix. Cette femme est belle comme Venise en pleine tempête. Dieu merci, on l'a mise en cassettes. Mais je vous laisse, j'ai rendez-vous avec elle. Décidément, ce mois de septembre est un grand mois.

01/10/2000

VIOLENCE

Rien de plus *fatigant*, au fond, que la violence et la haine. Les images nous tombent dessus comme autant de spasmes de mort. Le petit Mohammed est abattu devant nous en direct, le tombeau du patriarche Joseph est détruit à coups de piolet, des militaires sont lynchés et défenestrés, un adolescent montre ses mains pleines de sang en signe de victoire, des synagogues sont incendiées en France, des diplomates s'affairent, comme d'habitude, entre New York, Jérusalem et Le Caire. Bruit et fureur, on connaît ce vieux disque, humain, trop humain, dont Dieu, paraît-il, est encore le metteur en scène. Non, il ne s'agit pas du passé, mais du présent et de l'avenir. On croyait une solution possible, et ça recommence. Un dictateur s'en va, un autre ne demande qu'à revenir, des foules crient, s'agitent, enterrent leurs victimes, lancent des pierres à des soldats qui tirent plus ou moins dans le tas. « Ce n'est pas ma faute, c'est celle de l'autre », disent les voix. Et ça recommence. Et la misère est là, flagrante, massive, aussi bien matérielle que spirituelle. Le sang. Et ces noms qui reviennent : Ramallah, Gaza, Hébron, Naplouse. Le troisième millénaire s'ouvre donc dans les cris et les pleurs.

Comme je le fais de temps en temps, j'ouvre ma Bible au hasard. Cette fois, c'est Jérémie XXIX :

« Que point ne vous dupent vos prophètes
qui sont au milieu de vous, et vos devins !
N'écoutez pas vos songes
que vous songez !
Car c'est pour le mensonge
qu'ils vous prophétisent en mon nom :

Je ne les ai pas envoyés
oracle de Iahvé. »

Pauvre Dieu, oui, quelle *fatigue* ! Il se demande s'il ne serait pas mieux, comme autrefois, en plein désert. Dans un grand silence. Ou bien caché dans un buisson qui ne flamberait qu'en présence d'un passant considérable. Il finirait par ne plus s'entendre, Dieu. Trop de bavardages, trop de cadavres, trop de travail.

29/10/2000

NOBEL CHINOIS

Il a fallu presque un siècle pour que le Prix Nobel de littérature s'aperçoive de l'existence de la Chine. Gloire, par conséquent, à Gao Xingjian, jusque-là obscur habitant de Bagnolet. Il était là, dans une tour, ce Chinois traducteur des surréalistes et de Beckett, cet écrivain en exil, auteur de *La Montagne de l'âme* et du *Livre d'un homme seul*[16]. Il raconte des choses étonnantes : « Je me souviens que mon professeur de français en Chine avait la nostalgie des cafés parisiens du temps de sa jeunesse. Il expliquait en classe ce qu'était un café parisien, en dessinant à la craie sur un tableau noir une série de souliers de femmes à talons hauts, pointus ou avec des lacets... À quinze ans, après avoir lu un recueil de nouvelles de Prosper Mérimée, j'ai fait un rêve. Je couchais avec une femme de marbre, belle et froide, une statue tombée dans les herbes d'un jardin abandonné, et je me perdais dans une liberté exubérante. C'est cette liberté-là, que l'on disait chez nous *décadente*, qui m'a conduit en France. »

Décadents de tous les pays, unissons-nous. Gao Xing-jian est aussi un peintre issu de la grande tradition chinoise. Il cherche une profondeur qui ne vienne pas de l'observation de la réalité, mais qui soit visualisée de manière intérieure. Nul doute qu'il va aller voir, ces temps-ci, à Paris, l'exposition des natures mortes de Manet. « Natures mortes », quelle expression idiote. Manet, à la fin de sa vie, est au contraire entré en pleine nature vivante, et aucun Français, à vrai dire, n'aura été plus « chinois » que lui. La prune, le citron, le saumon, l'œillet, l'asperge, la rose dans un verre de champagne, c'est ici toute une pensée éblouie et affirmative qui défie la nuit du malheur. La « liberté exubérante » dont parle Gao Xingjian est évidemment érotique. Voilà ce que la censure ou l'autocensure ne parviendront jamais à détruire. Comme une bonne nouvelle n'arrive jamais seule, je viens d'apprendre que mon roman *Femmes* [17] allait être enfin traduit en chinois. Il est temps que, sur ce terrain décisif, les échanges s'intensifient entre la France et la Chine. Mérimée n'était pas mal, mais on a fait mieux. Peu importe que l'on ne s'en rende compte que dans un siècle.

29/10/2000

LE REBELLE

En 1943, dans la France glauque de l'Occupation, un poète français est en prison. On connaît de lui quelques vers étranges. Cocteau dit de lui : « Élégance, équilibre, sagesse, voilà ce qui émane de ce maniaque prodigieux. »

À peine enfermé, ce poète écrit à Picasso pour lui demander où se trouvait, à la Santé, la cellule où a été bouclé Apollinaire. C'est Jean Genet, dont on lira les *Lettres au petit Franz* (1943-1944) [18]. Il a besoin de nourriture et de papier, Genet, il écrit sans cesse, il veut sortir de là tout en restant voleur, par vocation et passion. Cambrioleur, c'est le goût de l'ivresse, comme on peut vouloir être aviateur, marin, explorateur. Il travaille à *Miracle de la rose*. Il écrit : « Un Prince seul pourrait lire mes livres sans être tenté de cracher dessus. Un Prince ou un Pontife. Où sont-ils tous ? » Bonne question. Et, dans la foulée : « J'emmerde tous ces cons qui croient me tenir parce qu'ils ont des flics et des barbelés. »

Genet, bien entendu, est un moraliste. Au « petit Franz » (François Sentein), il dit : « Ne commets jamais de gestes sans beauté. On en souffre trop de vivre dans la laideur des gestes étriqués. » La vie en prison, au milieu du bruit et des bagarres, n'est pas en effet la tour d'ivoire rêvée. « Maintenant, si dans un mois je ne suis pas sorti, je déchire ou brûle le livre que j'écris et qui devrait être un des plus beaux livres de la littérature française. Je ne donnerai pas mon livre à une chiée de cons qui me laissent crever en se regardant dans le blanc des yeux et en agitant leurs gants au bout de leurs mains molles. » Ou encore : « Je ne sais pas si je ne vais pas bouffer mon livre pour le leur recracher à la gueule. »

Voilà. Genet est parti pour quelques chefs-d'œuvre. Style fleuri et direct. Une phrase, parfois, suffit : « C'est rare les types qui sont bien grands. »

29/10/2000

ENCORE LE PAPE

Il fait beau, ce matin-là, sur la place Saint-Pierre de Rome. Soixante-dix mille pèlerins de tous les pays attendent Jean-Paul II. On parle français, anglais, allemand, espagnol, portugais, italien bien sûr, mais aussi beaucoup polonais. Pas mal de Japonais, des Chinois interloqués, des Africains joyeux, des Indiens, des Hollandais, des Américains, des Canadiens, des Belges.

Le pape arrive en voiture découverte, très fatigué, l'air de souffrir intensément. Il bénit tout le monde, s'assoit, récite la même homélie de cinq minutes en sept langues. Les Polonais, comme d'habitude, agitent leurs drapeaux et font un bruit d'enfer. Puis ce sont les audiences en plein air. Les cardinaux se lèvent un à un, vont vers le pape, lui chuchotent des choses à l'oreille. Au suivant. Cette fois, c'est mon tour. Je lui donne le livre sur Dante que je viens de publier [19], je lui rappelle le roman où je parlais de l'attentat dont il a été victime ici même [20], il y a vingt ans. Il prend le volume, me regarde fixement, et, à ma grande surprise, étend son bras droit sur mon épaule gauche, ce qui peut vouloir dire à la fois « oui, bon, ça va » et « très bien, continuez, bonne chance ».

Dante assistait, en 1300, au jubilé de Boniface VIII (qu'il met d'ailleurs en enfer). Ce pape polonais, lui, est encore là en 2000, est allé à Jérusalem se repentir de l'aveuglement catholique sur le peuple biblique, a échappé au coup de revolver soviétique à travers un Turc, et tient toujours debout malgré la fatigue. Les évêques et les cardinaux, dit-il, peuvent remettre leur démission à un supérieur, mais moi, à qui la remettre ? Et aussi : « Que ferait-on d'un ex-pape ? » Courage, sacré vieil homme blanc.

29/10/2000

ÉCHECS

Vladimir Kramnik, le nouveau champion du monde d'échecs, a vingt-cinq ans. Il vient du bord de la mer Noire, son père est sculpteur, sa mère professeur de musique. Voici ce que dit son entraîneur : « Comme Kasparov a des moyens énormes et des ordinateurs très puissants à sa disposition, il était évident que n'ayant pas le même équipement il nous fallait choisir une ouverture où les machines ne feraient pas la différence. De plus la défense berlinoise est excellente parce qu'on y obtient des positions très difficiles à analyser. »

Tel est l'art de la guerre. Un individu quel qu'il soit doit s'y préparer sans arrêt. Il a devant lui, prétendant dominer sa vie, une montagne d'ordinateurs. Les informations les plus contradictoires défilent devant ses yeux à toute allure. Il lui faut trouver son chemin dans ce tourbillon. Application au milieu littéraire : le roman de Jean-Jacques Schuhl, *Ingrid Caven*[21]. Au début, l'ordinateur ne capte pas sa présence, le bouquin continue sa percée comme un virus latéral, il apparaît tout à coup en pleine lumière, il obtient, à la surprise générale, le prix Goncourt. Les observateurs parlent alors de complot, de réseaux, d'intrigues, de trafic d'influence. Je deviens même à ce sujet « le nouveau parrain des lettres », comme si les choses s'étaient passées normalement, « à l'ancienne ». Mais non, il s'agit d'une partie que l'on pourra étudier en profondeur et qui ne se reproduira pas de sitôt. La vraie raison de ce succès ? La qualité du livre, l'ordinateur battu par le style. Et maintenant le plus beau : Ingrid Caven chantant seule sur la scène de l'Odéon. Un écrivain, un livre, une chanteuse, du grand Kramnik pour les amateurs.

26/11/2000

NAÎTRE OU NE PAS NAÎTRE

Le récent arrêt de la Cour de cassation française indemnisant un enfant handicapé (dont la mère aurait avorté si elle avait su qu'elle avait la rubéole) fera date. Certains le critiquent déjà, craignant une dérive eugéniste et un trouble rampant dans les familles. N'importe, la question est posée, naître ou ne pas naître, *to be or not to be* ? La naissance, après tout, n'est-elle pas un préjudice en soi ? Ai-je demandé à naître ? Non. En suis-je content ? Ça dépend, ça se discute. Ne devrais-je pas porter plainte, après tout, pour être ainsi obligé à mourir ? Les motivations de mes géniteurs étaient-elles claires ? La société, avec sa pression constante de production et de reproduction, ne les a-t-elle pas influencés, poussés à une décision inconsidérée ? Vous me direz que je n'ai pas à me plaindre mais qu'en savez-vous ? Je ne suis pas vraiment riche, écrire est souvent assommant, l'époque est hallucinante, j'ai lu tous les livres, j'ai plus de souvenirs que si j'avais mille ans. Porter plainte, oui. Mais contre qui ? Mes parents sont morts, l'État est donc responsable. La République voulait d'une façon ou d'une autre que je fusse engendré. Elle a circonvenu ma mère, lui a fait miroiter l'éternelle tentation du serpent et me voilà contraint d'en payer les conséquences. Il me semble avoir droit à une indemnisation spéciale, d'autant plus que je voulais être pianiste virtuose, ce qui hélas est loin d'être le cas. Mon procès recueillera une sympathie sourde, je le pressens. Être né, en effet, doit plutôt s'appeler maintenant « non avorté » ou, plus élégamment, « non interrompu ». Aurais-je préféré rester dans le néant plutôt que d'être assigné à y entrer ? Rude question que les mères

71

du monde entier ne se posent guère et c'est étrange. Lautréamont a dit : « Je ne connais pas d'autre grâce que celle d'être né. Un esprit impartial la trouve complète. » Suis-je assez impartial sur cette question ? Pas sûr. En tout cas, un syndicat des non-interrompus est pensable. Ils se plaindront sans cesse, et à juste titre, d'être nés dans un monde absurde, violent, insensé. Certes, on pourra leur prêcher la bonne parole. Par exemple l'Évangile de Jean qu'un philosophe, Bernard Pautrat, vient de brillamment préfacer et retraduire[22]. « La parole était la lumière, la vraie qui, venant au monde, éclaire tout homme, elle était dans le monde et le monde eut lieu à cause d'elle et le monde ne la reconnut pas. Elle vint chez elle et les siens ne la reçurent pas, mais à tous ceux qui la reçurent elle donna pouvoir de devenir enfants de dieu, à ceux qui croient en son nom et qui ne furent engendrés ni de sang, ni de désir de chair, ni de désir d'homme mais de dieu. » Ce dieu avec un *d* minuscule m'est sympathique, soudain. Il faut que j'y réfléchisse.

26/11/2000

DANTE

Le 31 octobre 1871, période dramatique de l'histoire de France, Victor Hugo écrit une lettre ouverte aux rédacteurs du journal *Le Rappel* : « Le journal, comme l'écrivain, a deux fonctions, la fonction politique, la fonction littéraire. Les deux fonctions, au fond, n'en sont qu'une ; car sans littérature, pas de politique. On ne fait pas de révolutions avec du mauvais style. C'est parce qu'ils sont de grands écrivains que Juvénal assainit Rome et que Dante féconde Florence. »

Tout récemment, répondant à la question « Pourquoi dites-vous que la littérature engagée est un des fléaux de la littérature du XXe siècle ? », le Prix Nobel 2000, Gao Xingjian, déclare : « La littérature ne doit être au service ni d'un pouvoir ni d'un système de valeurs, et il y a toujours eu des écrivains, Dante pour n'en citer qu'un, qui se sont révoltés contre ça. C'est l'indépendance même de la littérature qui fait sa valeur. Le message le plus important que je veux transmettre dans mon discours de Stockholm, c'est que la littérature permet d'affirmer la volonté d'indépendance de l'individu. »

Étrange comme le nom de Dante vient naturellement sous la plume de Hugo vers la fin du XIXe siècle, et dans les propos d'un Chinois exilé, naturalisé français et nobélisé, à la fin du XXe siècle. Un poète du début du XIVe siècle peut donc service d'exemple au début du XXIe ? Dans un nouveau grand tournant du temps ? Si oui, pourquoi ? La leçon principale est que l'individu, et lui seul, est plus important que tous les pouvoirs et les entraînements collectifs. D'un côté l'enfer de masse, de l'autre le salut personnel.

31/12/2000

UBU

On peut traiter le XXe siècle par l'humour noir, en se souvenant de la prophétie d'Alfred Jarry. Voici venu le règne d'Ubu, l'absurdité péremptoire faite homme, le cynisme imperturbable, gidouille et chandelle verte, avec pour mot apocalyptique, le fameux « merdre ! » qui ouvre l'emprise générale de la « phynance ». « Je tuerai tout le monde, je prendrai toute la phynance, et puis je m'en irai », dit Ubu. Son grand mérite, c'est la franchise. Le but du pouvoir n'est jamais que cette opération mégalomaniaque toute simple mais qui ne s'avoue jamais comme telle. Or le tragique est là : dans l'habillage noble et bavard de la volonté de puissance. En style d'enfer réalisé sur terre au nom du paradis, des foules entières de morts viennent témoigner en silence de la férocité de l'ombre. Les deux bouchers principaux du XXe surgissent : Hitler, Staline. Ils ont eu des tas d'imitateurs, leurs exploits sont connus, les cris des suppliciés ne sont pas près de s'éteindre.

D'ailleurs tout a commencé par un massacre inutile et inouï, la guerre de 1914-1918, lever de rideau sanglant sur ce qu'il faut bien appeler la démence sociocratique. Après quoi, nouveaux évangiles : lutte des classes, racisme, antisémitisme, lendemains qui chantent, camps de concentration et d'extermination, mensonge permanent, propagande incessante, rassemblements et encore rassemblements, déportations, dénonciations, arrestations, tortures. Ce qui se montre au grand jour, c'est le mépris de la vie humaine, la haine de l'individu désormais conçu comme sans importance. L'art et la littérature sont muselés, censurés, adaptés, domestiqués. Ceux qui n'obéiront pas seront systématiquement insultés, traités de décadents, de vipères lubriques, de hyènes dactylographes, de prostitués notoires, de bouffons. Un intellectuel ou un écrivain réfractaire disparaîtra sans laisser de traces. Tout le monde doit marcher au même pas, penser la même chose, adorer le Maître local, adhérer au parti unique, célébrer les idoles du jour. L'Europe s'effondre, mais c'est au Japon que s'élève le champignon vénéneux qui ponctue la désintégration du Vieux Monde : Hiroshima explose, et l'univers, effaré, découvre Auschwitz. Oui, l'enfer était bien sur terre, et presque personne ne voulait le savoir. Des témoins parlaient, pourtant, mais on ne les écoutait pas, ou on leur fermait la bouche. C'est cela, surtout, qu'il faut retenir : l'indifférence, la torpeur, l'absence pure et simple de sensibilité, le consentement, comme hypnotique, au mal.

31/12/2000

POSSÉDÉS

L'enfer est bruyant, médiocre, stéréotypé, bestial. Il a fallu des années avant que le magnifique film de Claude Lanzmann, *Shoah*, impose son silence. Il a fallu encore des années avant qu'on puisse regarder en face la torture systématique pratiquée par l'armée française en Algérie. Le crime contre l'humanité se pratique tous les jours, mais il est enfin possible de le nommer. Le XXᵉ siècle, c'est d'abord cela : la révélation noire d'un crime contre l'humanité elle-même, la mise en place d'une véritable culture de mort. Autre prophète qui aurait beaucoup étonné Hugo : Dostoïevski. Lisons *Les Possédés*, et le programme de Chigaliov : « Il établit l'espionnage. Chez lui, tous les membres de la société s'épient mutuellement et sont tenus de rapporter tout ce qu'ils apprennent. Chacun appartient à tous, et tous appartiennent à chacun. Tous les hommes sont esclaves et égaux dans l'esclavage ; dans les cas extrêmes on a recours à la calomnie et au meurtre ; mais le principal, c'est que tous soient égaux.

Avant tout, on abaisse le niveau de l'instruction, des sciences et des talents. Le niveau élevé n'est accessible qu'aux talents ; donc pas de talents. Les hommes de talent s'emparent toujours du pouvoir et deviennent des despotes. Ils ne peuvent pas faire autrement ; ils ont toujours fait plus de tort que de bien. Il faudra les bannir ou les mettre à mort. Cicéron aura la langue arrachée, Copernic aura les yeux crevés, Shakespeare sera lapidé. Les esclaves doivent être égaux. Sans despotisme, il n'y a jamais eu encore ni liberté ni égalité. Or l'égalité doit régner dans le troupeau. Voilà le chigaliovisme ! »

Tout cela est désormais loin de nous, dira-t-on, mais est-ce si sûr ? Le « chigaliovisme » a peut-être la vie plus dure que le totalitarisme connu, il est plus insidieux, plus coriace, c'est une tendance. « Pas de révolutions avec du mauvais style », disait Hugo. Mais on a vu le contraire, et Gao Xingjian a raison de redouter aussi bien la dictature du marché que celle de l'idéologie communiste. Le romantisme révolutionnaire de Mai 68 était, je peux en témoigner, une recherche de style. Bien entendu, il a fallu vite déchanter (la même aventure est arrivée au surréalisme). Il ne s'ensuit pas qu'il faille se résigner au spectacle social publicitaire.

Au fond, le XXe siècle peut se résumer ainsi : expériences de plus en plus poussées de la superfluité de la vie humaine débouchant sur le règne de la technique, où être, désormais, c'est être remplaçable en fonction du budget. La littérature et la politique sont donc solubles dans les affaires, ce qu'il fallait démontrer. La fin du XXe est ainsi une époque de catastrophes pas du tout naturelles : pollution massive, nourriture infectée, sida, tripotages génétiques. Comme envers positif de ce déferlement, on aura raison de citer le pas de l'homme sur la

Lune, le développement des moyens de communication, le boom d'internet, les progrès de la médecine, le décryptage du génome humain, etc. La technique n'est pas forcément mauvaise. Tout dépend de *qui est là*.

31/12/2000

VINGTIÈME SIÈCLE

Hannah Arendt a écrit un beau livre, *Men in Dark Times*, traduit en français par *Vies politiques*. « Hommes dans des temps sombres » est mieux. Il y est question de Walter Benjamin, de Jean XXIII, de Brecht, de Heidegger, et on voit bien en quoi ils étaient décalés par rapport aux tragédies de leur temps. En réalité, il est trop souvent question des hommes politiques ou des intellectuels. On sait que le procès de ces derniers bat son plein : ils se sont toujours trompés, ils sont ridicules, d'ailleurs ils sont morts. Qui peut avoir intérêt à parler ainsi ? Quel nouveau « chigaliovisme » ? J'apprends ainsi, toutes les semaines, que je suis un « bouffon acrobate », un « clown contorsionniste », un « Milosevic des lettres » et autres amabilités du même genre. Tout se passe comme si je n'avais jamais écrit un seul livre. C'est votre faute, me répondra-t-on, on vous lit trop dans les journaux, on vous voit trop à la télévision.

Or ce que j'ai à dire sur le XXᵉ siècle, et que je ne me lasse pas de répéter, c'est qu'il a été un grand siècle de création. Par principe, je ne cite que des écrivains ou des artistes. Ce siècle d'horreur a donc été aussi celui de Proust, de Kafka, de Joyce, de Stravinsky, de Picasso, de Faulkner, de Hemingway, de Virginia Woolf, de Céline, de Nabokov, de Borges, de Chaplin, de Hitchcock, de Louis Armstrong, de Charlie Parker, de Glenn Gould, des surréalistes, des Beatles, d'Élisabeth Schwarzkopf, des situationnistes, d'Artaud, de Genet, de Bataille, de Giacometti, de Matisse, de Karajan, de Mizoguchi, d'Eisenstein, de Billie Holiday, de tant d'autres. Un vrai paradis en plein enfer.

J'ouvre *À la recherche du temps perdu*, et tout s'éclaire de l'intérieur, les perceptions justes affluent, je rêve, je ris, j'observe les petites passions ambiantes, j'apprends que la mémoire est un continent enfoui, qu'un détail de prononciation en dit plus long qu'une proclamation abstraite. J'ouvre *Le Procès*, et c'est l'annonce du monde qui vient, sa lenteur, sa complication poisseuse, son soupçon présageant le pire. « Dieu ne veut pas que j'écrive, dit Kafka, mais moi, je dois. » Et Joyce : « L'Histoire est un cauchemar dont j'essaie de m'éveiller. » Voici donc le merveilleux *Ulysse*, sa grande liberté ironique, le monologue inoubliable de Molly Bloom.

Je veux entendre la musique du siècle ? *Le Sacre du printemps* m'annonce qu'une force nouvelle est en train de triompher du wagnérisme antérieur, mais je retrouve aussi une gaieté farouchement enfantine en écoutant Louis Armstrong. Comment une voix comme celle d'Élisabeth Schwarzkopf a-t-elle été possible ? On n'en sait rien, mais Mozart, du haut du ciel, la remercie. C'est le XXe siècle qui a découvert Mozart, c'est lui encore, dans les trente dernières années, qui nous aura restitué l'énorme phénomène « baroque » refoulé par le XIXe. Et voici Vivaldi, Bach, Haendel, Haydn, comme on ne les avait jamais entendus vraiment. Gloire aux musiciens et aux musiciennes, honneur d'un siècle sans honneur. Gloire à Harnoncourt, Gardiner, William Christie, Herreweghe,

Martha Argerich, Cecilia Bartoli. Mais gloire aussi à Paul McCartney, dont je revoyais ces jours-ci, à Londres, le concert de 1990 : un garçon génial, voilà tout.

31/12/2000

PICASSO

Je veux me moquer de Hitler ? Chaplin bondit sur scène. On n'a pas assez ridiculisé Staline, le film reste à faire. Je peux revoir pour la trentième fois *La Mort aux trousses*, de Hitchcock, ce cinéaste jésuite anglais qui a dit, à juste titre, qu'il racontait les aventures d'un innocent dans un monde coupable. La société veut à tout prix vous faire endosser sa culpabilité ? Résistez. Résistez comme les personnages de Faulkner ou de Hemingway, comme ceux de Genet ou de Georges Bataille. Si vous ne voulez pas être un suicidé de la société, lisez Antonin Artaud. La société prétend que vous êtes fou ? Vous êtes au contraire très raisonnable. Décollez sur place avec Charlie Parker et Glenn Gould, personne ne pourra vous arrêter si vous parvenez à cet état tourbillonnaire et mystique.

Surtout, apprenez à voir de tous les côtés à la fois, Picasso vous guide. Il vous dénude l'histoire comme personne, voyez *Guernica* ou *Songes et mensonges de Franco*. Picasso, grand héros du siècle : personne ne l'a contrôlé, il a fait ce qu'il a voulu, il est passé à travers le miroir, aucune femme n'a de secrets pour lui, il en voit toujours deux ou trois en une seule. Si Picasso vous fatigue, reposez-vous chez Matisse, mais n'oubliez pas d'enregistrer la leçon de détachement supérieur de Marcel Duchamp ou

79

d'Andy Warhol. En réalité, le XXe siècle s'est ouvert et refermé avec Picasso, dont Apollinaire disait dès 1913 : « La grande révolution des arts qu'il a accomplie presque seul, c'est que le monde est sa nouvelle représentation. Énorme flamme. »

Décidément, je veux bien être un « bouffon acrobate » peint par Picasso. La profondeur d'Arlequin échappera toujours aux assassins comme aux imbéciles.

31/12/2000

MILLÉNAIRE

Vous venez de rentrer à la fois dans le XXIe siècle et le IIIe millénaire. On vous l'a annoncé, dit, redit, vous avez écouté distraitement, le début de l'année 2000 avait quand même une autre allure. Alors, quoi ? Rien. À la place du nouveau, de l'ancien. D'où vient cette impression d'éclosion empêchée, de frein, de non-événement répété, de fadeur contrainte ? C'est comme si on reprenait un vieux spectacle, un film archiconnu. Restent les dévastations : inondations en Bretagne, tremblement de terre au Salvador. Vous ajoutez l'uranium appauvri, le grand massacre des vaches, et, de nouveau, vous avez l'impression que quelque chose est détraqué, mais qu'il faut continuer à faire comme si de rien n'était. Titre d'un essai possible : *L'Horizon fantôme*. L'Histoire n'est pas finie, non, mais elle fait du sur place. C'est le moment de voyager.

28/01/2001

SLOVÉNIE

Pendant que j'étais à Londres, ma maison dans l'île de Ré était cambriolée. Affaire courante. Repartons donc dans l'autre sens, tiens, vers la Slovénie, premier pays de l'ex-Yougoslavie à avoir proclamé, il y a dix ans, son indépendance. C'est un vieux et beau pays, la Slovénie, vous voyez, là, au nord-ouest, non, non, pas la Serbie, ni la Croatie, ni le Kosovo, ni l'Albanie, ni la Hongrie, mais bien la Slovénie, deux millions d'habitants, Ljubljana capitale. Mon livre sur Casanova vient d'être traduit en slovène (très bien, paraît-il), ça m'amuse d'imaginer les rêveries que vont déclencher les aventures de ce grand écrivain vénitien *français* (on oublie toujours que les Mémoires de Casanova sont écrits en français). Ljubljana est une très belle ville, la Contre-Réforme est passée par là, places, ponts, courbes architecturales, églises.

Des poètes, des romanciers, des critiques, des traducteurs, l'éditeur de Lautréamont et des surréalistes, tout le monde est joyeux, entreprenant, très tourné vers la France. Le ministre des Affaires étrangères, surprise, était un lecteur assidu de *Tel quel* dans les années 1970 du dernier siècle. *Tel quel* ? Mais si, vous savez bien, cette petite revue d'avant-garde réputée terroriste, qui a perturbé le marché littéraire français en même temps que le Nouveau Roman. Il ne fait pas froid, il neige, on parle de Casanova et de Dante comme s'il s'agissait de retrouver les fondements d'une Europe oubliée. Peu de chômage, une certaine prospérité, un violent désir d'entrer à nouveau dans une Histoire libre. Horizon très concret, là, vouloir-vivre. Une rose pour la Slovénie.

28/01/2001

LESSIVE

Vais-je vraiment m'intéresser à l'« Angolagate » ? Le trafic d'armes est-il ma spécialité ? Non, bien sûr, mais je finis par trouver touchant ce fils de François Mitterrand, lequel, Président, écoutait à peine, il y a quelques années, ses interlocuteurs slovènes hostiles à Milosevic. Serbie, sombre passion russe d'autrefois. Régis Debray était récemment à Ljubljana : on lui cite mon nom, il fait une moue dégoûtée, et lâche : « Ah non, nous n'allons pas parler du marquis de Sollers ! » Il est lui aussi touchant, Debray, avec ses appels aux intellectuels sérieux, son plan de remise au travail générale. On sent qu'il prendrait volontiers la direction d'un camp de rééducation, qu'il rêve d'un monde redevenu scolaire. Casanova ? Ah non, vous plaisantez, pourquoi pas Sade tant que vous y êtes ? Vous voulez revenir à l'Ancien Régime, aux rois, au pape ? Le pauvre « Papa-m'a-dit », lui, a plutôt l'air d'un vieil adolescent perdu dans le noir. On le libère sous caution, tant mieux, circulez, ce n'est pas Paul-Loup Sulitzer, qui restera dans les bibliothèques, ni la future biographie de Laurent-Désiré Kabila.

Au fait, a-t-on retrouvé Alfred Sirven, le mystérieux fugitif de l'affaire Elf ? Toujours pas, comme c'est étrange. Vais-je alors me passionner pour le procès de Roland Dumas, lui aussi touchant, *à force* ? Chaussures, statuettes, frégates, appartements, putain de la République, ombres chinoises, il faudrait trois Casanova pour mettre un peu d'ordre dans ce bordel. Mais la mairie de Paris, dites-moi, ne vous branche pas ? L'arche de Noé de la droite va-t-elle flotter ou couler ? Séguin, Tiberi, Toubon, Pasqua, Villiers, Balladur vous laissent froid ?

Vous préférez Delanoë, au nom prédestiné, pour sortir du déluge ? D'accord, tout cela n'a rien d'exaltant, pas plus que la controverse soulevée par l'attitude du Medef, mais la vraie vie, les vraies gens, le quotidien à répétition, c'est là l'horizon, rien d'autre.

Plus la mondialisation s'accroît, plus on regarde chez soi. L'année 2001, n'est-ce pas, doit être une année utile. On imagine le frisson de Baudelaire en entendant ce genre de formule. Ouvrons sa Correspondance, et ces *Nouvelles Lettres*, publiées il y a peu[23] : « Mon cher ami, par suite de mélancolie et de secousses, j'étais venu vous demander à dîner… » Ou bien : « Depuis quelque temps, je tombe le matin dans des léthargies… » Et surtout (1860) : « Il m'a toujours paru très inutile, pour ne pas dire pis, c'est-à-dire indécent, de faire servir l'imprimerie à des confidences. Je n'ai jamais eu la prétention de ne pas me contredire. Le seul orgueil que je me permette, c'est de m'appliquer à exprimer avec beauté n'importe quoi. » En écho, Flaubert : « Plus que jamais, je crois à l'exécration inconsciente du style. Quand on écrit bien, on a contre soi deux ennemis : primo le public, parce que le style le contraint à penser, l'oblige à un travail, et secundo le gouvernement, parce qu'il sent en vous une force, et que le Pouvoir n'aime pas un autre Pouvoir. »

28/01/2001

De Bush à Bush

On regrette déjà Clinton, son enjouement, ses éjaculations dans le bureau Ovale, son côté rigolo décalé, ses mensonges, ses faux repentirs, ses tentatives désespérément rationnelles pour arriver à un accord de paix entre Israéliens et Palestiniens, sa femme aux nerfs d'acier, son petit film humoristique. Regardez en revanche Bush prêter serment sous les yeux de ses vieux parents : il est illuminé, c'est tout à coup un jeune garçon mystique, partisan de la peine de mort, adversaire de l'avortement, bon fils, héros provincial du roman familial universel. La plus grande puissance de la planète s'incarne dans un couple modèle, borné comme il faut. Dehors, quelques manifestants courageux sont violemment matraqués par la police. Ils apprennent la nouvelle règle du jeu.

28/01/2001

VIEILLARDS

Faut-il libérer Papon pour prouver que la vertu d'humanité est supérieure au crime ? Robert Badinter le pense, mais d'autres voix s'élèvent : le condamné n'a eu aucun geste de repentir, il n'a pas demandé pardon. Reste que ce vieillard est la mauvaise conscience de la France, dont on découvre peu à peu à quel point elle a été pétainiste et antisémite. J'avais été étonné, un soir, à la télévision, d'entendre Alain Robbe-Grillet, parlant d'un de ses livres de souvenirs, dire à plusieurs reprises « le Maréchal » s'agissant de Pétain. Comme ça, naturellement. Étant né dans une famille ni vichyste ni communiste, il m'a fallu des années pour comprendre que j'étais, en somme, un Français atypique, presque marginal. Aujourd'hui, Robbe-Grillet est, avec le Prix Nobel Claude Simon, le plus vieux nouveau romancier de France. Il fait des déclarations bizarres, mélangeant, dans une démonstration pour le moins confuse, les petites filles et les chambres à gaz. Il admoneste gentiment Renaud Camus (qu'il appelle « Renaud »). Au passage, il me crédite d'une « volonté de puissance démesurée », tout en me reconnaissant, c'est trop gentil, un « certain talent d'écrivain ».

Cependant, on n'a encore rien vu, et je recommande, dès maintenant, le passionnant *Journal inutile* (1968-1976), en deux volumes, de Paul Morand[24]. Morand, l'excellent écrivain Morand, n'en démord pas : il est resté fidèle au « Maréchal », il a aimé Laval, il déteste de Gaulle, il continue à dire « le juif X », « le juif Y », etc. On est tenté de refermer ces deux gros livres, mais trop tard, le talent agit, les portraits retiennent, les aphorismes se bousculent, les récits de voyages captivent, les notes de lectures (Saint-Simon, Montaigne, Stendhal) sont d'une acuité saisissante. Autant Robbe-Grillet est ennuyeux, autant Morand est amusant, rapide, transversal, hypercultivé, physiquement précis, très sensible, peu sentimental. « Je suis un ultra », dit-il.

Il a à ce moment-là quatre-vingts ans, et sauf son aveuglement maintenu (par orgueil ? par esprit indéracinable de vengeance ?), il a l'air d'en avoir quarante. Ce vieillard concentré est beaucoup plus jeune que tous ses suiveurs. « La méchanceté, la fureur : états extrêmement rares. Ce qu'on trouve, le tout-venant, c'est l'indifférence, la mélancolie, l'avarice, l'égoïsme ; des états passifs, à base de paresse et de peur. » En 1969 : « Les étudiants ont pris leurs désirs pour des réalités. Le reste de la nation prend les réalités pour ses désirs. D'où mon goût pour les étudiants, derniers poètes de l'action. » Le fond de sa pensée, peut-être, dans ce mot de Talleyrand : « Ne pas s'exposer à l'humiliation d'un pardon. » Morand, l'impardonnable. Il ne se renie pas, il aggrave son cas, il est un peu partout, en Suisse, en Italie, à l'Académie (dont il démonte à froid les embrouilles).

Tout le monde vient le voir, Déon, d'Ormesson, Nourissier, Modiano. Il trace un portrait merveilleux de Chaplin, un autre de Coco Chanel, un autre de Cocteau, un autre de son vieil ennemi Mauriac. Il se regarde vieillir sans trembler, avec un œil de médecin implacable. Sa grande admiration : Proust. Sa détestation : Gide. « Claudel avait tort de reprocher à Gide sa pédérastie : c'est la seule passion, l'unique chaleur de ce glaçon. » Beaucoup de femmes dans la vie de Morand, à commencer par la sienne, qu'il regarde, avec admiration, tenir bon devant la vieillesse. « On m'a appelé *coureur* ; je n'ai jamais couru ; elles m'ont couru après et je n'ai presque jamais dit non (deux ou trois fois). » De ce *Journal*, Morand dit à un moment : « Il n'intéressera personne, ne sera pas lu, desservira ma mémoire et n'expliquera rien même pas moi-même. » Il se trompait. On ne lui pardonnera rien, mais on le lira. C'est mieux que le contraire.

28/01/2001

GÉNOME

Je suis inquiet : avoir seulement treize mille gènes de plus que la mouche du vinaigre me paraît ridicule, vexant, énervant. Ce décryptage final du génome humain ne me dit rien qui vaille. Il n'y a que trois cents gènes de différence entre moi et la souris ? Je me sens fait comme un rat, je vais prendre la mouche. Certes, je suis rassuré d'apprendre que la génétique met fin au délire biologique raciste (lequel, increvable, continuera bien entendu sur d'autres bases), mais le plus dur m'attend : il faut que je me fasse à l'idée d'avoir moins de gènes que le riz, oui, le riz, qui en possède vingt mille de plus que le roseau pensant que je suis. Le riz ! Mais, bon dieu, voilà le péril jaune lui-même ! Est-ce vraiment un hasard si la Chine est couverte de rizières ? Si l'Asie tout entière se nourrit de riz ? Si le grain de riz pouvait parler, ne se montrerait-il pas supérieur à l'espèce humaine ?

Je crois me souvenir que « sperme », en chinois, s'écrit poétiquement avec des idéogrammes signifiant « riz bleu ». N'y a-t-il pas là une allusion étrange ? Mais non, encore un coup dur : le chromosome Y qui me spécifie comme masculin est, paraît-il, très pauvre en gènes. Il ne me reste qu'à me sentir très au-dessus du virus de la grippe (mille sept cent cinquante gènes seulement). Comme encouragement à me sentir le roi de la création, c'est peu.

Je me surprends, depuis quelques jours, à regarder la mouche d'un autre œil, à rêver de grandes étendues de riz sous le ciel. Je repense à cette formule anticipatrice de Lautréamont : « La mouche ne raisonne pas bien à présent. Un homme bourdonne à ses oreilles. » Bref, plus la science entre dans mon ADN, moins j'ai l'impression de dominer la situation. J'aimais bien la côte de bœuf : je m'en passe. Je m'étais rabattu sur le mouton : on m'en chasse. Le poisson est-il garanti ? Vais-je me concentrer uniquement sur le riz ?

25/02/2001

Serre

D'autant qu'on m'annonce encore des catastrophes. La planète se réchauffe, tout le monde s'en fout, mais voici les prédictions : fonte des glaciers, inondations répétées, famines, disparition des terres arables. Beau XXIe siècle en perspective, bonne chance aux habitants du futur. Vous comprendrez que, dans ces conditions, les élections municipales me laissent de marbre.

25/02/2001

Picasso

Pendant ce temps-là, ce qu'il faut bien appeler la traite du bétail humain continue à travers les mafias locales et internationales. Un bateau battant pavillon cambodgien ? Non, ce sont des Kurdes. Ils sont là, un millier, sur la Côte d'Azur. Vous êtes en France, allez, un permis de séjour. Débrouillez-vous pour trouver une aide.

Balthus : un visiteur du XVe siècle, un effort minutieux, rigide, pour arrêter le temps. Non, ces fillettes ne sont pas des « lolitas » ; non, il ne s'agit pas d'érotisme, au sens industriel que ce mot a pris désormais. Quel abîme entre Picasso et lui, et comme il est bizarre que Balthus meure au moment même où l'exposition Picasso enflamme le Jeu de paume. Balthus déclenche un respect froid, des airs entendus. Picasso, lui, passant en force, ne plaît en définitive à personne. Une critique d'art feint de s'étonner de cet art phallique, ultramasculin, machiste, déchaîné, broyeur. Il n'y a chez Picasso, dit-elle, aucune représentation d'homosexualité masculine. Eh oui, c'est ainsi. Faudrait-il reprocher à Genet de manquer de scènes hétérosexuelles ? La question me semble oiseuse.

Jean Clair, interrogé sur ce débordement d'étreintes diverses, a raison, en tout cas, de préciser qu'une telle exhibition serait problématique aujourd'hui aux États-Unis. Ici, à Paris, la droite fait la fine bouche, la gauche aussi, pour des raisons sans doute opposées mais qui se rejoignent. Dans quoi ? L'économie. Attention, Picasso arrive, cachez vos femmes. Que les hommes se débrouillent entre eux, peut-être, et encore. Mais avouez que cette *Pisseuse* de 1965 est insupportable. Non ? Vous aimez ça ? Vraiment ?

25/02/2001

FRANK

On célèbre Gide, on va redécouvrir l'insolent Morand, mais il ne faut pas manquer ce petit livre de Bernard Frank, *Portraits et aphorismes*[25], fragments choisis dans son œuvre. Frank, au fond, est très gidien, c'est le regard de l'oncle ironique et précis sur la comédie sociale. Les vacheries de Frank sont aiguës et tendres. Je vais à la lettre S des portraits, et je lis, sur Sartre : « Sa mort avait commencé avant sa mort, quand il était devenu aveugle et qu'il servait d'homme-sandwich à des jeunes gens qui s'occupaient de mouvements plus ou moins révolutionnaires. » Sur Stendhal : « Stendhal est un gros garçon simple, un peu méchant comme tous les gens laids et qui parle avec naturel lorsqu'il n'essaie pas de faire le malin dans les rares salons où il est admis. »

Mais le meilleur portrait est à mon avis le Sollers :
« C'est souvent ça, Sollers. Avec son entrain un peu fac-
tice, il gâche les bons sujets. » Et puis : « Un physique
avantageux, une faconde bordelaise, des débuts fou-
droyants, de vieilles fées lourdes de gloire qui lui pro-
mettent monts et merveilles, et puis le jouvenceau écrit
son second roman et on s'aperçoit qu'il n'avait rien à
dire. » Encore : « Si Sollers tentait de réduire sa part de
comédie, il écrirait d'une façon charmante. » Et encore :
« Il y a toujours chez lui cette jactance de garçonnet, de
petit coq, de minime qui sera peut-être demain l'une des
étoiles du stade de Bordeaux. »

Tout cela est merveilleusement envoyé, et si j'étais
Sollers, ce jouvenceau, ce garçonnet, ce petit coq, je ne
saurais plus où me mettre. Outre la bienveillance, cachée
sous la rosserie, pour ce gamin qui n'arrive pas à grandir,
on remarquera l'attirance et même l'obsession pour
Bordeaux. Quand je vous disais qu'en France tous les
vrais complots viennent d'Aquitaine. Les cadets de
Gascogne sont le sel du pays.

25/02/2001

ANIMAUX

Dans la série des dévastations en cours, rien de plus frappant que les bûchers qui brûlent un peu partout pour
conjurer l'épidémie de fièvre aphteuse. La campagne
anglaise sous la fumée, les désinfections obligatoires, les
vétérinaires débordés, les fermes mises en quarantaine, tout
cela pourrait faire le début d'un roman de science-fiction.
Le narrateur, venant d'une époque lointaine, avec, dans sa

poche, les *Fables* de La Fontaine, se retrouverait dans un paysage apocalyptique, ne comprendrait rien à ce qui a lieu, se demanderait pourquoi les humains s'acharnent ainsi sur les vaches, les bœufs, les moutons, les porcs.

Combien de bêtes déjà abattues ? Cinq cent mille. Combien à l'avenir, un peu partout sur la planète ? Impossible à dire. Le mal s'appelle farine animale. Quelle idée, aussi, de nourrir les animaux d'eux-mêmes, la nature est dérangée, elle se venge, elle envoie, en avertissement, une peste nouvelle. Notre narrateur, Candide égaré dans les champs, se souvient que le livre qu'il transporte avec lui parle en effet d'« un mal qui répand la terreur/ Mal que le Ciel en sa fureur/ Inventa pour punir les crimes de la terre ». Les animaux ne meurent pas tous, mais tous sont frappés, les loups et les renards n'ont plus faim, les tourterelles se fuient, « plus d'amour, plus de joie ».

Candide relit *Les Animaux malades de la peste*. Le Lion tient conseil, il s'agit de trouver un coupable à la catastrophe. Chacun doit s'accuser. Lui-même a « dévoré force moutons », et parfois jusqu'au berger. Là-dessus, le Renard l'excuse. Le fait d'avoir mangé des moutons ou une canaille n'est pas un péché. « Vous leur fîtes Seigneur/ En les croquant beaucoup d'honneur. » Même indulgence pour les exactions du Tigre ou de l'Ours : responsables, peut-être, mais pas coupables. Le coupable, on le tient bientôt : c'est l'Âne qui a tondu d'un pré la largeur de sa langue. Un Animal Vert, en somme, un écologiste borné. Haro sur le Baudet ! À mort ! « Manger l'herbe d'autrui ! Quel crime abominable ! » Et ce sont les deux vers fameux : « Selon que vous serez puissant ou misérable/ Les Jugements de Cour vous rendront blanc ou noir. »

25/03/2001

91

BOUDDHAS

Le chef suprême des talibans s'appelle Mohammad Omar. Les bouddhas de la falaise de Bamiyan le gênent, il ordonne de les faire exploser à la dynamite. Il faut dire que le plus haut de ces bouddhas sculptés mesure 55 mètres, ce qui peut légitimement offusquer un croyant sincère. Cachez-moi ces bouddhas qui sont plus grands que moi. Dieu est jaloux, on le sait, et a une curieuse tendance à interdire les images. Il veut qu'on pense à lui tout le temps de façon morale et abstraite. De là à utiliser l'explosif contre des représentations qui semblent contester votre autorité, il n'y a qu'un pas. Il est franchi, de temps en temps, au cours de l'Histoire. Moralité : l'islamiste fanatique y *croit*. L'Arabie Saoudite et le Pakistan profèrent des condamnations vertueuses, mais du bout des lèvres. Et l'Unesco ?

Écoutons Saïd Zulficar, secrétaire général de Patrimoine sans frontières : « D'une manière générale, l'Unesco a de plus en plus de mal à agir. Comme ses ressources financières sont médiocres, l'organisation internationale doit avoir un indiscutable poids moral. L'a-t-elle encore ? On peut en douter. Trop d'intérêts politiques et financiers parasitent ses efforts et sapent son éthique. Aussi cette très lourde machine, très bureaucratique, a-t-elle perdu peu à peu une partie de son aura et de la passion qui l'animait. »

25/03/2001

LA PLANÈTE BUSH

C'est lui le maître de la pollution du monde. Non, il ne réduira pas l'effet de serre, non, il ne protégera pas vos poumons, vos rivages, vos forêts, vos sables. La vie des humains futurs, le cow-boy s'en fout, comme le raide Poutine se fout de la liberté de la presse. Que lui opposer, au cow-boy ? Des manifestants courageux, vite matraqués par la police ? Les Chinois ? Ils ont fait un effort, ceux-là, en exigeant des excuses pour une histoire d'avion-espion entré sur leur territoire. Excuses ? Ou simples regrets ? On a suivi le match. Finalement, simples regrets, les Chinois ont perdu la face. Bush s'est même payé le luxe d'assurer qu'il priait chrétiennement pour le pilote mort et pour sa famille. Rapatriement des aviateurs américains, émotion locale. Il ne reste plus aux bureaucrates de Pékin qu'à augmenter le nombre de condamnations à mort et à procéder à des mises en scène terrorisantes d'exécutions. Regardez ces flics-femmes glaciales en gants blancs poussant la tête d'un condamné pour corruption vers sa balle dans la nuque. La mort spectaculaire se porte comme un charme, aux États-Unis, en Chine, un peu partout. Et qui s'émeut des grévistes de la faim turcs qui s'éteignent dans d'atroces souffrances ? Pas grand monde. Les contrats sont les contrats. Faut-il plaindre Milosevic, passé de la puissance à la déchéance ? Les Serbes, après l'avoir adoré, se réjouissent, paraît-il, de son humiliation. Rien de bien nouveau sous le soleil gris de l'insensibilité humaine. Et encore Milosevic n'a pas à se plaindre : Mussolini a eu un sort plus sanglant.

29/04/2001

Temple solaire

Voulez-vous transiter vers Sirius ? Épanouir votre conscience cosmique ? Assister à la naissance d'une fille rédemptrice par simple apposition d'une épée sur la gorge d'une femme extasiée ? Suivez la musique. Comme il est curieux, ce chef d'orchestre expert en composition sérielle (attention, *série* !) dont les enseignements conduisent peut-être à des suicides collectifs (ou des assassinats programmés) en forêt. Il paraît que la clairière des sacrifiés sentait le soufre. Je l'aurais juré. Et Di Mambro, quel nom ! Et Jouret, quelle nuit ! Vous dites que tout cela est mystérieux, qu'il y a des flux d'argent dans la nature ? Que l'ésotérisme mène à tout, à condition d'en sortir ? Freud, très strict sur ce genre de dérive, parlait de « la marée noire de l'occultisme ».

Il n'y a pas que des naufrages pétroliers ou des inondations, comme on voit. Le problème est à l'intérieur. Voltaire, ce vieux gymnaste (comme disaient ses adversaires de la Compagnie du Saint-Sacrement), hoche la tête dans son coin. À quoi bon persister à écrire *Candide* ou *Le Siècle de Louis XIV* ? Le Temple solaire ! Et puis quoi encore ? « Ils se sont faits dévots, de peur de n'être rien. »

29/04/2001

Un éditeur

Je croisais souvent Jérôme Lindon, cet imperturbable jeune homme, le matin, très tôt, dans les rues. Il allait à son bureau à pied, j'allais dans l'autre sens pour écrire.

94

On parlait sur le trottoir de ses obsessions apparentes : la librairie, le prêt payant en bibliothèque, le photocopillage. J'entends sa voix un peu nasale, je le revois aussi, aux Éditions de Minuit, sous le portrait de Samuel Beckett, l'œuvre de sa vie. Je n'ai jamais osé l'interroger sur sa traduction, autrefois, du prophète Jonas. J'aurais dû. Ce type était très mystérieux, finalement, une flamme, l'ironie même. Un souverain mépris pour la graisse, la bêtise et la lâcheté humaines. On dit maintenant partout du bien de lui, ça m'étonne. Personne n'a donc rien compris ? Ou bien si : hommage du vice à la vertu, coup classique.

29/04/2001

CE QUI RESTE

En hommage à son ami Apollinaire, Picasso avait donné une tête en bronze de Dora Maar placée dans le square de Saint-Germain-des-Prés. On la vole en 1999. On la retrouve, paraît-il, assez vite dans un fossé près de l'hôtel de ville d'Osny, un château du Val-d'Oise. On l'expose là, personne n'est capable, jusqu'à ces jours-ci de l'identifier. Sans commentaire. Pour se venger de cette volonté d'ignorance, on regardera les photographies de l'atelier de Francis Bacon prises avant son transfert de Londres à Dublin[26]. Un foutoir éblouissant, le chaos ordonné du génie. Impossible de faire le ménage dans cette tanière bourrée de pinceaux, de caisses de champagne et de whisky, de pots, de photos.

L'ami de Bacon, John Edwards, essayait, de temps en temps, de faire un peu d'espace dans cette jungle. Il tombe un jour sur des liasses de billets de banque périmés. « Ah oui, dit Bacon, je les cachais parce que George Dyer me volait. Ensuite j'oubliais où je les avais mis. » Là encore pas de commentaire. Mais comme vous aurez bientôt affaire à l'euro, sachez que le poids des pièces émises dans cette monnaie communautaire représente vingt-quatre fois le poids de la tour Eiffel. Les billets, eux, mis bout à bout, mesureront cinq fois la distance de la Terre à la Lune. Peu de chose, en vérité.

29/04/2001

UN PEU D'ELF

Loïk Le Floch-Prigent a eu une réflexion de bon sens. On lui demande s'il n'est pas gêné par les versements de commissions occultes et les emplois fictifs, bref par les pratiques frauduleuses. Il répond, massif : « Il s'agissait tout simplement des pratiques de la République. » Voilà un mot historique. On croyait savoir que la République évoquait la vertu. On n'imagine pas un fonctionnaire britannique disant : « Ce sont les pratiques du royaume. » Le sympathique député Montebourg n'a, me semble-t-il, qu'un défaut : il se croit en République au point d'en proposer une sixième version. C'est bien, mais c'est fatigant. Ses enfants le comprennent-ils encore ? On le souhaite.

L'inondation *Loft Story*, par ailleurs, ne doit pas enthousiasmer beaucoup les républicains souverainistes, les partisans de la Mère Patrie une et indivisible, les professeurs, les proviseurs, les « responsables ». Or le Loft,

qu'on le veuille ou pas, est la véritable école d'aujour-
d'hui. Les familles ne transmettent plus de valeurs,
l'enseignement non plus, va pour l'université pratique lof-
teuse, sorte de service militaire pour les deux sexes
d'aujourd'hui. C'est un jeu et ce n'est pas un jeu : il s'agit
d'éducation expérimentale.

Par la même occasion, le Spectacle commence sa sélection, son tri, sa formation des élites. Le prénom d'abord,
le nom plus tard. Valse des visages, tourbillon des corps,
grande partouze chaste de la marchandise. Vous êtes
nominant ! Nominé ! Vous êtes anonymisé ! La prophétie
d'Andy Warhol (« Tout le monde sera célèbre pendant
un quart d'heure ») est en cours de réalisation accélérée.
Pas étonnant si l'excellent livre de Catherine Millet,
La Vie sexuelle de Catherine M., obtient aujourd'hui un
si grand succès. C'est le contre-Loft absolu : ce qu'on ne
vous montrera jamais, en clair, à une heure de grande
écoute enfantine.

27/05/2001

TOUJOURS PLUS

D'ailleurs, depuis le départ de Kenza, je ne regarde
plus *Loft Story*, ça me barbe. J'attends des innovations.
Baby Story ne serait pas mal, par exemple, des mères filmées avec leurs bébés pendant six mois (on pourrait réintégrer Loana). Ou encore *Pacs Story*, car il est
inadmissible que le couple hétérosexuel soit sans cesse
représenté comme la seule issue possible à la solitude.
Des homosexuels, hommes et femmes, ou hommes puis

femmes, parleraient ainsi de leurs problèmes (le « confessionnal » deviendrait plus chaud). Ou encore des couples mariés seraient à la merci des tentatives de séduction de célibataires. Troubles, scènes de ménage, divorces en perspective, ce serait le pied.

De toute façon, nous ne sommes qu'au début d'une longue histoire, elle est encore provinciale, hexagonale, mais elle va s'élargir. L'euro va frapper. Un Loft où l'on parlerait simultanément français, italien, espagnol, allemand, anglais est envisageable. Ne pas oublier, chaque fois, les parents à l'extérieur. Ce sont eux qui assurent le suivi éducatif, qui réagissent plus ou moins bien aux comportements de leur progéniture.

Tiens, c'est curieux, les mères de fils ont l'air plus embarrassées que les mères de filles. Les pères de filles aussi sont hésitants. Les seules à être rayonnantes et fières sont les mères de filles. On doit leur faire confiance. L'avenir du marché est là. Encore un peu de *Voyage au bout de la nuit* (douze millions pour le manuscrit, j'insiste) : « Grand nombre de rencontres étrangères et nationales eurent lieu à l'ombre rosée de ces brise-bise parmi les phrases incessantes de la patronne dont toute la personne substantielle, bavarde et parfumée jusqu'à l'évanouissement, aurait pu rendre grivois le plus ranci des hépatiques. » Ou si vous préférez : « Après tout, quand l'égoïsme nous relâche un peu, quand le temps d'en finir est venu, en fait de souvenir on ne garde au cœur que celui des femmes qui aimaient vraiment un peu les hommes, pas seulement un seul, mais tous. » Je sais, voilà une espèce en voie de disparition, mais tant pis, chacun ses goûts, je n'impose les miens à personne.

Pendant que je vous parle, un certain nombre de compliments à mon sujet n'arrêtent pas de me parvenir.

« Ayatollah de l'ordre amoral » est exquis. Mais il y a mieux, dans *L'Express*, journal sérieux s'il en est, curieusement obsédé par Mai 68, cause de tous nos égarements (notre décadence n'est pas la faute des marchés financiers mais de Cohn-Bendit devenu Madelin trompeur). Qui suis-je pour ce magazine publicitaire ? « Un ancien mao balladurisé. » « Comme un coucou suisse, il pousse régulièrement son cri au nom de l'amicale des anciens soixante-huitards ayant réussi et auxquels de jeunes cons réactionnaires ambitieux manquent de respect. C'est leur coquetterie : détenteurs d'un pouvoir confortable, les soixante-huitards voudraient qu'on continue à les traiter de gauchistes, d'ennemis de l'ordre public. » Bien dit. « Coucou suisse » me plaît beaucoup. Le journaliste qui a écrit ces lignes est sûrement suisse. Et je peux bien avouer aujourd'hui que je dirige en sous-main M6 et que l'idée de *Loft Story* a été concoctée, la nuit, dans une réunion de la redoutable amicale soixante-huitarde. C'était chinois, il suffisait d'y penser. Ça n'apparaît peut-être pas au premier coup d'œil, mais *Loft Story* est en réalité une production gauchiste.

27/05/2001

MORALE

Vous avez besoin de reprendre des forces et du jugement. Prenez donc cette nouvelle édition des *Maximes et Mémoires* de La Rochefoucauld, vous m'en direz des nouvelles [27]. « L'approbation que l'on donne à ceux qui entrent dans le monde est bien souvent une envie secrète que l'on a contre ceux qui y sont établis. » Ou encore :

« La gravité est un mystère du corps inventé pour cacher les défauts de l'esprit. » Ou encore : « Il y a des gens qui ressemblent aux vaudevilles que tout le monde chante un certain temps, quelque fades ou dégoûtants qu'ils soient. » Ou bien : « Dans toutes les professions et dans tous les arts, chacun se fait une mine et un extérieur qu'il met en la place de la chose dont il veut avoir le mérite, de sorte que tout le monde n'est composé que de mines, et c'est inutilement que nous travaillons à y trouver rien de réel. »

27/05/2001

DÉLOFTISATION

Bon, ça commence à bien faire, on s'ennuie, il est temps d'en sortir. C'est entendu, je me suis trompé, Julie a été virée, Loana va sans doute l'emporter, c'est-à-dire, avec elle, l'image magazine absolue. Elle est blanche, blonde, enveloppée, sucrée, elle sourit tout le temps, elle n'a plus pour concurrente que la méchante sorcière Laure, on est dans un conte de fées, les deux chevaliers restants ont l'air fourbus, cette histoire tourne au cauchemar mal climatisé, il faudrait un acte de violence inouï pour nous réveiller, n'y comptons pas, *Le Radeau de la Méduse* va aller jusqu'au bout de sa course. Et alors, vous, là, avec Kenza ? Vous l'avez vraiment rencontrée ? Vous avez déjeuné avec elle ? Elle va écrire un livre pour la rentrée ? Vous l'interrogez ? Vous la rewritez ?

Eh bien, c'était un moment parfait, percutant, bien enlevé. Kenza est rapide, très intelligente, elle pourrait avoir autant de talent que des tas de filles qui continuent à publier des romans inutiles. Sa vie, d'ailleurs, est un roman. Père irakien, mère algérienne, enfance à Bagdad sous les bombes, que voulez-vous qu'elle fasse sinon se libérer de cette réalité plombée. Père religieux, mère courageuse : premier chapitre. Ensuite, le hasard, la sélection pour le Loft, les tests, l'apprentissage des coulisses de la caméra universelle, le désir naturel de devenir célèbre, de présenter un jour, pourquoi pas, le journal de 20 heures sur une grande chaîne.

Qu'est-ce qui intéresse vraiment Kenza ? Le journalisme. Elle y serait compétente, charmante, dure, douce quand il faut, on verra bien. Pour l'instant, je garde son numéro de portable, on reprendra contact à la rentrée, rien ne presse, je l'introduirai peut-être en profil perdu dans un prochain livre, ça pourrait être la fille de *Loft Story* à qui j'avais dit qu'elle avait « un minois d'écrivain » et qui avait trouvé ça gentil, qui m'avait appelé pour me remercier, etc. Tout cela transposé, bien sûr. Remarquez ma discrétion : je ne vous dis rien de ce qu'elle m'a raconté de ses partenaires. Non, non, *no comment*. Il faudra attendre mon prochain roman. J'ai déjà d'autres personnages en cours, j'étudie la façon dont ils vont réagir les uns sur les autres.

01/07/2001

GROTTE

Les teuffeurs, les raveurs peuvent êtres ravis, le gouvernement a reculé devant leur révolte. Il y aura donc des teufs un peu partout, à l'improviste, selon le code des réseaux. L'ecstasy, le speed, la coke pourront circuler sur fond de hurlement techno. Ce qui est plus étrange, c'est de retrouver l'usage courant de la came sur le porte-avions *Foch*. Encore un maréchal qui doit se retourner dans sa tombe. Où va-t-on, je vous le demande. *Loft Story*, *La Vie sexuelle de Catherine M.*, la pédophilie galopante, les manifestants de Göteborg, l'élection triomphale d'un roi en Bulgarie, les attentats-suicides en Israël, la résistance des orthodoxes au voyage du pape en Ukraine, l'inceste social entre une sœur et son frère par mère porteuse interposée, les licenciements aggravés, quelle confusion, quel bordel !

On aimerait, dans tout ce bruit et cette fureur, que se produise un grand silence. Justement : le voici. Un livre magnifique sur la grotte Chauvet[28], trente mille ans sous la terre, avec des reproductions pour rêver. Des lions, des lionnes, des rhinocéros, des chevaux sublimes, et, dans un coin, un tronc de femme très sexué à tête de bison. Récemment, au moment de l'exposition *Picasso érotique*, on a pu voir dans tout Paris l'affiche reproduisant *Dora et le Minotaure*, une femme nue allongée qu'un taureau s'apprête à flairer au point clé. Picasso avait-il trente mille ans ? Sans doute, et c'est ce que certains lui reprochent encore. En tout cas, les artistes aurignaciens n'y allaient pas de main morte quant à l'utilisation des parois souterraines. Le plus émouvant ? Ces mains rouges justement, plaquées sur le roc, ces mains positives ou négatives, et toutes ces empreintes de paumes prouvant que des officiants sont passés par là. Ils ont pris possession de la caverne. Ils en sont sortis. Que se disaient-ils entre eux tous ces grands artistes ? Que murmuraient-ils du fond de leur grotte ? Avaient-ils pris des substances ? Se vivaient-ils, chamaniquement, comme de puissants animaux immortels ? Les puits ont-ils gardé le souvenir de leurs voix ?

01/07/2001

CLAUDE LANZMANN

Le dernier film de Claude Lanzmann, *Sobibor, 14 octobre 1943, 16 heures*, sortira en salle à la rentrée. Ne le manquez pour rien au monde. Vous y verrez un des témoignages les plus extraordinaires de tous les temps, celui de Yehuda Lerner qui, avec ses camarades, a pris part à la révolte des condamnés à mort de ce camp d'extermination nazi. Il est là, devant vous, en plan fixe. Il raconte ses évasions, les trains, l'usure des corps, l'horreur sous toutes ses formes. Il est calme, les yeux clairs, juste un petit tic au coin de la bouche. Il a participé à un complot minutieusement organisé pour tuer, le 14 octobre 1943, à partir de quatre heures précises, les gardes nazis qui se rendaient dans les ateliers du camp. Lerner avait seize ans, il n'avait déjà plus rien d'humain, dit-il. Mais enfin, lui et ses compagnons s'étaient procuré des haches sous prétexte de menuiserie. Il a donc, à cinq minutes d'intervalle, fendu le crâne de deux officiers qui ne se méfiaient pas, par principe, de ce ramassis de sous-hommes.

Au moment où il évoque son bond assassin, Lerner sourit, il est fier comme un enfant, il prend une dimension mythologique, il est très content de ce meurtre et de la vengeance ainsi perpétrée contre des tueurs mécaniques. C'est tout à coup un petit David sorti du néant pour frapper Goliath. Lanzmann, hors-champ, l'écoute, pose quelques questions. Lerner parle en hébreu, fume, une interprète traduit. Quelques paysages et seulement un visage. Une parole. Est-il juste d'éliminer brutalement des bourreaux ? Mais oui, bien sûr. Ce criminel par nécessité absolue est l'homme le plus rassurant du monde.

01/07/2001

DRÔLE D'ÉTÉ

On part en vacances, il fait d'abord très chaud, et puis il pleut, le vent souffle, la température retombe. En revanche, chaleur étouffante à Moscou, où la population, peu expérimentée, se noie plus ou moins, paraît-il, dans les fontaines publiques. L'effet de serre se resserre, on pressent que la couche d'ozone a un trou. Heureusement, je vois Chirac et Poutine trinquer là-bas avec une bière fraîche, pendant que Bernadette, au musée de l'Ermitage, contemple les tableaux de Soulages qui expose en invité son noir fondamental. « Cette peinture est monastique », dit Bernadette, l'air pensif. Voilà qui me rassure. Une exposition *Picasso érotique* au musée de l'Ermitage aurait été de très mauvais goût.

Tragédies, comédies : tempête, soleil. Le temps est à la douche écossaise, ou irlandaise, cela fait longtemps qu'on ne sait plus ce qui se passe exactement en Ulster, entre catholiques et protestants. En revanche, Milosevic transféré au Tribunal pénal international, très bien ; mais où est donc passé Mladic avec ses huit mille morts de Srebrenica ? On en apprend de belles sur les transferts de cadavres déterrés par camions frigorifiques, et autres fantaisies macabres balkaniques. Il y a quelque temps, la mode était à recompter les morts du Kosovo. Il y en a eu moins que vous ne prétendez, lisait-on même dans une prestigieuse revue intellectuelle française. C'était compter sans les camions frigorifiques. Et il y a aussi les cuves d'acide. Regardez l'assassinat de Ben Barka. Une bonne cuve, le cadavre introduit, quelques heures de dissolution, plus la moindre trace. Le roi du Maroc, Hassan II, s'est fait, apprend-on, projeter le film de l'opération. Chacun ses passions.

29/07/2001

14-JUILLET

Il pleut, les avions seront invisibles (mauvais présage), le roi d'Espagne est royal et raide, sa reine de femme sourit à Bernadette qui se tient très bien. Chirac est majestueux, il va parler tout à l'heure, les forces armées sont sous son commandement, et aussi la gendarmerie, la police, l'École polytechnique, la Légion étrangère. Il les jauge, il est leur chef.

D'ailleurs, nous y voici : la sécurité, je dis bien la sécurité, et je le répète, la sécurité. L'État, c'est la sécurité, et encore la sécurité. Et comme l'État c'est moi, la sécurité c'est moi. Je discerne là, pas loin, des individus qui voudraient affaiblir l'autorité de l'État, donc la mienne. C'est inadmissible. On ne les connaît que trop, ces hommes de l'ombre. Une école de pensée, je dirai même une école philosophique. Des affaires ? Quelles affaires ? On s'en prend à ma famille, à ma femme de très bonne famille, à ma fille, et pour aboutir à quoi ? À un *pschitt* !

Ce *pschitt* présidentiel a aussitôt fait le tour de la machine médiatique. Génial, ont dit les uns, « pschitt toi-même », ont dit les autres. Aux Français de juger. Mais ce qu'on a retenu de ce sermon musclé, c'est la litanie l'État-les Français-l'État-les Français-l'État. L'État est mal géré (par le gouvernement), les Français sont mécontents et inquiets, les fonds spéciaux devraient être gelés, les juges se contredisent, tout cela affaiblit l'État, donc moi. On me blesse, on blesse l'État. Les Français auxquels je m'adresse directement et impérialement, sont comme des grenouilles en tas qui réclament davantage d'État. Mon royaume pour de l'État ! Je vous parle les yeux dans les yeux : c'est moi ou le chaos, l'État ou la jungle. Votez État, votez moi.

Discours bonapartiste, et on sent l'angoisse des Cent-Jours derrière. C'est la déliquescence, le laxisme, vous avez besoin d'un Protecteur. La République étant en danger, c'est à se demander s'il ne faudrait pas restaurer la Monarchie ou l'Empire. En tout cas, le temps est peut-être passé d'une situation intermédiaire, celle du monarque républicain, avec ses privilèges, son impunité, ses passe-droits, sa famille, sa fille officielle ou cachée, ses vacances photographiées, ses voyages, ses hôtels de luxe. Tout cela, qui sait, est peut-être finalement *démodé* ? Lofté ?

29/07/2001

GÊNES

La sécurité, on devait en avoir la démonstration mondiale à Gênes. On a vu. Un mort, deux cents blessés, deux cent mille manifestants, des scènes incroyables de guérilla urbaine, dévastation de magasins, voitures qui brûlent, ce n'est plus le G8, c'est le G68. On connaissait Berlusconi comme grand entrepreneur de spectacles, mais là, vraiment, il s'est surpassé. Comme l'a dit sans rire un des membres de la nomenklatura bunkérisée, « c'était surréaliste ».

Vous ne connaissiez pas les *Black Blocks*, les *Tutte Nere* ? Vous ne saviez pas ce qu'est une TAZ, une zone d'autonomie temporaire ? L'Italie a une tradition de ce côté-là, on l'a vue resurgir. Quelle idée, aussi, de donner une représentation urbaine aussi provocatrice (à moins qu'elle n'ait été pensée justement pour cela). Les maîtres du monde arrivent pour bavarder entre eux, ils déclarent ouvertement : « La planète, c'est nous », ils attirent les manifestants comme l'aimant la limaille, boum, bravo, c'était très réussi.

Où mettre le G8 maintenant ? Dans un nid d'aigle ? Au Tibet ? Sur un paquebot ou un sous-marin, au large ? Dans une île (mais, pitié, pas l'île de Ré) ? Dans un super-Airbus en vol ? Chirac, cela ne vous a pas échappé, avait l'air plutôt gêné d'être à Gênes. On a cru comprendre que la mondialisation est inéluctable, mais qu'elle pourrait être plus humaniste. C'est la raison même. Mais le regard du Président était soucieux. Il ne semblait pas voir le monde, mais plutôt l'Île-de-France, ses marchés souriants, le bon vieux temps.

Bush, lui, ne doute de rien ; en voilà un que l'anarchisme ne préoccupe pas une seconde. Il embraie direct

107

sur le pape, écoute poliment les remontrances de la vieille baleine blanche sur les expérimentations d'embryons et les exécutions de condamnés à mort, oui, oui, je vais y penser, cause toujours, tu m'intéresses. Après quoi il s'envole vers les Balkans, visite ses troupes en treillis, dicte ses ordres, et rentre à la Maison-Blanche. Les dirigeants du G8 sont des dieux. Les mortels, ou plus modestement les citoyens, pacifistes ou violents, le savent. Ils ont le droit de manifester, à leurs risques et périls, bien sûr. Comme le disait très bien Guy Debord : « Les salariés ont le droit de voter. »

29/07/2001

DROGUES

Il serait naïf, dans ces conditions, de s'étonner de la prolifération des drogues en « *free parties* » ou ailleurs. La déréalisation entraîne une contre-déréalisation bruyante et hallucinée. Le vacarme et le speed, l'assourdissement et la « descente » plus ou moins détendue se confondent. Les produits se démocratisent, et d'ailleurs la mafia l'a compris depuis longtemps. Comme lecture de vacances, je recommande donc *Les Paradis artificiels* de Baudelaire [29] et le tome II de la Pléiade d'Henri Michaux [30]. De fantastiques et marginaux qu'ils paraissaient être, ces textes magnifiques sont devenus *réalistes*. Aucun roman naturaliste ou social n'est aussi passionnant.

Baudelaire : « C'est en effet à cette période de l'ivresse que se manifeste une finesse nouvelle, une acuité supérieure dans tous les sens. L'odorat, la vue, l'ouïe, le toucher participent également à ce progrès. Les yeux visent l'infini, l'oreille perçoit des sons presque insaisissables au milieu du plus vaste tumulte [...] Les sons se revêtent de couleurs, et les couleurs contiennent une musique [...]. Les notes musicales deviennent des nombres et si votre esprit est doué de quelque aptitude mathématique, la mélodie, l'harmonie écoutée, tout en gardant son caractère voluptueux et sensuel, se transforme en une vaste opération arithmétique, où les nombres engendrent les nombres et dont vous suivez les phases et la génération avec une facilité inexplicable et une agilité égale à celle de l'exécutant. »

Michaux : « Des présences sont partout, nuages plus légers que vapeurs. Tout se répond. C'est une folie d'harmonie, de correspondances de toutes sortes, entre les personnes, les impressions, les idées, comme entre les odeurs, les sons, les mots, les voyelles, les couleurs qui se répondent, se substituent les unes aux autres et sur tous les registres, subitement se traduisent et s'échangent. »

Le problème est posé. Poésie ou violence, musique ou bruit. Prenez de l'avance. Je n'ai rien contre la techno, mais je crois pouvoir démontrer que les sensations sont mille fois plus fortes et subtiles avec un quintette de Mozart.

29/07/2001

CLONAGE

Le professeur Antinori est fascinant : il ressemble à Omar Sharif, il vous vend la course au clonage, rien ne pourra l'arrêter, et quand on formule quelques réserves, il crie aussitôt au Moyen Âge et aux talibans. C'est un homme de progrès, son regard exalté le prouve, il devrait s'appeler Folamour, ça lui irait comme un gant. Où est son laboratoire ? Mystère. Peut-être sur un bateau, dans les eaux internationales. En tout cas, l'expérience aura lieu, les premiers êtres humains reproduits à l'identique seront bientôt parmi nous.

Je veux bien me faire cloner, moi, histoire de voir grandir à côté de moi un petit Sollers pour mes vieux jours. Il sera mignon tout plein, rusé, cachottier, ficelle. Je le connais par cœur, il pourra embêter les autres longtemps. Il ne sera pas écrivain, j'y veillerai, mais généticien, afin de se reproduire lui-même dans les meilleures conditions, et ainsi de suite. Au lieu d'être traité, comme son père de souche, toutes les semaines, d'« écrivain multicarte », de « mondain », d'« ex-maoïste sans talent », il aura accès à tous les secrets du monde et deviendra fabuleusement riche. Antinori sera depuis longtemps dépassé. Il peut, certes, exhiber quelques trophées : une grossesse de femme à soixante-deux ans, l'insémination de la compagne d'un prêtre stérile, une nouvelle ère pour des milliers de parents déficients. Le Vatican a beau s'énerver, la Curie a bonne mine avec son évêque membre de la secte Moon et marié. Antinori, d'ailleurs, ou les raéliens ? J'hésite.

Bien que le clonage soit interdit en Israël, Antinori a avec lui un médecin israélien qui m'inspire confiance, Avi Ben-Abraham. « La foi juive, dit-il, n'exclut pas aussi catégoriquement le clonage que la religion chrétienne. » Les raéliens, eux, y vont carrément : ils ne se cachent pas de rechercher la vie éternelle. Leur laboratoire est en Virginie, c'est charmant. En plus, ils ont des tas de disciples femmes, toutes prêtes pour ce genre d'opération. Mais qu'est-ce qu'on me dit ? Que les éléments ADN de la mère subsistent dans le clone ? Cette copie génétique n'est donc pas *parfaite* ? Bon, j'attendrai.

26/08/2001

FONDS SPÉCIAUX

Qu'on n'aille pas me prendre pour un obscurantiste : la culture d'embryons et de cellules-souches fait progresser la lutte contre le cancer, la maladie de Parkinson, la maladie d'Alzheimer. Ce qui devrait paraître étrange, c'est que plus le marché se livre à une incitation à la pornographie obligatoire, plus il œuvre massivement en direction de la procréation assistée. Il y a là une thermodynamique qui intrigue. Enfin, puisqu'on est là dans un monde liquide, on aura beaucoup entendu parler de fonds spéciaux, mallettes par-ci, enveloppes en papier kraft par-là. Entendez-vous ce bruit délicieux de liasses ? Une vieille tradition, paraît-il. Et nécessaire au fonctionnement de l'État. On n'imagine pas, par exemple, des services secrets publiant leurs comptes. Pas plus qu'un président de la République rejoignant son château très protégé à vélo.

26/08/2001

LES VACANCES DE BAUDELAIRE

Le 9 juin 1841, Baudelaire embarque à Bordeaux sur le *Paquebot des mers du Sud*. Il a vingt ans. Son beau-père, le général Aupick, et sa mère le trouvent bizarre.

Un peu d'air lui fera du bien, et puis les voyages forment la jeunesse. Il dit sans cesse qu'il veut écrire, être poète, ça lui passera, on connaît ça. Hélas, les rapports que reçoit la famille ne sont guère encourageants, et annoncent le scandale que sera plus tard la liaison d'un des plus grands poètes français avec une femme de couleur, Jeanne Duval (on a d'elle un magnifique portrait de Manet).

Lisez plutôt cette lettre du commandant de bord : « Il est trop tard pour espérer faire revenir votre beau-fils sur sa détermination de ne se livrer à aucune autre occupation que la littérature... Je dois vous dire aussi que ses notions et ses expressions tranchantes sur tous les liens sociaux sont contraires aux idées que nous étions habitués à respecter depuis l'enfance, et pénibles à entendre de la bouche d'un jeune homme de vingt ans. »

Un autre témoignage nous prépare au pire, peut-être même à la publication d'un recueil extravagant intitulé *Les Fleurs du mal* : « Pendant la traversée, il se signale par des allures excentriques, des relations s'établissent entre lui et une *laya* (nom indien pour les bonnes d'enfants), belle et ardente négresse qui accompagnait une famille créole en France et se rapatriait. Cette liaison fut cause de scènes étranges à bord : la négresse poursuivait Baudelaire d'une tendresse tellement ardente que, d'accord avec le capitaine, on consigna cette femme pour toute la traversée dans la cabine étroite qu'elle habitait à bord. »

Cette histoire est, bien entendu, révoltante (le plus révoltant étant l'enfermement de la « négresse »). Pauvre Mme Baudelaire : elle n'a pas fini d'en voir de toutes les couleurs avec ce fils imprévu. Mais on aime que la poésie en personne ait pu déclencher ainsi une « tendresse ardente ».

26/08/2001

MEURTRES

La pratique israélienne des « meurtres ciblés » (avec leurs dégâts collatéraux) a beau être plus que discutable, rien à voir avec les attentats-suicides, comme celui de Jérusalem. On éprouve l'horreur, on a ensuite envie de comprendre un délire. Les kamikazes, dont les photos et les vidéos sont largement distribuées, sont considérés comme des martyrs, des saints. Leur préparation est d'ailleurs liturgique. Leurs corps sont oints et parfumés, on leur donne de nouveaux vêtements, leur mariage avec la mort regorge de symboles sexuels. On leur promet qu'aussitôt après l'explosion et leur propre liquéfaction, ils iront dans un jardin de délices où soixante-dix vierges sont prêtes à les servir. Un kamikaze rescapé s'est retrouvé dans un hôpital entouré d'infirmières et leur a demandé s'il était bien au paradis. L'anecdote ne dit pas si les infirmières présentes ont aussitôt précisé qu'elles n'étaient plus vierges depuis longtemps. Un autre rescapé avait pris la précaution de s'entourer le sexe de bande-lettes pour qu'il puisse être opérationnel dès son arrivée en orgie.

On sourit, on a tort. Le devenir-kamikaze est en train de devenir une mode dans les milieux les plus divers, et même, paraît-il, chez des hommes mariés (détail savou-reux). La folie a de beaux jours devant elle. Par tempéra-ment, je déteste la violence, d'où qu'elle vienne. Mais là, on est dans une autre dimension, terrible, en pleine convulsion droguée.

26/08/2001

DORIS, MON AMOUR

Qu'est-il arrivé à Doris Lessing ? La voilà qui, tout à coup, défie le grand parti féministe et se plaint que les hommes d'aujourd'hui sont maltraités par les femmes, qu'il faut espérer qu'ils réagiront, etc. La contre-attaque ne s'est pas fait attendre : pan sur Doris Lessing. Ce qu'elle dit est faux, bien sûr, mais vrai d'une autre façon que celle que l'on feint de croire. Les écrivains sont étranges, ils sentent des choses de la vie intime, leur lucidité se porte ensuite sur un côté inaperçu de la vie sociale.

Ainsi de Michel Houellebecq et de son dernier roman *Plateforme*[31]. On va l'accuser de faire l'apologie du tourisme sexuel en Thaïlande, alors qu'à travers son narrateur fatigué par la vie, il prend acte d'une réalité économique brutale, celle de l'offre et de la demande. Les femmes occidentales, dit-il, sont en train de se délester de la sexualité, ou ne l'utilisent plus que dans un but de consolidation sociale. Les femmes asiatiques, dans la misère, proposent des services plus physiologiques aux clients. C'est très condamnable, mais exact. La vertu occidentale est fausse, le vice asiatique pourri. Les deux font affaire, sur le dos de celles (et de ceux) qui sont obligées de vendre ce qu'on pourrait appeler leur force de plaisir. Tout cela sous forme d'exploitation implacable, comme le reste. Houellebecq se mêle de ça, ça le regarde. Je tiens quand même à préciser que je ne suis à aucun degré un touriste sexuel (un touriste non plus, d'ailleurs).

26/08/2001

SILENCE

On a tout dit sur le 11 septembre et les heures qui ont suivi. Des milliers de morts, une merveille architecturale détruite, le mot « kamikaze » répété sans arrêt sur fond de Pearl Harbor, le sentiment immédiat d'être entré dans une autre dimension du temps et de l'espace. Ici, justement, le mot « kamikaze » est trompeur, il n'atteint pas le cœur des ténèbres qui consiste à se suicider en emmenant n'importe qui dans la mort. Pas un mot, aucune revendication, l'acte nihiliste pur. Le diable a immédiatement surgi des décombres sous la forme illuminée de Ben Laden, faux Jésus souterrain au regard d'encre. Vous connaissez la suite, vous en entendez parler tous les jours, l'histoire ne fait que commencer, c'est la guerre.

Quand je vivais à New York, à la fin des années 1970 du dernier siècle, la seule présence bleutée ou scintillante du World Trade Center me rendait heureux. Je ne suis pas sûr de me sentir « américain », mais New-Yorkais, absolument. De tous les témoignages recueillis, c'est celui de l'architecte Rem Koolhaas qui me touche le plus : « Le miracle du World Trade Center était d'avoir échappé à tout environnement XIXe et de s'être affirmé comme résolument moderne, dans le sens baudelairien... C'était l'apothéose du concept de sublimation et d'abstraction. Le plus étonnant est que le bâtiment soit resté contemporain pendant trente ans. Identique. Complètement neuf. »

Un véritable défi au temps, donc, sans rien de national ou de religieux, comme le prouve la diversité des victimes. Cathédrale du commerce et de l'argent ? Sans doute, mais la drôle de guerre planétaire qui s'annonce est d'abord interbancaire : paradis fiscaux et judiciaires, enchevêtrement des comptes, opacité *off-shore*, coulisses de Londres et de l'Amérique elle-même, via l'Arabie Saoudite et retour. Qu'on me montre les sommes blanchies ou noircies depuis la guerre du Golfe, et je saurai peut-être (après des années de travail) qui a pu manipuler des candidats à l'assassinat suicidaire. Sur la psychologie de ces derniers, il faut citer Hans Magnus Enzensberger : « Leur triomphe consiste dans le fait qu'on ne peut ni les combattre ni les punir, puisqu'ils s'en chargent eux-mêmes. Quant à leur lointain donneur d'ordres, il attend lui aussi dans son bunker le moment de sa propre extinction : comme Elias Canetti l'avait déjà compris voici un demi-siècle, il se repaît de la seule idée que tous les autres, y compris ses partisans, auront si possible trouvé la mort avant lui. »

L'Amérique était censée mondialiser le monde ? La voici mondialisée à son tour. Mais ce qui se découvre alors n'est autre que la mondialisation du désir de mort, l'un des plus profonds de l'étrange nature humaine. Quand Freud a commencé à le dire, tout le monde a jugé qu'il exagérait, était trop pessimiste (c'était après la Première Guerre mondiale). On a vu la suite, puis on a préféré l'oublier. La revoici, sous une autre forme.

30/09/2001

Galaxie

Où vais-je enquêter ? Aux Bahamas, dans l'île de Man, à Chypre, à Malte ? Dans l'île d'Antigua, que les Pays-Bas protègent avec acharnement ? Trouverai-je la trace des spéculations qui ont, comme par hasard, précédé le drame ? Je lis cette information : « Les transactions suspectes actuellement épluchées par les différentes autorités boursières occidentales dépassent, et de très loin, les capacités d'investissement d'un Ben Laden, quand bien même il aurait entraîné des banques islamiques dans son sillage. » À New York même, tout le monde a spéculé la semaine précédant l'attentat. Le bruit courait que les services secrets s'attendaient à quelque chose de *violent* sur le sol américain, témoigne un banquier anglo-saxon. Des investisseurs pourraient avoir spéculé à l'aveuglette : si c'est un avion détourné, il y aura crise du transport aérien. Seule la spéculation sur Morgan Stanley (avec des volumes vingt-cinq fois supérieurs à la moyenne) semble indiquer que des investisseurs disposaient d'éléments autrement plus précis : cette banque d'affaires occupait vingt-deux étages du World Trade Center.

Là où le deuxième avion est allé précisément s'écraser. On autorise le lecteur à éprouver un léger vertige.

30/09/2001

City

Je continue à lire, il n'y a rien d'autre à faire : « Du fait de son poids financier, mais aussi de ses liens étroits avec le Moyen-Orient, Londres est en première ligne. » « Une bonne partie de l'argent des groupes terroristes passe par ici », affirme un officier du renseignement. Les policiers britanniques « examinent toutes les pistes », assure le Trésor. Les circuits financiers classiques, mais aussi les réseaux caritatifs islamistes et un système de transfert de fonds plus occulte, très développé du Golfe au Sud-Est asiatique, connu sous le nom de Hawala. Un changeur au noir reçoit une somme en liquide, voire de l'or, à Kuala Lumpur, Karachi ou ailleurs, et demande par téléphone à son correspondant londonien de reverser la contre-valeur à un client. Pas de traces. La confiance remplace le jeu d'écriture. Restent les grands réseaux financiers…

On attend sans doute ici que je prononce le mot mafia. J'allais le faire. C'est fait. Mais il suffit de rappeler ces quelques lignes de Debord dans *Commentaires sur la société du spectacle* : « On se trompe chaque fois que l'on veut expliquer quelque chose en opposant la Mafia à l'État : ils ne sont jamais en rivalité. La théorie vérifie avec facilité ce que toutes les rumeurs de la vie pratique avaient trop facilement montré. La Mafia n'est pas étrangère en ce monde ; elle y est parfaitement chez elle. Au moment du spectaculaire intégré, elle règne en fait comme le *modèle* de toutes les entreprises commerciales avancées. »

Qui osera dire que le fanatique islamiste suicidaire n'est pas un excellent élément dans un rapport de forces intermafieux ? Non seulement il se sacrifie sans chercher à savoir pourquoi, mais en plus il endosse le costume du diable. Ce qui permet, aussitôt, l'élargissement des opérations.

30/09/2001

TRANSVERSALES

Je tombe sur cette citation de G. K. Chesterton, dans ce chef-d'œuvre, déjà ancien mais trop peu connu, *Le Nommé Jeudi* : « Nous sommes des hommes qui luttons dans des conditions désespérées contre une vaste conspiration. Une société secrète d'anarchistes nous poursuit comme des lapins. Il ne s'agit pas de ces pauvres fous qui, poussés par la philosophie allemande ou par la faim, jettent de temps en temps une bombe. Il s'agit d'une riche, fanatique et puissante Église : l'Église du pessimisme occidental qui s'est proposé pour tâche sacrée la destruction de l'humanité comme d'une vermine. »

J'ouvre le dernier numéro de *La Nouvelle Revue française*, et je tombe sur un magnifique texte-entretien de Philip Roth sur Primo Levi. Roth : « *Survival in Auschwitz* avait été publié sous le titre *Si c'est un homme*, restitution fidèle de votre titre italien, *Se Questo è un Uomo*, et c'est d'ailleurs le titre que vos premiers éditeurs américains auraient dû avoir le bon sens de garder. Quand vous évoquez, quand vous analysez vos souvenirs atroces de la "gigantesque expérience biologique et sociale" à laquelle se livraient les Allemands, on vous sent précisément gouverné par une préoccupation quantitative des mille manières de transformer ou briser l'homme au point que, telle une substance chimique, il perde ses propriétés caractéristiques. *Si c'est un homme* se lit comme les mémoires d'un théoricien de la bioéthique, qui joue contre son gré le rôle de l'organisme de référence soumis à l'expérimentation de laboratoire la plus sinistre. Cet être prisonnier dans le laboratoire du savant fou se trouve représenter le type même du savant rationnel. »

30/09/2001

119

MUSIQUE

L'un des plus grands violonistes de tous les temps, Isaac Stern, vient de mourir. On l'aperçoit jouer en Israël, au moment de la guerre du Golfe et des scuds irakiens, devant une salle où les auditeurs ont mis des masques à gaz. L'image est grandiose et plus que jamais parlante. L'ennuyeux est qu'on n'entend pratiquement pas la musique. À la radio, voici quelques mesures de son interprétation du Concerto de Beethoven, et aussitôt après, l'animateur : « Nous venons d'entendre Isaac Stern dans un concerto de Bach. » Beaucoup de bruit, beaucoup de fureur, beaucoup d'argent, beaucoup d'ignorance, beaucoup de haine, peu de musique. Je me demande soudain si je n'ai pas été fou de passer tout un été dans la compagnie exclusive de Mozart. Non.

30/09/2001

OUSSAMA

Avouez que vous ne vous attendiez pas à un spectacle de cette envergure. Les bombardements : vous ne voyez rien, c'est la nuit, des taches blanches poudroient sur un écran vert. Tout semble avoir lieu sous l'eau, on ne vous dira que le minimum, censure militaire oblige. Boum-boum-boum-boum. Aquarium sur Kaboul, commandos spéciaux, nouvel avion cracheur de feu, c'est l'occasion technique de tester le nouveau matériel, comme pendant la guerre du Golfe. Et puis, soudain, le Vieux de la Montagne surgit en chair et en os. Une télévision imprévue annule toutes les autres : Al-Jazira. On s'en souviendra de celle-là : les parts de marché explosent, l'Audimat s'envole, al-jazira, jazira, jazira, les Occidentaux à la lanterne ; al-jazira, jazira, jazira, les Occidentaux on les pendra.

Voici Dieu lui-même, ou en tout cas son prophète, entouré de ses apôtres en armes, assis tranquillement devant une grotte du plus bel effet architectural. L'homme des cavernes succède aux cols blancs et aux *golden boys* du World Trade Center. Dieu va parler, il prend un micro, il s'exprime avec une voix d'outre-tombe, visage fatigué et pâle, barbe un peu poussiéreuse, regard intense et *charbonneux*. Que dit-il ? Que le grand Feu final est allumé, une vraie fournaise ; qu'il va dévorer jusqu'aux entrailles les incrédules et les anéantir ; que le Jour est venu où les humains seront semblables à des papillons dispersés et les montagnes comme des flocons de laine, etc., etc. C'est du bon Coran récité sans arrêt, et destiné à pétrifier de peur les infidèles, autrement dit la planète entière. Il est fabuleux, cet Oussama milliardaire ascétique, il vient de déclencher la troisième guerre mondiale, ce n'est qu'un début, dit-il, des avions suicides sont prêts un peu partout, des candidats au paradis s'entraînent. Dieu est miséricordieux, il tient à vous prévenir, un courrier de sa part va vous parvenir.

28/10/2001

POUDRE

Et en effet, des lettres suivent. En Floride, à New York, à Washington, et même en Argentine. Vous aviez la vache folle, voici la Poste aux bacilles. Vous ouvrez, vous respirez, vous êtes contaminé. L'infection cutanée est légère, mais la respiratoire est mortelle. L'anthrax (la maladie du charbon) est un agent divin parmi d'autres.

Pour en savoir plus, il faudrait entrer dans les vrais recoins des laboratoires ayant préparé, depuis des années, la guerre bactériologique. Les Russes se sont beaucoup préoccupés de la question. Leurs réserves sont formidables : anthrax, peste, variole, variantes hémorragiques diverses, effets garantis, milliers de morts potentiels, agonies atroces. Des pustules apparaissent, l'asphyxie monte, votre sang se met à couler un peu partout. Le bioterrorisme est donc né dans le secret des États.

Nous en sommes aux premiers tests visant, bien entendu, des journalistes ou des hommes politiques. Panique ? Psychose ? Pas encore, mais ça peut venir. Dieu, quand il s'y met, est extrêmement contagieux. Vous me direz qu'il ne s'agit pas de Dieu lui-même, mais de fanatiques et de fous qui se servent de son nom dans un but obscur. C'est juste : l'obscurité est totale, puisque vous ne savez à peu près rien de ce qui se trame en réalité.

28/10/2001

VOLTAIRE

On me reproche, ici ou là, de m'être « réfugié » dans le XVIIIe siècle. Il s'agirait, selon certains, d'une démission devant l'étonnant prodige de la modernité. La musique techno vaudrait bien Mozart, et Robbe-Grillet aurait dépassé Balzac. Le cas de Robbe-Grillet est curieux : il a quatre-vingts ans, bon pied, bon œil, il parle avec enthousiasme de son pétainisme à l'âge de vingt ans, les Français, selon lui, étaient à 99 % pétainistes en 1940, ce qui réduit les familles de l'époque ayant un minimum de goût à 1 %. Cette proportion est-elle plus élevée aujourd'hui ? On l'espère, mais on en doute en constatant que ces déclarations de l'ingénieur du Nouveau Roman ne choquent quasiment personne. Pourquoi, dans ces conditions, ne pas lui attribuer le Goncourt ? Voilà qui ferait très « réconciliation nationale » sur fond d'amnésie calmante.

L'oubli des horreurs en tout genre fait partie du programme anesthésique général. On m'excusera donc de me « réfugier » chez Voltaire : « Un homme modéré, humain, né avec un caractère doux, ne conçoit pas plus qu'il y ait eu parmi les hommes des bêtes féroces ainsi altérées de carnage qu'il ne conçoit des métamorphoses de tourterelles en vautours ; mais il comprend encore moins que ces monstres aient trouvé à point nommé une multitude d'exécuteurs. Si des officiers et des soldats courent au combat sur un ordre de leurs maîtres, cela est dans l'ordre de la nature ; mais que, sans aucun examen, ils aillent assassiner de sang-froid un peuple sans défense, c'est ce qu'on n'oserait pas imaginer des furies même de l'enfer. Ce tableau soulève tellement le cœur de ceux qui se pénètrent de ce qu'ils lisent que, pour qu'on soit enclin à la tristesse, on est fâché d'être né, on est indigné d'être homme. »

Ces lignes sont extraites d'un texte peu connu de Voltaire, *Des conspirations contre les peuples ou des proscriptions*, datant de 1766. La Société Voltaire, à laquelle j'ai l'honneur d'appartenir, en a décidé la réimpression. On rappellera, à cette occasion, que l'horrible Voltaire au hideux sourire est l'auteur d'une pièce qu'il faudrait rejouer d'urgence, *Mahomet*. Quant à attendre la retransmission sur Al-Jazira de l'opéra de Mozart *L'Enlèvement au sérail*, la moindre illusion, ici, n'est pas permise. C'est dommage : Ben Laden apprécierait peut-être certains passages dans ses montagnes. On préfère donc Bush et Tony Blair dans la mesure où eux, au moins, laisseraient la représentation avoir lieu. Suis-je en train de vanter la supériorité de la civilisation et de la culture occidentales ? Oui, j'en ai peur. Mais il faut bien que quelqu'un se dévoue.

28/10/2001

PHOTO

Oussama à la télé, Poutine applaudi par le Parlement allemand à Berlin, la Terre tourne vite. Mais la photo la plus parlante du nouveau siècle est sans doute celle prise à Shanghai, où on voit Bush, Poutine et Jiang Zemin debout côte à côte dans la lutte contre le terrorisme mondial. L'humour chinois est subtil, oblique et énorme. Bush et Poutine ont été priés de revêtir des vestes chinoises traditionnelles en soie, comme Jiang Zemin. Mais Bush et Poutine ont la même en bleu, tandis que celle de Jiang Zemin, tout souriant, est rose. Voilà un message crypté, et j'entends d'ici d'anciens maoïstes impénitents ricaner dans l'ombre. Ils ont tort, c'est très inquiétant. Si vous riez, vous rirez jaune.

Le matin même, au petit déjeuner, Jiang Zemin relisait une citation de Mao : « Que signifie l'apparition d'un nouveau processus ? Cela signifie que l'ancienne unité et les contraires font place à une nouvelle unité, à ses nouveaux contraires ; alors naît un nouveau processus qui succède à l'ancien. L'ancien processus s'achève, le nouveau surgit. Et comme le nouveau processus contient de nouvelles contradictions, il commence sa propre histoire de développement des contradictions. » Les hommes en bleu ont l'air soucieux, l'homme en rose est une fleur du mal épanouie. Rien à voir avec l'illuminé des ténèbres Ben Laden. Comprenne qui pourra ce jeu de symboles. Il est tout de même plus intéressant à observer que le tailleur popote de Bernadette.

Il est évident que les vrais enjeux de la guerre dépassent de loin l'Hexagone : le pétrole, le gaz et la drogue se situent loin d'ici. Comme le rappelle l'écrivain indienne Arundathi Roy : « Deux ans après l'arrivée de la CIA, la frontière pakistano-afghane était devenue le plus gros producteur d'héroïne, la principale source d'approvisionnement pour les villes américaines. Les bénéfices annuels se situaient dans une fourchette entre cent et deux cents milliards de dollars. » La culture du pavot va-t-elle reprendre de plus belle en Afghanistan malgré l'interdiction divine ? Jiang Zemin a l'air de le penser : il doit avoir ses raisons.

28/10/2001

THÉÂTRE ET TERREUR

Quelqu'un qui ne perd pas son optimisme foncier, c'est Francis Fukuyama, l'homme de la « fin de l'Histoire ». Pour lui, nous sommes dans le meilleur des mondes possibles, et l'Occident démocratique libéral est le seul système qui continuera à dominer la politique mondiale. Il a raison, et, en somme, rien ne se passe, sauf la liste interminable des victimes, Palestiniens, Israéliens et, maintenant, Afghans.

John Le Carré, peut-être mieux informé, est plus pessimiste : « Ce n'est pas un nouvel ordre mondial, pas encore, et ce n'est pas la guerre de Dieu. C'est une opération de police atroce, nécessaire, dégradante, visant à pallier la faillite de nos services de renseignement et l'aveuglement politique avec lequel nous avons armé et utilisé les intégristes islamistes, une bande de fanatiques religieux néomédiévaux qui tireront de la mort dont nous les menaçons une dimension mythique. »

28/10/2001

NIETZSCHE

Bon, changeons d'air, et lisons par exemple le numéro hors série du *Magazine littéraire* consacré à Nietzsche. Nietzsche est comme Voltaire, dix lignes de lui suffisent à vous remettre la tête à l'endroit. Écoutez : « Finalement, il en sera comme il en a toujours été : les grandes choses appartiendront aux grands hommes, les profondeurs aux hommes profonds, le raffinement et le frisson aux hommes raffinés, et, en un mot, tout ce qui est rare aux hommes rares. »

Un mot clé de Nietzsche est *Neiterkeit*, que l'on peut traduire par « belle humeur ». Exemple : « L'esprit de belle humeur ensoleillée, de tendre légèreté de Mozart, dont la gravité respire la douceur et non pas la terreur. » Ou bien : « Conserver sa belle humeur quand on s'est engagé dans une affaire ténébreuse et extrêmement exigeante, ce n'est pas une mince affaire ; et pourtant quoi de plus indispensable que la belle humeur ? »

Et encore, dans *Nietzsche contre Wagner*, ceci, qui dit l'essentiel : « Je me pose la question : que veut donc de la musique mon corps tout entier ? *Car* il n'y a pas d'âme… c'est, je crois, son *allégement* ; comme si toutes les fonctions animales devaient être accélérées par des rythmes légers, hardis, turbulents ; comme si l'airain et le plomb de la vie devaient oublier leur pesanteur grâce à l'or, la tendresse et l'onctuosité des mélodies. Ma mélancolie veut se reposer dans les cachettes et les abîmes de la *perfection* ; voilà pourquoi j'ai besoin de musique. »

Le dernier disque de Cecilia Bartoli est une suite d'airs italiens de Gluck [32]. Il est au-delà de l'éloge. La publicité, bizarrement, dit de lui qu'il est « sublime, forcément sublime ». Je me demande qui est l'auteur de ce clin d'œil dévastateur. Plus contraire à Marguerite Duras que Bartoli, tu meurs. Chacun ses goûts. Cecilia, elle aussi, est « réfugiée » au XVIIIᵉ siècle. Et c'est à elle, au fond, qu'est dédiée cette formule mystérieuse de Nietzsche : « Sans la musique, la vie serait une erreur. »

28/10/2001

PARADIS

Les fanatiques d'Al-Qaida vont tout droit au Paradis coranique, on le sait, et Ben Laden (toujours introuvable à l'heure où j'écris ces lignes) nous prévient qu'il possède des armes chimiques et nucléaires qu'il emploiera peut-être un de ces jours. L'empoisonnement de l'eau potable dans les villes est une possibilité. Quelques explosions ne sont pas exclues, par exemple celle, déjouée au dernier moment, de la cathédrale de Strasbourg. Pendant ce temps, dieu sait ce qui se passe dans les comptes aux Philippines, en Malaisie, en Indonésie, aux Bahamas, aux îles Caïmans, au Luxembourg, à Monaco, à Hong Kong, en Suisse. Les îles Cook me font rêver, Rarotonga est plus centrale qu'on ne croit. Les Antilles, Chypre, Malte, Gibraltar ont des secrets que j'aimerais connaître.

Combien de trous blancs sur la planète ! Pour ne prendre qu'un exemple merveilleux et cocasse, qui aurait pu penser que Guernesey, îlot sanctifié par la présence de Victor Hugo, ses déferlements réguliers d'alexandrins et ses tables tournantes, deviendrait un paradis noir de rotation accélérée des capitaux ? Le grand exilé inspiré de Hauteville House a-t-il discerné, au loin, cette métamorphose imprévue ? L'auteur des *Misérables*, seul sur son rocher, pouvait-il soupçonner qu'il était assis sur un avenir *numérique* ? J'étais, il y a quelques jours, à Genève. Quel était le livre en train de s'envoler dans les librairies ? Le Coran. J'avais bonne mine avec mon *Mozart* ! Les Suisses se mettant au Coran, avouez qu'il s'agit d'un scoop mondial ! Est-ce la faute de Rousseau ? De Voltaire ? À qui se fier, désormais, si les banquiers se mettent à lire les sourates en cachette ? Le Coran va-t-il envahir les tables de nuit des hôtels à côté de la Bible ? Il faut y penser, puisque les blanchiments privilégiés d'argent sale sont le tourisme, l'hôtellerie, les golfs, la restauration, les casinos et tout ce qui touche au spectacle. Un chiffre, un seul (car je pourrais m'étendre sur tout ce qui a lieu, en ce moment même, en Russie, en Hongrie, en Ukraine, en Syrie, ou dans l'île Nauru) : l'intégration de l'argent blanchi (ou noirci) à l'économie légale est aujourd'hui estimée à trois mille milliards de dollars. Ce n'est pas rien, aurait dit ma grand-mère. C'est même trop pour l'imagination. Une seule solution, donc : marchons.

25/11/2001

HUGO

Puisque je viens d'évoquer l'ombre de Victor Hugo, laissons-lui un moment la parole : « La tête qui ne se retourne pas vers les horizons effacés ne contient ni pensée ni amour. Par moments, Marius prenait son visage dans ses mains et le passé tumultueux et vague traversait le crépuscule qu'il avait dans le cerveau [...]. Il s'interrogeait ; il se tâtait ; il avait le vertige de toutes ces réalités évanouies. Où étaient-ils donc tous ? Était-ce bien vrai que tout fût mort ? Une chute dans les ténèbres avait tout emporté, excepté lui. Tout cela lui semblait avoir disparu comme derrière une toile de théâtre. Il y a de ces rideaux qui s'abaissent dans la vie. Dieu passe à l'acte suivant. »

Dieu dramaturge grandiose et cinglé ? C'est une hypothèse.

25/11/2001

LIBERTÉ

Bien entendu, on se réjouit avec tout le monde de l'effondrement du régime aberrant des talibans, de la libération de Kaboul, de la bonne fortune des coiffeurs débordés par la suppression des barbes, du dévoilage des femmes emprisonnées derrière leurs burqas, du fait qu'elles pourront enfin s'instruire et travailler au lieu de croupir dans l'obscurantisme local. Qu'une femme, parlant à visage découvert à la télévision, puisse être un événement mondial donne un léger vertige au spectateur occidental. Ce dernier s'attend maintenant, à chaque instant, à apprendre qu'un avion s'est écrasé ici ou là, à New York ou ailleurs. Deux cent soixante morts, en période normale, est un événement, là c'est presque un détail, même si des journaux titrent, de façon apocalyptique, « malédiction ». À ce compte, Dieu n'est pas non plus content des Algériens qu'il punit par des inondations catastrophiques. Les nouveaux problèmes qui vont se poser en Afghanistan (chefs de guerre, conflits ethniques) seront redoutables. Pour l'instant, on voit apparaître cette monstruosité : l'aide humanitaire bloquée, tandis qu'en sens inverse la drogue passe allégrement les frontières. Les stocks sont en vente, les camions roulent vers leurs clients. À Saint-Pétersbourg, dans les derniers mois, les camés ne venaient plus demander de seringues : l'héroïne n'était plus là, ils étaient obligés de se transférer sur d'autres substances. Depuis quelques jours, les revoilà en demande, l'héroïne est revenue, elle coule à travers la Russie, atteint déjà la Suède avant de retraverser l'Atlantique. Ainsi va le monde, et on préfère, après tout, que cela ait lieu en musique. Ce n'est pas encore Mozart à Kaboul, mais ça viendra.

25/11/2001

Encore Debord

« L'imbécillité croit que tout est clair, quand la télévision a montré une belle image, et l'a commentée d'un hardi mensonge. La demi-élite se contente de savoir que presque tout est obscur, ambivalent, "monté" en fonction de codes inconnus. Une élite plus fermée voudrait savoir le vrai, très malaisé à distinguer clairement dans chaque cas singulier, malgré toutes les données réservées et les confidences dont elle peut disposer. C'est pourquoi elle aimerait connaître la méthode de la vérité, quoique chez elle cet amour reste généralement malheureux. »

25/11/2001

Le corps du diable

Que faire d'Oussama Ben Laden ? Il est peu probable qu'il soit capturé vivant et traduit devant la justice. Le procès, pourtant, serait exceptionnel, les révélations fracassantes. Condamné à mort, son exécution par injection létale filmée serait un document inouï. Un accusé qui débiterait des numéros de comptes secrets entre deux citations du Prophète mérite, de toute façon, d'inspirer un grand roman ou un feuilleton télévisé. On doit y travailler. Mais, mort, que faire de son cadavre ? Le présenter en posture christique, comme Guevara ? Non, mauvaise publicité pour martyr. Mais alors, sous quelle forme ? Disparu dans un éboulis de bunker ? Enfoui sous les gravats ? Sans doute, mais comment éviter la légende de sa fuite nocturne, de son invincibilité magique, de son élection diabolique divine ? Telles sont les questions que se posent, désormais, les spécialistes de la mise en scène. Oussama doit mourir, c'est un fait. On attend le scénario, les détails, les photos, les cassettes. Sera-t-il trahi par un de ses gardes du corps (des mallettes remplies de dollars accompagnent les commandos américains ou britanniques au sol) ? Se suicidera-t-il comme Hitler (mais non, le Coran le lui interdit) ? La pression monte, la traque se rétrécit, on attend avec impatience la phase finale. C'est ce qui s'appelle entrer dans l'Histoire en fanfare, pour la plus grande gloire du voyeurisme communicationnel.

25/11/2001

CHAUSSURES

Génial, le coup des chaussures à l'explosif. D'autant plus que le kamikaze a vraiment tout fait pour se faire remarquer. On enlevait ses souliers pour entrer dans les mosquées, on les enlèvera désormais dans les aéroports, nouveaux lieux de prière. Plus patibulaire que ce voyageur aux talons de feu, difficile à faire. Il allume une allumette dans l'avion, il mord une hôtesse, on le ceinture, on l'arrête, on l'interroge, on n'en tirera probablement pas grand-chose. A-t-il vu Ben Laden ? En rêve, peut-être. La conséquence est que nous n'avons pas assez de chiens flaireurs, pas assez de palpations, pas assez de nez, de suspicion. Moralité : restez chez vous, évitez de voler, ne fréquentez que le moins possible les endroits collectifs. Évitez de prendre le train, l'autobus, marchez. Partout où il y a un rassemblement, un tueur à l'affût rôde. En quelques mois, le paysage a changé.

Vous êtes à Jérusalem, à Haïfa, dans les Territoires. On comprend que les gendarmes français aient profité de ce client délétère pour faire monter leurs prix. Police, gendarmerie, voilà l'avenir. À quoi bon envoyer l'armée vers l'Afghanistan si tout se passe à Roissy ?

30/12/2001

HUGO, ENCORE

Et puis Hugo, encore Hugo, toujours Hugo. Un volume, en tout cas, à se procurer d'urgence : *Choses vues*, dans la collection Quarto [33]. Peu de livres sont aussi passionnants à lire aujourd'hui, notamment les années d'exil (vingt ans). « Je suis le Mithridate de la critique. Vous comprenez que j'ai fini par m'endurcir, moi qui, depuis trente-huit ans, suis accoutumé à être tué tous les quinze jours par *La Revue des Deux Mondes*. »

Qu'est-ce qui intéresse Hugo ? La poésie, l'amour, la liberté. « L'amour est une projection de lumière dans l'infini. » « Aimer, c'est participer au plus profond et au plus subtil de la création. » Diagnostic sur la régression et la pruderie de son temps. « Je déteste les prudes, leur croupe se recourbe en replis sinueux. » Ou encore : « Elle avait une de ces bouches à lèvres serrées construites pour dire du mal comme la pince pour en faire. » Parfois, des notations énigmatiques qui sont déjà tout un livre, par exemple à Bruxelles, le 5 septembre 1867 : « Visite mystérieuse d'une princesse italienne (romaine) – en fuite – joli petit garçon de deux ans –, robe de velours bleu, bras nus – aventure – roman. » En tout cas, une certitude : « On entre plus profondément dans l'âme des peuples et dans l'histoire intérieure des sociétés humaines par la vie littéraire que par la vie politique. » Charmante mégalomanie de Hugo : « J'ai eu trop raison. C'est avoir tort. »

Il n'arrête pas de composer, d'entendre des bruits dans sa chambre, des coups frappés contre son lit, les murs sont pleins de fantômes, les rochers et les nuages de spectres en formation. Il est seul, il joue au satyre de temps en temps, il ne faiblit pas, il sait qu'un jour on criera sur son passage « Vive Victor Hugo ! Vive la République ! ».

Il est patient, inspiré, inflexible, et sacrément courageux. Durant le siège de Paris, en 1870, il a froid et faim. « Hier, nous avons mangé du cerf, avant-hier de l'ours ; les deux jours précédents, de l'antilope. Ce sont des cadeaux du Jardin des Plantes. » Bientôt viendra un éléphant, et puis du chien, du rat, du cheval. Il digère difficilement ces mélanges. « De ces bons animaux la viande me fait mal. J'aime tant les chevaux que je hais le cheval. » On comprend que, replié à Bordeaux en février 1871, il s'offre un dîner choisi : « Huîtres, lamproie, chapon truffé. »

Et puis, il y a les femmes, pour lesquelles il use d'un code spécial dans ses notes. Il dissimule les prénoms, crypte les situations, joue sur tous les tableaux, passe du trivial à l'infini avec un naturel confondant. Le 9 décembre 1870 : « Cette nuit, je me suis réveillé et j'ai fait des vers. En même temps, j'entendais le canon... » Des portraits dévastateurs, des flèches : « Sainte-Beuve n'était pas poète et n'a jamais pu me le pardonner. »

Un autoportrait : « Qui de bonne heure est vieux restera longtemps jeune. »

Et puis des fulgurations, des raccourcis, le don, quoi :
« Dans le ciel tout est en suspens. Sur la terre tout se
précipite. Différence qui contient tout le mystère. Là,
tout se soutient ; ici, tout tombe. Sur le globe, la chute.
Hors du globe, l'équilibre. »

« Ne vous laissez ni classer ni déclasser. »

30/12/2001

EUROSTAR

Étranges premiers jours de janvier, dans ce village près
de l'Atlantique. La France divorce du franc. Les postières
sont gaies, nettement plus belles, les poissonnières plus
fraîches, les pharmaciennes en meilleure santé, les bou-
langères plus chaleureuses, les marchandes de journaux
beaucoup mieux informées. Je vous donne mes francs,
rendez-moi des euros. Tout se passe comme dans les jeux
enfantins, deux beaux cailloux contre une feuille de
vigne, dix aiguilles de pin contre un bouton un peu usagé.
On change, on passe à autre chose, on est trois cents millions à fêter ça, plus de visages morts sur les billets de
banque, *enfin*.

La joie des Grecs fait plaisir à voir (le mot « Europe »,
dans leur alphabet, est dans toutes les poches), les Irlandais exultent d'embêter les Anglais, les Belges et les Allemands se noient dans le champagne, les Italiens en ont
vu d'autres, les Espagnols sont surpris, les Portugais
enthousiastes. Jospin, mal réveillé, achète des fleurs,
s'embrouille dans sa monnaie, Fabius a une écharpe de
choc, Chirac, pour ses vœux de fin du franc, avait bizarrement maigri. Euro, euro, euro.

En quinze jours, à la surprise générale, le franc a disparu, débrouillez-vous maintenant avec ces petites pièces et ces billets abstraits, un peu d'antiquité architecturale, un peu d'ogives, des ponts. De l'argent lavé, allégé, traduit, fluide, allant tout droit à ce qu'il doit être : le signe de la disparition dans la circulation. Je vois que certains dévots s'inquiètent déjà de se retrouver avec l'effigie du pape sur leurs pièces (puisque le Saint-Siège a le droit de frapper sa propre monnaie). Mais on aurait pu s'en douter : le Vatican a toujours été le Diable en personne.

27/01/2002

MOTO

Ben Laden introuvable ou mort (attention à la prochaine cassette), le mollah Omar fuyant à moto, le film devient maintenant comique, et les caricaturistes s'en donnent à cœur joie. D'ailleurs, la photo d'Omar n'est pas, semble-t-il, la bonne photo, et quant à l'organisation d'Al-Qaida, on s'y perd, ce ne sont plus seulement des réseaux mais des « essaims », ils peuvent se remanifester d'un moment à l'autre. Les terroristes sont partout, nulle part, polycéphales, poissons dans l'eau, increvables. On va quand même les exhiber à Guantanamo, agenouillés, cagoulés, menottés, en s'attirant, du même coup, des protestations humanitaires.

Pendant ce temps-là, le scandale de la faillite d'Enron (huit cent quatre-vingt-une filiales dont sept cents dans les paradis fiscaux, vingt et un mille salariés aux retraites parties en fumée) trouble Bush en train de regarder à la télévision un match de football. Il a soudain une hallucination :

le mollah Omar traverse le terrain à moto en criant :
« Enron ! Guantanamo ! » Le Président mâchait un bretzel. Il s'étouffe, il s'évanouit, il tombe, il s'abîme la joue et
la lèvre inférieure. Bien entendu, il ne parle de sa vision à
personne, mais commande quand même une enquête sur
la retransmission du match pour savoir si quelqu'un a pu
glisser, ici ou là, un message subliminal. Ce motard, il l'a
vu, aucun doute. Furtif, d'accord, mais d'une virtualité
intensément réelle. Inutile de préciser que les morceaux de
bretzel ont été aussitôt analysés en laboratoire sans rien
donner de concret. Une vengeance des Chinois pour avoir
truffé l'avion de Jiang Zemin de micros jusque dans les toilettes ? Tout est possible, l'avenir le dira.

27/01/2002

SAINT LAURENT

Sur la génialité d'Yves Saint Laurent, geste, coupe, surgissement féminin jamais vu et libre, on ne fera pas mieux
que le *Ingrid Caven* de Jean-Jacques Schuhl, prix
Goncourt surprise en 2000 [34]. La belle déclaration de
sortie de Saint Laurent comportait pourtant une erreur :
les « faiseurs de feu », aurait dit Rimbaud. Personne n'a
corrigé ce lapsus avant qu'il soit prononcé, et c'est dommage. Voleur de feu, pas « faiseur ». Mais Saint Laurent
nous prévient maintenant qu'il va se mettre à écrire dans
le style des *Chants de Maldoror* de Lautréamont. Nathalie
Sarraute l'y aurait encouragé. Qu'il vienne me voir, je lui
dirai si les mots fonctionnent.

27/01/2002

Moscou

Les Russes nous étonneront toujours. Après avoir réduit Marx à un catéchisme d'application sinistre, voici qu'ils le déclarent « nuisible » pour la population et sa formation patriotique. Un jeune écrivain non conformiste, Viktor Pelevine, est mis dans le même sac réprobateur. C'est que la littérature, voyez-vous, doit être nationale et morale, et que « certains auteurs portent atteinte à l'esprit des Russes ». Il y a donc lieu de faire des listes d'« auteurs nuisibles ». Dans un roman, par exemple, il n'est pas souhaitable de mourir d'une overdose, mais très bien que ce soit « pour la patrie ».

Une télévision d'opposition à Poutine était « dépravée » : depuis, elle a été mise en liquidation. Voilà qui va faire plaisir aux Tchétchènes, chaque jour massacrés par l'armée russe dans l'indifférence quasi générale, sauf les protestations répétées d'André Glucksmann, dont il faut lire le beau *Dostoïevski à Manhattan*[35]. Nuisible à la connerie, à la bestialité et à l'hypocrisie ambiantes : voilà pourtant ce qu'un penseur ou un écrivain doit être, et, pour cela, tous les genres sont permis.

27/01/2002

Algérie

La chaîne de télévision américaine CBS interviewe le général Aussaresses en tant qu'expert dans la lutte contre le terrorisme. Pas un mot de ses activités pendant la guerre d'Algérie, sous prétexte que cela n'intéresserait pas le public américain. Je recommande donc la lecture du premier roman de Jean-Pierre Robert, *L'Écho du silence*[36]. Voici la torture d'époque :

« Au centre de la chambre de torture trônait une grande bassine pleine d'eau où, devant lui, ils urinèrent copieusement. Puis l'un d'eux le saisit par les cheveux et plongea sa tête sous l'eau. Il n'aurait pas voulu boire, mais quand il suffoqua, il fallut bien ouvrir la bouche dans le liquide nauséabond qui brûlait la langue et les gencives. Autour de lui, ils triomphaient, disant que c'était un bon début qui allait lui délier la langue [...]. Puis ils le poussent dans la grande cour de la caserne jusqu'à un trou où ils le jettent, et par-dessus ils versent des brouettes de sable jusqu'à ce que seule sa tête soit à l'air libre et, tout autour, ils tassent le sol à grands coups de talon. Quand ils s'arrêtent, ils viennent, l'un après l'autre, cracher sur sa sale gueule tuméfiée, et puis ils s'en vont. L'air est encore un peu frais et la lumière douce, parce que c'est le matin. Il reste là, incapable du moindre mouvement, à attendre Dieu sait quoi, dans le calme et le silence, après tant de cris et de coups. »

Dans ses magnifiques *Cantos*, récemment réédités (mal) en français[37], Ezra Pound, enfermé, après la guerre, dans une cage en plein air, dit que les pensées des gardiens sont inférieures à celles des prisonniers. Cela est vrai partout, et sous tous les régimes.

27/01/2002

SURVEILLANCE

Alain Minc a la réputation d'un homme très intelligent, très riche, très influent. Les affaires du monde n'ont pas de secret pour lui, et il publie, ces jours-ci, son *Journal de l'année 2001* [38]. Ses fréquentations sont de haut niveau, sa curiosité complexe, ses compétences financières diversement appréciées, son ambition intellectuelle louable. De plus, il joue au tennis. Son style, lui, est tantôt lyrique, tantôt brutal. Le secrétaire général de l'Élysée, Dominique de Villepin, par exemple, est « un amoureux fou des lettres, qui noircit, depuis des lustres, autant de pages qu'il en lit ». Il a « la fougue d'un Murat avec l'intelligence de Fouché et la loyauté de Las Cases ». Pierre Nora est « le Pygmalion des sciences humaines », « l'épicentre de la société cultivée », une sorte de « Mme Du Deffand » moderne. Jorge Semprun est « le prince de la République des lettres » et Teresa Cremisi « la reine des lettres parisiennes ». En revanche, Philip Roth écrit de façon « pâteuse et lourde », Houellebecq est « nul et grotesque », Simone de Beauvoir une « Bécassine » dans ses lettres à Nelson Algren.

Quant à moi, malgré quelques traits de « génie », cela ne va pas fort : « A-t-il la volonté intime de sacrifier sa vie à son œuvre ? » (Réponse : non). « Sollers file, depuis quelques mois, un mauvais coton : son *Mozart* est faible. Même le non-mélomane que je suis n'y a rien appris » (on voit qu'Alain Minc est incollable sur Mozart, bien que « non-mélomane »). « Voilà un écrivain-né (Sollers) qui risque de terminer en histrion télévisuel s'il ne revient pas aux règles de base de la vie intellectuelle : travailler, travailler, travailler. »

Eh bien, Minc a raison : c'est vrai, je ne vais pas bien, je me laisse aller, j'apparais trop à mon désavantage à la télévision, je me dilapide, je me disperse, je file un très mauvais coton, je cours à ma perte si je ne me ressaisis pas. Il faut d'ailleurs que je travaille d'autant plus que je n'ai pas d'autre nègre que moi-même. Travailler, travailler, travailler, tel est mon dur destin de salarié. Pour l'instant, je me console en lisant cette proposition de *L'Éthique* de Spinoza : « L'homme libre qui vit parmi les ignorants s'applique autant qu'il peut à éviter leurs bienfaits. »

27/01/2002

JÉSUITES

On sonne à ma porte, et la Providence est là : un porteur épuisé pose sur mon plancher les dix-sept kilos du *Grand Ricci*, dictionnaire en français de la langue chinoise[39]. Sept gros volumes, un trésor, aventure commencée en mai 1601 quand Matteo Ricci a obtenu de l'empereur Wan-li la permission de s'installer à Pékin, ainsi qu'un terrain situé au sud-ouest de la capitale. Les auteurs nous préviennent : « *Le Grand Dictionnaire Ricci* est semblable à un arbre... Son faîte, c'est l'univers de pensée qui se déploie à l'horizon des langues, la façon dont les particularités de leur vocabulaire et de leur usage ouvrent sur l'universel humain... » Sacrés jésuites : ils ont longtemps filé un mauvais coton, mais quel travail. J'en ai au moins pour dix ans, on verra ensuite.

27/01/2002

L'AXE DU MAL

Ça y est, nous sommes entrés dans le nouvel espace planétaire impliquant une autre géométrie morale. Il y aura désormais un axe du Mal et un axe du Bien, et il faudrait être singulièrement désaxé pour ne pas en convenir sur-le-champ. Bush montre du doigt l'Iran, l'Irak, la Corée, mais je me demande s'il ne faut pas être plus exigeant et traquer, chez chaque individu, les traces de l'axe.

J'ai déjà demandé, ici même, qu'on veuille bien relire de près un livre encore en circulation, et qui, à mon avis, devrait être interdit. Il s'agit des *Fleurs du mal*, d'un certain Baudelaire, mélange peu ragoûtant de toutes les complaisances morbides et de tous les vices. L'auteur ne prétend-il pas que nous sommes tous des possédés du Diable ? Écoutez-le :

« Sur l'oreiller du Mal c'est Satan Trismégiste
Qui berce longuement notre esprit enchanté [...]
C'est le Diable qui tient les fils qui nous remuent !
Aux objets répugnants nous trouvons des appâts ;
Chaque jour vers l'Enfer nous descendons d'un pas,
Sans horreur, à travers des ténèbres qui puent. »

Eh bien, monsieur Baudelaire, ça suffit. Parlez pour vous et vos amateurs, probablement enfants de soixante-huitards, mais n'insultez plus le genre humain dans sa marche vers l'ordre, le progrès, la sécurité. Relisez Hugo, ce géant, et tenez-vous tranquille. Il s'agit désormais de remettre la France et le monde entier à l'endroit. Vos langueurs, vos lubricités nous écœurent, et il est inadmissible qu'on donne à lire vos élucubrations rampantes dans des écoles dévastées. On vous a condamné un peu il y a plus d'un siècle, mais pas assez. Regardez le président Bush : a-t-il l'air d'être possédé du démon ? Croyez-vous qu'il trouve des « appâts » aux objets répugnants ? Oser dire que le Mal pourrait produire des « fleurs » ! Quelle sinistre plaisanterie ! Nous voulons des présidents en bonne santé nous entraînant vers un avenir radieux, et pas votre poésie sordide.

24/02/2002

BEN L'ADN

Est-ce bien le Grand Criminel qu'on a retrouvé dans les débris d'un bombardement d'un avion sans pilote téléguidé depuis les États-Unis ? L'analyse se poursuit, j'attends les résultats avec impatience. On a vu d'en haut un homme de grande taille (un mètre quatre-vingt-quinze) traité avec déférence par deux autres types. Boum. Mais est-ce bien lui ? Il a fallu prélever, nous dit-on, des cheveux, des morceaux de peau, des bouts d'os, et demander à la famille d'expédier des échantillons d'urine, de sang, de radios dentaires. À la recherche de l'empreinte génétique, voilà qui ferait un titre de roman. Si l'analyse était positive, le mieux serait d'exhumer les restes de Baudelaire et de comparer les résultats. Il serait beau que la science nous donne enfin la composition chromosomique des adhérents à l'axe du Mal. Cela permettrait des opérations en amont, avant leur naissance. Savoir éradiquer quand il faut, tout est là.

24/02/2002

FEMMES DU NORD

Un autre livre qui ferait bien de disparaître nous vient d'un Hongrois cynique : *Éloge des femmes mûres*, de

Stephen Vizinczey[40]. Voici ce qu'il ose écrire des Canadiennes et des Américaines :

« Savoir qu'il fallait garder ses distances avec des femmes qui adoraient le camarade Staline ou la musique tzigane ne suffisait pas à vous défendre contre des personnes tout aussi retorses en Amérique du Nord. Je mis du temps à comprendre que je ne devais pas approcher des femmes qui baissent les yeux et rougissent respectueusement dès qu'on mentionne la Compagnie de téléphone Bell, qui regardent la télévision tous les jours pendant des heures, fredonnent des airs sur des marques de détergents, qui embrassent les yeux ouverts et se vantent d'avoir l'esprit pratique... »

« Une bibliothécaire de trente-deux ans m'offrit son corps moins d'une demi-heure après que nous eûmes fait connaissance dans une soirée, et dans l'heure qui suivit elle me demanda en mariage. Après quoi, elle me fit une leçon sur mes responsabilités nouvelles en qualité de futur époux. Il serait de mon devoir de lui assurer une certaine aisance tant que je vivrais et après ma mort, c'est-à-dire qu'il me fallait souscrire une assurance-vie. En l'espace de moins de deux heures, cette étrange créature était prête à m'épouser et à m'enterrer. Elle ne se décida à partir que lorsque je lui expliquai que j'étais d'une tribu qui enterrait la veuve vivante aux côtés de son mari mort. »

Encore un irresponsable qui se moque des désirs féminins les plus naturels. Réfractaire au communisme, le serait-il aussi au libéralisme ? Un pas de plus, et il sera dans l'axe du Mal.

24/02/2002

FOLIE

Que dire quand la folie meurtrière se déchaîne ? On répète des mots, « démence furieuse », « aberration », « forcené », etc., on hésite à exploiter politiquement le sang, à insister sur la violence, l'insécurité, le complot des forces de l'ombre, on est en présence du Mal avec un grand M, lequel vient contredire l'assurance que l'être humain serait une émanation du Bien. Le fou de Nanterre ou les tueurs des Brigades Rouges, en Italie, les kamikazes de Jérusalem ou les deux jeunes filles françaises tentant d'en éliminer une troisième, les jeunes d'Évreux massacrant un père de famille protestant contre le racket dont son fils était l'objet, la liste s'allonge, s'aggrave, se convulse, on dirait que le Diable se concentre comme s'il avait peur qu'on ne l'oublie.

Pas de livre plus actuel que *Les Possédés*, de Dostoïevski, c'est tout dire. Et demain ou après-demain la même chose. Que faire ? Garder la raison ? Bien sûr, mais le problème n'est pas là, il est plus profond, plus essentiel, dans la véritable interdiction qui plane : réduire la sensation, simplifier la perception, propager la négation de soi et des autres, ramener la réalité au seul horizon social. Dieu est mort, mais la Société lui succède. Elle montre de plus en plus ouvertement son programme de maladie mentale. « Et pourtant, la nature est très belle », disait Cézanne, qui voyait déjà, avec effroi, qu'il était de plus en plus seul à savoir la voir.

31/03/2002

145

LA DOULEUR

Eh bien, je ne m'attendais pas à constater qu'Alphonse Daudet est un grand écrivain, comme le prouve, à mon avis, ce petit livre terrible, *La Doulou* (la douleur), réédité récemment [41]. Chaque fin de siècle a sa maladie, le XXe le sida, le XIXe la syphilis. Elle plane sur Balzac, Stendhal, Flaubert, Baudelaire, le plus jeune des Goncourt, Maupassant. Daudet écrit au jour le jour sa souffrance, la montée des symptômes, avec une lucidité admirable. « Pas d'idée générale sur la douleur. Chaque patient fait la sienne, et le mal varie, comme la voix du chanteur, selon l'acoustique de la salle. » « Toujours faire appel à sa volonté pour les choses les plus simples, les plus naturelles, marcher, se lever, s'asseoir, se tenir debout, quitter ou remettre son chapeau. Est-ce horrible ! Il n'y a que sur la pensée et son perpétuel mouvement que la volonté ne peut rien. Ce serait pourtant si bon de s'arrêter, mais non, l'araignée va, va, nuit et jour, sans trêve, seulement quelques heures, à coups de chloral. Car voilà des années et des années que Macbeth a tué le sommeil. »

31/03/2002

LE DÉBAT

Qu'on ne compte pas sur un écrivain pour signer des pétitions et aligner des grands mots : honte, humiliation, valeurs, image de la France, front républicain, et le reste. Irai-je voter pour le sauveur de Corrèze ? Tout dépend du débat qui n'aura pas lieu. Mais j'ai une meilleure idée. L'affrontement doit avoir lieu entre Le Pen et Bernadette.

Personne n'en doute : la vraie légitimité, aujourd'hui, c'est elle.

Le discours républicain classique des droits de l'homme ne suffit plus : il faut celui du royaume ; il faut, comme dans tous les coups d'État, qu'un plébiscite clair ait lieu. Pas d'arguments, d'injures, de vociférations, de promesses qui n'engagent que ceux qui les reçoivent, non, le sourire un peu condescendant de la châtelaine face à l'un de ses paysans furibard. « Cessez d'ennuyer mon mari », dira Bernadette, et l'autre commencera à se troubler, à rougir, à bafouiller, à tripoter nerveusement son béret. Un débat ? Même pas, une entrevue très courte et télévisée. « Soit, monsieur, j'écoute vos doléances. » Vingt minutes suffiront.

Avant, Bernadette aura reçu, toujours aussi souveraine, les différents représentants du peuple. Bayrou, son métayer exigeant du Béarn qui en a assez qu'on lui fouille dans les poches ; Chevènement, cet honnête garçon buté malheureusement athée ; Arlette, qu'il faut calmer avec douceur ; Olivier Besancenot, qui veut être chef à la poste ; la charmante Taubira, qu'il convient d'embrasser ; Madelin, avec lui c'est compliqué mais il a son charme ; Robert Hue, pour le consoler ; Christine Boutin, avec qui on peut prier trois minutes ; l'énigmatique Gluckstein ; Mamère, bien sûr, avec qui on peut plaisanter, « comment allez-vous, monsieur Mamère ? » ; Mégret, pour le sermonner ; Saint-Josse, pour parler de chasse et de pêche ; Corinne Lepage, en coup de vent ; et puis Hollande, les syndicats, les associations, le Crif, et pour finir, bien sûr, les dignitaires religieux ou parareligieux, sans oublier Mgr Lustiger pour une petite confession tranquille.

Après quoi, le gros Le Pen. « Vous voyez bien que tout le monde est contre vous, mon ami, à commencer par les intellectuels. » « Ces salauds », grommellera Le Pen – « Allons, mon ami, du calme. » Bernadette, ensuite, apparaîtra au balcon, promettra de la brioche, de l'emploi et de la sécurité pour tout le monde, et terminera sa brève allocution ainsi : « Mon mari est fatigué, il travaille. Si quelque chose ne va pas, revenez me voir. »

28/04/2002

LA REINE

Une fois Bernadette élue (comment ne le serait-elle pas ?), tout continue comme avant dans le meilleur des mondes possibles. L'Autrichien Haider, l'Italien Berlusconi arrêtent de se moquer de notre beau pays. Le vilain Messier est banni. Un Te Deum à Notre-Dame fait un effet émouvant. Il n'y a qu'à prendre exemple sur les Anglais, le peuple le plus surréaliste de la planète qui, pendant des heures, a attendu pour défiler devant le cercueil de la reine centenaire.

Je la revois, « cette femme la plus dangereuse d'Europe » (dixit Hitler), lors de sa visite à Bordeaux après la guerre. J'ai dix ans, elle embrasse les quelques enfants présents, elle lit un petit discours, elle est toute mignonne. « Nous voici *reuveunyou* (fort accent) dans notre bonne ville de Bordeaux. » Le vin, le *claret*, Aliénor d'Aquitaine, le Prince Noir, vieille histoire. Les Bordelais, dont je suis, sont très réservés sur Jeanne d'Arc, Louis XIV, Robespierre, Napoléon. Ils aiment Montaigne, toujours : « revenons à nos bouteilles ». Et Montesquieu. Et le vibrant Mauriac qui, pour la croix gammée des nazis, a trouvé, en son temps, la meilleure métaphore : « Une araignée gorgée de sang. »

148

Quoi qu'il en soit, la mort de cette vieille reine à chapeaux extravagants est, avec les images du vieux Jean-Paul II épuisé, un événement qui me touche.

Nous sommes loin de l'Hexagone ? En effet, Bernadette n'est pas reine, et c'est dommage. Mais au train où vont les choses, on ne sait jamais. Peut-être dans cinq ans ? Avec une sorte de Tony Blair comme Premier ministre ? D'ici là, il se sera passé beaucoup de choses dans les rues.

28/04/2002

PALESTINE

Et bien sûr, Jérusalem. Et puis Ramallah, Bethléem, Naplouse, Jénine. Israël se défend comme un gros animal qui défonce tout, tandis que l'instrumentalisation de la misère en « martyrs » glace le sang. Je n'aime pas le mot « martyr ». Je suis de l'avis de Voltaire, pour qui les fanatiques sont « tous pétris de la même merde détrempée de sang corrompu ». Voilà comment il faut écrire. La paix, sans doute, mais où, quand, avec qui, comment ? Les différentes manifestations propalestiniennes ou pro-israéliennes laissent un sentiment de malaise irréel. Une envie de vomir, pourtant, bien réelle, quand je vois des pancartes mettant sur le même plan l'étoile de David et la croix gammée.

Là encore, une histoire de vieux : Arafat blême à la bougie, regard débile ; Sharon doublé de volume ; Colin Powell pressé de rentrer dans des régions civilisées... Et encore des soldats, et des femmes dans les ruines. Et la vieille litanie des attentats antisémites en France, pendant que des fous irresponsables pensent que Le Pen déplaît d'abord aux musulmans...

Je lis le témoignage de Wole Soyinka dans *Le Monde*, cet écrivain nigérian, poète et dramaturge, qui a reçu le prix Nobel de littérature en 1986 : « Nous avons vu les postes de contrôle que doivent franchir des milliers d'Arabes palestiniens afin de se rendre au travail en Israël, leur seule et unique source économique. Nous avons été bloqués dans ces convois de véhicules où sont pris, deux fois par jour, les Palestiniens quand ils se rendent au travail et qu'ils en reviennent. Ces files interminables m'ont rappelé mon propre pays, le Nigeria, entre le premier coup d'État des militaires et la guerre civile du Biafra, avec ses conséquences immédiates. Je revoyais ces visages de désespoir et de résignation, mais aussi la colère dont bouillait une population soumise à une humiliation quotidienne de la part d'une force armée arrogante. Ce sentiment d'humiliation était tout aussi tangible en Palestine : on pouvait le toucher, le mesurer, le penser. » Et ensuite, fabrication de « martyrs ». Et ensuite, sans fin, le même film. Mais, malheureusement, ce n'est pas un film.

28/04/2002

SIMONE WEIL

En ces temps de grande misère intellectuelle et spirituelle, on pourra se reporter aux passionnants *Cahiers* [42] de l'intraitable philosophe et anarchiste Simone Weil, morte à Londres en 1943. Par exemple à cette lettre,

150

d'une merveilleuse insolence, qu'elle envoie de Casablanca, le 26 mai 1942, avant son départ pour New York, pour expliquer au père Perrin les raisons pour lesquelles elle, juive, n'accepte pas de se « convertir » : « Vous pouvez me croire sur parole si je vous dis que les Grecs, l'Égypte, l'Inde antique, la Chine antique, la beauté du monde et les reflets de cette beauté dans l'art et la science, le spectacle des replis cachés du cœur humain chez les êtres en qui la religion n'a aucune part, toutes ces choses qui sont en dehors du christianisme visible, et pour l'amour desquelles je reste hors de l'Église, ont fait autant et peut-être plus que les choses visiblement chrétiennes pour m'apporter le Christ.

« Tout cela doit être pour vous très difficile à comprendre, mais pour cette raison même, comme vous ne pouvez pas, il me semble, douter que ce soit vrai, cela est propre à vous faire réfléchir. »

28/04/2002

TRIOMPHE

Nous avons eu le séisme, nous avons eu le sursaut. Les Français sont un peuple électrique et imprévisible : ils aiment les convulsions, les tourbillons, les manifestations, la collectivisation des émotions. D'un côté, Jeanne d'Arc, de l'autre, Napoléon. On défile, on crie, on se presse. Le plus étrange est que, cette fois-ci, tout le monde brandissait le même drapeau, le bleu-blanc-rouge, dans un élan venu des profondeurs de l'oubli. La République était en danger, il fallait écraser l'Infâme, l'Imposteur qui osait se présenter avec les mêmes couleurs. Ce mois de mai 2002 est une des grandes dates de l'histoire de France. Ce pays était en déclin, il allait disparaître ? Mais non, il est là, debout, jeune, éternel, allons enfants de la patrie, le jour de gloire est arrivé. La Bête immonde était prête à profiter de l'occasion patriotique : son complot a échoué, que les cloches sonnent, que la techno résonne dans tous les sens. Un plébiscite, voilà, et qui laisse rêveur, dans sa tombe, Napoléon III. Le père Hugo, lui-même, brandissait son drapeau place de la République. Je l'ai vu. J'y étais. Il m'a fait un petit geste de la main qui, malheureusement, a échappé aux caméras de télévision. Tout le monde n'avait d'yeux que pour le couple présidentiel, Chirac plus jeune que jamais, habillé en sportif de choc, Bernadette, à ses côtés, maternelle, émouvante, modeste, sachant dissimuler que, sans elle, l'Hexagone était sur le point de sombrer. Victoire de la République et photo fraîche : le parc de l'Élysée, une conjugalité transcendante, un petit caniche blanc courant et jappant dans l'herbe. Je suis attendri, j'essuie une larme, je pense au désarroi de Chevènement qui s'est fait voler son Pôle républicain vers lequel toute la limaille française s'est précipitée quand il le fallait. Ne nous parlez plus du déserteur Jospin, qui ose se montrer en touriste à Palerme. Voilà donc ce que cachait son programme d'atelier : un désir de vacances au soleil.

26/05/2002

LE SPECTRE

Le moment est d'ailleurs venu, il me semble, de faire la chasse à tous les mauvais Français. Attention, pas à ceux qui, égarés, chômeurs ou protestataires, se sont laissé abuser par l'Infâme. Non, aux ricaneurs, aux sceptiques, aux dandys libertins et stratèges de bar, à ceux qui parlaient encore, il n'y a pas si longtemps, de « France moisie », aux éternels francophobes, donc, qui voient rouge ou noir quand on leur dit bleu-blanc-rouge. Ils ont un défaut de vision, une tare, un déficit quasi génétique de perception de la réalité vraie. Regardez-les, ces vipères lubriques, ces hyènes dactylographes, tout occupés à cacher leurs sympathies ou leurs compromissions avec le spectre qui n'arrête pas de hanter la ville et la nation : Mai 68. Là est l'abcès, là l'infection profonde. Mai 2002 vomit Mai 68. Toute une jeunesse généreuse, ouverte, humaniste, responsable, piétine la chienlit et la débauche outrée de ce mois passé du déshonneur. Elle s'est dressée, la jeunesse, contre l'Infâme, mais plus essentiellement encore contre les démons libertaires. Elle veut qu'on lui parle d'effort, de discipline, de tolérance, de respect. Le tout dans la liberté, bien entendu, sans oublier l'égalité et la fraternité. Je répète, car il ne faut pas craindre, aujourd'hui, d'être un peu à la messe : liberté, égalité, fraternité, tolérance, respect. Impunité zéro, sécurité, baisse des impôts, dialogue social : le rêve. Et maintenant, votez. Comme l'a dit un des mauvais penseurs du mauvais 68 : « Les salariés ont le droit de voter. » Non seulement de voter, d'ailleurs, mais de se présenter : ils sont presque neuf mille, maintenant, à briguer l'Assemblée nationale. « Élections, piège à cons », osaient crier les dégénérés d'autrefois. Rectification de la belle jeunesse d'aujourd'hui : « Abstention, piège à cons » À bas le surréalisme, vive le civisme. Ne jouissez jamais sans entraves : cela pourrait vous faire mal. Soyez sages, demandez le possible. Votez province, votez proximité, calme, votez Poitou. Votez patrie, votez famille, votez travail. Je n'ai pas dit : travail, famille, patrie, attention, rien à voir. Votez enfants, crèches, école. L'école surtout, j'y tiens beaucoup. La société est une grande famille qui ne demande qu'à aller tranquillement à l'école, voilà tout. Pour le supplément d'âme, voici un morceau de lyrisme récent qui nous vient des avenues du pouvoir : « Un peuple a toujours besoin d'idéal et de dépassement moral, de partage et d'échange. Les Français aspirent à retrouver un État qui garantisse leurs principales sécurités mais, devant les hémorragies modernes, ils ont surtout faim de nation. Ils entendent, riches de leurs atouts, renouer avec l'épopée des grandes aventures collectives, sans renier leur langue pétrie de l'inconnu et du nouveau, du proche et du lointain, vivante en Caraïbe de la mémoire des galions et des plantations, colorée des épices et des saveurs de l'Orient, émaciée du soleil et de la sécheresse de l'Afrique où, sur les grandes étendues, l'homme dépourvu de tout bagage inutile marche debout sur l'horizon, mangeur de poussières et de ciels, scrutant toujours de ses yeux noirs l'appel du dieu en lui. »

26/05/2002

GARGOUILLES

Vous venez de lire du Chateaubriand, du Hugo, du Malraux, du de Gaulle ? Non, du Villepin. Je dois l'avouer : un frisson me saisit devant cette poésie grandiose. Cet homme « mangeur de poussières et de ciels » m'émeut. Cet appel du dieu en moi ne m'est pas inconnu. On trouve tout cela, et bien d'autres choses encore, dans le dernier livre du désormais ministre des Affaires étrangères, *Le Cri de la gargouille*[43]. Ah, on me comprend enfin en haut lieu. Ce n'est pas Villepin, j'en suis sûr, qui me traiterait de mauvais Français. Il sait, depuis longtemps, en me lisant, que je marche debout sur l'horizon, que je suis pétri d'inconnu, de nouveau, que je suis coloré des épices et des saveurs de l'Orient, émacié même, par le soleil de l'Afrique. Cela ne saute peut-être pas aux yeux, on me reproche mon amour élitiste du XVIII\ :superscript:`e` siècle, mais entre poètes on se comprend, et Villepin, me dit-on, est en train de relire ce petit chef-d'œuvre de moi, paru en 1988, qui s'appelle *Les Folies françaises*[44]. Je sais : le titre est de Couperin, il est beaucoup question de Manet et du *Bar aux Folies-Bergère*, mais enfin, personne n'est parfait, chacun ses goûts. Villepin, lui, c'est plutôt les gargouilles de Notre-Dame que *Le Déjeuner sur l'herbe*. Il les entend crier, sa vision posthugolienne devient là prophétique : « Voici que s'élève enfin la masse formidable de la vieille cathédrale, trouée d'ogives, constellée de vitraux, piquée de pinacles, hérissée d'un bestiaire fabuleux, de mille gargouilles hallucinées. Mille gargouilles fantasques qui, au soir tombé, bavardent, éructent, jacassent, grand tumulte de voix rauques que, depuis bien longtemps, les oreilles des hommes ont cessé d'écouter. Mille gargouilles qui cherchent à s'arracher au vaisseau de pierre, arc-boutées de toutes leurs forces sur leurs membres griffus, qui se tendent vers le vide, ivres d'espace et d'air. Mille gargouilles, depuis tant de siècles, penchées sur la ville, immobiles sentinelles qu'observent narquois les hiboux… »

Françaises, Français, encore un effort. Du haut de cette cathédrale, mille gargouilles vous regardent. Grenouilles, soyez à la hauteur de vos gargouilles. Je suis conquis, je vote gargouille, en espérant quand même arriver un jour ou l'autre, mais très discrètement, jusqu'à *La Nymphe surprise* d'un révolutionnaire de vingt-neuf ans, Édouard Manet.

26/05/2002

VIN

Les Bleus sont en Asie, Zidane est roi à Madrid, président à Paris, empereur au Japon. Microscopique voyageur, je reviens de Bordeaux, ou plus exactement de Margaux, où l'Académie du vin, réfractaire à toutes les critiques sur mon compte, donnait un dîner en mon honneur, voulant, je suppose, me faire sentir à la fois mon indignité et ma rédemption. Le temps était splendide. Qui n'a pas vu la Gironde en mai ne sait pas ce qu'est le bonheur de vivre. Là, tout n'est qu'ordre, beauté, luxe, calme, volupté. Pas la moindre fièvre, pas la moindre *Marseillaise*, pas le moindre drapeau français. La France, quoi. Le Royaume.

26/05/2002

MONDIAL

Les Français tombent, les Sénégalais s'enflamment, l'Italie dérape, les Argentins décrochent, les Anglais fléchissent, les Coréens surgissent, les Japonais disparaissent, les Espagnols s'inclinent, les Américains surprennent, les Turcs tiennent le coup, les Allemands s'obstinent, le Brésil enveloppe le tout. Pourquoi le Brésil ? Il est de braise, son drapeau positiviste est global. La planète est un ballon roulant dans l'espace, la mondialisation un tir au but. Les autres sports, désormais, font figure de parents pauvres, locaux, régionaux, provinciaux. Le football tient la corde, il est universel, c'est lui que l'habitant terrestre acclame comme un seul homme, y compris les femmes. Se passe-t-il autre chose ? On le dit, mais ce n'est pas sûr.

30/06/2002

FRANÇAIS

Nous sommes en 1718. Lady Mary Wortley Montagu, célèbre épistolière anglaise, rentre de Turquie où son mari était ambassadeur. Elle passe par Paris, et voici ce qu'elle pense des Français : « J'ai quelque peine à regarder d'un œil tranquille et familier la légèreté et l'agilité de ces fantômes aériens qui dansent ici autour de moi, et je pense souvent me trouver à un spectacle de marionnettes où on représenterait la vie réelle. Je regarde prodigieusement, mais personne ne le remarque, car ici tout le monde regarde ; regarder est *à la mode* : un regard de curiosité, un regard de surprise, et cela vous amuserait beaucoup de voir quels objets insignifiants incitent tous ces regards. » Finalement, elle reste indulgente : « Le Français marche gaiement et semble se réjouir de ce qu'il voit ; ne peut-il dès lors être estimé plus heureux que beaucoup de nos graves penseurs, dont les sourcils sont creusés par une profonde réflexion et dont la sagesse est si souvent enveloppée d'un manteau brumeux de spleen et de vapeurs [45] ? » Un Écossais, du nom de Smollett, lui est plus acide : « Si un Français est admis au sein de votre famille, sa première réponse à vos amabilités est de faire la cour à votre femme si elle est jolie ; si elle ne l'est pas, à votre sœur, votre fille ou votre nièce. Si votre femme le repousse ou s'il tente en vain de débaucher votre sœur, votre fille ou votre nièce, il fera des avances à votre grand-mère. [...] Votre ami français s'impose chez vous à toutes les heures ; il vous étourdit par sa loquacité ; il vous agace par des questions impertinentes sur vos affaires domestiques et privées ; il essaie de se mêler de tous vos intérêts et vous impose son avis avec l'importunité la plus inlassable ; il demande le prix de tout ce que vous portez, et aussitôt que vous le lui avez dit, en rabat la valeur sans hésiter [46] », etc. Ici, nous sommes en 1763, la Révolution se prépare. C'est d'ailleurs le moment, aujourd'hui même, de relire, pour leur fraîcheur, Diderot ou Voltaire. Diderot, lettre à Sophie Volland : « Ô ma Sophie, il me resterait donc un espoir de vous toucher, de vous sentir, de vous aimer, de vous chercher, de m'unir, de me confondre avec vous, quand nous ne serons plus. S'il y avait dans nos principes une loi d'affinité, s'il nous était réservé de composer un être commun ; si je devais dans la suite des siècles refaire un tout avec vous ; si les molécules de votre amant dissous venaient à s'agiter, à se mouvoir et à rechercher les vôtres éparses dans la nature ! Laissez-moi cette chimère. Elle m'est douce. Elle m'assurerait l'éternité en vous et avec vous [47]... »

Voilà un amant sérieux, ou plutôt subtil. On a eu raison de parler du « matérialisme enchanté » de Diderot. Il nous manque.

30/06/2002

RENOIR

Je lis des écrits, des entretiens et des lettres sur l'art, de Renoir [48], et je suis frappé par leur énergie, leur intelligence, leur courage, leur goût. Sur la couverture de ce livre, une *Baigneuse* assise dans un paysage, dite Eurydice, datant de 1895-1900, aujourd'hui au musée Picasso. J'ai le livre à la main, je rencontre des amis branchés ou universitaires d'avant-garde, ils ont l'air étonné, je vois se dessiner sur leur visage une moue de réprobation, presque de dégoût. « Je n'aime pas Renoir. » Pourquoi ? Pas de réponse. Ou plutôt si : ce serait un peintre de troisième ordre, facile, vulgaire, bourgeois, avec des femmes et encore des femmes, des femmes comme on n'en fait plus et comme on n'en veut plus, fortes, rondes, trop grosses, impossibles à vendre en publicité de produits de beauté, naturelles, beaucoup trop naturelles, tranquilles, habitées par une sorte de passivité magique, des vaches, en somme, roses, idiotes, blondes trop reposées. Picasso, lui, aimait Renoir. Matisse aussi. Voilà donc le puritanisme actuel qui rejoint, sans le savoir, celui d'autrefois. Les bourgeois détestaient Courbet, Manet, Renoir, Degas, Cézanne, en les trouvant débauchés, anormaux, tarés. Les petits-bourgeois d'aujourd'hui pensent au contraire qu'ils ne sont pas assez tendance, *destroy*, sado-masos, drogués, allumés, paumés. Au fond, l'Histoire est une question d'intervalles. Les intervalles lumineux et voluptueux sont faits pour être oubliés, alors que ce sont eux qui sont vraiment subversifs. Admirables baigneuses… « À l'atelier, racontait un jour Renoir, pendant que les autres braillaient, cassaient les vitres, martyrisaient le modèle, chahutaient le professeur, j'étais toujours tranquille dans mon coin, très attentif, très docile, étudiant le modèle, écoutant le professeur... et c'est moi qu'on appelait le révolutionnaire. » Si je dis aujourd'hui que Renoir me semble plus révolutionnaire que jamais, j'obtiendrai un sourire de compassion, ou bien on me traitera de provocateur.

30/06/2002

POURQUOI LE BRÉSIL ?

Rien à voir avec le Mondial, c'est le titre étrange du prochain livre de Christine Angot, à paraître à la rentrée [49]. On en parle déjà beaucoup en coulisses. Son père, lorsqu'elle avait douze ans, lui envoyait des lettres attentives, aimantes, plutôt poétiques. Dans l'une d'elles : « Pourquoi le Brésil ? Peut-être parce que c'est un pays dont toute la richesse est dans l'avenir, comme toi à qui le globe était destiné. » Cette déclaration est un talisman pour la vie. Ceux qui ont lu *L'Inceste* comprendront qu'il s'agit aussi d'une malédiction difficile à surmonter. Angot est un écrivain direct, réaliste, rythmique : on commence à lire, on est entraîné. Elle décrit la fatigue et l'épuisement comme personne, elle brise un tabou sur l'existence féminine qui, spectacle oblige, doit toujours avoir l'air « en forme », alors que l'effondrement guette, que la dépression ou la mélancolie sont là, à l'affût. Fatigue, désir et impossibilité d'écrire, obstination à écrire pour changer la vie. Et puis une rencontre. Et puis l'amour. L'amour, vraiment ? Est-ce possible ? Peut-on traverser les peurs, les préjugés, les contraintes sociales, la barrière des corps ? Il semble que oui, malgré les tourbillons de crises. Et ce *oui* va choquer. Et tant mieux. Angot est un personnage combattant. Un écrivain, en somme, et pas une productrice de livres. Elle sait ce qu'est un mot, celui-là, pas un autre. Et là où il faut. Et c'est beau.

30/06/2002

Napoléon VI

Alexandre Dumas, dont il est beaucoup question ces jours-ci (Panthéon oblige), notait le 5 juillet 1848 : « La France n'est pas plus monarchiste qu'elle n'est républicaine. » Étonnante appréciation qu'il s'agit de repenser aujourd'hui. Ni monarchiste ni républicaine ? Mais alors, quoi ? Un mixte, sans doute, qu'on n'a plus besoin d'appeler « empire », mais où on peut garder l'image du monarque républicain, sécuritaire d'un côté, social de l'autre.

Après Napoléon le Grand et Napoléon III, après la Troisième République et la honteuse parenthèse maréchaliste, nous avons donc eu Napoléon IV, de Gaulle ; Napoléon V, Mitterrand ; et enfin Napoléon VI, Chirac. À eux deux, Mitterrand et Chirac vont totaliser vingt-six ans de règne. C'est beaucoup, c'est une vague de fond. On comprend ceux qui voudraient fonder une Sixième République, mais la place est prise. La seule question est maintenant de savoir qui sera Napoléon VII en 2007. Les paris sont ouverts.

Entre-temps, tout le monde sait bien que ne se poseront que des problèmes mineurs, sauf le Proche-Orient et la Bourse. Qu'à cela ne tienne : il y aura des analyses, des bavardages, des revendications, des manifestations, des appels au peuple, des diatribes, des accusations, des remises en question, des débats, des rebonds. L'opinion que je viens d'avancer sera considérée comme élitiste et peu démocratique par ceux-là mêmes qui soutiennent le point de vue napoléonien. Rendez-vous, donc, au prochain plébiscite.

28/07/2002

LA PÊCHE

Ce qui fait plaisir à voir, en tout cas, c'est la pêche extraordinaire de Chirac, son aura, sa baraka. Il est en pleine forme, il a rajeuni de dix ans, la thalassothérapie lui convient à merveille, il plane, il fait pschitt, il est prêt à fatiguer sous lui une dizaine de Raffarin, sa voiture est un cheval, son sourire, un sabre. Un attentat contre lui le 14 juillet ? Ah, bon ? Un déséquilibré néonazi embusqué avec une carabine transportée dans un étui à guitare ? Ah, bon ? Une balle perdue dans le défilé ? Ah, bon ?

Mais imaginez le contraire : un tireur d'élite sur un toit, le pauvre Président atteint et transporté d'urgence à l'hôpital, la nuit de veille, le décès, Bernadette bouleversée, le traumatisme national, les funérailles grandioses. Le Pen et Mégret arrêtés et dissous, Raffarin élu avec 98 % des voix, quelle histoire ! À quoi n'a-t-on pas échappé ! Dieu soit loué, le Président va bien, le néonazisme sera écrasé, la sécurité routière sera assurée, le cancer va diminuer, les handicapés auront droit à plus de justice. Et c'est très bien ainsi, d'autant plus qu'en serrant ostensiblement la main du tsar Poutine, l'axe Paris-Moscou est renforcé par rapport à la menace hitlérienne et à l'islamisme terroriste.

On n'imagine pas Jospin donnant une poignée de main aussi franche et sympathique à son homologue du KGB repeint. Comme quoi l'Histoire avance toujours dans le bon sens, et ce n'est pas le vieux Jean-Paul II en état d'agonie permanente qui pourra dire le contraire. Personnage de plus en plus ahurissant, celui-là : il tient à convoquer Dieu lui-même à son dernier souffle, il tente l'intervention du Ciel, un signe, un miracle, on ne sait quoi.

28/07/2002

TOUMAÏ

Il a sept millions d'années, son crâne et une de ses dents ont été découverts dans le désert du Tchad. C'est notre ancêtre le plus ancien (pour le moment). Je rêvais sur Lucy, Toumaï est deux fois plus vieux. Il vivait au bord d'un lac, depuis très rétréci, plein de poissons, de crocodiles, de tortues, de lézards, de serpents, mais aussi près d'une grande forêt avec hyènes, girafes, éléphants, chevaux, antilopes, singes, hippopotames. En tout cas son os est là, puissant et irréfutable.

Toumaï, dans la langue de la région, veut dire « espoir de vie ». Ce crâne nous regarde, il aurait enchanté Shakespeare, qui l'aurait casé dans *Hamlet*. Être ou ne pas être ? Telle est la question qui a dû tenailler, plus qu'on n'ose le penser, les australopithèques, les chimpanzés, les gorilles. Dieu n'était pas encore né, ou alors de façon très embryonnaire. L'un des savants présents sur cette découverte importante a eu ce mot épatant : « L'absence de preuve n'est pas la preuve de l'absence. »

163

Pour l'instant, donc, nous sommes tous des Africains venus des savanes. « J'ai plus de souvenirs que si j'avais mille ans », a dit un poète français. Avec sept millions d'années, le devoir de mémoire devient un nouvel effort, la recherche du temps perdu un sport redoutable, la légende des siècles une épopée infinie. Si j'avais un fils, aujourd'hui, je l'appellerais Toumaï.

28/07/2002

CLONAGE

À moins que je me fasse cloner, la tentation est quand même très forte. Le professeur Antinori me plaît, sportif, jean gris, moustache convaincante, tee-shirt noir et baskets. Sa technique de transfert nucléaire paraît solide, et l'expérience est en cours, quelque part en Russie, ou ailleurs. Le père d'Antinori était agriculteur, son oncle vétérinaire mais il ne parle pas de sa mère. Dès l'âge de sept ans, nous dit-il, il s'intéressait beaucoup à la reproduction. C'est une sorte de Mozart des ovules et des spermatozoïdes. Il a déjà fécondé plus de mille femmes ménopausées, leur permettant ainsi d'incarner, selon ses propres mots, « la revanche de la femme sur l'homme ». Il a été persécuté par l'Église, ce qui est bon signe. Son programme évite les exagérations d'autres aventuriers prêts à ressusciter le Christ à partir de l'ADN collé sur le Saint Suaire. « La vie est un risque », dit-il sobrement. Un fils peut donc devenir désormais le jumeau de son père, et, en ce qui me concerne, je n'y vois pas d'inconvénient. Quelques Sollers de plus feraient mon affaire. Je ne détesterais pas provoquer ainsi le désespoir de ceux qui ne m'aiment pas.

28/07/2002

DUMAS

On sait qu'Alexandre Dumas, après le coup d'État de Napoléon III, s'exila davantage pour échapper à ses créanciers que par conviction politique. En 1864, il écrit à l'empereur : « Sire, il y avait en 1830 et il y a encore aujourd'hui trois hommes à la tête de la littérature française, ces trois hommes sont Victor Hugo, Lamartine et moi. » Autrement dit : les Trois Mousquetaires. Balzac est mort, silence sur Michelet, Flaubert n'est pas recommandable, Baudelaire encore moins. Ce qui m'étonne toujours, c'est la façon de traiter Dumas en auteur léger et voué au cinéma futur. Rien de plus faux.

C'est un grand écrivain rapide, subtil, tortueux, venimeux, plein de recoins et de pièges. Le cinéma simplifie tout : Dumas est compliqué, sadique, érotique, se délectant de massacres, de tortures, d'empoisonnements, d'exécutions, de complots, de dévoilements de corruption. Ses descriptions de la Saint-Barthélemy, dans *La Reine Margot*, sont effervescentes. Le baquet de Mesmer, dans *Le Collier de la reine*, la plus fine analyse des dessous de la future Révolution. Dans le même livre, voici Jeanne, transformée en Sapho, en pleine extase narcissique :

« Ce transport l'enivra : elle pencha la tête sur son épaule avec des frémissements inconnus, appuya ses lèvres sur sa chair palpitante, et comme elle n'avait pas cessé de plonger son regard, à elle, dans les yeux qui l'appelaient dans la glace, tout à coup ses yeux s'alanguirent, sa tête roula sur sa poitrine avec un soupir, et elle alla tomber, endormie, inanimée, sur le lit, dont les rideaux s'inclinèrent au-dessus d'elle. La bougie lança un dernier jet de flamme du sein d'une nappe de cire liquide, puis exhala son dernier parfum avec sa dernière clarté. »

Et voilà l'auteur malsain que l'on va panthéoniser ! Bel exemple pour la jeunesse !

28/07/2002

PORNO

Il est vrai qu'on ne sait plus à qui se fier. Qu'il faille protéger les adolescents contre la pornographie à la télévision, soit. En revanche, qu'un journal sérieux comme *Le Monde* ose publier une nouvelle comme celle d'Emmanuel Carrère, là, on reste pantois. Qu'en pense Mme Carrère d'Encausse, la mère de l'auteur, et l'Académie française ? Que fait la police de proximité ?

La scène se passe dans un train, jugez par vous-même : « La femme referme la porte, tire le verrou. Les toilettes sont un peu crades, habituellement elle a horreur de ça, mais ce soir, vraiment, elle s'en fout [...]. Elle retire sa culotte trempée, elle soulève une jambe de manière à poser un pied sur le rebord du lavabo, d'une main elle se tient à l'espèce de poignée qui permet de rester en équilibre et de l'autre elle commence à se caresser la chatte [...]. Elle met tout de suite deux doigts, elle les enfonce, c'est complètement inondé et ça l'inonde encore plus de regarder dans le miroir sa main qui empoigne sa chatte et ses doigts qui fourragent. Peut-être qu'elle s'y prend différemment, qu'elle va directement au clitoris, chaque femme a sa technique propre pour se branler », etc.

Le lecteur, ou la lectrice, n'arrive pas à croire que *Le Monde* a imprimé ces inondations, cette manière malade de « fourrager » dans une « chatte » ? Eh bien, si. N'étant pas spécialiste de ces questions, j'ai demandé à Catherine Millet ce qu'elle en pensait. Réponse : laborieux effort d'un débutant masculin. En revanche, m'at-elle avoué, l'extrait précédent d'Alexandre Dumas l'a troublée. Comme quoi « fourrager » peut être à côté de la plaque.

28/07/2002

VOLTAIRE

La gauche, déchirée en bas, se reconstitue en haut, et a vite trouvé ses ministres de droite qui, à son avis, penchent vers elle. Villepin et son allure fougueuse, Aillagon et son charme sensuel, Ferry et son vaste horizon philosophique. Le ministre de l'Éducation nationale a eu, récemment, un mouvement d'agacement en distinguant, dans la foule, des individus semblant préférer Voltaire à Kant. Il a réagi aussitôt : « Voltaire est un merveilleux écrivain, un "intellectuel" profond et talentueux, mais sur le plan proprement philosophique, le comparer à Kant, c'est confondre la butte Montmartre avec l'Himalaya. » Et toc.

Pauvre Voltaire, il n'est pas prévu au programme Raffarin. Pas plus que Nietzsche, d'ailleurs, auteur dangereux (comme Heidegger), et qui osait traiter Kant d'« araignée funeste ». Raison de plus, donc, pour saluer le premier numéro des *Cahiers Voltaire*, revue annuelle de la Société Voltaire. On y trouvera une étude d'André Magnan sur Mme Denis, la nièce du philosophe, qui, avec le temps, apparaît sous un jour nouveau.

Elle n'est pas ce qu'on a fait d'elle, un petit personnage de femme sans cervelle, plus ou moins inapte aux choses de l'esprit, indigne au fond d'avoir partagé la vie du grand écrivain. Mais non, elle lit, elle touche admirablement le clavecin, elle est peut-être un peu réservée sur les engagements frénétiques de son oncle, même si elle le soutient en s'occupant de tout (et, avec Voltaire, tout c'est beaucoup). Finalement, il y a le grand secret de la vie de François et de Marie-Louise (ce sont leurs prénoms) : ils s'aiment.

Et ils s'aiment de façon particulièrement crue comme le prouve cette lettre de l'auteur de *Candide*, datée du 3 septembre 1753 : « Je voudrais être le seul qui eût le bonheur de vous foutre, et je voudrais à présent n'avoir eu que vos faveurs, et n'avoir déchargé qu'avec vous. Je bande en vous écrivant, et je baise mille fois vos beaux tétons et vos belles fesses. » Scandale évité à l'époque ? Scandale éternel : Voltaire était bien le Diable lui-même, un philosophe incestueux, un Himalaya de ruse, un libertin déguisé en humanitaire, un hideux pornographe. Heureusement, Kant nous protège. Un vrai philosophe ne saurait vivre conjugalement avec sa nièce devenue sa maîtresse.

Circonstance aggravante : Marie-Louise adorait *La Pucelle*, ce poème honteux portant atteinte à l'image sacrée de Jeanne d'Arc. Dans le même numéro de ces *Cahiers*, un autre texte nous rappelle que le XIXe siècle a souvent, dieu merci, jugé sévèrement le léger Voltaire : c'est Émile Faguet qui a été ici le plus insistant. Il faut relire Faguet, c'est très instructif.

25/08/2002

CALENDRIER

Le nouveau calendrier est en cours : vous êtes à l'étage zéro de l'Histoire universelle, dans la première année de la nouvelle ère. Désormais, il y a un avant (périmé) et un après (inquiétant, mais très énergique). Le 11 septembre sera célébré à l'avenir comme le grand tournant de la civilisation planétaire. Les tours s'effondrent sous le choc des avions fous, des corps se jettent dans le vide, le feu fait rage, la poussière envahit les rues, vous allez revoir, pour la millième fois, ces images de panique et de souffrance, la grande ville affolée, la bannière étoilée déchirée, les débris humains, les cris, les pompiers, la stupeur, l'héroïsme. Qui oserait, après cela, être, ne fût-ce que furtivement, « antiaméricain » ? Personne, sauf des brutes ou des terroristes.

Vous êtes collés au 11 septembre, c'est la date-phare, la naissance douloureuse d'un monde blessé mais vainqueur. Vous serez émus 11 septembre, vous prierez 11 septembre, vous voterez 11 septembre, vous rêverez 11 septembre, vous aurez réponse à tout en disant « 11 septembre ». Vous avez dépassé, grâce au 11 septembre, toutes les fêtes religieuses de l'ancienne temporalité, Noël, Pâques, Yom Kippour, le Ramadan. La synthèse a eu lieu, le drapeau américain flotte pour toujours sur ces décombres.

Oh, je sais, il y a encore pas mal de travail à faire là-bas, du côté de Kaboul, de Ramallah, de Bagdad. Le pétrole a ses raisons dont Dieu seul connaît les coulisses. Mais enfin, le Mal sera terrassé, c'est l'évidence même. Je trouve qu'on tarde trop, d'ailleurs. Pourquoi ces atermoiements ? Ces freinages ? Ces pseudo-scrupules ? Ces

Onuseries qui ne trompent personne ? Il faut frapper, encore et encore. Le 11 septembre l'exige. Le 11 septembre est l'horizon indépassable de notre temps. Plus de 14-Juillet : 11-Septembre. Espérons que les Français, toujours un peu à la traîne de la vraie conscience historique, finiront par s'en convaincre et par s'aligner sur la nouvelle religion. Le Bien saute aux yeux : il n'y a que des aveugles pour ne pas le comprendre.

29/09/2002

LA TACHE

Dans son merveilleux roman, *La Tache*[50], où j'apparais de façon très significative à la page 249, Philip Roth, un des rares Américains définitivement réveillé d'aujourd'hui, revient sur l'affaire Clinton-Lewinsky, laquelle nous paraît maintenant préhistorique. Il diagnostique « cette vieille passion fédératrice de l'Amérique, son plaisir le plus dangereux peut-être, le plus subversif historiquement : le vertige de l'indignation hypocrite ».

À vrai dire, il s'agit là d'une particularité humaine universelle, dans toutes les sociétés et sous tous les climats. Le moyen, pour un écrivain, d'échapper à cette « tache » ? Celui-ci : « Le secret, si l'on veut vivre dans le tumulte du monde tout en maintenant la douleur au plus bas, c'est d'entraîner autant de gens que possible dans ses illusions ; le secret, pour vivre seul, loin de l'agitation des imbroglios, des séductions, des attentes, et surtout à l'écart de sa propre intensité, c'est d'organiser le silence ; de considérer la plénitude du sommet de la montagne comme un capital, et le silence comme une richesse qui connaît une progression exponentielle [...]. »

« Au bout de cinq ans, j'étais devenu si habile à découper mes journées au bistouri qu'il n'y avait plus une seule heure de cette existence, où il ne se passait rien, qui ne compte pour moi [...]. La musique que j'écoute après dîner n'est pas un palliatif du silence, mais bien sa substantiation : écouter de la musique une heure ou deux, le soir, ne me prive pas du silence, la musique, c'est le silence réalisé comme un rêve. »

Après quoi (il faut bien vivre du côté social), il se met à imaginer un roman. Car les humains ont besoin de romans. Si on ne leur en fabrique pas, ils se fâchent.

29/09/2002

TOUJOURS VOLTAIRE

On ne se lasse pas de Voltaire : question de style. Exemple : « Que répondre à un homme qui vous dit qu'il aime mieux obéir à Dieu qu'aux hommes, et qui en conséquence est sûr de mériter le ciel en vous égorgeant ? » Ou encore : « Lorsqu'une fois le fanatisme a gangrené un cerveau, la maladie est presque incurable. J'ai vu des convulsionnaires qui s'échauffaient par degrés : leurs yeux s'enflammaient, tout leur corps tremblait, la fureur défigurait leur visage, et ils auraient tué quiconque les eût contredits. Oui, je les ai vus, ces convulsionnaires, je les ai vus tordre leurs membres et écumer. Ils criaient : il faut du sang [51]. »

Même plaisir immédiat avec Nietzsche : « Il ne nous semble pas probable qu'on nous décapite, que l'on nous enferme, que l'on nous bannisse, nos livres ne seront même pas interdits ou brûlés. L'époque aime l'esprit, elle nous aime, quand même nous lui donnerions à entendre que nous sommes des artistes dans le mépris ; que tout rapport avec les hommes nous cause un léger effroi ; que malgré notre douceur, notre patience, notre affabilité, notre politesse, nous ne pourrions persuader notre nez d'abandonner l'aversion qu'il a pour le voisinage des hommes ; que moins la nature est humaine, plus nous l'aimons ; que nous aimons l'art quand il est la fuite de l'artiste devant l'homme, ou le persiflage de l'artiste sur l'homme, ou le persiflage de l'artiste sur lui-même... »

Peu de livres, aujourd'hui, vous parlent aussi directement que *Le Gai Savoir*. Peu sont aussi *romanesques*. Mais dites-moi, vous n'écrivez pas de vrais romans ? Vous trouvez ? Alors, mettons que ce soient des romances. Vous aimez beaucoup les citations ? Pas les citations, les excitations. Écrire est une joie, publier est une autre affaire.

En quelques semaines, j'ai été traité successivement de « mandarin », de « bookmaker », de « parrain ». Il paraît que je manipule tout, que je suis partout, que je tire toutes les ficelles. Mes réseaux sont immenses, mon pouvoir illimité, mes interventions incessantes. On m'a vu à la même heure en plusieurs endroits à la fois, et même, simultanément, sur cinq chaînes de télévision.

La victoire des Verts en Allemagne, c'est moi (à travers Cohn-Bendit). Le coup grotesque de la « maison bleue », en France, c'est encore moi. Et, bien entendu, le *Journal* de Sylviane Agacinski[52], c'est toujours moi (nous l'avons écrit, dans l'île de Ré, ensemble). « Sollers charrie », ai-je lu dans un magazine. Formule un peu vulgaire, mais signée d'un nom féminin aristocratique. C'est sans doute une proposition.

29/09/2002

GIDE

Sylviane Agacinski m'envoie cette phrase de la jeunesse de Gide : « Je me souhaitais mélancolique ; je n'avais pas encore compris la supérieure beauté du bonheur. » Eh bien, le bonheur, pour Gide, on le lit dans ce petit texte de 1907 conservé dans ses papiers et intitulé *Le Ramier*[53].

On est dans le Sud-Ouest, après une élection républicaine. On dispose, quand on est notable, des fils de fermiers de la région. On en fait roucouler un sous la lune. On le prête ensuite au sénateur de la Haute-Garonne, Eugène Rouart. Ces messieurs ne s'embêtent pas. Le brave garçon meurt d'ailleurs trois ans après de la tuberculose. C'était donc un pigeon, voilà tout. Un pigeon de quinze ans, croit Gide, alors qu'il en avait dix-sept. Tout cela devait paraître scandaleux à l'époque, et nous semble aujourd'hui presque un comble de niaiserie. Comme quoi beaucoup de bruit pour pas grand-chose.

À moins qu'il faille poursuivre Gide, rétroactivement, pour ses tendances pédophiles avérées. Catherine Gide nous assure (et elle a raison), qu'il n'y a dans tout cela aucune perversité. Gide, on le sait, se voulait « éducatif ». Aux innocents les mains pleines.

29/09/2002

VANEIGEM

Si je ne parle pas du dernier livre de Raoul Vaneigem, *Pour l'abolition de la société marchande, pour une société vivante*[54], qui le fera ? Je pourrais en signer des passages entiers. Exemple : « Quiconque s'identifie aujourd'hui à un territoire, à une religion, à une croyance, à une idéologie, à une ethnie, à une langue, à une mode, à une couleur ne fait que se dépouiller de sa singularité, de sa vraie et inépuisable richesse, de ce qu'il possède en lui de plus vivant et de plus humain. »

Vaneigem a oublié le mot *sexe*. Je le rajoute. C'est important. Mais aussi : « Rien n'est plus redoutable pour le système des affaires qu'un homme qui se découvre humain et entend faire de la jouissance de soi le fondement de son existence. » Et encore : « Dans un monde qui se détruit, la création est la seule façon de ne pas se détruire avec lui. Seule la puissance imaginative, privilégiée par un absolu parti pris de la vie, réussira à proscrire à jamais le parti de la mort, dont l'arrogance fascine les résignés. »

Beaucoup de résignés, ces temps-ci, voilà le problème.

29/09/2002

MATISSE-PICASSO

Ah ! le vrai bonheur, la démonstration, la beauté, la vérité : cette exposition extraordinaire. Courez-y, restez-y, n'en sortez plus, revenez-y, recourez-y. Comment ont-ils fait, ces deux-là, à travers deux guerres mondiales et des avalanches de massacres ? Le bruit et la fureur ont disparu, des foules hurlantes, des camps de concentration, des tortures ont eu lieu. On est en 1908, ils ont tout anticipé et compris. En 1915, ils tiennent le coup. En 1939, ils anticipent et comprennent mieux que personne. En 1950, ils sont toujours là. Ils n'ont pas d'âge, le dessin et la couleur les emportent, ils passent leur temps à méditer et à jouir, l'un plus enveloppant, l'autre plus dressé et cruel.

Trois femmes rouges : on n'en veut plus d'autres. *Madame Matisse* : on part avec elle. *La Danse* : mieux que tout mouvement. *Les Marocains* : volupté de l'espace. *Nu dans un jardin* : comment Picasso a-t-il pu faire une femme comme ça ? Et ce *Grand intérieur rouge* : pourquoi habiter ailleurs ? Et *Zulma*, cette déesse, aujourd'hui à Copenhague. Et cette *Grande nature morte au guéridon* où l'on mange tout. Et *L'Acrobate bleu* : quelle insolence !

29/09/2002

PRIX

Je n'aurai pas de prix littéraire, les libraires m'ont boudé, je suis accablé. On dit que Le Clézio m'a privé du Renaudot. C'est possible, il est tellement rêveur. Nous jouons dans le même film depuis des années, lui le bon, moi le méchant, Modiano ambigu, Angot et Houellebecq au saloon, Quignard en pasteur ascétique. Dans la dernière scène du western, on voit Le Clézio partir vainqueur dans le soleil couchant, pendant que, dans le cimetière, ma main se crispe une dernière fois sur la poignée de dollars que je n'atteindrai jamais.

Jouer sa propre agonie n'est pas si facile, et pourtant je ne m'en lasse pas. Pourrais-je incarner un jour le bon cow-boy sur fond de déferlante musicale ? M'éloigner fier et dédaigneux dans le désert mexicain ? Non, rien à faire, chacun doit jouer son rôle. Le pasteur Quignard m'enterrera vite avec quelques mots en latin. Angot et Houellebecq boiront à ma mémoire au saloon. Modiano dira à

175

mon sujet une phrase rapide et incompréhensible à la banque. De là à titrer, comme *Le Figaro Magazine* : « Guerre civile chez Gallimard », il y a un abîme. C'était du cinéma, voyons.

27/10/2002

VUP

Au moment où la littérature est le plus en danger par illettrisme, analphabétisme, ignorance historique, simplification publicitaire, jamais on n'aura autant parlé de l'édition en péril. Le monstre Hachette rachète Vivendi, le diable Lagardère frappe, la pieuvre verte dévore tout, les éditeurs indépendants sont inquiets, les libraires affolés, la distribution déstabilisée, le paysage flambe. Tout cela est-il vraiment apocalyptique ? La catastrophe est-elle là ? J'en doute. Je note que les auteurs, dans tout ce bruit, ont été remarquablement silencieux. Or, jusqu'à plus ample information, ce sont eux qui sont déterminants dans cette région. Un auteur cherche un éditeur sans préjugés et qui sache lire. C'est tout.

Je propose un concours : les éditeurs enfermés et prouvant par eux-mêmes qu'ils ont vraiment lu les dix premières pages d'*À la recherche du temps perdu*. Vos impressions. Votre propre expérience du sommeil. Que veut dire exactement Proust, et pourquoi cette phrase ? Un éditeur indépendant, plus talentueux que les autres, a comparé l'offensive Hachette à des nénuphars envahissant une piscine. Après tout, on peut se passer de piscine et aller se baigner dans l'océan. Ou être comme moi, le plus souvent, un nénuphar heureux.

27/10/2002

RÉACTIONNAIRES

À quoi bon revenir sur les prix littéraires, si vite oubliés ; sur l'expérimentation d'un gaz nouveau dans un théâtre de Moscou ; sur l'étrange passion de Poutine pour la circoncision visant on ne sait qui à travers les Tchétchènes ; sur les menaces d'Al-Qaida (encore du gaz dans le métro de Londres ?) ; sur la guerre différée en Irak ; sur les attentats en Israël ? Le microcosme intellectuel français est beaucoup plus préoccupé par la polémique en cours sur les « nouveaux réactionnaires ». Vous n'en voyez pas l'intérêt ? Moi non plus. Vous avez l'impression d'une campagne de diversion hâtivement montée, amplifiée, relancée, confuse ? Moi aussi. Les uns attaquent, les autres se défendent, l'espace médiatique est rempli, voilà au moins un point d'accord entre les adversaires.

Les injures pleuvent, la lutte des places s'intensifie, les listes des bons et des méchants varient d'un camp à l'autre, les soupçons augmentent, personne n'est plus sûr de personne, les institutions les plus vénérables sont mises en question. Un vieux révolutionnaire me traite, à tout hasard, dans *Le Figaro* d'« homme qui tourne plus vite que son ombre » (il faut comprendre « girouette » affolée par le vent). La formule est flatteuse, mais elle le serait davantage venant d'un soufi expert, plutôt que d'un retraité pétrifié. Un autre, pourfendeur de Mai-68 (exercice très à la mode), prévoit drôlement qu'on pourrait remplacer le centre Raymond-Aron par un centre Guy-Debord.

Mais qui est Guy Debord ? Un animateur de télévision ? Un éditorialiste célèbre ? Un penseur obscur dépassé, dont un autre protagoniste de la pièce en cours déclare, sans rire, que ses concepts « n'éclairent plus rien » ? Un universitaire influent passé de gauche à droite ou le contraire ? Un best-seller surestimé ? Un ancien Goncourt injustifié ? Je vais chez une libraire, je demande un livre de lui, elle hoche la tête d'un air désapprobateur, ce Debord doit donc être un nouveau réactionnaire. Cependant, comme je suis un enquêteur sérieux, je vais quand même m'efforcer de le lire.

01/12/2002

SPECTACLE

Et voici : « Le pouvoir du spectacle, qui est si essentiellement unitaire, centralisateur par la force même des choses, et parfaitement despotique dans son esprit, s'indigne assez souvent de voir se constituer, sous son règne, une politique-spectacle, une justice-spectacle, une médecine-spectacle, ou tant d'aussi surprenants *excès médiatiques*. Ainsi le spectacle ne serait rien d'autre que l'excès du médiatique, dont la nature, indiscutablement bonne puisqu'il sert à communiquer, est parfois portée aux excès. »

« Assez fréquemment, les maîtres de la société se déclarent mal servis par leurs employés médiatiques ; plus souvent, ils reprochent à la plèbe des spectateurs sa tendance à s'adonner sans retenue, et presque bestialement, aux plaisirs médiatiques. On dissimulera ainsi, derrière une multitude virtuellement infinie de prétendues divergences médiatiques, ce qui est tout au contraire le résultat d'une convergence spectaculaire voulue avec une remarquable ténacité. De même que la logique de la marchandise prime les diverses ambitions concurrentielles de tous les commerçants, ou que la logique de la guerre domine toujours les fréquentes modifications de l'armement, de même la logique sévère du spectacle commande partout la foisonnante diversité des extravagances médiatiques [55]. »

Tiens, voilà qui, soudain, me paraît sensé. J'aime assez le style froid, l'ironie profonde du raisonnement logique. Qu'est-ce que ne pas être réactionnaire aujourd'hui ? me dis-je. Réponse : savoir lire et écrire. C'est déjà beaucoup.

01/12/2002

DÉPORTÉS

Il aura donc fallu onze ans avant qu'une chaîne de télévision (câblée, pas publique) diffuse les témoignages de Danylo Choumouk, Mison Etlisse, Oleg Volkov, Assir Sandler et Alexandre Ginzburg sur le goulag. Choumouk, Ukrainien, est, selon Amnesty International, le prisonnier le plus long du monde : quarante-deux ans. Laurène L'Allinec, qui a pu trouver un peu de pellicule pour filmer ces témoignages, semble à peine étonnée qu'on les ait négligés si longtemps.

S'est-on mis à oublier si vite Soljenitsyne, ce nouveau réactionnaire, ou encore Chalamov et ses *Récits de la Kolyma* ? Faut-il éviter de faire de la peine à Poutine ? N'est-il pas, cet ancien fonctionnaire du KGB sur fond de mafia, notre allié face au terrorisme islamique ? Le goulag, n'est-ce pas, on connaît. Mais vous qui en venez, nous vous entendrons là-dessus une autre fois. Vous risquez d'être trop concret, sans doute.

Dans la foulée, ne faut-il pas admirer le seizième congrès du Parti communiste chinois, et son évolution vers un capitalisme policier sans complexes ? La Chine n'est-elle pas « l'étoile rouge du capitalisme » ? *Le Figaro Magazine,* toujours bien inspiré, titre : « Si Mao savait. » Mais Mao, n'en doutez pas, *savait.* Cela faisait même partie de son génie diabolique.

01/12/2002

PRESTIGE

Voici un navire construit il y a vingt-six ans au Japon. Il a des propriétaires et des armateurs grecs ou libériens. Son pavillon est des Bahamas. Son équipage est gréco-philippino-roumain. Son courtier est russe et fait charger sa marchandise en Lettonie. Son remorqueur est chinois. Sa destination, en revanche, était incertaine : Singapour, ou peut-être la Turquie, ou bien Gibraltar. Résultat : fioul sur les côtes. Il s'appelle *Prestige*, un nom de parfum. Cela ne s'invente pas.

Pas plus qu'on n'invente ici l'explosion mondiale du sida. Trois millions de morts cette année. Quarante-deux millions de séropositifs. Quarante-cinq millions de nouveaux infectés en 2010. Progression fulgurante en Afrique australe, en Inde, en Russie, en Chine. Circuits de la drogue, tissus de la maladie. Que fait-on réellement pour freiner cela ? Pas grand-chose. En revanche, le transport solennel des restes d'Alexandre Dumas au Panthéon promet un joli spectacle. Une Marianne à cheval, des comédiens déguisés en mousquetaires (pourquoi pas en académiciens ?), des déclarations, des discours, tout ce qu'il faut pour oublier l'époque présente. D'un côté on évalue le nombre des prochains morts, de l'autre on commémore. Et l'écrivain dans tout ça ?

Relisons ce qu'écrivait Roland Barthes en 1979 : « Il est seul, abandonné des anciennes classes et des nouvelles. Sa chute est d'autant plus grave qu'il vit aujourd'hui dans une société où la solitude elle-même, en soi, est considérée comme une faute. Nous acceptons (c'est là notre coup de maître) les particularismes, mais non les singularités ; les types, mais non les individus. Nous créons (ruse géniale) des chœurs de particuliers, dotés d'une voix revendicatrice, criarde et inoffensive. Mais l'isolé absolu ? Celui qui n'est ni breton, ni corse, ni femme, ni homosexuel, ni fou, ni arabe, etc. ? Celui qui n'appartient *même pas* à une minorité ? La littérature est sa voix, qui, par un renversement "paradisiaque", reprend superbement toutes les voix du monde, et les mêle dans une sorte de chant qui ne peut être entendu que si l'on se porte, pour l'écouter, très au loin, en avant, par-delà les écoles, les avant-gardes, les journaux et les conversations [56]. »

01/12/2002

IRAK

Les dix mille pages envoyées par Saddam Hussein à l'ONU étaient-elles contaminées ? Des bacilles se sont-ils dissipés dans l'air lors de leur lecture ? Je constate en tout cas que le président des États-Unis vient de se faire vacciner contre la variole. Il montre l'exemple, il va bien.

Cinq cent mille hommes vont faire de même. Au total, un million de personnes seront variolées. D'un strict point de vue scientifique, il ne devrait y avoir que deux ou trois morts par effets secondaires. Et voici la nouveauté : la Terre est devenue très chimique. Mais que font les Verts pendant ce temps-là ? Ils sont en pleine lutte des places. Rien sur le goudron, rien sur les virus, mutisme, bouche cousue. Chassez le naturel, il revient au galop, c'est-à-dire le goût du pouvoir, fût-il dérisoire. Vous n'aimiez pas vraiment la Nature ? Très bien, vous l'avez dit.

29/12/2002

MOURIR

Moi aussi, comme Mireille Jospin, un jour ou l'autre, je tiens à mourir dans la dignité. Vincent Humbert en a assez, il le dit avec son pouce. Chirac reçoit sa mère, mais ne lui donne pas l'autorisation de disparaître. Comment le pourrait-il, d'ailleurs ? Les demandes afflueraient. Le chef de l'État deviendrait une sorte de pape à l'envers. De longues files d'attente se formeraient devant l'Élysée. D'ici à faire construire sur place un grand hôpital spécialisé avec crématorium associé, il n'y aurait qu'un pas qui pourrait démoraliser la nation entière. Tout individu qui estimerait ne pas vivre dans la dignité pourrait avoir envie de mourir digne. Cela risquerait de faire beaucoup de monde.

Imagine-t-on d'ici les dossiers, les enquêtes, les problèmes familiaux et religieux, les controverses, les effets latéraux sur le commerce, la publicité, la bonne tenue de l'armée ? La vie est sacrée, c'est entendu, mais que faire si elle est devenue insupportable ? Il y a un mot terrible de Franz Kafka au médecin qui refuse d'abréger ses souffrances : « Si vous ne me tuez pas, vous êtes un assassin. » C'est pointer du doigt le sadisme thérapeutique. La culture de vie n'est pas forcément le contraire de la culture de mort. Mais je m'arrête ici, et renvoie le lecteur ou la lectrice à la grande tirade d'Hamlet, « *To be or not to be* », etc.

29/12/2002

MISS MONDE

Après l'attentat de Mombasa contre l'hôtel Paradise (je n'invente rien), un responsable d'Al-Qaida a déclaré que la guerre sainte « contre l'alliance judéo-croisée » ferait que l'ennemi serait partout en danger, « sur mer, sur terre et dans les cieux ». Il aurait pu ajouter « dans sa respiration, ses tissus, ses organes ». Et dans sa tête, donc, il suffit de généraliser la peur. Les terroristes sont là, parmi nous. Ils pensent à nous empoisonner, ils ont pour alliés des déviants notoires.

Heureusement, Miss Monde, Azra Akin, nous donne une autre idée de l'islam. Elle appartient à une famille turque vivant aux Pays-Bas. Elle a vingt-deux ans, aime nager, danser et jouer de la flûte. Elle a été couronnée à Londres, après que le concours, prévu au Nigeria, eut provoqué des émeutes d'intégristes islamistes, avec comme résultat deux cents morts. Une journaliste avait écrit qu'après tout le Prophète aurait pu choisir pour femme une des candidates. Blasphème explosif, verset satanique.

Miss Monde, qui veut, paraît-il, étudier l'art (je suis à sa disposition), vient de gagner cent cinquante-sept mille euros. La cérémonie de son couronnement a été retransmise par les télévisions de cent quarante-deux pays. Le spectacle a eu lieu en début d'après-midi pour pouvoir être suivi en direct, à l'heure de la plus forte écoute, en Chine, où le concours se tiendra en 2003. Les candidates, désormais, ne défilent plus en maillot de bain, mais en robe du soir, même si elles apparaissent en bikini sur un écran géant. Il s'agit, disent les organisateurs, de récompenser « une femme normale, certes fantastiquement belle, mais aussi – pourquoi pas ? – travailleuse acharnée ». Je craque, cette Turque me subjugue, l'hommage que lui ont rendu les intégristes prouve paradoxalement que la marchandise universelle est sur la bonne voie. La Chinoise de 2003 sera encore plus belle, encore plus douée, bien meilleure joueuse de flûte. Je suis candidat pour l'interviewer.

29/12/2002

ARCHEVÊQUE

L'archevêque de Boston a été obligé de démissionner : il couvrait des prêtres pédophiles. Le Vatican est embarrassé. Mais c'est le nom de l'archevêque qui est intéressant : il s'agit du cardinal Bernard Law. S'appeler « loi » et être pervers, voilà qui ne manque pas de sel. Encore restons-nous, là, dans ce qu'on pourrait appeler la perversion inacceptable mais douce, crypto-gidienne, rose bonbon. Dans le genre dur, le cas du « cannibale de Rotenburg » a une autre allure. Grâce à des annonces sur internet, cet informaticien de quarante et un ans a trouvé au moins une victime consentante, qu'il a tuée, dépecée et consommée en filmant son crime. L'annonce était rédigée ainsi : « Je cherche un homme jeune. Tu as au maximum trente ans et un corps normal ? Tu es la personne que je recherche. Je veux te tuer et consommer avec volupté ta chair succulente. »

Le jeune homme en question a vendu son appartement et ses meubles, rédigé son testament au profit de l'ami avec lequel il partageait sa vie, et est ensuite parti dans la maison du meurtre. Avant d'être tué, il a accepté de se faire couper le pénis, qu'il a dégusté avec son bourreau. Cette scène a été filmée, ainsi que l'assassinat et la préparation culinaire du cadavre. Cela nous rappelle le cas d'Issei Sagawa, le Japonais qui en 1980, à Paris, a tué et a mangé, morceau par morceau, son amie néerlandaise. Cet Allemand est allé plus loin, il me semble. On ne doit pourtant pas s'attendre à la diffusion d'un tel document sur Arte. Le débat qui suivrait serait pourtant passionnant.

29/12/2002

VOLTAIRE

« Ce sont d'ordinaire les fripons qui conduisent les fanatiques, et qui mettent le poignard entre leurs mains ; ils ressemblent à ce Vieux de la Montagne qui faisait, dit-on, goûter les joies du paradis à des imbéciles, et qui leur promettait une éternité de ces plaisirs dont il leur avait donné un avant-goût, à condition qu'ils aillent assassiner tous ceux qu'il leur nommerait. Il n'y a eu qu'une seule religion dans le monde qui n'ait pas été souillée par le fanatisme, c'est celle des lettrés de la Chine. Les sectes des philosophes étaient non seulement exemptes de cette peste, mais elles en étaient le remède ; car l'effet de la philosophie est de rendre l'âme tranquille, et le fanatisme est incompatible avec la tranquillité. Si notre sainte religion a été si souvent corrompue par cette fureur infernale, c'est à la folie des hommes qu'il faut s'en prendre [57]. »

29/12/2002

FRANÇOISE GIROUD

Nous sommes en 1969. Lacan vient d'être chassé de l'École normale supérieure où il tenait son séminaire. On l'accuse, à juste titre, de corrompre la jeunesse et de susciter des passions gauchistes. C'est un marginal, un hurluberlu, un fou. L'Université doit être reprise en main, vidée de ses agitateurs malsains, de ses terroristes en puissance. Avec quelques amis, nous occupons le bureau du directeur de l'école. La police intervient, dispersion. Les jours suivants, j'accompagne Lacan dans sa curieuse solitude, tout le monde le lâche, impossible d'obtenir dans la presse un article en sa faveur. J'assiste à l'humiliation du vieux Lacan, téléphonant ici et là sans obtenir de réponses. À un moment, il dit : « On va aller voir Giroud. »

Françoise Giroud, *L'Express*, cela ne me disait rien qui vaille, encore une lubie de Lacan. Mais non : nous nous retrouvons à déjeuner avec une femme douce, réservée, charmante, montrant pour Lacan une vive affection, et, surtout, une sorte de respect amusé. Chemisier de soie blanche un peu déboutonné, yeux noirs attentifs. J'ignorais, évidemment, qu'elle avait été en analyse avec lui au moment de ses plus grandes difficultés psychiques et sentimentales. Lacan ne dit pas grand-chose, il soupire beaucoup, s'amuse à parler de Mao, comme ça, pour rendre la conversation impossible. Françoise Giroud a cinquante-trois ans, Lacan soixante-huit, moi trente-trois. On mange rapidement, Lacan ne demande rien, on s'en va. La semaine suivante, il a son article très positif. Conclusion : c'était mon hommage à Françoise Giroud qui, pourtant, m'a vivement attaqué lorsque j'ai publié mon livre sur Casanova. Il est vrai qu'elle convoitait le sujet, et que je n'ai jamais été en psychanalyse.

26/01/2003

D'ORMESSON

Jean d'Ormesson a décidé de faire mentir le mot célèbre de De Gaulle sur la vieillesse comme un naufrage. À soixante-dix-sept ans, il bondit, pétille, fonce, enfonce son clou, vibrionne, saute, patine, rebondit, sprinte, embrasse tout le monde, rafle les plateaux télé, feint la modestie comme personne, sort Chateaubriand toutes les trente secondes, Figaro-ci, Figaro-là, de toutes parts on me demande, ah, laissez-moi respirer. C'est le vieillard colibri, l'acrobate du quatrième âge, le marquis vital en rollers. Ophélie, ma libraire d'habitude exigeante et maussade, est sous le charme, elle en abandonnerait

Echenoz pour lui. « Je suis né dans un château, dit d'Ormesson, c'est mon trotskisme à moi. » Et Ophélie, ô stupeur, trouve ça drôle. D'Ormesson et Ardisson, dans un numéro étourdissant, échangent leurs identités : c'est Jean d'Ardisson et Thierry d'Ormesson. La jeunesse applaudit à tout rompre. Un jeune téléspectateur, du nom de Salomon, écrit que si l'Académie française est comme d'Ormesson il rêve d'y rentrer un jour. « Votre livre (car il s'agit malgré tout d'un livre) est un roman, un essai ? » « Peu importe, répond d'Ormesson, c'est un truc. »

Des féministes aux anges écoutent sans ciller des phrases de ce genre : « Je me suis servi des femmes pour être connu, et ensuite je me suis servi du fait d'être connu pour avoir des femmes. » Là-dessus, il saute au cou d'une actrice suédoise massive, deux fois plus grande que lui. Son regard est de plus en plus bleu, son pull à col roulé est bleu, tout devient bleu autour de lui, c'est la marée bleue. D'Ormesson est immortel, il le sait, et s'en excuse presque. S'il devait mourir un jour, ce qu'à Dieu ne plaise, on sent qu'il répondrait à une interview dans l'au-delà avec la même ébriété. « Votre expérience de la mort ? — C'était rien. » Et voilà le travail, disait mon grand-père.

26/01/2003

La Coupole à Moscou

À son tour, Maurice Druon a rencontré Vladimir Poutine. Son récit vaut le détour : « Celui que l'on dit l'impassible Poutine voue à ses chevaux une affection joyeuse. Il aime à poser ses lèvres sur leur nez, et son préféré lui répond en lui baisant la joue avec une insistante tendresse, comme j'ai vu peu de chevaux le faire. Le cavalier est par nature quelqu'un qui voit l'horizon d'un peu plus haut, qui doit être toujours en éveil, et toujours prêt à donner l'impulsion. Tel est l'homme que Paris va accueillir le mois prochain en visite d'État. Il se rendra pendant son séjour à l'Institut de France, renouant avec une tradition qui remonte à la visite que fit Pierre le Grand à l'Académie française, suivi de Paul Ier et Nicolas II. Ce geste a une signification symbolique. » Ce Poutine, voyez-vous, n'est pas un mauvais cheval. Les morts de Grozny doivent en convenir. Osera-t-on espérer ici, de la part du trotskiste d'Ormesson, une légère réserve ? On ne sait quel sursaut aristocratique ? Du goût ?

23/01/2003

CLONAGE

Freud, on s'en souvient peut-être, adjurait Jung (qui trouvait ça exagéré) de s'en tenir strictement à la théorie sexuelle. « Pourquoi ? » lui demandait Jung. Et Freud : « Pour éviter la marée noire de l'occultisme. » Il est curieux que Freud ait employé l'image d'une marée noire. Elle pourrait de plus en plus s'appliquer à l'extérieur comme à l'intérieur et viser, par exemple, l'extravagante prolifération des sectes. La plus experte en publicité s'adonne au clonage reproductif, sans qu'on sache exactement si ses déclarations sont vraies. Qu'importe, la chose est dans l'air, la galette d'immortalité nous attend dans les laboratoires. L'inénarrable Brigitte Boisselier s'exhibe et appelle Raël « Sa Sainteté ». On a le pape qu'on peut, celui-ci règne déjà sur les ovocytes. La nouvelle Ève est-elle vraiment née ? Peut-être. Mais on nous annonce déjà une autre naissance imminente conçue par un couple de lesbiennes des Pays-Bas. Proust avait beau être visionnaire, on se demande s'il aurait pu imaginer un tel destin pour Albertine ou Mlle Vinteuil. Le temps perdu, le temps retrouvé sont là dans un tournant essentiel, et un nouveau chapitre de *Sodome et Gomorrhe* reste à écrire.

Bien entendu, presque tout le monde proteste et parle de « crime », ce qui n'empêchera pas les affairistes plus ou moins véreux et les voyous génétiques de prospérer. Qui inventera l'œuf à double coque ? Et la plage réversible, transportable d'Arcachon à Paris ? Un ami scientifique m'a déjà dit : « On peut te cloner, tu seras le même, avec les mêmes manies et les mêmes goûts, mais tu ne seras sans doute pas écrivain. » Je réfléchis. Je pèse le pour et le contre. L'écrivain, on ne sait que trop, est une espèce en voie de disparition. La jolie petite fille d'Ophélie, ma libraire, ne veut pas, plus tard, être libraire. Ce mignon petit garçon, moi-même, pourrait peut-être lui plaire un jour. Que fera-t-il dans la vie ? Banquier.

26/01/2003

ETCHEGARAY

Le cardinal m'inquiète. Il arrive à Bagdad souriant, détendu, un peu trop détendu, même. Une pensée coupable me vient : n'a-t-il pas abusé du vin de messe pendant le vol ? C'est vrai qu'il a l'air un peu pompette, comme s'il inaugurait une maison de retraite dans la banlieue de Rome. Le pape l'a envoyé, le pape a toujours raison. Mais était-il bien opportun de trimbaler Tarek Aziz à Assise, et de le filmer agenouillé, en prière vers saint François ? Il est vrai que les réunions, à la Maison-Blanche, commencent toutes par une prière recueillie qui semble illuminer les beaux visages virils des maîtres du monde. Bref, on ne sait plus trop à quel Dieu se vouer. Est-il à Jérusalem, à Rome, en Arabie Saoudite, au Pentagone ? Pourquoi ne terrasse-t-il pas le diable Ben Laden et sa manie de parler à la radio ? Ce qui est plaisant, avec Etchegaray, c'est son côté bon enfant, posant sans malice auprès d'un tueur patenté. Pour la bonne cause, évidemment, celle de la paix, supérieure à toute autre.

23/02/2003

POUTINE

En route pour Bordeaux, Vladimir Poutine s'est arrêté dans l'abbaye de Maurice Druon, de l'Académie française. Ils sont amis, ils parlent chevaux et poésie. Tout va bien, pas le moindre terroriste tchétchène à l'horizon. Le successeur de Pierre le Grand est ensuite reçu au château Cheval-Blanc, cru mythique de Saint-Émilion, racheté en 1998 par le financier belge Albert Frère et le P-DG du leader mondial du luxe LVMH, Bernard Arnault. Juppé est de la partie, c'est un sacre.

Bien qu'il ait déclaré sans ménagement préférer un verre de vodka avec cornichon au vin local (un ange passe), le nouveau tsar se voit offrir un splendide cadeau : une caisse de vins de différents millésimes, en fonction des dates qui ont compté pour lui. 1952 : sa naissance. 1983 : son mariage. 1985 et 1986 : la naissance de ses filles. Et enfin 2000 : l'année de son arrivée au Kremlin. Bien entendu, pas la moindre bouteille pour marquer son entrée, jadis, au KGB. Les Bordelais savent se tenir, c'est une tradition anglaise.

Mme Poutine, elle, a assisté à un défilé privé chez Chanel. Une journaliste écrit : « Blonde et ronde, le regard bleu, aimable et impénétrable, ne demandant qu'à sourire mais ne souriant pas, dotée d'une interprète alors qu'elle parle français couramment, Ludmila découvrit chez Chanel les vertiges d'une planète inconnue. C'était la première fois qu'elle visitait une maison de couture, qu'elle voyait défiler une collection. Des fourreaux noirs sous canotiers de poupée, des robes du soir crépitant de broderies pâles sur des transparences incertaines. » La tsarine, émue, est quand même restée perplexe devant les minijupes : « J'aime beaucoup, mais je ne peux pas m'imaginer les porter. » C'est en effet préférable.

Au fait, majesté, allez-vous vous opposer par un veto à l'arrogance américaine ? Ce n'est pas impossible, les négociations sont en cours.

23/02/2003

TRISTESSE

Ophélie, ma libraire, me demande avec un sourire sournois ce que je pense du dernier livre de JMG Le Clézio, qu'elle adore. « C'est extraordinaire, me dit-elle, quel souffle, quelle ampleur ! » Je promets de le lire un jour. Mais elle passe déjà, très excitée, à l'annonce du prochain roman de Milan Kundera, *L'Ignorance*, prévu pour le 3 avril. Bizarrement, ce livre, écrit en français, est d'abord paru un peu partout sur la planète dans d'autres langues. Justement, un article récent en cite un passage. Perfidement, je le mets sous les yeux d'Ophélie. Il est question d'un homme regardant une femme nue après l'amour :

« Il regardait toujours son sexe, ce tout petit endroit qui, avec une admirable économie d'espace, assure quatre fonctions suprêmes : exciter ; copuler ; engendrer ; uriner. Longuement, il regarda ce pauvre endroit désenchanté, et fut saisi d'une immense, immense tristesse. » Ophélie pince légèrement les lèvres. « Je suis sûre qu'il y a autre chose, me dit-elle. Évidemment, vous, vous préférez *L'Origine du monde* de Courbet ! » Je rougis un peu, elle me trouble.

23/02/2003

CABALES

J'apprends, de temps en temps, ici ou là, que je suis creux, bavard, envahissant, omniprésent, croyant tout savoir sur tout, nul, calamiteux, vieux, mourant, ridicule. Ça s'apaise un peu, et puis ça reprend. Il faut s'y faire. Et relire Voltaire :

« Le plus grand malheur d'un homme de lettres n'est peut-être pas d'être l'objet de la jalousie de ses confrères, la victime de la cabale, le mépris des puissants du monde ; c'est d'être jugé par des sots. Les sots vont loin quelquefois, surtout quand le fanatisme se joint à l'ineptie, et à l'ineptie l'esprit de vengeance. Le grand malheur encore d'un homme de lettres est ordinairement de ne tenir à rien. Un bourgeois achète un petit office, et le voilà soutenu par ses confrères. Si on lui fait une injustice, il trouve aussitôt des défenseurs. L'homme de lettres est sans secours ; il ressemble aux poissons volants : s'il s'élève un peu, les oiseaux le dévorent ; s'il plonge, les poissons le mangent. »

23/02/2003

TRÈFLE

C'est la photo la plus surréaliste de la guerre en Irak. Quatre cents gardes irlandais de la 7e brigade blindée britannique sont agenouillés dans le désert. Ils prient leur saint patron, saint Patrick, genou gauche dans le sable, tête penchée. Ils ont reçu, le matin même, dans des cartons humidifiés, le trèfle à quatre feuilles que la reine leur offre pour cette fête. Ils ont l'habitude de l'accrocher à leurs bérets. Sa Majesté, par avion, a été ponctuelle.

Du trèfle vert et frais dans un horizon de puits de pétrole plus ou moins en feu, voilà le tableau. Ce pourrait être le début d'un roman qui aurait enchanté James Joyce. On suivrait le trèfle dans les tanks, les tempêtes de sable, les embuscades, la soif, les blessés, les bombardements parfois issus de votre propre camp, le bruit des avions et des hélicoptères. Du béret, le trèfle passerait dans une poche, et pourrait se retrouver sur un prisonnier interrogé par des Irakiens. On lui demanderait, dans un anglais approximatif, la signification de cette plante. Il répondrait « saint Patrick », ce qui provoquerait la stupeur et la colère de ses geôliers.

Il serait tabassé jusqu'à ce qu'un officier irakien s'interpose en parlant de la Convention de Genève. Ledit officier prendrait la feuille verte sur lui, on ne sait jamais. Le Coran ne mentionne pas l'existence du trèfle à quatre feuilles, l'Irakien n'en a jamais vu, il n'a qu'une vague idée de la situation géographique de l'Irlande, il ne sait pas que les deux livres que l'on a trouvés, après sa mort, sur la table de nuit de James Joyce, sont un dictionnaire de grec et un volume intitulé *Je suis disciple de saint Patrick.* Il ne sait d'ailleurs pas qui est James Joyce, pas plus que le soldat irlandais, obligé de servir dans l'armée britannique, n'a ouvert dans sa vie *Finnegans Wake.*

Le roman continuerait par une évocation de la civilisation mésopotamienne, invention de l'écriture, Sumer, les Assyriens, le Tigre, l'Euphrate, tout ça. On reviendrait dans les faubourgs de Bagdad sous les bombes, avec un autre irlandais palpant son trèfle entre deux explosions ou tirs de missiles. Il a un masque à gaz, celui-là, il se pourrait que traîne ici ou là un peu d'anthrax ou de variole. Le trèfle est depuis longtemps desséché, mais, en cas de décès, est renvoyé à la famille avec les affaires personnelles du soldat Joyce. La reine vient présenter ses condoléances à la famille. Elle a un joli chapeau. Une petite fille lui fait la révérence. Une voix que personne n'entend, celle de l'écrivain Joyce, murmure à ce moment-là : « L'Histoire est un cauchemar dont j'essaie de me réveiller. » Plan suivant : explosions massives.

30/03/2003

195

STALINE

Puisqu'on célèbre (si on peut dire) le cinquantième anniversaire de la mort de Staline, on lira avec profit le dernier livre d'Arkadi Vaksberg, *Staline et les Juifs*[58]. C'est une histoire folle, où le double jeu permanent et l'orchestration du mensonge donnent sa vraie dimension au crime d'État. Hitler ne mentait pas, il tuait en direct. Staline, lui, ment comme il respire, ou plutôt respire comme il ment. Vaksberg, au milieu d'une documentation très serrée et souvent récente, écrit par exemple :

« Au lieu des "riches" et des "pauvres", on se mit à ne considérer que les "sionistes" et les "antisionistes", indépendamment de la classe à laquelle appartenaient ceux-ci ou ceux-là. Le nazisme, défait sur les champs de bataille, renaissait triomphalement dans la sphère idéologique. La peur des idées de liberté que l'armée victorieuse ramenait de l'Ouest – comme ce fut le cas après la guerre contre Napoléon – incita Staline à mettre en branle la machine de propagande du nationalisme russe, lequel ne se conçoit pas sans sa composante antisémite. "Patriote" devint synonyme de "russe" – entendez ethniquement russe – tandis que l'occidentalisme s'identifiait à la judéité. »

Un des passages les plus pénibles à lire rapporte les discours d'Ehrenbourg et d'Aragon, en 1953, pour la remise du prix Staline au premier des deux. Ehrenbourg : « Les gouvernants de l'Amérique sont prêts à anéantir tout et tout le monde pour stopper la marche de l'Histoire… Aucune bassesse ne les rebute. Il n'est pas de crime devant lequel ils hésiteraient. Ils perdent la tête parce qu'ils ont perdu tout espoir. » Et Aragon : « Ce prix porte le nom du plus grand philosophe de tous les temps ; de celui qui éduque les hommes et transforme la nature ; de celui qui a proclamé que l'homme est la plus grande valeur sur terre ; de celui dont le nom est le plus beau, le plus proche, le plus étonnant dans tous les pays pour tous ceux qui luttent pour leur dignité, le nom du camarade Staline. »

Et aujourd'hui ? Vaksberg écrit : « La propagande antisémite, faute de susciter la moindre réaction du pouvoir, se poursuit allégrement et jouit d'une impunité qui ne peut qu'encourager de nouveaux débordements. Des journaux de tendance ouvertement judéophobe sont en vente libre dans les rues de Moscou, de Saint-Pétersbourg et de cent autres villes, qui contiennent des articles et des caricatures dignes de celles répandues par les bons soins de Julius Streicher. À cette différence près que Streicher a été pendu en vertu du verdict de Nuremberg, alors qu'aucun de ses émules russes n'a jamais encouru le moindre commencement de sanction. »

Exemple : « Le tribunal de Samara a acquitté un certain Oleg Kitter qui s'était proclamé "lutteur contre les rats et les youtres" et appelait à raser les synagogues "qui souillent le sol de la Russie". Dans sa grande sagesse, le tribunal a estimé que, Kitter n'ayant pas rasé une seule synagogue, ses propos étaient d'ordre purement métaphorique et qu'il n'y avait donc pas matière à condamnation. »

30/03/2003

FLAUBERT

Dans son alerte et passionnant *Neveu de Lacan*[59], Jacques-Alain Miller, en évoquant la situation française actuelle, rappelle fort à propos le grand projet paradoxal de Flaubert contre la bêtise : démontrer que les majorités ont toujours raison, les minorités toujours tort. Voici de l'air :

« J'immolerai les grands hommes à tous les imbéciles, les martyrs à tous les bourreaux, et cela dans un style poussé à outrance, à fuser. Ainsi, pour la littérature j'établirai, ce qui serait facile, que le médiocre étant à la portée de tous est le seul légitime, et qu'il faut donc honnir toute espèce d'originalité comme dangereuse, sotte, etc. Cette apologie de la canaillerie humaine sur toutes ses faces, ironique et hurlante d'un bout à l'autre, pleine de citations, de preuves – qui prouveraient le contraire – et de textes effrayants, ce serait facile, et dans le but dirais-je d'en finir une fois pour toutes, avec les excentricités quelles qu'elles soient. Je rentrerai par là dans l'idée démocratique moderne d'égalité, dans le mot de Fourier que les grands hommes deviendront inutiles. Et c'est dans ce but dirai-je que ce livre est fait. On y trouverait donc par ordre alphabétique sur tous les sujets possibles tout ce qu'il faut dire en société pour être un homme convenable et aimable. »

C'est dit : je me mets à un *Nouveau dictionnaire des idées reçues*.

30/03/2003

ACCÉLÉRATION

Vous ne savez plus très bien où vous êtes ? Moi non plus. Dans une chambre d'hôtel, en Italie, je regardais sur CNN un jeune marine américain en train d'encagouler la tête de la statue de Saddam Hussein, bannière étoilée dissolvant le bronze. À Turin, dans la rue, à presque tous les balcons étaient suspendus des drapeaux arc-en-ciel avec le mot *pace*. La guerre devait être interminable, elle était courte. C'était une catastrophe, un nouveau Vietnam, une erreur politique, morale, stratégique, une défaite pour le droit international, et c'était fini. Saddam avait disparu, Chirac aussi. On ne voyait plus à la télévision que Blair, Bush, Rumsfeld, Powell, et encore Bush, Blair, Powell, Rumsfeld. On disait Chirac réfugié à Moscou, chez l'humaniste Poutine. Heureusement, Villepin tournait. On le voyait passer de Damas au Caire, de Beyrouth à Riyad, et encore de Damas à Ankara. Ce n'était plus le poète flamboyant qui avait soulevé l'ONU, mais une sorte de Norpois résigné à la langue de bois courante, exemple : « L'esprit de dialogue, de concertation, d'ouverture, est indispensable si l'on veut regarder l'avenir. » Ou bien : « Il faut savoir prendre sa canne et son chapeau pour venir voir les pays confrontés à une situation difficile. » Que Villepin ne transporte ni canne ni chapeau n'a aucune importance, il y a des moments où il faut savoir avaler sa canne et son chapeau.

Sur CNN, pendant ce temps, un petit garçon très content tapait sur la tête de la statue de Saddam Hussein. Les hôpitaux étaient pleins de blessés, un médecin disait : « Trente blessés, ça va encore, mais cent blessés sans eau ni électricité, c'est la fin du monde. Enfin, il y a des moments de satisfaction, cette femme que je viens d'opérer, par exemple, et qui m'a dit "Longue vie à vos mains". » Un autre petit garçon regardait droit dans la caméra et lançait : « Donne-moi de l'eau. » C'était brutal, irréfutable. Vous dites que c'est maintenant l'anarchie, le pillage, la destruction du musée de Bagdad ? Sans doute, mais les Kurdes, là-haut, n'ont pas l'air du tout gênés d'échapper aux Turcs. Et puis les langues se délient, on commence à parler des tortures pratiquées par la police du dictateur irakien, des exécutions de masse, des milliers et des milliers de disparus.

Quoi ? On n'a pas encore trouvé d'armes de destruction chimique ? Pas le moindre virus à l'horizon ? Le ministre des Affaires étrangères syrien, à côté de Villepin, se laisse aller, et compare Bush à Hitler ? « Tais-toi, crétin », pense Villepin qui, courtoisement, énonce que les situations ne sont pas comparables. Chirac, après deux mois de bouderie, se décide à avaler son téléphone et appelle Bush ? « Entretien professionnel », communique la Maison-Blanche. Bien, bien. Vais-je rester en Italie jusqu'à la bénédiction *urbi et orbi* du pape ? L'entendre répéter *pace* ? Il fait très beau, et comme je suis à Turin, je vais aller me recueillir près du Saint-Suaire, avec, en passant, une pensée pour Nietzsche qui est tombé dans les environs en essayant de protéger un cheval des coups furieux d'un cocher. Mais déjà, à Karbala, des hordes de pèlerins chiites, longtemps réprimés, convergent vers un tombeau sacré en se flagellant au sang. Des femmes en noir courent derrière eux, les voilà en transe.

27/04/2003

VIRUS

On attendait la variole ou l'anthrax, mais pas le SRAS, syndrome respiratoire aigu sévère. Bombes à Bagdad, masques à Hongkong et Pékin. Dans ce tourbillon général, le vieux Castro en profite pour faire exécuter quelques prisonniers qui voulaient sans doute, selon les mots de l'inénarrable Poutine, « exporter la révolution capitaliste et démocratique ». L'exportation virale est plus subtile, étonnez-vous si elle est chinoise et transite par le Canada. L'Asie vous coupe le souffle, le nouveau virus est évolutif, s'insinue partout, mute, voyage, tourne autour de vous. Ophélie, ma libraire, ne veut plus recevoir de clients chinois. Je lui conseille, sans succès, la lecture du *Huai-nan zi*, deuxième volume des *Philosophes taoïstes* qui vient de paraître en Pléiade [60]. C'est pourtant lumineux : « Il aime à fermer les yeux dans la grande nuit et à s'éveiller pour regarder dans la maison de l'éclatante lueur. Il se repose et respire dans un lieu sans contours, vague, et se divertit dans la campagne de l'informel. Il habite un endroit sans aspect, il réside dans le sans-lieu. Il se meut dans le sans-forme, se tient en repos dans l'incorporel. Il existe comme s'il n'existait pas, vit comme s'il était mort, sort du sans-intervalle et y pénètre. [...] Le commencement et la fin des choses sont, pour lui, comme un anneau dont nul ne peut saisir l'extrémité. » Cause toujours, me dit le visage fermé d'Ophélie. Je sens que je n'arrange pas mon cas en lui achetant *Le Gai Savoir* de Nietzsche. Ophélie déteste Nietzsche. Elle ne l'a pas lu, mais c'est comme ça.

27/04/2003

GÉNOME

J'étais un ensemble de hiéroglyphes, me voici intégralement décrypté. Vais-je m'attrister, avec mes vingt-cinq mille gènes, de n'être qu'une fois et demie supérieur à la mouche ? Mais non, tout va bien, et j'apprécie qu'on ait dépensé, pour venir à bout de mon mystère cellulaire, près de trois milliards de dollars. C'est finalement assez peu comparé à la fortune de Saddam Hussein, un des hommes les plus riches du monde, dix milliards de dollars. Et deux milliards par an dans la contrebande d'or noir, de gazoline et de cigarettes américaines. Puisqu'on parle d'argent, il est significatif que le manuscrit d'*Arcane 17*, d'André Breton, ait atteint en vente publique la somme de huit cent trente-six mille cinq cent dix euros, alors qu'il n'était estimé au départ qu'à cent cinquante mille. C'est un cahier d'écolier, l'écriture date de 1944. Les derniers mots sont un appel à la révolte, « seule créatrice de lumière », une révolte qui ne peut se connaître que par trois voies, « la poésie, la liberté et l'amour », convergeant vers « le point le moins découvert et le plus illuminable du cœur humain ». Vous avez décrypté le génome, vous avez acheté le cahier, mais le problème n'est peut-être pas là, vous avez un doute.

27/04/2003

21 AVRIL

La gauche française a subi, il y a un an, un syndrome respiratoire aigu sévère. Elle essaie de reprendre son souffle, elle peine, elle ne sait pas trop quoi dire, elle suit

Chirac sur l'Irak, elle est antiaméricaine, se défend d'être antisémite, elle peut rêver d'un mai syndical, et puis quoi ? Jospin parle, il ne parle pas vraiment, explique qu'il ne reviendra pas et qu'il reviendra pour le dire, se définit comme un « homme libre », mais comment peut-on être un homme libre si on reste militant d'un parti ? Vous préférez vraiment Poutine à Blair ? Raffarin en Chine vous étonne ? Sarkozy se faisant huer au sujet du voile vous paraît, à juste titre, courageux ? Vous rêvez au bon temps des caisses noires tournantes d'Elf, aux évaporations des opérations, au divorce de Le Floch-Prigent supervisé par Mitterrand, trente-deux millions de francs pour le silence de Fatima, une histoire d'amour exemplaire ? Autant assister, une fois de plus, au show obscène de Le Pen, qui vient de fonder le LPPF, Le Pen-Père-et-Fille. Cette pente du père à la fille est en train de prendre un tour grotesque : après Mazarine, Marine. Après la brune pétrifiée, nigaude et pseudo-philosophe, la blonde épagneule bouffie. Vous me direz qu'on progresse dans la légitimité, de la fille cachée, puis dévoilée, à la fille moderne officielle. Mazarine, Marine, ça rime. Ce qui persiste est quand même une forme spéciale de sénilité. Mon père, mon tonton, mon Dieu, ma grenouille, mon grand-père, ma grand-mère, ma fille, ma Jeanne d'Arc, ma France, mon clocher, ma république, ma force tranquille, mon Poitou, ma mairie, mon Debray, mon Ferry. À propos du dernier livre de Milan Kundera, *L'Ignorance*, on pouvait lire récemment, dans un magazine branché, sous la plume d'un critique hyperbranché, la perle suivante : « La rencontre amoureuse est ratée, mais au sens où tous les amours le sont, puisque aucun ne nous libérera de nous-mêmes. » Puisqu'on vous le dit.

27/04/2003

MYSTÈRE

Le journal de Françoise Giroud, *Demain déjà*[61], est instructif. On voit qu'elle passait ses dernières années à beaucoup de remises de Légions d'honneur et de réceptions à l'Académie française. Et puis jurys, spectacles divers. Et puis soudain : « Sollers est un mystère pour moi. L'homme est brillant, tout à fait agréable, il lui arrive de faire de très bons livres, mais quelquefois, à l'entendre, on se demande s'il est paranoïaque ou s'il joue à se faire peur. Cette description terrorisante du monde où nous sommes, de la société où nous vivons et de ce qui va infailliblement suivre, les menaces qui pèsent sur nous, sur la liberté déjà perdue – il voit la censure partout –, c'est un discours que, personnellement, je supporte très mal, comme d'ailleurs toutes les anticipations catastrophiques. Et cette vénération pour le pape au milieu de son éloge du libertinage. [...] Quand joue-t-il la comédie ? En tout cas, il la joue, et c'est dommage. S'il avait une once de simplicité, on pourrait l'aimer beaucoup. »

Je rêve un peu sur cette *once*. Une certaine façon de dire non ? Une *nonce* ? En somme, si je comprends bien, Françoise Giroud pensait que nous vivons dans le meilleur des mondes possibles. Son ton, à mon égard, est faussement amical et condescendant. Il y avait le paternalisme, il faudra s'habituer au maternalisme. Mais sachez désormais que toute critique de l'envers de l'histoire contemporaine vous expose au diagnostic de « paranoïaque ». Cela pour votre bien, évidemment. « Ça se soigne », me disait ma grand-mère paternelle, quand je lui faisais part de ma certitude d'être un jour un grand écrivain. J'avais douze ans. Je les ai encore. Et je n'en finis pas de m'étonner que l'ironie soit si peu comprise. Encore une once d'ironie, je vous prie. Regardez, par exemple, comme cette pensée de Jean-François Kahn est profonde : « Les situations que créent les événements sont prévisibles, mais pas les événements que créent les situations. » Relisez-la plusieurs fois, elle en vaut la peine.

27/04/2003

LECTURE

Bernard-Henri Lévy est un drôle de type. Que diable va-t-il faire dans la galère pakistanaise ? L'assassinat horrible du journaliste américain Daniel Pearl le fascine, le meurtrier principal aussi. Il va, il vient, il enquête, prouve que l'islam est devenu un énorme business, frôle les services secrets, les déchiffre, et arrive à la conclusion que le terrorisme est une affaire d'État, tout près de la bombe atomique. Le Diable existe, dit-il. On serait presque rassuré de l'apprendre, ce qui entraînerait que Dieu, lui aussi, persiste dans ses intentions. Une autre hypothèse, plus inquiétante, est qu'une machine, ou une machination, fonctionne toute seule, à travers les États-Unis eux-mêmes. *Qui a tué Daniel Pearl*[62] ? Peut-être faudrait-il plutôt se demander *quoi* ? Comme l'écrit François Meyronnis dans *L'Axe du néant*[63], livre désormais incontournable : « À quoi sert-il de débusquer, derrière les événements, telle ou telle formation de puissances, avec des buts précis ? Ces formations existent, pourtant, mais fondues dans le Consortium planétaire, figures transitoires déjà oblitérées au moment où elles se constituent, n'ayant d'autre intelligence que celle du réseau [...]. Le terrorisme islamiste, même s'il affecte de constituer une *contre-polarité* en face de la domination de l'Occident, n'est en réalité qu'une figure du Consortium, attirant vers lui les demi-portions de la haine. » Une certaine unification mondiale engendre ses maladies : nouvelle physiologie, nouvelles fragilités, nouveaux crimes. Histoire de l'Infamie, comme disait Borges. Et voici, au contraire, une autre expérience qui aurait enchanté André Breton, celle du jeune romancier Yannick Hænel, dans *Évoluer parmi les avalanches* [64] : « C'est une solitude qui absorbe chaque instant. Une solitude retentissante, mais à retardement. Une solitude de derniers étages, une solitude d'éclats comprimés, qui ne vit que d'elle-même, c'est-à-dire de tous les élans possibles, et de tout ce qui existe, des millions de visages qu'elle a retenus en elle comme une araignée, et à qui elle s'adresse en silence. Une solitude qui respire en permanence la violation, le surchauffement, la froideur. Une solitude peuplée de gestes microscopiques, et qui les promène lorsqu'elle sort avec eux, au jour. Une solitude qui ne desserre pas le poing fermé sur sa propre clé. Qui est un mystère à ses propres yeux. Qui s'apparente aux chambres vides du barillet dans la roulette russe. » Lisez le reste, c'est très beau.

27/04/2003

FAMILLES

Rassurons-nous : la France d'en bas n'est pas celle des bas-fonds évoqués dans la sinistre affaire de Toulouse. Soirées sadomasochistes dans un château, notables en folie en plein palais de justice, personnalités éclaboussées défendant leur honneur, prostituées étranglées et « cimentées » au fond d'un lac, tueur en série fournissant les victimes, voilà un effet brutal de décentralisation, une vraie fissure sociale dont le colmatage ne saurait attendre. Vous ajoutez par-dessus les manifestations et les grèves, le malaise social généralisé, il est temps de réagir et de redonner aux habitants de ce beau pays des *valeurs*.

En voici une proposée par un magazine : « Les familles d'influence, cinquante tribus qui font la France. » La liste est éloquente : les Servan-Schreiber, les Karmitz, les Poivre d'Arvor, les Duhamel, les Bredin, les Todd, les Laffont, les Gallimard, les Veil, les Nora, les Touraine, les Rheims, les Dolto, les Miller, les Jacob, les Lyon-Caen, les Domenach, les Jospin, les Sitruk-Ouaki, les Kahn, les Birkin, les Delerm, les Huppert, les Rykiel, les Brook, les Chedid, les Hantaï, les de Caunes, les Casadesus, les Depardieu, les Hallyday, les Debré, les Jeanneney, les Delors, les Giscard, les Mitterrand (à l'ombre d'une jeune fille), les Esmenard, les Leclerc (tel père, tel fils), les Riboud, les Dumas, les Mulliez, les Amaury, les Bouygues, les Seydoux, les Peugeot (la force tranquille), les Arnault, les Rothschild, les Wendel, les Lagardère, les Pinault, les Dassault (rafale de pouvoir), les Baylet, les Michelin, les Taittinger, les Escudé, les Yachvili, les Djorkaeff (le foot dans le sang).

Je pense avoir été exhaustif, j'en oublie peut-être. Vous me dites que, dans ce déluge familial, vous ne savez plus où vous mettre ? Vous n'avez qu'à aller marcher dans les rues. Quand vous serez essoufflé, rentrez chez vous, regardez la télé, elle vous donnera de vos nouvelles.

01/06/2003

RÉSEAUX

Il est difficile de comprendre pourquoi les enseignants de base se plaignent de Luc Ferry, jusqu'à lui jeter son livre à la tête. Ce n'est pas bien, c'est vulgaire, ça ne se fait pas. Car, comme nous le rappelle un journal du soir, « chez quelle autre figure pourrait-on croiser l'ancien mannequin et nouvelle chanteuse Carla Bruni, le philosophe Bernard-Henri Lévy, l'ancien Premier ministre socialiste Laurent Fabius, l'actuel ministre des Affaires étrangères Dominique de Villepin et celui de l'Intérieur Nicolas Sarkozy, l'éditeur Bernard Fixot, le député européen socialiste Olivier Duhamel et son épouse chercheur, Évelyne Pisier, ou les jumeaux producteurs de télévision Igor et Grichka Bogdanov, ceux-là mêmes qui lui ont présenté sa future femme Marie-Caroline, née Becq de Fouquières et nièce de Jean-Jacques Servan-Schreiber ? ».

En effet, ce ministre est indiscutable, il sait ce qu'est une vie réussie, il ne s'est pas privé de pourfendre Mai 68, il connaît Kant comme sa poche et n'a qu'une condescendance navrée pour Voltaire. Cela donne envie de dire, comme Mauriac dans son *Bloc-Notes*, en 1957 : « Convenons-en : il faut renoncer à rien comprendre à la politique quand "on n'en est pas". Seuls les poissons savent pourquoi ils se mangent entre eux ou pourquoi ils ne se mangent pas. Penché sur l'aquarium, je les regarde s'ébattre sans plus essayer de rentrer dans leurs raisons. »

01/06/2003

GIROUD

J'avais été étonné, en publiant mon livre sur Casanova, d'être attaqué de manière virulente par Françoise Giroud. Elle prétendait, de manière très exagérée, que Casanova passait son temps (je la cite) à « enculer des religieuses ». Rien de tel, pourtant (sauf peut-être une fois ou deux, en passant). Je comprends mieux, aujourd'hui, la signification de ce fantasme soutenu jusque dans sa vieillesse, malgré son analyse avec Lacan. Les lettres anonymes qu'elle envoyait, avant son suicide heureusement raté, à Servan-Schreiber sont plus qu'étranges, pathétiques [65].

Celle-ci, par exemple, expédiée à la femme que Servan-Schreiber s'apprêtait à épouser : « Le Juif SS veut des enfants comme s'il n'y avait pas assez de Juifs sur terre... Ton fiancé est plus amoureux que jamais de sa maîtresse. Pas de toi. L'autre. C'est la femme la plus bandante de Paris. Son fric, c'est elle qui l'aura... L'autre, il la paie mieux. C'est vrai qu'elle est plus bandante, sa belle maîtresse de velours noir... »

Dois-je avouer que je n'ai jamais trouvé Françoise Giroud « bandante » ? Personne n'est parfait. Oserai-je même confesser n'avoir jamais conçu le moindre désir pour Brigitte Bardot dont la bêtise ne fait qu'éclater ces jours-ci ? Non, rien, pas le moindre trouble. Mais je ne vais pas vous ennuyer avec mes souvenirs de jeunesse avec Ava Gardner. Tout de même, les explosions de bassesse, chez l'être humain, ont de quoi faire réfléchir. L'origine sociale n'explique pas tout, la sexualité non plus. C'est plus profond, plus noyau dur, plus opaque. Passons.

01/06/2003

PUBLICITÉ

Comment ne pas se réjouir du triomphe du dernier livre de Bernard-Henri Lévy ? C'est sans doute par humour qu'il a voulu souligner, dans une publicité, la consternante unanimité de la critique : « Fascinant, mystérieux, saisissant, convaincant, foudroyant, terrifiant, formidable, démoniaque, apocalyptique. » On se demande pourquoi Marie-Françoise Leclère (*Le Point*) ne parle que d'« un grand livre », vite corrigée par Thierry Ardisson (*Tout le monde en parle*), « un très grand livre ». J'ajouterai volontiers : fabuleux, ahurissant, renversant, explosif, incroyable, désagrégeant. Peut-être faudra-t-il un jour, pour éveiller l'attention (et toujours avec humour) inventer des placards massifs avec les mots suivants : répugnant, immoral, inadmissible, confus, prétentieux, inutile, illisible.

La publicité négative reste à inventer. Par exemple, j'apprends à l'instant que Denys Arcand, le réalisateur canadien des *Invasions barbares*, un film primé à Cannes et plébiscité par le public du Festival, raconte qu'ayant rencontré autrefois la grande actrice chinoise Gong Li, il lui a fait, pour frimer, l'apologie de l'horrible révolution culturelle. « J'étais aussi con que Sollers traduisant les poèmes de Mao dans *Tel Quel* », dit-il. Je connais un peu Sollers : en présence de Gong Li, il se serait bien gardé de lui parler de Mao. Sauf le lendemain peut-être, au petit déjeuner, pour rire, et encore. N'empêche, ce Denys est sympathique, j'irai voir son film.

01/06/2003

Villepin

C'est un raz-de-marée, un typhon, un cyclone. Huit cents pages, seulement, mais on sent bien qu'il pourrait y en avoir trois mille [66]. La diplomatie française ne pouvait pas se mêler du pétrole irakien, elle brûlait depuis longtemps d'un grand feu intérieur. Le voici, pléthorique, incantatoire, adolescent, fou, désordonné, empathique. Comme Ferry paraît étriqué à côté ! Comme Raffarin, et son éloge de la baguette de pain, semble un assis de toujours ! Comme Chirac se rêve abracadabrantesque !

Villepin chevauche Rimbaud, Artaud, Char, Saint-John Perse, Bonnefoy et mille autres, du plus petit au plus grand, du plus appliqué au plus génial. Il rafle tout le monde dans une vision grandiose et sans rivages. « Dans un tel mouvement, il n'est point de honte à la fuite, pourvu qu'elle soit source de résistances ou de reviviscences. L'élan et la peur élargissent le sillon, encouragent de nouvelles génuflexions, appellent d'autres crucifixions, celles d'élus, d'innocents ou coupables, portés en sacrifice. C'est tout notre paysage ancien qui bascule à la lecture de ce nouvel évangile. Un passage s'ouvre dans ce grand tremblement où campe le baroque, avant que le classicisme reprenne un temps ses droits. Un peuple nomade fixe ses racines toujours plus loin devant, un peuple sédentaire voyage dans sa tête, que hante une seule parole, enflée d'apprentissage et d'expériences partagées, cousue de rêves et d'angoisses, résonnant de ses tambours humains à grandes peaux tendues. »

Et ainsi de suite. Se doutait-on que régnait à l'Élysée, puis au Quai d'Orsay, un inspiré de cette nature ? Un révolutionnaire, un communard, un pur produit dévastateur de Mai 68 ? La tornade Villepin est en route, rien ne l'arrêtera. Voilà un complot réussi, dans lequel je m'inscris d'avance : romantique, dadaïste, surréaliste, situationniste, éminemment national et mondial. La République a couvé en secret ce phénix. Honte à vous, députés rancis, citoyens aigris, hommes d'affaires incultes, ministres pseudo-intègres ! Honte à vous, mondains épuisés ! Socialistes fourbus ! Intégristes bornés ! Américains dépassés ! On me dit que Colin Powell a demandé le livre à l'éditeur pour se le faire intégralement traduire. La CIA et le Mossad sont sur le coup. Sauront-ils déchiffrer tous ces messages codés ? J'en doute.

01/06/2003

IRAK

L'envers du lyrisme logométrique à la Villepin, c'est ce qu'il faut bien appeler le nihilisme ordinaire. Par exemple, dans le dernier petit livre de Frédéric Pajak, *Nietzsche et son père*[67]. Nietzsche, platement, ne serait pas arrivé à tuer son père pasteur, d'où ses démêlés avec Dieu. Conclusion : « Si nos vies s'avancent dans le monde comme des vagues, des vagues chargées d'une écume poisseuse et de détritus, elles ne font que s'agiter sur la surface de la mer avant de mourir en roulant sur le sable. Toute vie vient échouer, toute vie est un échec ; et c'est sa vocation. »

Combien de films, de romans, de poèmes, pour dire ça, et seulement ça. À quoi on peut opposer les récits des torturés d'Irak qui commencent à parler après la guerre. « Décharges électriques sur les parties génitales, coups de poing et de bâton. Ils m'ont arraché une dizaine de dents à la tenaille et cassé le nez. » Un autre : « J'ai passé quatre mois assis dans une cellule cubique, de un mètre de côté, avec deux petits orifices. Par l'un on passait un verre d'eau, un petit pain et une louche de riz par jour, l'autre était un canal d'égout. J'ai eu tous les ongles arrachés, les dents et le nez cassés. Ils frappaient avec des câbles, faisaient des coupures au rasoir quand on était suspendu. Au bout de quatre mois, j'étais aveugle, je ne bougeais plus. »

01/06/2003

ANARCHISME

J'aime que Cartier-Bresson raconte son évasion avec *Ulysse*, de James Joyce, dans sa poche. Et qu'il fasse, non repenti, l'apologie des bordels : « La vie était là, pas chez les notables. Je me souviens des coussins rouges du bordel de la rue des Moulins, celui de Toulouse-Lautrec. Ma mère me disait juste : "Ha ! Si tu avais eu un bon confesseur dominicain !" Et ceci : "Je n'aime pas les oui et les non. Il n'y a que les puritains qui aiment les oui et les non." » Décidément, le sexe et la poésie sont depuis longtemps tombés aux mains des puritains, et prostituées et notables n'ont plus rien à voir avec les temps plutôt détendus d'autrefois. Ce n'est plus Toulouse-Lautrec mais Toulouse sec.

01/06/2003

Picasso

Cartier-Bresson a donc eu une jeunesse très licencieuse. Il a eu raison. Plus tôt c'est vu, mieux c'est vu. Un autre hyperdoué dans ce domaine aura été, bien entendu, Picasso (études sur le terrain à Barcelone). On ignore généralement que Picasso n'a pas obtenu la nationalité française, bien qu'il l'ait demandée en 1940. Il est donc mort espagnol. Il faut dire que la police le repère dès son arrivée à Paris, en 1901, lorsqu'il habite chez son ami anarchiste Manach.

On vient d'exhumer ces documents, saisis par les Allemands pendant la guerre, puis par les Russes à Berlin, avant d'être rapatriés (si on peut dire) à Paris. Les rapports policiers sont inénarrables (on entend la concierge parler). « Ses heures de rentrée et de sortie sont très irrégulières, il sort tous les soirs pour ne rentrer qu'à une heure avancée de la nuit. » Plus grave : « Il lui arrive même de découcher. » Voilà comment on devient, peu à peu, « suspect du point de vue national ». Que faisait donc Picasso la nuit ? On se le demande.

01/06/2003

Une ténébreuse affaire

Je ne sais pas si vous êtes comme moi, mais l'affaire de Toulouse me paraît de plus en plus obscure. Un travesti assassiné, un autre mythomane ; des prostituées dont les prénoms se mélangent, Patricia, Fanny, Nadia ; un présentateur de télévision en correspondance avec un serial-killer ; des magistrats étranges et des policiers plus qu'étranges ; un journal qui semble chercher midi à quatorze heures ; un présumé innocent qui crie tellement son innocence qu'il en paraît dix fois plus coupable ; une classe politique en effervescence sur fond de grèves plus ou moins ratées ; des rumeurs, des machinations, des complots, des cadavres disparus, des fantasmes : quel roman ! Ça s'écrit tout seul, et 57 % des Français pensent qu'on ne saura jamais la vérité.

Ont-ils vraiment envie de la savoir, d'ailleurs, la vérité ? La vérité vraie ? Au journal de 20 heures, avec photos, cassettes, détails, lectures du marquis de Sade, description minutieuse des rituels sadomasos, cris enregistrés, cocaïne, confessions publiques ?

Pour l'instant, pensons seulement à Samia Darolles, une femme mariée de vingt-six ans retrouvée morte dans son appartement de la Ville rose. Cet homicide a été présenté comme un suicide dans les premiers rapports de police et des médecins légistes. Curieux suicide, puisque la victime gisait avec la gorge tranchée, une couche-culotte enfoncée dans la bouche et une corde autour du cou. Commentaire de la presse : « Aujourd'hui, les légistes se refusent à tout commentaire. Le brouillard ne cesse de s'épaissir autour du palais de justice et des méfaits de Patrice Alègre, comme autour des procédures qui ont suivi. »

29/06/2003

LE LAC DE NOÉ

Je n'invente rien, c'est le nom d'une maison de Mauzac, à une trentaine de kilomètres au sud de Toulouse. Des journalistes sont allés voir cette grosse bâtisse isolée, mais le procureur de la République a promptement démenti leurs informations. Elles venaient pourtant, paraît-il, d'une source proche de l'enquête (comme on dit pudiquement).

Là encore ça s'écrit tout seul. Une tourelle dénommée « la chapelle », où se seraient déroulées des tortures. Des filles attachées à des anneaux fixés au mur pour y subir des sévices. Des mineurs de douze ou treize ans. Dans le parc de la propriété, des cygnes, un âne et un bouc. Des moquettes couvertes de sang séché. Des draps ensanglantés apportés à un hôtel local pour y être lavés. Des « messes rouges » avec sacrifices d'animaux. Des nuits illuminées avec cris et musique baroque (on aimerait savoir laquelle). Des corps de prostituées jetés dans un lac remué, depuis, sans raison apparente par des pelleteuses. Un ancien propriétaire de soixante-seize ans, mort récemment d'un traumatisme cérébral avec plaie au crâne du côté droit. Sa dépouille devrait être exhumée du cimetière de Noé pour autopsie. L'arche de Noé moderne est quand même très au-delà des poussifs romans policiers d'époque. Mais puisque le procureur a démenti, vous ne savez rien, circulez, l'affaire est dans le lac.

29/06/2003

PORTUGAL

Et revoici la pédophilie. Cette fois, c'est au Portugal que ça se passe. Après le showbiz et la haute diplomatie, c'est au tour de la classe politique d'être impliquée dans cet énorme scandale. La Casa Pia est une institution publique de renom qui accueille depuis 1780 des enfants en difficulté, des handicapés et des orphelins. On attendait, sur ce terrain, des curés catholiques vicieux. Pas de chance, ce sont des socialistes, notamment l'ancien ministre du Travail et de la Solidarité, devenu député et porte-parole. Quinze délits de violences sexuelles sur mineurs (en majorité sourds et muets). Voilà le Travail, voilà la Solidarité. Bien entendu, le Parti socialiste crie à la « machination politique ». Une ancienne secrétaire d'État à la Famille, Teresa Costa, avait bien essayé d'avertir les autorités, mais son rapport a été classé sans suite, et elle a décidé d'abandonner ses recherches après avoir reçu des menaces de mort.

Parmi ces joyeux criminels, on trouve pêle-mêle un chauffeur qui servait d'entremetteur d'enfants de six à onze ans pour des hommes « riches et importants », un présentateur vedette de télévision, un diplomate de l'Unesco, un médecin connu qui animait une émission quotidienne sur une radio catholique (je me disais aussi). Le président de la République a été obligé d'intervenir pour dire que toute la lumière serait faite sur cette histoire. Toute la lumière, vraiment ?

Pour en savoir plus, lisez donc le livre posthume de la très bizarre Gabrielle Wittkop récemment suicidée : *La Marchande d'enfants* [68]. C'est écrit net et tranchant, à la manière de Sade, ça se passe pendant la Révolution française, c'est morbide à souhait, satanique, horrible, révélateur d'une vieille, très vieille passion humaine. On n'en parlait pas, on en parle. Tout se passait dans les coulisses, ça va devenir difficile. Vous pensiez que le mal était conjuré, que l'être humain était devenu bon, tolérant, civilisé, farouche partisan des droits de l'homme, démocrate, humanitaire, sensible, cultivé ? Qu'il avait cessé d'être hypocrite et sourdement meurtrier ? Il n'est pas mauvais qu'on vous rappelle un peu la réalité de l'ombre. C'est ahurissant, mais c'est ainsi.

29/06/2003

ROUSSEAU

Un peu de repos : ouvrons la réédition récente des *Rêveries du promeneur solitaire*[69]. Excellente lecture d'été, loin du bruit et de la fureur. « Tout est fini pour moi sur la Terre. On ne peut plus m'y faire ni bien ni mal. Il ne me reste plus rien à espérer, ni à craindre en ce monde, et m'y voilà tranquille au fond de l'abîme, pauvre mortel infortuné, mais impassible comme Dieu même. »

Encore un peu : « Tout ce qui m'est extérieur m'est étranger désormais. Je n'ai plus en ce monde ni prochain, ni semblables, ni frères. Je suis sur la Terre comme dans une planète étrangère où je serais tombé de celle que j'habitais. Si je reconnais autour de moi quelque chose, ce ne sont que des objets affligeants et déchirants pour mon cœur, et je ne peux jeter les yeux sur ce qui me touche ou m'entoure sans y trouver toujours quelque sujet de dédain qui m'indigne, ou de couleur qui m'afflige. Écartons donc de mon esprit tous les pénibles objets dont je m'occuperais aussi douloureusement qu'inutilement. Seul pour le reste de ma vie, puisque je ne trouve qu'en moi la consolation, l'espérance et la paix, je ne dois ni ne veux plus m'occuper que de moi. »

Rousseau est un blasphémateur social. Il prend parti pour lui. Il préfère son parti à sa patrie. On le traite de fou : il traverse les siècles. C'est un déserteur de l'ennui. Il est toujours plus vivant aujourd'hui.

29/06/2003

Retz

Et pourquoi n'en profiteriez-vous pas pour lire enfin sérieusement le cardinal de Retz et ses *Mémoires*[70] ? Changement de décor, la Fronde, le grand inspirateur d'Alexandre Dumas.

Vous passez à l'électricité du style : « Je suivis ma pointe et je trouvai des commodités merveilleuses. » Ou bien : « Ce parti n'était composé que de quatre ou cinq mélancoliques, qui avaient la mine de penser creux. » Ou encore : « L'on tenait cabinet mal à propos, l'on donnait des rendez-vous sans sujet, les chasses mêmes paraissaient mystérieuses. » Ou encore : « Il y a des temps où la disgrâce est une manière de feu qui purifie toutes les mauvaises qualités et qui illumine toutes les bonnes. » Ou encore : « Il fit si bien qu'il se trouva sur la tête de tout le monde, dans le temps que tout le monde croyait l'avoir encore à ses côtés. »

Il est piquant de voir un archevêque libertin féliciter Richelieu d'avoir voulu « abattre le parti de la religion » (il parle des protestants), et parler ainsi de son grand ennemi Mazarin : « Une de ces paix fourrées que nous faisions quelquefois ensemble. »

29/06/2003

Nietzsche

Et puis, toujours pour vous désembourber, partez avec Nietzsche. Peu importe le volume, tout est génial. *Ecce Homo*[71] : « Est-il, en cette fin du XIXe siècle, quelqu'un qui ait une idée nette de ce que les poètes des époques fortes appelaient inspiration ? La notion de révélation, si l'on entend par là que tout à coup, avec une sûreté et une finesse indicibles, quelque chose devient *visible*, audible, quelque chose qui vous ébranle au plus intime de vous-même, vous bouleverse, cette notion décrit tout simplement un état de fait. On entend, on ne cherche pas ; on prend sans demander qui donne ; une pensée vous illumine comme un éclair, avec une force contraignante, sans hésitation dans la forme – je n'ai jamais eu à choisir. Un ravissement dont l'énorme tension se résorbe parfois par un torrent de larmes, où les pas, inconsciemment, tantôt se précipitent, tantôt ralentissent ; un emportement "hors de soi" où l'on garde la conscience la plus nette d'une multitude de frissons ténus irriguant jusqu'aux orteils ; une profondeur de bonheur où le comble de la douleur et de l'obscurité ne fait pas contraste, mais semble voulu, provoqué, semble être couleur *nécessaire* au sein de ce débordement de lumière ; un instinct de rapports rythmiques qui recouvre d'immenses étendues de formes... Telle est *mon* expérience de l'inspiration ; je ne doute pas qu'il faille remonter à des milliers d'années pour trouver quelqu'un qui soit en droit de me dire : "C'est aussi la mienne." »

Le biographe de Nietzsche, Curt Paul Janz, trouve ce propos exagéré (Nietzsche n'est-il pas déjà fou ?), mais se sent obligé de rappeler le cas extraordinaire de Mozart. Wagner, lui, on le sait, composait difficilement. On se moque, en général, de l'inspiration et de la rapidité d'exécution. Jalousie compréhensible. « Je n'ai jamais eu à choisir » paraît une formule insensée. C'est donné, c'est gratuit, donc ce n'est pas crédible. Il y a eu pourtant des corps pour faire ce type d'expérience. Et comme le dit l'historien chinois Sima Qian (145-90 avant J.-C.) à propos de Zhuangzi : « Son langage déborde de toute part, il ne suit que sa propre inspiration, de sorte que les puissants n'ont jamais pu faire de lui leur instrument [72]. »

29/06/2003

CHIRAC

Incroyable Chirac ! En route pour la Polynésie, il est accueilli comme un héros à Kuala-Lumpur. Sa vision du monde multilatérale s'impose, il rebondit, il se planétarise, il s'épanouit. Il rassure, il rassemble, il endort, il offre Johnny à la Corrèze, il laisse à ses ministres épuisés les embrouillaminis intérieurs, il plane, il sourit, il reluit. Blair, après l'étrange mort de David Kelly, est blême ; Bush est sacrément emmerdé ; Berlusconi déconne ; Shröder est toujours aussi lourd ; Poutine rame entre ses oligarques et ses Tchétchènes. Chirac, lui, en pleine forme, est déjà dix fois réélu, il est là jusqu'en 2012.

La France et la République sont un mystère providentiel. Les socialistes n'en finissent pas de purger leur peine, le spectacle a ses soubresauts, la Corse s'agite en vain. Monseigneur Raffarin prêche doucereusement le statu quo, le commissaire Sarkozy exhibe son Raid, le bel Aillagon se perd dans les festivals, mais Chirac est là, il absout, il plaide, il bénit. Le 14-Juillet, on l'a entendu répéter au moins cinquante fois le mot « dialogue » entouré des mots « adaptation », « concertation », « négociation ». Il n'est pas de problème que le dialogue ne puisse résoudre. Nous sommes embarqués ensemble, donc dialoguons. Il faut multiplier les dialogues d'adaptation. Concertons-nous dans le dialogue. Apprenons à dialoguer, le reste s'ensuit. Nos ancêtres les Gaulois ne dialoguaient pas assez. Au passage, on aura remarqué que Chirac a rendu un hommage appuyé au président Giscard d'Estaing, l'Europe en personne, et qu'il l'a même appelé M. Giscard d'Estaing, et, encore mieux, Valéry Giscard d'Estaing.

De Gaulle, Pompidou, Giscard, Mitterrand, Chirac, la continuité est assurée, et qui a dit que l'Hexagone était un pays instable ? Quelques crises, soit, des spasmes, mais rien de sérieux. On s'adapte, on se concerte, on dialogue. Vous avez vu des manifestations, vous ? Moi pas.

27/07/2003

CORSE

On tend la main aux Corses, on les presse de voter oui, ils disent non. On va chez eux, on monte sur des chaises pour leur parler, ils n'écoutent rien. On leur fait un numéro à grand spectacle, Colonna arrêté en pleine montagne dans une bergerie, ils n'apprécient pas. On leur montre la fermeté de la loi, on condamne des assassins issus de leurs rangs, ils protestent. Que veulent-ils ? L'indépendance ? Non, la majorité semble ne pas la désirer. Le développement économique ? Ils le retardent. La République sans la République en restant dans la République ? Sans doute, mais le concept reste flou.

En attendant, les explosions reprennent, point zéro du dialogue. Un mélange de chlore et de nitroglycérine souffle des immeubles à Nice, à Bastia. La fermeté l'emportera, dit l'un, vous refusez une main tendue, je vous la serre quand même, dit l'autre. Dans les dialogues, il y a aussi les dialogues de sourds. Je te parle, tu m'exploses. La suite au prochain numéro.

27/07/2003

BAGDAD

Le mot clé, en politique, à répéter le plus souvent possible, est « avenir ». Regardons vers l'avenir, tournons-nous vers l'avenir, tournons la page. Quelques cris en Nouvelle-Calédonie contre le chef de l'État ? Des partisans du passé, des commémorateurs de grottes, des intermittents de la mémoire, des nostalgiques d'un vieux spectacle.

En Irak, l'avenir est bien entendu à la démocratie, et il n'y a aucune raison d'en douter, même si elle se fait attendre. Saddam Hussein n'avait peut-être pas d'armes de destruction massive (et alors ?), mais ses partisans n'ont pas l'air de manquer d'armes de destruction individuelle. La guerre est finie mais la guérilla s'étend. Deux fils du dictateur tués ? Pas mal (trente millions de dollars), mais Saddam court encore, sans parler de ses sosies et d'ailleurs ses fils étaient peut-être des sosies d'eux-mêmes. Beaucoup de morts, donc, mais le cadavre principal vient soudain d'Angleterre.

Qui a tué David Kelly ? Au propre et au figuré ? Voilà un homme respectable, spécialiste en produits chimiques, qui sort de chez lui, va dans un bois, avale des antalgiques, et s'ouvre le poignet gauche. Suicide à l'antique, hémorragie, grand style de l'Empire romain finissant. Tony Blair est au Japon, un journaliste lui demande s'il n'a pas du sang sur les mains. Il fait comme si la question

223

n'avait jamais été posée, un ange, ou plutôt un missile, passe. C'est là qu'on doit admirer le flegme britannique.

Qui a tué David Kelly ? Le gouvernement et ses mensonges d'État, ou la BBC qui a gonflé un peu les déclarations de sa gorge profonde ? Saddam faisait-il venir de l'uranium du Niger ? Était-on à deux doigts d'une apocalypse ? Mais est-ce vraiment important ? Ne fallait-il pas d'abord se débarrasser d'un tyran ? Un roman reste à écrire : les dernières heures de David Kelly, sa migraine, les images noires qui tournent dans sa tête, son désespoir, la mort conçue comme délivrance, un dernier regard sur les arbres, sommeil.

27/07/2003

SERVICES

On conseillera quand même aux services secrets de Sa Majesté, sans parler de la problématique CIA, de lire une bonne fois Sun Zi, le grand stratège chinois du IVe siècle avant notre ère. Voici ce qu'il dit dans son magistral *Art de la guerre* : « Il existe cinq sortes d'agents : les agents indigènes, les agents intérieurs, les agents retournés, les agents sacrifiés, les agents préservés. Lorsque ces cinq sortes d'espions sont simultanément à l'œuvre sans éveiller les soupçons, le souverain a tissé un réseau magique, lequel constitue son plus précieux trésor. »

Dommage que la coalition n'ait pas le temps de méditer davantage sur la sagesse chinoise. Tout va trop vite aujourd'hui, on engage n'importe qui, les cours de civilisation sont minimaux, les bons arabisants manquent, on confond islamisme et communisme d'autrefois, on connaît à peine le Coran, on croit que l'argent est le meilleur des agents, ce qui n'est pas faux mais peut se retourner au passage. Qui a tué David Kelly ? La précipitation, le désordre, le journalisme à tout prix, le besoin de sensationnel, l'amateurisme, et peut-être aussi (chose plus grave) un certain mépris des subordonnés pour leurs chefs. Voir Bush, par exemple, avec sa belle cravate bleue, recevoir, tout réjoui, Berlusconi dans son ranch, n'incite pas précisément à un travail sérieux sur des documents hyperconfidentiels. L'agent indigène peut être tenté de se dire : « Tiens, j'ai un truc intéressant, à quoi bon vérifier, ça leur plaira, ça leur suffira. » Après quoi, bonjour les dégâts.

27/07/2003

SPECTACLE

Blair à Pékin ; David Kelly, le poignet tranché, dans son petit bois ; Chirac en Polynésie ; des cadavres de marines dans les rues de Bagdad ; Bush en Afrique ; des massacres au Liberia ; et, en France, des incendies criminels et les intermittents du spectacle : la mondialisation est là. José Bové, à peine gracié, regarde la télévision dans sa cellule, Yvan Colonna aussi, et tant d'autres dans des prisons surchargées, canicule, pas assez de douches. Rien n'est dans rien, et réciproquement. D'où parlez-vous ? De partout et de nulle part.

Le plus curieux, dans cette cacophonie permanente qui accompagne la feuille de route, c'est que tout le monde s'est mis à prononcer le nom de Debord sans l'avoir lu. Premières lignes de *La Société du spectacle* : « Toute la vie des sociétés dans lesquelles règnent les conditions modernes de production s'annonce comme une immense accumulation de *spectacles*. Tout ce qui était directement vécu s'est éloigné dans une représentation[73]. »

Rien d'extraordinaire, simple constat. Juste pour vous prévenir, en somme, que vous ne vivez plus « directement », mais, de plus en plus, dans une téléréalité et des jeux de rôles. Êtes-vous vous-même ou, déjà, une simple image ? Votre clone ? Votre sosie ? Votre discours vous appartient-il ? Avez-vous une vraie vie ? Misère du spectacle, spectacle de la misère ; misère de la culture, culture misérable.

Mais, au fait, qui a créé les intermittents, ce nouveau prolétariat dérangeant, cassant, comme les ouvriers du textile, il y a longtemps, leur instrument de travail ? On peut se plaindre d'eux, regretter les festivals, s'inquiéter du « gauchisme » qu'ils représentent, ils sont là, ils interrompent, ils échappent à leurs vedettes, à leurs contremaîtres, à leurs employeurs peu scrupuleux. Vous avez transformé la société en spectacle, et vous vous plaignez des désordres des sous-payés ? Vous êtes un spectateur frustré ? Un nanti bousculé par la valetaille ? Mais que diable alliez-vous faire dans ces galères au lieu de rester chez vous ? Pourquoi ne pas reconnaître que vous êtes un intermittent de vous-même qui se presse au collectif par peur de ne plus exister ? Éloignez donc la télévision, et prenez un bon livre. Oui, je sais, c'est difficile, il faut faire attention.

27/07/2003

Conseil

Encore un peu de chinois, donc : « L'utilisation des châtiments et des récompenses, la ruse et la duplicité ne contraindront jamais les hommes à se mettre au service de leur souverain. Si le maître des hommes se contente d'endiguer la rapacité de ses sujets dans le carcan des récompenses et des châtiments, il risque fort, au moindre choc, de devoir affronter insoumission et révolte. La répression par la délation généralisée n'est qu'un piètre expédient, tout juste bon pour les portefaix et les marchands d'eau de riz. Elle ne servira jamais à unifier les masses, à civiliser la nation. »

Bien dit. Mais pour revenir à notre époque, par exemple du côté de Toulouse, ouvrons encore une fois Debord et ses *Commentaires* [74] : « Un crime inexpliqué peut aussi être dit suicide, en prison comme ailleurs ; et la dissolution de la logique permet des enquêtes et des procès qui décollent verticalement dans le déraisonnable, et qui sont fréquemment faussés dès l'origine par d'extravagantes autopsies, que pratiquent de singuliers experts. »

27/07/2003

Rentrée

Les festivals de La Rochelle, Aix-en-Provence et Avignon ont été annulés, mais le plus beau n'a pas été touché par la grève, et c'est bien sûr Paris-Plage. Le meilleur acteur de l'été aura donc été, une fois de plus, le maire de Paris, socialiste au paradis. La palme de l'humour objectif me paraît quand même revenir à l'énergique archevêque de Hongkong luttant contre l'étranglement antidémocratique de sa ville. Il s'appelle le cardinal Zen. Ça ne s'invente pas.

Ophélie, ma libraire, n'est pas contente de moi. En disant, dès le mois de juin, mon admiration pour le livre de Beigbeder, *Windows on the World*, il paraît que je casse le jeu, que j'expédie aux oubliettes au moins six cents livres, que je désorganise l'édition et la librairie, que je pénalise tous les intermittents littéraires. Que faire ? Ce n'est pas ma faute si le livre de Beigbeder est très bon. Ophélie, elle, attend avec impatience que Kundera ait le prix Goncourt. Ce serait, en effet, une excellente nouvelle, un choix courageux, comme, jadis pour *L'Amant*, le chef-d'œuvre parachinois de Marguerite Duras. La francophonie doit être encouragée, le français se traîne.

Ah non, voici encore un très bon livre, retenez-le dès aujourd'hui : *Mammifères*, de Pierre Mérot [75], né à Paris, il y a une quarantaine d'années. C'est assez proche de Houellebecq, que l'on reconnaît ici et là. Vous allez rire méchamment en suivant le fonctionnement des « éditions Ubu », où le narrateur a été employé. Et encore méchamment en assistant à l'organisation de la misère enseignante au lycée Walt Disney. Et de plus en plus méchamment en appréciant le diagnostic catastrophique de l'auteur sur l'état des mères. En réalité, ce qui compte, comme toujours, c'est le style :

« Pourtant, il vous arrive d'être heureux. Vous mourrez peut-être précocement d'une cirrhose, d'une overdose ou d'un abus quelconque, mais vous n'aurez pas ressemblé à une famille étroite et à tous ceux qui veulent vous empêcher de vivre. C'est un soir de juin, le ciel est bleu et rose. Vous descendez la rue, votre rue, avec votre liberté, même si elle est maigre et insatisfaisante. C'est vous qui l'avez conquise, et contre ceux qui vous paraissaient invincibles. Les enseignes lumineuses palpitent, les immeubles sont là, c'est toute la vie, et elle est entièrement disponible. Vous n'avez jamais contraint personne ni méprisé au nom de valeurs stupides et mortifères. Vous êtes vivant. Vous regardez les immeubles légèrement roses. Un jour, vous ne les verrez plus. Mais aujourd'hui c'est à vous, et à vous seul qu'il est accordé de voir ce trésor extravagant et provisoire, et personne ne peut prétendre être à votre place. »

27/07/2003

GRAND MOIS

Août 2003, voilà le titre d'un beau et terrible roman-document à écrire. La réalité dépasse de plus en plus la fiction, les rebondissements de l'action sont incessants, les éléments se déchaînent, les passions brûlent, les crimes s'amoncellent, on sort de là titubant, ahuri, vanné. À deux pas de chez moi, en plein jour, sur un chemin à peine désert, une pauvre fille de seize ans, Audrey, est violée et étouffée par un tueur introuvable. Non, ce n'est pas moi, j'ai un alibi en acier. D'ailleurs, le tueur, d'après le portrait-robot diffusé par la gendarmerie, était plutôt jeune, la peau très brune, et portait un bouc. Le mal rôde, personne n'est rassuré, quelque chose est détraqué, allez, avouez que vous commencez à trouver tout étrange, pas comme d'habitude, plutôt fou dans la forme comme dans le fond. Ce n'est qu'un début, l'année prochaine pourrait être pire, et quant à la rentrée fournaise, mieux vaut ne pas y penser.

24/08/2003

SYMPTÔMES

Le 11 septembre était déjà un roman fabuleux, mais *Août 2003* me semble plus varié, plus sourdement monstrueux, plus vicieux. Cherchez la logique des événements : elle vous échappe, la scène se déroule partout et nulle part, quelques points de fixation, d'accord. Bagdad et Jérusalem, mais c'est la planète tout entière qui vous fait signe du mauvais côté des choses. Le Diable, au lieu de se présenter frontalement contre des tours, à New York, est omniprésent, actif, incessant, insaisissable. Nous sommes sous le soleil de Satan, dans une lumière d'août impossible, un effet de serre et de pollution qui ressemble à un attentat.

Vous me dites d'abord trois mille ou cinq mille morts par canicule ? Puis dix mille, treize mille, peut-être plus ? Mais c'est abracadabrantesque. Ça ne se reproduira plus, c'est promis. On sentait bien, pourtant, dès la fin juillet, après l'assassinat de *L'Enlèvement au sérail* de Mozart à Salzbourg, que quelque chose était lâché négativement dans l'atmosphère. Mise en scène norvégienne idiote, personnage du gardien fanatique islamique transformé en curé catholique, pourquoi tant de haine envers Mozart, je vous le demande. Mais, après tout, pourquoi des pyromanes ? Que veulent dire ces énormes festivals d'incendies ? Pourquoi des crétins descellent-ils et brisent-ils la stèle rappelant l'assassinat du préfet Érignac en Corse ?

Dans quel but faire sauter des maisons ? Que vise l'explosion du siège de l'ONU à Bagdad ? Pourquoi un si long silence de Chirac sur les morts d'août ? Blocage affectif ? Mauvaise communication ? Somnolence de Bernadette ? Panne de portables entre la France et le Canada ? Mondialisme répugnant à l'Hexagone ? Respirons : le Président est rentré, il a une mine épatante, il est tout bronzé, il répète plusieurs fois le mot solidarité, mélopée de bonne volonté sur les embouteillages de cercueils.

24/08/2003

VILNIUS MON AMOUR

La jolie juge Nathalie Turquey, en tailleur rose, arrive en Lituanie pour y rencontrer Bertrand Cantat en prison. Sa démarche m'intrigue : elle voit sans déplaisir qu'il y a des caméras, elle ondule un peu, elle joue, elle sourit, peut-être pense-t-elle à Julie Lescaut. Elle sera bientôt célèbre. En tout cas, la voilà projetée dans une grande histoire fiévreuse et sordide qui a occupé les médias du mois.

J'ouvre mon magazine branché habituel et je lis qu'il s'agit ici « d'amour, de passion et de mort, une affaire intime, privée, d'où l'obligation de l'aborder avec sobriété, discrétion et respect ». Un ton aussi solennel n'est pas courant dans mon magazine. Marie Trintignant tournait en Lituanie un téléfilm consacré à Colette. J'ouvre la radio, j'entends sa voix récitant des poèmes d'Apollinaire, je ne saisis qu'un mot sur trois dans son balbutiement effusif. Bertrand Cantat, lui star du groupe Noir Désir, chante :

« Si tout devient opaque
Ma reine, ma reine,
J'ai bien aimé ta paire de claques
Et surtout ton dernier baiser. »

Je crois comprendre qu'il y avait de la jalousie dans l'air, beaucoup d'alcool, des projets de vacances litigieux avec six enfants (quatre de trois hommes différents pour elle, deux avec la même femme pour lui), bref aussi peu d'intimité et de repos que possible. Trop de bruit, trop d'enfants, trop de cinéma, trop de vodka. Cantat, originaire de Bordeaux, comme moi, venait de publier un livre intitulé *L'Expérience des limites*, ce qui ne manque pas de m'intriguer puisqu'il s'agit aussi du titre d'un de mes livres anciens. L'expérience n'a pas été la même. La poésie est difficile et dangereuse, comme l'amour.

Là-dessus, mon magazine branché en rajoute dans la métaphysique : « Les histoires d'amour finissent mal en général », « C'est beaucoup plus dur de s'aimer aujourd'hui qu'hier », « L'amour est dévoration, le temps des vampires est revenu », « L'incompréhensible et le terrible surgissent, sans crier gare, tout au long de nos vies et de celles des gens qu'on aime ». Quel sermon, quelle bien-pensance ! N'écrit pas qui veut *Les Fleurs du mal* ou *Une saison en enfer*.

24/08/2003

LE STYLE RAFFARIN

Les femmes sont battues un peu partout, harcelées, cognées, violées, étranglées ; les enfants sont très souvent maltraités ; les violences conjugales sont innombrables ; les tabous résistent ; le tueur en série Patrice Alègre, pour accomplir ses exploits, prenait d'abord un cocktail extatique de cocaïne, d'ecstasy, de haschisch et d'alcool. Le boucher du Liberia, Taylor, s'en va enfin dans une retraite dorée au Nigeria, non sans se comparer au Christ. Amin Dada, dadaïste couvert de sang en Ouganda, finit ses jours tranquillement en Arabie Saoudite. José Bové promet une rentrée brûlante après son triomphe au Larzac.

Les urgentistes sont débordés, les morgues sont pleines, les pompes funèbres asphyxiées, New York en panne d'électricité, un acteur bodybuildé veut devenir gouverneur de Californie, on vient d'arrêter un pédiatre pédophile à Montélimar, j'entends une journaliste dire « interminants du spectacle » au lieu d'« intermittents », en effet le film est interminable. Heureusement, Monseigneur Raffarin, évêque du Poitou, consent à interrompre ses vacances, vient se pencher, patelin, sur quelques vieillards survivants, et parle avec une force tranquille susceptible d'apaiser les âmes.

Voici quelques fortes pensées : « La culture est faite pour rassembler, pour tendre la main à l'autre, non pour diviser, non pour voir les uns et les autres se déchirer, mais pour choisir la création plutôt que la *décréation*, dont parlait Jean-Marie Domenach. » Domenach référence philosophique de Matignon, nous voilà rassurés. Nous ne sommes pas là pour expérimenter on ne sait quelles limites (on voit d'ailleurs où elles mènent) mais pour « être fidèles à l'humanisme créateur ». À la bonne heure. Et encore : « Surmontons la grande tristesse de ces rideaux trop vite tombés, saisissons ensemble l'occasion d'une réforme en profondeur, que le demi-siècle écoulé de décentralisation culturelle appelle, pour trouver un nouveau souffle. »

Au fond, mon magazine branché et Raffarin sont sur la même longueur d'ondes. Tout va mal, il faut pacifier. Misère et Teknival, pathos et froideur, passion tragique et nouveau souffle. L'impasse est totale, allons de l'avant. Canicule de clichés, hécatombe de corps.

24/08/2003

FUMER

Difficile de déchiffrer un monde où tout le monde ment, où les voitures deviennent des bombes, où le pétrole et l'argent circulent au noir, où votre voisin, déguisé en moine, va faire exploser l'autobus où vous vous trouvez, où de pauvres gens ensanglantés en sauront toujours moins qu'un oléoduc, où les respirations s'arrêtent dans les replis de la capitale. En quelques jours, Paris-Plage s'est transformé en Paris-Cimetière. Les Américains se demandent de plus en plus ce qu'ils font dans la galère irakienne, mais Bush portait, récemment, une belle chemise écossaise : il ne doute de rien, lui, il plane, il est immortel.

Avez-vous vu les nouvelles inscriptions sur les paquets et les cartouches de cigarettes ? Elles sont impressionnantes : « Fumer tue », « Protégez vos enfants, ne leur faites pas respirer votre fumée », « Fumer nuit gravement à votre santé et à celle de votre entourage », « Fumer provoque un vieillissement de la peau », « Fumer bouche les artères et provoque des crises cardiaques et des attaques cérébrales », « Votre médecin ou votre pharmacien peuvent vous aider à arrêter de fumer ». Vous trimbalez ce catéchisme dans votre poche, vous attendez le moment où les vins de Bordeaux n'auront plus pour étiquettes que des têtes de mort. Vous êtes à Bagdad, vous assistez à un attentat, vous venez de prendre la décision de ne plus fumer, là-dessus votre voiture explose.

24/08/2003

TECHNIQUE

Le Pentagone a un grand projet qui aurait étonné George Orwell : quarante pages d'informations sur chacun des six milliards d'individus de la planète, le tout traité par hyperordinateur. Les bibliothèques américaines sont déjà priées de communiquer la liste des livres et des sites Internet consultés par leurs abonnés. Prenons, par exemple, le prochain livre de Marc Fumaroli, *Chateaubriand, poésie et terreur*[76]. Le mot « terreur » devrait déclencher une enquête. Chateaubriand n'est peut-être qu'une couverture pour des messages codés.

Je suis en train de lire ce livre magistral, mais si je note presque au hasard la phrase suivante – « Chaque homme renferme en soi un monde à part, étranger aux lois et aux destinées générales des siècles » –, ne suis-je pas déjà un terroriste, un « décréateur », un expérimentateur dangereux des limites ? Et ceci, fort suspect à mon avis : « Les corruptions de l'esprit, bien autrement destructives que celles des sens, sont acceptées comme des résultats nécessaires ; elles n'appartiennent pas à quelques individus pervers, elles sont tombées dans le domaine public. »

Tout cela n'est pas clair, et d'ailleurs les grands écrivains sont la plupart du temps démoralisants.

Regardez Céline[77] : « Je suis une femme du monde. Je baise avec qui je veux, quand je veux, comme je veux. » Ou bien : « L'âge moderne est le plus con de tous les âges. Il ne retient que les choses toutes cuites et bien frappantes. » Ou encore : « Les mots ne sont rien s'ils ne sont pas notes d'une musique du tronc. [...] On peut écrire à la Sévigné une lettre à la petite cousine qui fasse pâmer des débardeurs. »

24/08/2003

PROMETEA

Peut-on être évêque et ouvertement homosexuel ? C'est l'épineuse question posée à l'Église anglicane par Gene Robinson, ex-hétérosexuel divorcé, père de deux enfants. L'émotion semble réelle. La fille du saint homme, Ella, dit de lui que c'est « un homme bon, un bon père de famille ». Où est par conséquent le problème ? Le pasteur est d'ailleurs plébiscité par ses paroissiens. Mais la grande nouvelle n'est pas là, elle s'appelle Prometea, pouliche clonée de sa mère, qui, donc, est aussi sa jumelle. Je vous laisse sur cette annonce sensationnelle de la presse scientifique : « Les hongres vont pouvoir redevenir étalons. »

24/08/2003

LES MORTS VOTENT

Qui disait déjà que la rentrée serait « brûlante » ? On ne sait plus, et c'est d'ailleurs sans importance. La vérité est plutôt confuse, rampante, comprimée, décérébrée. J'ouvre un magazine d'influence, et je lis : « Sollers est partout de peur de n'être plus rien. » En effet, il est partout, ce Sollers, mais qui est-ce ? Je l'ai entendu traité, tour à tour, de scoubidou, de mandarin, de bookmaker, de parrain, de pape, de M. Loyal du cirque littéraire, de Fregoli, de Roger Lanzac animant, dans des temps préhistoriques, *La Piste aux étoiles*, et, tout récemment, de Zorro. Il court sur les toits, vient de voyager en Chine, était l'autre nuit au Ritz dans une suite à côté de celle de Madonna. On chuchote qu'il est le nègre de Shan Sa, ou plutôt, après Balthus, son gourou secret. Sa dernière conférence, à Pékin, portait, il est vrai, sur Lacan, et avait pour titre *Subversion du sujet et dialectique du désir*.

Ce Sollers, croyez-moi, c'est Fantômas, Nosferatu, Dracula, une sorte de docteur Mabuse. Il a des pouvoirs magiques, comme tout esprit qui n'est rien. Il est d'ailleurs normal qu'on le voie partout comme n'étant rien, de peur qu'il ne soit quelque chose, mais quoi ? Comment fait-il pour produire, sans feu, tous ces écrans de fumée ? Tenez, voici mon avis : si Raffarin, notre bon et soporifique évêque du Poitou, baisse dans les sondages, c'est encore un coup tordu de Sollers. Il fait voter en douce les morts de la canicule, il accumule sur Matignon et l'Élysée des nuages de malédictions spectrales. On l'a vu, dans sa cape noire, au cimetière de Thiais, marmonnant des invocations en hommage aux morts non réclamés par leurs familles. Il hante l'ossuaire de Douaumont. Il va, vous allez voir, influencer le jury Goncourt.

28/09/2003

DÉLIRES

Fanny se rétracte, Patricia s'évapore, Djamel est mort, le pauvre Dominique Baudis était innocent, Toulouse explose, le vrai zéro est un moment du faux. Qu'en est-il du séjour de Chirac au Canada ? Rumeur. Est-on enfin sur la piste de son fils naturel au Japon ? J'appelle Sollers, il doit bien avoir son idée.

Mais, là, j'hésite à le croire, j'ai l'impression qu'il plaisante. Chirac n'aurait pas un seul fils au Japon, mais bel et bien des jumeaux. Il les ferait engraisser sans arrêt pour qu'ils deviennent ses champions préférés, des sumos. Il rêve de les voir un jour bousculer ce freluquet mégalomane de Bush. À moins que l'un des deux ne renonce à la compétition, et n'épouse un jour Mazarine. Ce serait beau, à Rome, avec une dernière bénédiction pathétique de Jean-Paul II. Vous me dites en outre qu'une volumineuse biographie de ce Jean-Paul II vient de paraître aux éditions Gallimard. Encore un faux bruit répandu par Sollers, sans doute. Jamais André Gide ne tolérerait pareil blasphème, et on entendrait d'ici le ricanement démoniaque de Paul Claudel. Pourtant, c'est vrai[78]. On ne sait plus à quel saint se fier.

28/09/2003

14-18

Le moment est donc venu de revenir à des valeurs sûres. Après la canicule, les incendies, les attentats à n'en plus finir, le trou noir à l'horizon de la Sécurité sociale, la baisse acrobatique des impôts, les hausses en tout genre, il est urgent d'empêcher les individus de fumer. La variation des inscriptions sur les paquets de cigarettes est un vrai plaisir de lecture. Celle-ci, par exemple, qui me va droit au cœur :

« Fumer pendant la grossesse nuit à la santé de votre enfant. » Ou bien celle-ci qui m'inquiète davantage : « Fumer peut nuire aux spermatozoïdes et réduit la fertilité. » Quel homme pourrait supporter l'horreur de n'être pas *fertile* ? Comme le dit très justement l'écrivain américain Don DeLillo, « nous sommes entrés dans un nouvel âge, celui de la terreur, et on ne reviendra pas en arrière ».

Raison de plus pour fuir dans le passé : la rentrée littéraire, on l'a compris, se passe sous le drapeau de la Grande Guerre. Voici des poilus, des tranchées, des sacrifices, des deuils, des blessés tragiques, des larmes, des casques et des ossements enfouis dans la terre qui, elle, ne ment pas. Des veuves sublimes. Des orphelins sans avenir. Le Goncourt est, paraît-il, centenaire. Qu'il vienne à notre aide. Qu'il nous redonne une raison de croire. Qu'il se détourne enfin de ces prix donnés à des privilégiés douteux, antipopulaires, les Schuhl, les Quignard. Qu'il couronne Ferney, pas Voltaire. Ou Claudel, Philippe, pas Paul. L'automne sera bleu horizon, gris, plein d'âmes. Et vous continueriez à vous plaindre, vous, les baby-boomers dégénérés, indignes d'être les héritiers de cette grande épopée ?

28/09/2003

COCTEAU

On parle beaucoup de Cocteau ces temps-ci, mais est-ce qu'on le lit ? Pas mal de scories et de remplissage, parfois, des rafales d'esprit pour pas grand-chose, très mauvais poète précieux, mais aussi, souvent, moraliste, classique électrique. Ouvrons, par exemple, *Essai de critique indirecte*[79] : « Le silence défile, musique en tête, dans les rues de Chirico. » Ou bien : « Quand j'étais petit, je croyais que les étrangers ne parlaient aucune langue, faisaient semblant entre eux d'en parler une. C'est ce que pense le public en face de nous. »

Ou bien : « Aujourd'hui, on supprime la mort ; on l'escamote. Soit on meurt en un clin d'œil d'une mort sportive, soit on ne pense à la mort qu'en mourant. La mort éclaire un chef-d'œuvre. Les gens se désintéressent de l'art parce qu'ils ne s'intéressent qu'à ce qui les concerne, et *la mort ne les concerne pas.* Personne au monde ne croit plus à elle. *On ne meurt plus.* C'était ennuyeux » (ces lignes datent de 1932).

Et ceci : « La crise financière sauvera les grandes firmes et balaiera les petites. Il en va de même des livres mineurs qui ne peuvent plus paraître. Ceux qui achetaient nos livres comme jeux du cirque cèdent la place à ceux qui les achèteront comme du pain. » Et encore ceci, superbe : « Vulgarité des premières places. Il n'y a que des places à part. »

28/09/2003

MODIANO

C'est peut-être son meilleur livre, tout son art est là. Modiano, au fond, aurait pu être un excellent situationniste. La psycho-géographie et la dérive n'ont pas de secrets pour lui, les lieux les plus improbables se mettent à vivre à travers lui comme sous des passes magnétiques. Son narrateur est renversé par une voiture, une jeune femme était au volant, il va la chercher et finalement la trouver après une déambulation labyrinthique. C'est puissant comme du Nerval, minutieux comme du Kafka.

Il a beaucoup marché dans Paris, Modiano, c'est sa ville rêvée, hallucinée, dangereuse, fermée, aux identités toujours trompeuses et brumeuses. *Accident nocturne*[80] est un grand roman policier, c'est-à-dire sourdement métaphysique. Et puis le style, quoi.

« C'était réconfortant de faire des projets. Elle m'avait pris le bras et j'imaginais, près de nous, tous ces poissons multicolores tournant derrière les vitres dans l'obscurité et le silence. Ma jambe était douloureuse et je boitais légèrement. Mais elle aussi, elle portait son éraflure sur le front. Je me suis demandé vers quel avenir nous allions. J'avais l'impression que nous avions déjà marché au même endroit, à la même heure, en d'autres temps. Je ne savais plus très bien où j'étais, le long de ces allées. Nous atteignions presque le sommet de la colline. Au-dessus de nous, la masse sombre de l'une des ailes du palais de Chaillot. Ou plutôt un grand hôtel d'une station de sports d'hiver de l'Engadine. Je n'avais jamais respiré un air si froid et si doux. Il me pénétrait les poumons d'une fraîcheur de velours. Oui, nous devions nous trouver à la montagne, en haute altitude. »

Pour les amateurs discrets, on laissera résonner le mot « Engadine », qui fait signe vers Nietzsche et son expérience de l'éternel retour (sujet évident du roman). Quel type étrange, ce Modiano, l'air de rien pour mieux observer, rien dans les mains, rien dans les poches, aigu, enveloppé, faussement perdu, musical. Les poissons multicolores, la jambe douloureuse, l'éraflure, les allées, le palais de Chaillot, l'air à la fraîcheur de velours, le temps qui revient : essayez de faire un paragraphe avec ça. Lentement. En silence.

28/09/2003

CHINOIS

Et encore deux livres : *Propos intempestifs sur le Tchouang-Tseu*, de Jean Levi, aux excellentes éditions Allia : « La parole ne prend sens et efficacité que dans ce qu'on pourrait appeler une chorégraphie existentielle. Le sens des mots n'est pas dans les mots mais dans le contexte qui les fait surgir. » Et *La Guerre hors limites*[81], traité de la stratégie passionnant de militaires chinois actuels, dans la collection dirigée par la mystérieuse Lidia Breda. Une ancienne maoïste ? Peut-être.

28/09/2003

ADMIRATEURS

Un écrivain qui ne reçoit que des louanges peut être considéré comme mort. Sa stratégie consistera donc à entretenir quelques ennemis tenaces qui, quoi qu'il fasse, lui tomberont dessus à la moindre occasion. Ce sont des admirateurs négatifs, précieux, actifs, inlassables. Il faut qu'ils s'acharnent, qu'ils tournent comme des derviches extatiques, ce sont des alliés dans la longue marche du temps.

Ainsi, dernièrement, dans *Marianne* : « Prenez les articles de Philippe Sollers qui sont au journalisme ce que

Patricia Carli était à la chanson, Francis Lopez à l'opérette, Bernard Buffet à la peinture, Philippe Léotard au bel canto, ce que Raël est à la science, Blair au socialisme, Robert Hue au lyrisme oratoire, Donald Rumsfeld à l'humanisme judéo-chrétien, Élizabeth Teissier au positivisme cartésien et Nénuphar Barillon au cyclisme professionnel... ils sont dispensés de tout audit en nullité pour cause de couvert mis au banquet des décideurs. » Pas mal, non ? Très porteur. Portrait chinois impeccable. Ce Sollers est tellement nul qu'on se demande pourquoi il est publié. Mais, que voulez-vous, il hypnotise les décideurs.

Dans le même distingué magazine, qui lutte vaillamment contre l'obscurantisme déferlant, cette perle à propos des intellectuels d'autrefois : « À l'époque, avant d'aller pisser, il fallait demander l'autorisation de Barthes, Sartre et Foucault. » Et, un peu plus loin : « Cocteau incarne ce que l'esprit à la française a de plus oiseux, de Sacha Guitry à Philippe Sollers. » Oui, oui, encore, encore. En avant, gauche-droite, gauche-droite. Ne vous lassez pas, surtout. Forcez le trait.

26/10/2003

SCHWARZENEGGER

Le plus drôle, dans l'élection triomphale du muscle en Californie, c'est sans doute la déclaration du directeur de l'office du tourisme de Graz : « Désormais, Mozart n'est plus l'Autrichien le plus célèbre. » Voilà qui est un peu injuste à l'égard de Hitler, cet Autrichien qui reste dans beaucoup de mémoires. *Terminator* terrassant Mozart, le tableau mériterait d'être peint. L'économie américaine est en pleine forme, les morts de Bagdad sont des détails, que faire pour enrayer le déclin de la France ?

J'ai une solution : nommer un gouvernement d'acteurs pour résorber la fracture sociale. L'évêque du Poitou, le laborieux Raffarin, se plaignait récemment des intellectuels français coupés de la base. Qu'il renonce, qu'il laisse venir au pouvoir des stars. Je vois bien Depardieu en Premier ministre, Delon à l'Intérieur, Deneuve à la Santé, Poivre d'Arvor à la Défense, d'Ormesson aux Finances, Jean-François Kahn à la Culture, Luchini à l'Éducation, Isabelle Huppert à l'Écologie, Johnny Hallyday à la Justice, Ardisson aux Sports. Des secrétaires d'État ? Claire Chazal, Giesbert, Drucker, Fogiel, Emmanuelle Béart. Quelle équipe ! Plus de déclin, du souffle !

De Gaulle, toujours impérial, disait que la politique ne se faisait pas à la corbeille. Il est temps qu'elle se fasse ouvertement au spectacle. *Terminator* montre la voie. Français, encore un effort.

26/10/2003

TABAC

Faut-il accepter l'euthanasie ? Grave problème, qui ne saurait être laissé à l'improvisation d'infirmières pressées. Le ministre de la Santé, dont la tête chauffe de plus en plus depuis la canicule de l'été, a déclaré la guerre aux fumeurs. Le cancer est partout, il monte, il nous fauche. Les fumeurs pratiquent d'ailleurs sur eux-mêmes une forme d'euthanasie, ce sont des suicidés de la société, mais ils coûtent trop cher à la Sécurité sociale.

« Les fumeurs meurent prématurément », me dit mon paquet de cigarettes. « Fumer entraîne un vieillissement de la peau. » Je suis terrorisé, je n'ose plus me regarder dans la glace. Qui nous sauvera de cette propagande de mort ? Fabius. Son nouveau look cool sans cravate me plaît, il ne lui manque qu'un mégot aux lèvres. Qu'il se déclare défenseur des fumeurs, des fumeuses, qu'il aide les buralistes, qu'il nous épargne la contrebande, qu'il soit un défenseur de nos libertés. Fabius fumant ostensiblement à la télévision peut compter sur un grand soutien populaire. Sans blague, il ferait un tabac.

26/10/2003

VOILE

La laïcité est sacrée, c'est entendu, mais personne n'a l'air de comprendre ce qui se passe vraiment sous le voile du voile. Qui n'a pas vu les deux ravissantes lycéennes exclues pour port de ce signe ostentatoire ne saisit pas une dimension toute nouvelle de l'érotisme adolescent. La religieuse catholique du XVIIIe siècle faisait rêver Diderot, les nouvelles voilées, Lila et Alma, ont de quoi provoquer un chef-d'œuvre littéraire.

Ce sont deux sœurs décidées, elles pourraient s'appeler Justine et Juliette, leur pudeur est un puissant appel à la transgression. Leur cou, leurs oreilles, leurs cheveux sont beaucoup plus visibles de ne pas l'être. On sent que le voile renforce puissamment leurs vapeurs. Elles ne veulent pas serrer la main d'un homme ? Quel trouble ! Tout, en elles, rayonne de désirs cachés. Être celui devant qui, dans la pénombre, elles enlèveraient leur machin et

245

leur col roulé, a de quoi enivrer le véritable amateur. Assez de seins nus sur les plages ! Oui au cou ténébreux, aux oreilles tendrement mordillées ! Dieu a ses plaisirs cachés, le philosophe aussi, quand il retrouve la grande inspiration des Lumières. Comment vais-je appeler mon roman ? *À l'ombre des jeunes filles voilées* ? *Coup de foudre près de la mosquée* ? *Les Bijoux indiscrets* ? *La Religieuse* ? Mère Teresa ou Lila ? Sœur Emmanuelle ou Alma ? Le dalaï-lama ou Lila et Alma ? Les folles nuits islamiques ou le bouddhisme tocard de Mathieu Ricard ?

26/10/2003

SADE

Pour une surprise, c'en est une : le marquis de Sade amoureux. De qui ? De sa belle-sœur, comme on va le découvrir dans ce livre à paraître en novembre, *Anne-Prospère de Launay*[82]. Ce sont des lettres retrouvées, révélées et remarquablement commentées par le collectionneur Pierre Leroy. La présidente de Montreuil, la belle-mère de Sade, organise sa persécution. Il a épousé une de ses filles, il lui a fait trois enfants, et cet aventurier dépensier part en Italie avec la sœur de sa femme ! Ce débauché notoire ! Deux filles ! Deux sœurs ! Et qui ne se détestent pas, en plus ! Une mère désavouée par ses filles ! Enfer et damnation !

Le marquis, à l'époque, a trente-deux ans, il est déjà condamné pour de sombres histoires de prostituées, notamment à Marseille, et sa gracieuse maîtresse, âgée de vingt et un ans (une chanoinesse, soit dit en passant), ne voit pas d'inconvénient à le suivre à Venise. Évidemment, tout ça va très mal tourner au bout de trois mois, Sade commencera ses longues années de prison (vingt-huit, en tout, « sous tous les régimes »), sa belle-sœur mourra bientôt dans un couvent, mais le monstre garde son portrait jusqu'au bout (il a disparu).

Sensible, Sade ? Élégant, délicat, raffiné, charmant ? Mais oui, et il faut être dévot du puritanisme comme de la perversion pour ne pas l'admettre. Monstrueux et charmant. Monstrueux en imagination, n'est-ce pas, jamais criminel. Un des plus grands écrivains qui aient jamais existé, impossible dans une autre langue, la gloire de la France. Il avait donc convaincu sa belle-sœur de sa philosophie dans le boudoir ? Drôle d'idylle, extravagant roman.

26/10/2003

CHINOIS

Pendant que le dalaï-lama débitait ses sornettes à Bercy, et que le pape, à bout de souffle, devenait de plus en plus aphasique, un Chinois tournait autour de la planète dans un vaisseau spatial nommé *Shenzhou*, « vaisseau divin ». Ne dites plus cosmonaute, astronaute, spationaute, mais « taïkonaute », du chinois « taïkong », qui signifie espace ou grand vide. Le nouvel homme rotatif est un « yuhangyuan », un « navigateur de l'univers ». Les Américains sont très inquiets, on les comprend, le troisième millénaire s'annonce asiatique. Raison de plus pour lire *Nouveaux principes de politique*, de Lu Jia, un penseur du IIe siècle avant notre ère, traduit et présenté par Jean Levi[83].

Exemple : « Le saint profite des troubles pour accomplir son œuvre. Il sait tirer parti du mal qu'il voit au-dehors pour s'améliorer au-dedans. » Ou bien : « Qui est versé dans les retournements ne se laisse pas abuser par les mensonges ; qui a pénétré la Voie n'est pas déconcerté par les phénomènes insolites ; qui a étudié l'art rhétorique ne se laisse pas séduire par l'éloquence ; qui a compris la rectitude ne se laisse pas appâter par le profit. Le sage a de vastes pensées et des connaissances étendues ; il aspire à étendre ses connaissances, et s'emploie à se conduire avec franchise. Le spectacle de la perversité lui fait connaître la droiture, et l'ornement de la forme ne lui cache pas le fond. Le chatoiement des couleurs n'éblouit pas sa vue, la flatterie ne trouble pas son ouïe. On aura beau l'appâter par toutes les richesses, sa résolution sera inébranlable ; il ne reniera pas sa conduite en échange de la longévité. S'appliquant tout entier à la Voie, et ferme dans ses choix, il accomplit des prouesses. »

26/10/2003

GADDIS

Dernier livre étonnant, publié après sa mort, du romancier américain William Gaddis[84]. « Une fois que vous avez été stigmatisé par le sceau ultime de la médiocrité, votre nécro annoncera Mort du Romancier lauréat du prix Pulitzer à l'âge de patati parce que ce n'est pas le gagnant qu'ils plébiscitent, non. Non, comme toute cette infection de prix partout où vous regardez, ce sont eux les prix qui se plébiscitent eux-mêmes, essaient de sauver leur profession de journalisme largement discréditée. »

« La presse est une école d'abrutissement, écrit Flaubert à George Sand, parce qu'elle dispense de penser. [...] Les livres qui sont candidats sont lus par un jury dont les décisions sont soumises à des administrateurs olympiens qui lorgnent sur la multitude. Nous sommes des milliers et ils sont des millions, écrivez les romans qu'ils veulent ou n'écrivez pas du tout. »

26/10/2003

LARBAUD

Larbaud, en 1921, juge le puritanisme américain qui va s'abattre sur l'*Ulysse* de Joyce, considéré comme une « matière obscène [85] » : « Ce n'est pas seulement l'"amour libre" et le "blasphème" qui sont l'objet de plaintes et de répression. La pensée aussi est persécutée. Il y a, aux États-Unis, une ligue morale qui s'appelle la Société pour la suppression du vice, dont les exploits ne se comptent plus, et nous paraîtraient incroyables si nous n'avions pas tant de preuves de son activité. »

26/10/2003

WILKINSON

Pas de doute, Jonny Wilkinson, le héros de la finale de rugby en Australie, est un génie. L'Angleterre le célèbre, des fleuves de bière coulent en son honneur, les retombées publicitaires de ses exploits sont estimées à des millions de livres. C'est l'as du coup de pied arrêté, le virtuose du drop, le chevalier de l'esquive, un modèle dans tous les domaines, du grand art. Il fallait le voir, sous la pluie battante, se concentrer, tendre les bras en avant, joindre ses mains comme pour une prière à Dieu (qui, comme chacun devrait le savoir, n'est pas rond mais ovale), lever les yeux vers les poteaux, là-bas, loin, si loin, revenir à ses mains, regarder à nouveau les poteaux, s'envoler vers la frappe, suivre la trajectoire du ballon, drapeau levé, c'est gagné.

Et ce drop, ce drop ! Pendant ce temps-là, on entendait le public anglais, venu à Sydney, chanter cette vieille chanson populaire devenue un negro spiritual, « *Swing low, sweet chariot, coming for to carry me home* ». Oh oui, rentrons à la maison, là-bas, à Londres, *home sweet home*, vive l'ovalité, vive la reine, peu importe qu'un évêque anglican homosexuel se soit fait introniser dans une patinoire ou que le prince Charles soit bisexuel. Gloire à « Wilko » dans les pubs ! Jonny l'ange blond, le pied d'or !

Mais, au fait, où étaient passés les Français ? Disparus, enfoncés, laminés. Le ballon mouillé leur échappait des mains, c'était vraiment la France qui tombe. Il faut refonder l'entente cordiale, nous dit-on. Très cordiale, en effet. Bush, venu à Londres justifier le merdier de Bagdad, se faisait conspuer dans la rue avec une presse déchaînée contre lui. Jonny, lui, balayait Tony. Seule bizarrerie au tableau : la mère de Jonny, pendant le match, allant faire ses courses dans son supermarché habituel. « J'étais trop énervée pour suivre la retransmission », a-t-elle dit. Une mère qui n'aime pas vraiment son fils, excellente nouvelle. Oui, Wilkinson est sans aucun doute un génie.

30/11/2003

PHOBIES

Déboussolé par les attentats, les camions piégés, les synagogues explosées, les lycées juifs incendiés, le monde est en train de devenir *phobe*. Êtes-vous islamophobe, judéophobe, catholicophobe ? À vous de choisir. La phobie devient compulsive, une pavlovisation générale s'annonce. La peur montant de partout, les réflexes conditionnés se multiplient. La francophobie se déploie, l'anglophobie monte, l'arabophobie déborde, l'américanophobie atteint des sommets. Et comme toujours dans les époques de panique et d'ignorance, d'effondrement de la pensée et de raréfaction du vocabulaire, le vieil antisémitisme resurgit sous des couleurs neuves, flambant d'une immémoriale connerie.

Côté connerie, il faut dire que le spectacle mondial y incite. Poutine et ses oligarques, Berlusconi auteur de chansons d'amour, Andreotti amnistié en douce, l'Europe divisée malgré le beau mariage franco-allemand, Raffarin en baisse, Chirac tendant l'oreille vers 2012, les buralistes en pétard, et puis quoi encore ? Très vite, les publicitaires ont compris ce qu'ils pouvaient tirer des inscriptions phobiques qu'on peut lire sur les paquets de cigarettes. Faire-part de deuil ? Ça attire l'attention. Et voilà comment cent cartons à liseré noir s'épanouissent dans les journaux. J'en propose un, à mon tour, en pointant du doigt les dangers de la littérature : « Arrêter de lire réduit les risques de maladies nerveuses et de déviations sexuelles. » Et pourquoi pas, carrément, « Penser tue ».

30/11/2003

SARKO

Fabius se balade, Strauss-Kahn danse, Hollande fait ce qu'il peut, Arlette a séduit Besancenot, heureusement nous avons Sarko. Pas Wilko, mais Sarko. Il monte, il descend, il revient, il est partout, il se faufile, il accélère, il marque. C'est du Bonaparte en action, les Corses devraient s'en apercevoir. Va-t-il trop vite ? Pas sûr, puisque tout va de plus en plus vite, et que, comme l'a dit quelqu'un, le temps est sorti de ses gonds.

Se faire élire Président sans être Président n'est pas une si mauvaise idée. Premier Consul, plutôt, à la hussarde. Le Pen le traite d'« écureuil dans sa cage » ? Ça a l'air de le peiner un peu, et pendant cinq secondes il a l'air d'un pauvre écureuil. Face à la bouffissure éructante de Le Pen, ça rassure. On le prend dans ses bras, Sarko, les femmes surtout. Certes, elles préféreraient qu'il soit plus grand, plus enveloppé, plus confortable, mais enfin l'autre pèse dix tonnes, discours compris.

Ah, voilà maintenant une autre star, superstar : Tariq Ramadan (quel nom prédestiné). Ramadan est beau, fin, rusé, mondain, très cinéma des années 1920, il doit faire un malheur dans les boudoirs de Genève. Est-il pour la lapidation des femmes ? Pas vraiment, ou alors avec de petits cailloux. Pour ou contre le voile ? C'est selon, le Coran n'en fait pas une obligation mais une prescription (à vous de comprendre la différence). Ce Ramadan est troublant, inquiétant, Mme Verdurin l'a invité l'autre soir à dîner, il faut savoir vivre avec son temps : Ramadan s'est montré modéré, sincère, beaucoup plus doux et drôle que prévu, beaucoup plus spirituel que Mgr Lustiger, par exemple. Il paraît que les jeunes musulmanes en sont folles. L'idéal, en somme, ce serait Sarko avec le physique de Ramadan. Une pincée de Le Pen ? Peut-être, il ne faut mécontenter personne.

Reste un hic : Sarko échappera-t-il à la haine de Bernadette ? Il ne fait pas très clocher, Sarko, attention à la sortie des messes du dimanche (avec foulard, ne l'oublions pas).

30/11/2003

INTELLOS

Voir *Le Figaro Magazine* se présenter comme le porte-avions des nouveaux intellectuels français relève d'un surréalisme subtil. Humour froid, évidemment. Un certain nombre d'écrivains et d'essayistes ont donc été convoqués à Deauville sous la bannière insolite de Cioran. En effet, écrit la présentatrice de cet événement considérable, « un rassemblement aussi baroque réjouira ceux qui, à l'image de Cioran, préfèrent, à la compagnie des "purs", celle "des finauds, des fripons et des farceurs" ».

Hélas, quelques finauds, certains fripons et au moins un farceur se sont abstenus de venir fonder ce nouveau parti dont le recrutement, dès lors, devient improbable. L'un se refusait d'avance à tout débat sous le prétexte que l'idée même de débat est fausse, fabriquée, idiote (en quoi il n'a pas tort). Un autre était retenu dans une abbaye pour une retraite avec présence intermittente de Dieu. Un troisième avait une grosse bronchite et une extinction de voix. Un quatrième enfin, et non des moindres, faisait téléphoner en pleine séance qu'il se trouvait retenu en Espagne après avoir mangé une mayonnaise avariée. Qu'importe, les débats ont eu lieu, et l'un des intervenants a même déclaré que « la jeune génération qui n'a lu ni Barthes ni Lacan apparaît nettement prometteuse ».

Comme on sait, les jeunes d'aujourd'hui lisent couramment le grec, le latin, le chinois, l'hébreu, l'arabe, se passionnent pour Pascal, la marquise de Sévigné et Saint-Simon. On peut attendre d'eux des merveilles. Je rencontre d'ailleurs chaque jour ces étonnants débutants.

30/11/2003

GISCARD

Et pourquoi pas Giscard d'Estaing à l'Académie française ? Il y serait comme un beau diamant. Je ne comprends pas cette cabale contre lui. Je ne perçois pas de quelles hauteurs littéraires elle émane. Un Président à l'Élysée, quoi de plus normal ? Chirac lui-même y pense. Et Villepin. Et Sarkozy. Et Fabius. Il me semble même qu'un Président étranger serait le bienvenu : Poutine, par exemple. Ou alors, l'Académie doit frapper un grand coup : Ramadan !

Les choses ne vont d'ailleurs pas si mal, si on en croit cette lettre de Voltaire, datée du 14 juillet 1773 à Ferney : « Mon cher confrère, mon cher philosophe, il est bien triste pour votre belle ville qu'il y ait de si mauvais acteurs sur un théâtre si magnifique. Adieu les beaux-arts dans le siècle où nous sommes. Nous avons des vernisseurs de carrosses et pas un grand peintre, cent faiseurs de doubles croches, et pas un musicien, cent barbouilleurs de papier et pas un bon écrivain. Les beaux jours de la

France sont passés. Nous voilà comme l'Italie après le siècle des Médicis : il faut prendre son mal en patience et être tranquille sur nos ruines. »

Voltaire se trompait, bien entendu. On se trompe toujours quand on parle de décadence, de déclin, de ruines. Prétextes pour censurer le talent vivant (Fragonard était en pleine activité quand Voltaire écrivait ces phrases). Rien de plus amusant, rétrospectivement, que l'aveuglement des contemporains au sujet des artistes ou des écrivains de leur temps. Nous nous croyons incapables d'erreurs ? Erreur. Il y a aussi les déclarations à mourir de rire des best-sellers d'aujourd'hui sur les écrivains du passé. Ainsi Donna Tartt (un million d'exemplaires) : « Je n'aime pas Hemingway. Il ne me console pas lorsque je suis triste ou malade. »

30/11/2003

STENDHAL

« Ainsi que Rousseau, Beyle se croyait beaucoup d'ennemis et se préservait trop habituellement de ce qu'ils pouvaient tenter pour lui nuire. Avec cette triste monomanie, et aussi d'après quelques passages de ses écrits, on aurait pu le supposer méchant, vindicatif : personne au monde ne l'a été moins que lui, il était incapable de haine. » Voilà ce qu'écrit le cousin de Stendhal, Romain Colomb, dans sa *Notice sur la vie et les ouvrages de Henri Beyle*[86] (1845). Réédition opportune, pour mieux juger les obstacles que l'œuvre de Stendhal a dû franchir.

Son cousin l'aime, il a beaucoup fait pour lui après sa mort. Stendhal avait donc des ennemis ? Eh oui, comme tout écrivain libre. Des faux amis aussi, comme cet avocat, Paul-Émile Forgues, qui note, le 23 mars 1842 : « Ce pauvre Beyle est mort. Il m'aimait autant qu'un homme qui mange peut aimer. C'était un vieux garçon égoïste, petit, laid, ordurier, engourdi, à moitié aveugle, paradoxal, enthousiaste à froid, méchant par-derrière, doucereux par-devant ; mais un des romanciers les plus ingénieux et les plus vrais que nous ayons » (merci quand même). On préfère le cousin : « Beyle a toujours adoré l'imprévu, ne pouvant se plier à aucune gêne imposée par un devoir quelconque, et se trouvant en insurrection permanente contre toute obligation à l'accomplissement de laquelle n'était attaché aucun plaisir. »

Stendhal est tombé le 22 mars 1842, à sept heures du soir, à deux pas du boulevard, sur le trottoir de la rue Neuve-des-Capucins, à la porte même du ministère des Affaires étrangères de l'époque. Il est mort, après cette apoplexie, à deux heures du matin, le lendemain, sans reprendre connaissance ni prononcer un mot. Il était âgé de cinquante-neuf ans, un mois et vingt-huit jours. « Mon amour pour la musique a peut-être été ma passion la plus forte et la plus coûteuse : elle dure encore à cinquante-six ans, et plus vive que jamais. Combien de lieues ne ferais-je pas à pied, et à combien de jours de prison ne me soumettrais-je pas pour entendre *Don Juan* ou le *Matrimonio segreto* ; et je ne sais pour quelle autre chose je ferais cet effort. »

On connaît son épitaphe composée par lui-même en italien, en se définissant comme *milanais* : « Il vécut, écrivit, aima. » Milanais donc, pas français. Défi à la France de la Restauration et à la pruderie étouffante de son temps.

30/11/2003

SADDAM

C'est lui, le diable, le criminel, le destructeur massif potentiel, le tyran arrogant, notre ami d'autrefois, le traître, l'abominable moustachu devenu barbu, le tueur en cavale. On l'a eu. Chassé de ses palais, on le trouve enfin dans un trou. Il se rend sans défense, le lâche. Il a avec lui, dans une petite caisse verte, sept cent cinquante dollars. Il a été balancé par l'un de ses proches qui convoitait les vingt-cinq millions de dollars de la prime promise. Le dénonciateur n'aura rien, il ira en prison.

Quant au grand Satan, Saddam en personne, on vous le montre collé au mur, filmé, hagard, défait. On lui fouille les cheveux, on lui ouvre la bouche comme à un animal dont on veut vérifier la dentition. Il n'a pas l'air en forme, le pauvre diable. Plutôt clochard, figurant de théâtre ambulant, vieux sans domicile fixe qui passera Noël, ou plutôt *Christmas*, dans un endroit tenu secret, surveillé jour et nuit comme une bombe atomique.

Qui s'exprime là, dans ces images diffusées en boucle ? Big Brother lui-même, autrement dit la Technique triomphant du dragon cruel. Nous pouvons être fiers, soulagés, renforcés dans nos convictions profondes. Tout le monde doit comprendre le message. Les incrédules seront punis. Le colonel Kadhafi en a pris de la graine : le voilà réintégré dans le concert des nations, de nouveau salué, respecté, loué. Quelques Français explosés en avion ?

Aucune importance. Le Dieu de Bush est bien le vrai, et le seul. La preuve : il ne veut plus de fumeurs sur cette planète. Posséder même un cendrier à New York est désormais un délit. Cachez-vous, la police enquête.

28/12/2003

VOILE

J'ai désormais le choix entre être visible, ostensible, ostentatoire ou tout simplement discret. Inutile de dire que je suis résolument laïque et républicain, je ne voudrais pas qu'il y ait le moindre malentendu sur ce point. Cependant, j'ai des souvenirs contrastés de mon passage ancien à travers l'École. J'étais rêveur, je regardais beaucoup les fenêtres, je me faisais mettre régulièrement à la porte à cause d'une expression du visage que je ne contrôlais pas. Un air d'insolence, paraît-il. Un sourire bizarre. Il n'y avait pas encore de filles voilées dans les lycées, pas la moindre kippa à l'horizon, aucun crucifix dans les salles. Le professeur de français, à Bordeaux, insistait beaucoup sur Montaigne. Celui-là m'avait à la bonne. Il m'intéressait.

J'ouvre aujourd'hui la radio, et j'entends une enseignante de haut rang répéter sans arrêt « le corps enseignant, le corps enseignant, le corps enseignant ». D'où vient que cette formule me semble déboucher soudain sur « le Coran saignant » ? Une hallucination auditive, sans doute. C'est vrai que toutes ces histoires de barbes et de voiles finissent par inquiéter. À la limite, ça rase. Et voilà des manifestantes en train de crier : « Ni frères, ni pères, ni maris, le foulard on l'a choisi. » Ou encore : « Ni dupes ni soumises, seulement soumises à Dieu. »

Mon dieu, le revoilà, Dieu. Il est temps de me répéter une des courtes sourates du Coran (les plus courtes, vers la fin, sont de loin les meilleures). La 113, donc : « Je cherche la protection du Seigneur de l'aube contre le mal qu'il a créé ; contre le mal de l'obscurité lorsqu'elle s'étend ; contre le mal de celles qui soufflent sur les nœuds ; contre le mal de l'envieux lorsqu'il porte envie. » L'envieux, on connaît, mais celles qui soufflent sur les nœuds ? De quoi s'agit-il ? Tout cela n'est pas net, il est temps d'enseigner mieux le fait religieux, ses recoins, ses subtilités, ses messages codés, sa sombre magie poétique. Les rapports d'une dévote avec Dieu sont du plus grand intérêt. Demandez à Casanova, si vous ne voulez pas me croire.

28/12/2003

VICAIRE

Et revoici la pédophilie. Le vicaire Dufour était un homme énergique, autoritaire, défenseur de la foi, de la loi, une sorte de prophète dans son genre. Malheureusement, on lui reproche maintenant des tas d'attouchements impurs (qui ont conduit l'une de ses victimes au suicide). Sa hiérarchie ne s'en est pas autrement émue. Il avoue, l'embarras est grand, il ne ressemblait pourtant pas à Michael Jackson, encore un détenu dont la nuit de Noël ne sera pas gaie, on s'en doute. Tout de même, quelle misère. On ferait bien de se souvenir que Lacan, dans une de ses formules percutantes, définissait le pervers comme un défenseur de la Loi. Ce qui, hélas, est prouvable. Inaudible, peut-être, mais prouvable. Toutes ces histoires, malgré leur côté tragique, demandent un peu d'ironie. Hélas, hélas, l'ironie est de moins en moins comprise. C'est ainsi que la très sérieuse revue *Commentaire* m'épingle pour avoir écrit que le marquis de Sade était charmant dans la vie, et que son œuvre monstrueuse faisait de lui la gloire de la France. Enfin, messieurs, vous n'avez pas souri ? Tant pis.

28/12/2003

CECILIA

C'était le 4 décembre, à l'Opéra de Bordeaux, Cecilia Bartoli en concert. Il faut la voir sur scène, celle-là, pas voilée pour un sou, chantant avec tout son corps, admirable musicienne incarnée, voix divine. C'est d'emblée la joie irradiée, la tendresse, le rêve, la fureur. Elle peut être tour à tour sorcière, misérable abandonnée, paysanne pseudo-naïve, Jeanne d'Arc sur les barricades, bébé ravi, nymphe endormie. Elle flotte, elle se balance, elle murmure, elle crie. Sa fantaisie, ces temps-ci, est de réhabiliter Salieri, très bon musicien écrasé par Mozart. Elle y parvient, le baroque l'enveloppe, l'a chargée d'une mission impossible : prouver le paradis.

Elle chante des trucs de ce genre :

« Je suis votre épouse et votre amante
Soyez vous-même constant
Et je vous adorerai plus que moi-même

Toujours fidèle
Et tant que me seront toujours
Concédées vos faveurs
Je vous suivrai même
Au-delà de la Dalmatie. »

C'est de l'italien, et elle possède l'italien comme personne, consonnes, voyelles, souffle, déchirures, pauses, couleurs. Le public est ébloui, debout, électrisé, théâtre comble, huit rappels, générosité folle. Ensuite, à dîner, foie gras et sauternes. Elle est gaie, elle a très bon appétit.

28/12/2003

BORDEAUX

Montaigne, donc, contre la tristesse : « Je suis des plus exempts de cette passion, et ne l'aime ni l'estime, quoique le monde ait pris, comme à prix fait, de l'honorer de faveur particulière. Ils en habillent la sagesse, la vertu, la conscience : sot et monstrueux ornement. Les Italiens ont plus sortablement baptisé de son nom la malignité. Car c'est une qualité toujours nuisible, toujours folle, et comme elle est toujours couarde et basse, les Stoïciens en défendent le sentiment à leurs sages. »

« Sortablement », ici, veut dire convenablement. Hommage aux Italiens. *De la tristesse* est, comme par hasard, le deuxième chapitre des *Essais*. Autrement dit : vous voulez avoir l'air sage, vertueux, consciencieux ? Soyez triste. Mais cela est idiot, et même monstrueux. La gaieté a mauvaise réputation, la tristesse est une illusion de profondeur, voilà la folie humaine. Eh bien, les Bordelais

261

semblaient très joyeux de leur nouveau tramway futuriste, ils se sont précipités pour l'essayer à cinq heures du matin, leur ville renaît, quais nettoyés, résurrection dix-huitième, envie de vivre.

« L'amour, dit encore Montaigne, est une agitation éveillée, vive et gaie. » Une petite panne du tramway ? Pas grave. Le Président est content, il prend un bain de foule, embrasse des bébés, caresse un chien, apprécie la technique à côté d'un Juppé enfin hilare. Signe des temps ? Attendons la suite du match.

28/12/2003

Nietzsche

Nietzsche, on le sait, aimait beaucoup Montaigne (et Voltaire, et Stendhal). C'est le même esprit qui lui fait décrire « l'éternel soucieux qui soupire toujours, qui se plaint toujours, et qui ramasse aussi les moindres profits ». Ou encore : « Partout, je sens l'odeur de petites communautés qui se terrent ; et là où il y a de petites chambres, on y trouve de nouvelles confréries bigotes et leur relent de confréries bigotes. » Il s'est lui-même défini comme « ennemi de l'esprit de lourdeur, ennemi mortel, ennemi juré, ennemi originel ». Voilà ce qui lui fait détester les « petites âmes grises » et traiter ceux qui voient tout en noir de « purulents ».

C'est exagéré ? Mais non, et ce qu'on appelle « le retour du religieux » devrait nous convaincre, tant qu'il en est temps, que la vieille maladie de tristesse revient en ce monde. Il y a des raisons pour cela ? Injustices, oppressions, massacres ? Sans doute, mais il y a aussi

262

ceux qui sont bien décidés à exploiter ces malheurs, les fanatiques de la passion triste. On les voit, on les entend, ils sont ostensibles et ostentatoires, très ignorants, surtout, d'où l'obscurantisme ambiant dont ne nous sortiront pas par la publicité généralisée, la téléréalité et autres divertissements débiles. D'un côté, décervelage ; de l'autre, opium.

28/12/2003

LEYS

Simon Leys est un marin, il a beaucoup navigué, il vit en Australie loin du bruit, il pense, comme Euripide, que « la mer lave toutes les souillures des hommes ». Il y a eu un éditeur courageux pour le suivre dans une entreprise extravagante mais de salut public, *La Mer dans la littérature française*, deux gros volumes, de François Rabelais à Alexandre Dumas, et de Victor Hugo à Michelet[87]. On lit, ou on relit, ces pages plus ou moins géniales, la littérature est une mer, voilà ce qu'il fallait démontrer.

Leys cite Conrad dans son liminaire : « Soudain, j'éprouvai à nouveau ce bonheur que donne la grande sécurité de la mer comparée aux agitations de la terre ; je me félicitai du choix que j'avais fait de cette existence dénuée de tentations, exempte de problèmes troublants, et à laquelle l'absolue franchise de ses exigences et la simplicité de son but confèrent une fondamentale beauté morale. » À propos de Hugo, « l'un des plus puissants écrivains marins de la littérature universelle », on se souvient que l'auteur des *Travailleurs de la mer* a dit de lui-même : « J'ai eu deux affaires dans ma vie : Paris et l'Océan. » Suivent deux cent quatre-vingt-dix pages extraordinaires.

Au hasard, 12 février 1856 : « L'équinoxe commence à traverser notre ciel et notre mer avec ses splendeurs et ses furies. Il pleut du rayon et de l'ouragan : l'immensité et la terre, le soleil et l'océan, la nuée et l'écume ne font qu'un paysage ; paysage violent, féroce, charmant, lumineux, ténébreux, inouï. Il ne fait pas jour le jour et il ne fait pas nuit la nuit. On dirait que le bon Dieu consulte Rembrandt sur les horizons qu'il me fait. J'habite le plus magnifique des clairs-obscurs. » À la voile, donc, loin des voiles. Leys a raison : la mer nous rend à nous-mêmes, elle a sa vérité propre, son silence spécial. Les marins mentent moins.

28/12/2003

CELLULES

Notre corps nous est inconnu, nous sommes embarqués avec lui dans une drôle de navigation à travers le temps. Pour s'en convaincre, il suffit de lire le très beau livre de Jean-Claude Ameisen, *La Sculpture du vivant : le suicide cellulaire ou la mort créatrice* republié en poche récemment[88]. Oui, lecteur, lectrice, chaque jour, plusieurs dizaines de milliards de vos cellules s'autodétruisent, et sont remplacées par des cellules nouvelles. À tout moment vous mourez, à tout moment vous renaissez. « Pour chacune de nos cellules, vivre, c'est avoir réussi à empêcher, pour un temps, le suicide. »

Un peu de vertige, donc, en plein océan : « Plus de 99 % des espèces apparues depuis quatre milliards d'années se sont probablement à jamais éteintes. Le monde chatoyant qui nous entoure est un monde de rescapés. » Ce suicide cellulaire, constant, devrait transformer notre vision des choses et de nous-mêmes : naissance, vieillissement, vie, mort, tout ce drame change de sens. Aimez-vous comme un rescapé, et ne détestez pas vos compagnons de naufrage.

28/12/2003

INCORRECT

Jusqu'où peut-on pousser l'humour ? A-t-il des limites ? Réponses dans *L'Homme de l'humour*, de Dominique Noguez[89]. L'actualité impose ce petit livre tranquillement désespéré et d'une noirceur héroïque. L'humour, au fond, est une sorte de sainteté. Enfin, pour ceux qui sont exaspérés par le retour éternel d'un Dieu funeste, pour tous les athées mal-aimés qui n'obtiendront jamais leur jour férié, il reste à lire *La Nouvelle Guerre des dieux*, de Daniel Accursi[90]. Un pur poison, à mourir de rire.

28/12/2003

VOILE

Je ne sais pas si vous êtes comme moi, mais je trouve cette histoire de voile fatigante. Le voile par-ci, le voile par-là, le voile et l'école, le voile et les femmes, le voile et la loi, le voile et la foi, le voile dans le Coran, toutes voiles dehors, toutes voiles dedans, ça n'arrête pas, c'est gonflant. Le ministre Ferry, de plus en plus étrange, annonce un regard inquisiteur sur les barbes, voire sur les débuts de pilosité. Le Parti musulman de France défile avec des slogans antisémites. Le cardinal Lustiger s'émeut. Des manifestations, dans les pays arabes, commencent à s'amplifier et le ministre des Affaires étrangères s'inquiète. Les États-Unis sont perplexes et réprobateurs. La France devient cette extravagante contrée où la laïcité la plus élémentaire provoque des dérobades, des confusions, des rougeurs, des pudeurs, des explications embarrassées, des nervosités.

Êtes-vous laïque ou laïciste ? Pro-voile ou anti-voile ? Croyez-vous en Dieu un peu, beaucoup, passionnément, ou pas du tout ? Et d'abord que dit le pape ? On ne sait plus très bien, il faut tendre l'oreille, déchiffrer une sorte de bouillie verbale que les autorités de la curie devraient éviter, à moins qu'elles soient désormais infiltrées par le diable voulant se venger de quelqu'un qui l'a dérangé.

Que dit le Président ? Bon, une loi. Mais le Président, dans ses vœux, adopte maintenant un truc de communication genre marteau-pilon. Il faut répéter un mot cinq fois, dix fois, cent fois, et encore une fois. Le mot pour cette année est « emploi ». Notre horizon est l'emploi, notre but l'emploi, notre action permanente l'emploi, notre conviction l'emploi. Nous voici ballottés entre le voile et l'emploi. J'ai une tête de voile, une tête d'emploi. Vais-je me rassurer en allant voir le dernier film de Catherine Breillat avec son déjà célèbre cocktail au tampax ? J'hésite.

Peut-être que le meilleur mot du mois est celui de l'actrice Julia Roberts : « Ça me plaît de penser que je gagne autant que les hommes. Je ne vois pas pourquoi un pénis vaudrait plus cher. » En effet, et autant en emporte le vent du voile, la peur de l'emploi.

01/02/2004

MARS

De la glace sur Mars, donc de l'eau, donc peut-être de la vie enfouie sous forme de bactéries. Je ne sais plus très bien de quel robot je tiens cette nouvelle. *Mars Express, Spirit, Opportunity* ? Peu importe, la découverte est sensationnelle. Bush va poursuivre son programme interplanétaire, occupons la Lune, bondissons sur Mars, allons toujours plus loin. Cela nous changera des explosions de Bagdad ou des avions s'écrasant mystérieusement au large de l'Égypte.

Au fait, que disent les boîtes noires ? Curieusement, rien jusqu'ici. Pas un mot des pilotes en train de sombrer, pas de bruit de bombe, silence radio, mutisme des fonds marins. Les familles jettent des fleurs dans l'eau, le ministre déclame. Un peu plus loin, la légionellose poursuit son travail de sape, l'humoriste Dieudonné dérape chez Fogiel, l'écrivain Dantec déconne en écrivant au « Bloc identitaire » qui ne s'attendait pas, dans son coin sinistre, à une telle publicité. Quelle tristesse, quelle misère ! Une génération paumée ? C'est vraisemblable. Si vous voulez en savoir plus, lisez le bizarre roman de Marc Weitzmann, *Une place dans le monde*[91], un précis de désenchantement de Paris jusqu'en Israël.

Il a fallu que se dévouent quelques anciens maoïstes lacaniens, comme Jacques-Alain Miller ou Jean-Claude Milner, pour réveiller un peu le sommeil de la raison ambiante s'agissant des troubles programmes du ministère de la Santé. Votre santé mentale nous intéresse, et aussi celle de vos enfants. Répondez à ce questionnaire. Faites-vous surveiller par des gens que nous surveillerons pour mieux vous surveiller. Ne me parlez plus jamais du surréalisme et de ses slogans stupides, genre : « Parents, racontez vos rêves à vos enfants. » D'ailleurs nous ne rêvons plus, nous prenons nos pilules. Allez voir sur Mars si j'y suis.

Un qui en a eu assez de tout ce cirque est l'écrivain Frédéric Berthet, un des meilleurs de sa génération, justement, qu'on a retrouvé mort chez lui, écrasé d'alcool et de désespoir. Il a écrit autrefois un chef-d'œuvre d'humour froid, *Daimler s'en va* [92]. C'était un ami, et j'ai eu l'honneur de le publier. Il avait une très forte tendance à l'honnêteté. Attendons maintenant la liste de tous ceux qui ont, des années durant, empoché l'argent pétrolier de Saddam Hussein. À moins que le document disparaisse ? Qu'il n'ait jamais existé ? Enfin, consolons-nous : de l'eau sur Mars, c'est extra.

01/02/2004

CHINE

Vous êtes Chine ou Japon ? Acrobate ou sumo ? Sarkozy ou Chirac ? Ou les deux ? Un qui serait surpris, aujourd'hui, ce serait Céline qui voyait les Chinois déferler sur Cognac mais s'évanouir, avant d'arriver jusque-là, dans les bulles du champagne en Champagne. Eh non, les Chinois sont bien là, sur les Champs-Élysées, la tour Eiffel est illuminée en rouge, le président de cet énorme pays dont la croissance économique frôle les 10 %, parle à l'Assemblée nationale. Beaucoup rient jaune, très jaune, mais ne plaisantons pas, restons stricts, et avec raison, sur le Tibet, les droits de l'homme et la liberté d'expression. Ça va un peu mieux de ce côté, mais ce n'est pas assez. J'ai toujours été frappé par l'extraordinaire ignorance, teintée de racisme, de la plupart des gens à l'égard de la Chine (ignorance, aussi, des intellectuels, même quand certains se disaient « maoïstes »). Au fond, les Chinois auraient dû rester une colonie russe et ne pas se libérer de l'emprise occidentale via la Russie.

Des nouvelles de Russie ? En voici, données par *Le Monde* : « Désertions, violences, brimades, bizutage, absence de soins médicaux sont le lot quotidien des jeunes appelés russes. Le parquet militaire de la région de la Volga et de l'Oural vient d'admettre que cent trois recrues étaient hospitalisées à Chadrinsk, dans l'Oural, pour pneumonie ou déficience de poids. Selon un hebdomadaire, depuis mars 2001, cent vingt mille soldats ont déserté et neuf mille recrues sont mortes des suites du bizutage. » Neuf mille morts pour cause de bizutage, c'est quand même beaucoup. Russes, donc, pas Tchétchènes, lesquels connaissent, eux, un bizutage encore plus sérieux.

Oui, toujours le vieux fantasme abject du « péril jaune ». Je me réjouis, moi, de l'année nouvelle, celle du singe. Elle fait suite à l'année de la chèvre, qui n'était pas aussi porteuse de gaieté et de prospérité. La dernière année du singe, figurez-vous, a été 1968. Coïncidence sans signification, sans doute.

01/02/2004

INTERVIEWS

Pendant des années, Pierre Boncenne a interviewé des écrivains. Il rassemble leurs propos dans un livre passionnant, *Faites comme si je n'avais rien dit*[93], un vrai bonheur de lecture. Jugez-en. Alexandre Zinoviev (1978) : « Je me suis permis d'enfreindre une des lois fondamentales de la société communiste : je me suis opposé au collectif, je me suis placé au-dessus de lui et, du coup, j'ai conquis mon indépendance. Or cela, le collectif ne le supporte pas. »

Borges (1980) : « Je voudrais beaucoup connaître Bordeaux parce que l'un de mes meilleurs amis s'appelle Michel de Montaigne. Il y a chez lui quelque chose de si peu littéraire au mauvais sens du mot, de si direct qui n'a pas d'équivalent : vous lisez les *Essais* et vous avez l'impression d'être en conversation avec Michel de Montaigne. »

Aron (1977) : « Ça existe, ça ? Des gauchistes qui lisent Clausewitz ? Ça me fait plaisir. Vous savez, il y a eu beaucoup de malentendus dans ces histoires de 68. En fait, j'ai surtout attaqué mes collègues qui capitulaient devant les étudiants. »

Barthes (1979) : « L'écrivain, aujourd'hui, est fondamentalement et transcendantalement seul. Bien sûr, il a accès à des appareils de presse ou d'édition. Mais cela n'élimine pas sa solitude de créateur qui est très grande. Il est dans une marginalité si extrême qu'il ne peut même pas bénéficier de l'espèce de solidarité qui existait entre certains types de marginaux ou de minorités. Vraiment l'écrivain est terriblement seul en 1979, et c'est ce que j'ai voulu diagnostiquer à travers le cas de Sollers. »

01/02/2004

ÉDITION

Les grands remous de l'édition française ont au moins produit ce résultat cocasse des Éditions du Seuil, tant aimées des libraires (et de ma libraire Ophélie), rachetées désormais par Chanel. Tels que je les ai connus, Barthes et Lacan en auraient été ravis, par pure provocation élitiste. Pour Bourdieu, c'est moins sûr. Je n'ai jamais bien compris, alors que je traînais dans les hôpitaux militaires pendant la guerre d'Algérie (pressé de me faire réformer par des psychiatres militaires abrutis), comment il avait pu, lui, avoir été détaché au cabinet militaire du gouvernement général à Alger, où il était soumis (dit-il) aux obligations et aux horaires d'un deuxième classe employé aux écritures (rédaction de courrier, contribution à des rapports, etc.). Un intellectuel bien soumis, en effet.

Je lis de lui le début de son livre posthume, *Esquisse pour une auto-analyse* [94], et je me demande ce qui ne va pas. C'est très simple : Bourdieu écrivait mal. Exemple : « Cette esquisse pour une auto-analyse ne peut pas ne pas faire une place à la formation des dispositions associées à la position d'origine, dont on sait que, en relation avec les espaces sociaux à l'intérieur desquels elles s'actualisent, elles contribuent à déterminer les pratiques. » Voilà le style de ce que *Les Inrockuptibles* appellent « une œuvre immense ». Les dévots n'ont pas d'oreilles, c'est connu.

01/02/2004

TERREUR

Il faut lire absolument, dans l'excellente revue *Le Lecteur* [95], le témoignage de la poétesse Zinaïda Hippius sur les premiers temps de la révolution russe : *Journal sous la Terreur*. Comment, la Terreur dès 1918 ? Avant Staline ? Mais oui, et cela reste le plus souvent ignoré. Dès la fin de 1917 : « Nous sommes dans les pattes d'un gorille dont le maître est un gredin. » En mars 1918 : « On a tué mille deux cents officiers et coupé les jambes des cadavres pour leur prendre leurs bottes. [...] La Russie n'a pas eu d'histoire. Ce qui se passe en ce moment n'est pas de l'histoire. Cela s'oubliera comme les atrocités inconnues de tribus ignorées sur une île non répertoriée. S'abîmera dans le néant. » En mai : « En deux mots : on écrase, on étouffe, on roue de coups, on fusille, on pille, la campagne est derrière une clôture, les ouvriers pris dans un étau de fer. Chaque jour, des étudiants, des commis, jeunes et vieux, tombent dans la rue par dizaines et y meurent [je l'ai vu de mes yeux]. La presse est étouffée, ici comme à Moscou. Et tout cela se fait cyniquement, s'accompagne de railleries, de grimaces simiesques et de gros rires obscènes. » En septembre : « Je ne constate qu'une seule chose : les bolcheviques sont établis physiquement sur la terreur physique, et solidement établis. L'autocratie se maintenait de la même façon. Mais, ne possédant ni traditions ni habitudes, les bolcheviques, pour atteindre la solidité de l'autocratie, doivent accroître la terreur jusqu'à des dimensions homériques. C'est ainsi qu'ils agissent. Cela est en conformité avec les "particularités" nationales du peuple russe, incompréhensibles à un Européen. Plus le pouvoir est sauvage et plus il se permet de choses, plus on lui en permet. » En décembre : « Voici la principale découverte que j'ai faite : il y a bien longtemps que toute espèce de révolution est terminée. Quand cela s'est-il produit ? Je l'ignore. Mais c'était il y a longtemps. Notre "aujourd'hui", ce n'est pas la révolution, à aucun point de vue. Mais il y a pire. C'est un cimetière, le cimetière le plus ordinaire qui soit. Pas un cimetière respectable, non. Un cimetière où les morts, à moitié découverts, pourrissent à la vue de tous, quoique dans un silence assourdissant. Le bocal d'araignées qui s'entre-dévorent, c'est bien fini ! À sa place, il y a la tombe, la tombe. »

29/02/2004

DÉSASTRE

Cette femme admirable continue à écrire, elle voit, avec une lucidité terrible, ce qui ne sera révélé que bien plus tard. En juillet 1919 : « On fusille les officiers emprisonnés avec leurs femmes, dix à onze par jour. On les fait sortir dans la cour, le gardien-chef, cigarette aux lèvres, les compte. On les emmène. Le gardien-chef dit aux femmes en plaisantant : "Vous voilà à présent une gentille petite veuve. Surtout ne regrettez rien. Votre mari n'était qu'un salopard qui refusait de servir dans l'Armée rouge." » De mieux en mieux : « On nourrit les fauves du jardin zoologique qui n'ont pas encore crevé avec les cadavres encore chauds des fusillés, car la forteresse Pierre-et-Paul est tout près. Tout le monde le sait. Mais il ne semble pas que jusqu'à présent on soit allé l'annoncer aux familles. » Et encore : « Les bolcheviques savent qu'ils seront renversés d'une façon ou d'une autre, mais quand ? Là est tout le problème. Pour la Russie, et pour l'Europe, c'est une question d'une immense importance. Pour l'Europe, je le souligne. Peut-être pour l'Europe, la question du moment où aura lieu la chute des bolcheviques est-elle même plus importante que pour la Russie. Comme c'est clair ! » Et encore : « C'est en vérité une "république de trafiquants-et-de-vendus" défendue par des soldats-esclaves hébétés. Si les bolcheviques ne tombent qu'à la "fin des fins", peut-être ne trouvera-t-on sous les décombres qu'un "lieu vide". Alors, nous adresserons nos félicitations à l'Europe. D'ailleurs y aura-il encore quelqu'un à féliciter "à la fin des fins" ? »

Zinaïda Hippius et Merejkovski ont quitté Saint-Pétersbourg le 24 décembre 1919 et ont passé la frontière polonaise en janvier 1920. Ils sont ensuite venus à Paris, où ils ont vécu jusqu'à leur mort. Regardez bien ces dates et ces lieux : 1919-1920, Saint-Pétersbourg, la frontière polonaise, Paris. Staline va venir, Hitler n'est encore rien, Paris est en fête. Ne me dites pas que vous connaissiez Zinaïda Hippius. Vous vous imaginez sans doute maîtriser la suite des événements, mais ce n'est pas sûr.

29/02/2004

ÉLECTIONS

Le résultat électoral le plus important me semble être celui du tsar de Moscou : plus de 71 % pour Vladimir Poutine. Voilà un triomphe qui ne doit rien au hasard. En comparaison, la lente dissolution des 82 % du plébiscite de Chirac, il y a deux ans, fait petite figure régionale, lassitude, ennui. Oui, c'est entendu, la gauche progresse, la droite se tasse, l'extrême gauche n'a pas bénéficié d'un mariage de raison, l'extrême droite se maintient, l'abstention est enrayée, le Parti communiste n'expire pas, la France retrouve ses marques traditionnelles. Et alors ?

Honneur au vaincu. Le bon Raffarin, le modeste évêque du Poitou, se voit humilié par Ségolène Royal venue le défier sur ses terres. Je suis plutôt Royaliste, et d'ailleurs, il faut s'y faire, nous vivons de plus en plus en Hollande. Pauvre Raffarin. Pauvre Bernadette, obligée de sourire au trépidant Sarkozy. Pauvre Chirac, de plus en plus isolé dans son isoloir. Pauvre famille Le Pen, père et fille, obligée de faire son tour de chant de plus en plus fatigant. Pauvres de nous, surtout, contraints d'accompagner cette transition interminable.

28/03/2004

TERREUR

Dieu est mort, mais on ne s'attendait pas que son spectre devienne finalement terroriste. Avez-vous remarqué son sadisme qui consiste à massacrer, de préférence, des pauvres gens ? L'attentat du 11 mars, en Espagne, est un comble dans l'abjection sinistre. En revanche, les protestations vertueuses contre l'élimination du cheikh Yassine me laissent froid. A-t-on jamais vu une pareille momie divine se prononcer sans arrêt pour des assassinats tous azimuts ? Sharon se trompe, cela va de soi, mais s'il y a un mort à ne pas regretter ces temps-ci, c'est bien celui-là. Le massacre incessant des innocents, de chaque côté du mur, est devenu tellement vertigineux que les voies du Dieu mort deviennent de plus en plus impénétrables.

Vengeance de Dieu : vous devez avoir peur en train, en avion, en autobus, dans les salles de spectacle. Vous devez vous sentir fouillé par avance, suspect, numérisé, adénisé. Votre vie est très précaire, comme celle de vos proches ou de vos enfants. Rentrez chez vous, ne fumez pas, restez tranquilles. Et ne prenez pas trop au sérieux, jusqu'à la prochaine explosion, le message du « commando Mosvar Barayev » annonçant une vague de terreur dans l'Hexagone. « Nous allons demander à Allah de semer la terreur dans le cœur des Français. Nous allons plonger la France dans la terreur et le remords. Nous frapperons les descendants de Charles Martel violemment et aveuglément. Ce qui vous est promis est inéluctable, et cela concerne aussi bien les têtes de la mécréance que la population. Nous vous demandons de retirer immédiatement votre loi sur la laïcité. Nous demandons aux musulmans et aux musulmanes d'éviter les lieux de grande affluence et de s'accrocher au câble d'Allah. »

Canular ? Il faut l'espérer. Ne vous mettez pas pour autant martel en tête. Vous ne saviez pas que vous étiez les « descendants de Charles Martel » ? Vous avez intérêt à réviser votre Histoire. Voyons, la bataille de Poitiers, 732, les Arabes arrêtés juste à temps dans leur invasion foudroyante. Puvis de Chavannes a peint ça en 1874. Je propose un autre tableau pour bientôt : Ségolène Royal stoppant Ben Laden dans le Poitou. Nouvelle victoire, nouvelle Jeanne d'Arc. Quant au « câble » d'Allah, pour l'instant, il m'échappe. Mais il s'agit sans doute d'une chaîne câblée. Surveillons la télé.

28/03/2004

PRISONS

Autant je déteste le crime, autant je n'arrive pas à comprendre ce qui peut pousser des gens apparemment normaux à se réjouir de laisser croupir indéfiniment des individus en prison. Il y a là une jouissance spéciale que je n'arrive pas à ressentir. Vouloir absolument que Cesare Battisti finisse sa vie dans une cellule (ce qui semble être le désir d'une grande partie de la gauche italienne) me paraît une aberration.

Je n'ai aucune considération pour l'esprit de vengeance. Aucune excitation ne me vient non plus d'apprendre que les membres d'Action directe, après dix-sept ans de prison, sont dans un état lamentable. Nathalie Ménigon : accidents vasculaires cérébraux, partiellement hémiplégique. Joëlle Aubron : opération récente d'une tumeur au cerveau, interdite de visite. Jean-Marc Rouillan : cancer du poumon avec atteinte ganglionnaire. Georges Cipriani : devenu fou, séjour en psychiatrie, réinterné. L'isolement, les grèves de la faim, la privation de courrier, le plomb du temps… Céline a résumé tout cela dans une formule définitive : « Il y a deux humanités. Celle qui a été en prison et l'autre. On ne parle pas la même langue. »

28/03/2004

PROCÈS

Procès sordides : Émile Louis, Dutroux. Procès pathétique : Cantat. Bertrand Cantat dit des choses comme ça : « Il y a eu un amour qui nous a complètement dépassés, et elle en est morte. » Et puis : « Je ne comprends pas. » Le moment est venu qu'il se mette un peu à Freud. Si j'étais lui, je profiterais de ma cellule pour m'allonger devant un psychanalyste. Analyse du noir désir. Effondrement des demandes humaines d'absolu. Critique du fusionnel. Rêves. Souvenirs d'enfance. Papa. Maman. Surtout Maman. La mère de la victime, en effet, personnage central. La Mère, la Fille, éternel problème. Fin de la passion. Pardon.

28/03/2004

RIMBAUD, CÉLINE

Mme Antoinette Fouque, figure légendaire du féminisme, nous confie, dans *Libération*, qu'elle a fait graver sur la tombe de ses parents la formule suivante : « L'Éternité. C'est la mer allée avec le soleil. » Elle donne le nom de l'auteur : Valéry, dit-elle. Hélas, il s'agit d'un poème très célèbre de Rimbaud, que ce dernier a d'ailleurs repris dans *Une saison en enfer* en le corrigeant : « C'est la mer mêlée au soleil. » Pourquoi ce lapsus ? À cause du lourd *Cimetière marin* de Valéry ? Désir d'effacer Rimbaud ? Allez savoir. Quoi qu'il en soit, voilà une dalle funéraire à changer d'urgence.

Rimbaud, on s'en souvient, s'est immensément ennuyé au Harar. Pour les mélancoliques d'aujourd'hui, rappelons ce qu'il écrit à sa famille le 6 janvier 1886 : « Ceux qui répètent à chaque instant que la vie est dure devraient venir passer quelque temps par ici, pour apprendre la philosophie. » Une nouvelle collection, *En verve*[96], rassemble au même moment des citations de Rimbaud et de Céline. Justesse et beauté des phrases.

Céline, donc : « Le mauvais goût conduit au crime, prétendait Stendhal. » Ou bien : « Le gratuit seul est divin. » Ou bien : « Tous les assassins voient l'avenir en rose, ça fait partie du métier. » Ou bien : « Quand on se mêle de réformer la création et l'ordre infernal des instincts, on n'a pas fini d'en baver. » Ou bien : « Je me refuse à croire que la télévision est instructive. Voltaire disait : "Celui qui lit sans crayon à la main dort." » Ou bien : « Je considère le temps comme une matière plus précieuse que le diamant. » Ou bien : « Je ne peux plus écouter la radio. Ils découvrent un "génie" par semaine, des Balzac tous les quinze jours, des George Sand chaque matin. Je n'ai pas le temps de suivre. Moi, je travaille. »

Ou bien : « Il m'a fallu servir pendant des années de fils, de serf, de paillasson, de héros, de fonctionnaire, de bouffon, de vendu, d'âme, d'écureuil à tant de légions de fous divers que je pourrais peupler tout un asile rien qu'avec mes souvenirs. J'ai nourri d'idées, d'effort, d'enthousiasme plus de crétins insatiables, de paranoïaques débiles, d'anthropoïdes compliqués qu'il n'en faut pour amener n'importe quel singe moyen au suicide. » Ou encore : « Parmi tant de haines dont je suis l'objet, je dois encore compter sur celle de presque tous les littérateurs français, jeunes et vieux, race diaboliquement envieuse s'il en fut, et qui ne m'ont jamais pardonné mon entrée si soudaine, si éclatante, dans la littérature française. » Et enfin : « Autant je suis régulier à mort avec les réguliers, autant je suis aspic avec les doubleurs. »

28/03/2004

279

BOULGAKOV

Vous connaissez ce grand écrivain russe qu'est Boulgakov. Mais vous ne connaissez pas assez le drame de sa vie sous Staline. C'est pourquoi il faut vous procurer le dernier numéro de la NRF [97] qui publie sa correspondance. Lettres bouleversantes d'un dramaturge qu'on censure, d'un homme qu'on enterre vivant, d'un esprit libre persécuté pour ses dons de satiriste. Les écrivains « prolétariens » d'alors le traitent de tous les noms : « enfant de salope », « possédé par le démon de midi », « balayeur de la littérature », « vomissure », « ordure pourrie », « engeance néobourgeoise », « ambiance de partie fine », « puanteur ».

Boulgakov n'en peut plus, il a quand même la force d'ironiser, il accepte d'être « impensable » dans le nouveau régime, il demande donc la permission de s'exiler. Refus. Staline, un soir, lui téléphone en personne. Une ruse pour mieux l'enfoncer plus tard. En 1933, pour écrire sa merveilleuse *Vie de M. de Molière* (livre aussitôt refusé, et publié seulement en 1962 avec des coupures), il écrit à son frère, alors à Paris, pour que celui-ci lui décrive avec précision la statue de Molière rue de Richelieu. S'intéresser à Molière sous Staline, est-ce bien raisonnable ?

Le livre est enchanteur, je l'ai beaucoup lu lorsque j'écrivais un de mes romans, *Les Folies françaises* [98]. Malade, Boulgakov continue son chef-d'œuvre, *Le Maître et Marguerite*, qu'il sait destiné à rester dans ses tiroirs. En 1938, sa troisième femme, Elena, qui se battra courageusement pour faire éditer son œuvre, est partie se reposer loin de Moscou. Il lui écrit : « Eh, Kouka, de loin tu ne peux voir ce qu'a fait de ton mari, après une vie littéraire effarante, ce dernier roman, le roman du couchant. » Le 26 décembre 1939, Staline porte le coup de grâce en interdisant personnellement une de ses pièces.

Boulgakov vit déjà très mal, sa situation matérielle est déplorable, il subsiste, mais il a « disparu » comme écrivain. Dernière lettre à un ami d'enfance, professeur de violon à Kiev : « Je suis revenu du sanatorium. La pensée me ronge que je suis rentré pour mourir. Cela me dérange pour une raison : c'est douloureux, ça n'en finit pas et c'est trivial. Il existe, on le sait, une façon décente de mourir, par arme à feu. Malheureusement, je n'en possède pas. Je te souhaite de tout cœur d'être en bonne santé, de voir le soleil, d'entendre la mer, d'écouter de la musique. »

Boulgakov meurt, oublié, le 10 mars 1940, à quarante-neuf ans. Il aura fallu cinquante ans avant qu'on édite à Moscou, en 1990, ses œuvres complètes en cinq volumes. Pour une « vomissure néobourgeoise », c'est une victoire posthume mais tragiquement tardive. Or nous savons bien que les écrivains de grand talent, quels que soient les régimes, tueurs ou sournois, sont toujours en danger de « disparition » pure et simple. Très peu d'humains s'intéressent vraiment à la littérature. Qu'ils soient sanctifiés.

28/03/2004

CHAOS

Vous vous levez tôt, vers six heures du matin. Vous êtes loin de Paris, au bord de l'eau, vous allumez la radio, vous êtes sur France-Musique. Le programme de musique classique « Hector » vous rejoint. Pour l'instant, c'est le quatrième concerto pour violon de Mozart, interprété par Isaac Stern. Les derniers jours ont été très agités, vent, pluie, horizon bouché, mais tout se calme. Juste avant les informations, une curieuse séquence d'anniversaires en désordre vous fait savoir ce qui s'est passé culturellement ou politiquement un 21 avril à travers l'Histoire. En trois minutes, vous savez qui est né au XVIIe siècle (rarement avant), ou qui est mort au XXIe ce jour-là.

Le flash est hallucinant puisque vous entendez, mis sur le même plan implacable d'un calendrier devenu fou, des noms très connus (Bach, Racine) et d'autres dont vous n'avez pas la moindre idée, sauf, parfois, souvenir confus, un acteur comique de trente-sixième ordre. Inutile de discuter, tout le monde a sa place dans ce panthéon déréglé. C'est la démocratie portée à son comble. On naît, on meurt, il suffit de rassembler les dates au petit bonheur et d'avoir les fiches qu'il faut. Tout le monde ? Mais non. De grandes vedettes et des petites, de façon à ce que les grandes fassent valoir les petites.

Ainsi, par exemple, Bach et un compositeur d'opérettes, Racine et un violoncelliste russe parfaitement inconnu. Demain, ce sera Mozart et Carla Bruni, Shakespeare et Le Clézio, Nietzsche et Franz-Olivier Giesbert, Spinoza et Max Gallo, le Christ et ma sœur, Freud et Douste-Blazy, Einstein et Raffarin, Louis XIV et Donnedieu de Vabres, Rubens et Martine Aubry, Jean-Paul II et Zidane, Michel-Ange et Ségolène Royal. Chacun et chacune a sa chance, il suffit d'être né ou décédé un jour du mois. Après quoi, les informations : ça ne va pas fort, et pour cause. Voyez trente secondes *La Ferme* à la télévision : ça sent ferme.

25/04/2004

MONDIALISATION

Explosions, attentats ciblés, polémiques sur le génocide du Rwanda, malaise dans l'absence de civilisation, otage italien exécuté d'une balle dans la nuque, Irak et encore Irak, et toujours Irak. Sarkozy prend les finances en main, il veut rendre Bercy transparent, il va bouger et parler, bonne chance. Villepin, à l'Intérieur, pense déjà à son prochain livre de huit cents pages, chez Gallimard, après *Les Voleurs de feu*. Il hésite sur le titre : peut-être *Police et poésie*, ça ne sonne pas mal. Rimbaud place Beauvau, en « voleur de feu », l'image est déjà grisante.

Savoir que les commissaires de police n'avanceront dans leur carrière que s'ils savent réciter au moins dix poèmes de René Char est un vrai plaisir pour l'esprit. Je conseille deux devises de Char, incontournables pour les contrôles d'identité. La première : « La lucidité est la blessure la plus rapprochée du soleil » (en été, pendant la canicule). La seconde : « Aucun oiseau n'a le cœur de chanter dans un buisson de questions » (en hiver, pendant les inondations). Au niveau supérieur, tout gradé devra composer une petite méditation sur Saint-John Perse. Attention : c'est moi qui corrigerai les copies.

Dominique de Villepin a d'ailleurs été célébré récemment par un philosophe français de réputation mondiale, et cela dans *Les Inrockuptibles*, ce qui prouve qu'il est sérieusement branché. Jacques Derrida a une pensée complexe, profonde, nuancée, tout en spirale prudente. Ainsi, sur Villepin : « Un homme raffiné et digne qui, je l'espère encore, conduira à l'Intérieur une politique aussi respectable que celle qu'il a défendue avec une belle éloquence à l'ONU, au Conseil de Sécurité, au sujet de l'Irak. »

Première mesure du nouveau ministre : l'expulsion d'un imam qui, si j'ai bien compris, prétendait ouvertement qu'un bon musulman pouvait battre sa femme, surtout en cas d'infidélité. Pas sur le visage ou le nez, précisait-il (pas question d'être confondu avec Bertrand Cantat) mais « plus bas ». La fessée, donc. Exit l'imam. On respire.

25/04/2004

ACADÉMIE

On me dit, mais c'est probablement une méchante rumeur, que les Éditions de Minuit vont ajouter une plaque sur leur immeuble rédigée ainsi : « Académie française, section d'avant-garde ». La décision aurait été prise après l'élection triomphale d'Alain Robbe-Grillet. Comment ne pas se réjouir de cette percée du « nouveau roman » au cœur d'une institution aussi prestigieuse ? On me dit que Racine n'en revient pas, mais je n'en crois rien. Comme l'a dit Jean d'Ormesson dans une formule percutante dont il a le secret, publiée dans *Le Figaro* : « Il n'y a plus d'improbable puisqu'il n'y a plus d'impossible. » Forte maxime, digne de M. de Norpois dans *La Recherche du temps perdu*.

J'entendais l'autre jour le sympathique Pierre-Jean Rémy, de l'Académie française, avouer ingénument à la radio qu'il avait de « grosses lacunes ». Ainsi, disait-il, « je n'ai jamais lu la marquise de Sévigné ni le duc de Saint-Simon ». Qu'importe, il n'est pas le seul, et il n'est jamais trop tard pour s'y mettre. Robbe-Grillet vient bien d'ouvrir pour la première fois les *Mémoires* du cardinal de Retz.

Non sans la désinvolture qui lui est propre, un certain Guy Debord disait déjà, il n'y a pas si longtemps : « La décadence générale est un moyen au service de la servitude ; et c'est seulement en tant qu'elle est ce moyen qu'il lui est permis de se faire appeler progrès. » Sur quoi, *Le Nouvel Observateur* publie un article intitulé : « Peut-on critiquer Guy Debord ? » Mais comment donc, c'est même urgent, surtout de la part de ceux qui ont jugé préférable de ne pas le lire.

25/04/2004

PURITANISME

Un des effets, encore mal évalué, du 11 septembre (nouveau calendrier), est la vague de puritanisme qui commence à sévir aux États-Unis. Les nouvelles sont apparemment contradictoires. D'un côté, je lis que plus de dix millions d'Américaines ont, en 2003, consulté chaque mois des sites pornographiques sur le Web, de l'autre que des actions en justice se multiplient contre sons et images jugés inconvenants dans la perspective de la prochaine élection présidentielle (l'exhibition du sein de Janet Jackson ayant fait sauter les plombs).

D'un côté, une jeune femme entreprenante propose dans sa boutique de Soho, à New York, une collection de trois cents vibromasseurs (tête de l'imam), de l'autre les amendes pleuvent. La jeune femme entreprenante a pourtant un beau programme : « Il est grand temps que nous décidions ce qui nous satisfait ou non en matière de sexe. Si cela ne plaît pas aux hommes, tant pis pour eux. »

Porno et répression, même combat ? C'est pourtant clair, même si on peut désespérer de le faire comprendre. Le pauvre imam arriéré joue son rôle dans la comédie, laquelle se transforme vite en tragédie sanglante. Il croit, et il n'a pas tout à fait tort, qu'on veut le transformer en vibromasseur. Du coup, il se fait exploser. Erreur. On en est là pour un certain temps, semble-t-il. Ce chapitre pourrait s'intituler « Technique et Terreur ». Dédié à Casanova et à Sigmund Freud, entre autres.

25/04/2004

BEAUVOIR

Si vous n'avez qu'un livre à lire ces temps-ci, précipitez-vous sur la *Correspondance croisée, 1937-1940,* de Simone de Beauvoir et Jacques-Laurent Bost, présentée par Sylvie Le Bon de Beauvoir [99]. C'est très beau, très surprenant, passionnant. Beauvoir, c'est Mme de Sévigné au XXᵉ siècle : elle écrit tout le temps, elle tient son journal, c'est une chroniqueuse précise, une philosophe en action, une amoureuse intrépide et stricte, une séductrice de femmes ou d'élèves filles, quelqu'un de très intelligent et de chaleureux, le contraire de la doctrinaire sectaire dont ses adversaires ont voulu propager l'image. Il y a Sartre et toujours Sartre, c'est entendu (« petit absolu »), mais aussi deux grandes passions nécessaires : Algren et Bost.

Les lettres à Nelson Algren [100] avaient déjà étonné (« mon mari », « mon petit crocodile »). Mais il y a plus précoce, et tout aussi étourdissant : le « Tout cher petit Bost », le « Petit Bost bien-aimé ». Avec Beauvoir, les hommes sont toujours « petits », ce sont ses amants-enfants, elle est très sérieuse avec eux, mais aussi débordante de fantaisie et de tendresse. Au temps de Bost elle a trente ans, lui vingt et un. Il a été l'élève philosophique de Sartre (qui est en train de devenir célèbre avec *La Nausée*), elle est prof, elle écrit un roman. Ils commencent par marcher beaucoup ensemble en montagne, ils parlent à n'en plus finir, et, un soir, ils basculent ensemble dans une grange.

Beauvoir écrit ainsi à Sartre le 27 juillet 1938 : « Il m'est arrivé quelque chose d'extrêmement plaisant et à quoi je ne m'attendais pas en partant, c'est que j'ai couché avec le petit Bost voici trois jours, naturellement c'est moi qui le lui ai proposé. »

Ils vont rester clandestins toute leur vie (pour ne pas peiner la femme de Bost), et, ceci entraînant peut-être cela, il s'agit d'une passion continue, réciproque. Bost, qui est assez vite mobilisé, lui raconte sa vie de caserne, ses lectures, et puis : « Je vous serre dans mes bras et je vous embrasse de toutes mes forces. » Beauvoir, on ne s'en doutait pas à ce point, est beaucoup plus expansive : « Vous dormez en ce moment, petit Bost bien-aimé, et je peux bien imaginer comme vous êtes, tout entortillé dans le duvet avec un calme beau visage. »

Sartre n'est pas un amant très engagé, mais il pense très fort (atout érotique). Beauvoir, avec Bost, voit sa vie « transfigurée » : « Je suis heureuse avec une violence folle. » Les femmes n'aiment pas les hommes ? C'est le plus souvent malheureusement le cas, mais pas celui de Beauvoir : « Vous étiez charmant, mon amour, avec votre beau pull-over roulé, votre sourire. » Et encore : « Je voudrais qu'il fasse beau dimanche et qu'on aille faire une immense balade, et parler et parler avec vous à n'en plus finir. Je veux aussi vous embrasser bien fort et vous battre un peu. À samedi, très bien-aimé petit Bost, douceur de ma vie, joie de mon cœur. Je vous aime. Le Castor. » Et encore ceci, très « aristocratique » : « Je vous aime ; je ne vous développe pas comment : parce qu'à la longue vous vous lasseriez, mais je vous le dis tout net, je vous aime passionnément. »

Il y en a neuf cent quatre-vingt-deux pages comme ça (avec les réponses de Bost), pleines de notations précises et fines sur les lieux, les cafés, les personnages du temps. Étonnante et adorable Beauvoir : « Il y a pour moi tant de ressources dans le monde et en moi-même, qu'il me faut vraiment quelque chose d'horrible pour m'empêcher d'en jouir. » Elle dit qu'elle pourrait se tuer sans s'effrayer. « J'ai un fond de calme inébranlable. » Mais enfin, la guerre arrive, et la catastrophe : le plus étonnant est que ni elle ni Sartre ne voient rien venir. Sartre « a la tête très métaphysique, le monde ne cesse de fulgurer pour lui ». Au passage, ceci sur Raymond Aron : « Aron continue à être prodigieusement inquiet du destin de Sartre ; à chaque œuvre nouvelle, il hoche la tête, en disant : "C'est *trop* parfait", je pense qu'à quatre-vingts ans, il s'inquiétera encore. »

25/04/2004

288

MORAND

Grâce au beau livre de Marcel Schneider, *Mille roses trémières. L'amitié de Paul Morand*[101], on peut remonter encore plus loin dans le temps, sport de plus en plus nécessaire. La rencontre de Proust avec Morand est un tableau d'histoire. À la femme de Morand, la princesse Soutzo, Proust écrit le 31 juillet 1918 : « Si vous écrivez à Morand, ou le voyez, voulez-vous lui dire ma tendre amitié, qui va toujours non en s'affaiblissant comme un souvenir mort, mais en s'approfondissant comme une réalité vivante et féconde. » Et encore en 1919 : « Morand est doux comme un enfant de chœur, raffiné à la fois comme un Stendhal et un Mosca, et en même temps âpre et implacable comme un Rastignac qui serait terroriste. Et sous une sécheresse qui semble merveilleusement accouplée à la vôtre, une bonté, une noblesse d'âme que vous avez aussi... Mais j'espère qu'il ne finira pas chartreux, même à Parme. »

Marcel Schneider, aux antipodes de Morand, a été, et reste, un de ses plus fidèles amis. Il raconte son étonnement en recevant une lettre où Morand lui propose de lui léguer, puisqu'ils ont la même taille, toute sa garderobe, « vestons, pardessus, chemises, mouchoirs, de quoi remplir trois pièces... Cela vous évitera dix ans d'essayages, de courses, des tas d'heures perdues pour la littérature ou le plaisir ». Cet humour et cette distance touchent le cœur. Morand disait qu'il avait « mis sa convenance au-dessus des convenances » et que, finalement, quelques durs moments mis à part, la vie lui avait été facile et lui avait donné bien plus qu'il n'en attendait. Il est vrai qu'il ajoutait : « J'ai aimé vivre une fois, je n'aimerais pas recommencer. » On peut le lire.

25/04/2004

LYNNDIE

C'est la grande vedette du mois, mais aussi des années à venir. Une figure légendaire, digne d'entrer dans le panthéon des gloires féminines. Lynndie England, la soldate américaine de Bagdad, immortalisée en train de s'occuper des prisonniers irakiens nus, cagoulés, empilés ou traînés comme des chiens, par terre. Sur une des photos, la voici, cigarette au bec, mutine, espiègle, radieuse, fière de son exploit, pointant une kalachnikov imaginaire sur le sexe des mâles enfin dominés, des « nègres du désert » dans le jargon des GI. Quelle joie dans les yeux de la jolie Lynndie ! Comme elle chasse bien l'animal ! Comme elle tient bien sa laisse entourant le cou d'un nègre couché, épuisé, à terre ! Ces photos ont fait le tour de la planète ? Il y a de quoi. C'est la première fois qu'un document montre une charmante jeune femme démocratique en plein travail souterrain. Le magazine *Elle* ne s'y est pas trompé, voyant là une sorte de première dans l'accession des femmes à une vraie égalité avec les hommes. Ils peuvent être abjects ? Eh bien, nous aussi. Lynndie ? Une pétillante chienne de garde. Et ce nom, « England » ! Ça ne s'invente pas. Et la cerise sur ce gâteau de boucherie : Lynndie est enceinte, tous ces divertissements de prison, avec ses camarades yankees, l'ont conduite (mais on aurait pu s'en douter) à concevoir.

Je sais, il y a aussi Sabrina qui sourit de toutes ses dents à l'objectif, penchée sur un cadavre. Une concurrente sérieuse ? Mais non, la Palme d'or revient à Lynndie. Elle sera sans doute jugée et condamnée, mais qu'importe ? Le scoop est là, on attend ses Mémoires ou sa grande carrière dans un film porno. Ô Maryland, Pennsylvanie,

Virginie, Amérique profonde ! Ô Lynndie ! Origine modeste, père cheminot, déjà mariée et divorcée à vingt et un ans, et enfin bientôt mère grâce aux cent vingt journées de Bagdad ! J'aimerais l'interviewer, on sait trop peu de choses sur elle. Un détail, cependant : elle voulait faire des études de météorologiste, elle était, déjà toute petite, fascinée par les tornades. Elle ne se doutait pas qu'elle en deviendrait une pour le Pentagone et la Maison-Blanche. Comme Monica Lewinsky semble soudain démodée, lointaine ! Les plaisirs d'Irak sont quand même plus vifs !

30/05/2004

TORTURES

Lynndie aura des choses à raconter à ses enfants. Elle a une autre allure que la générale Janis Karpinski (qui, déjà à cinq ans, voulait être soldate), laquelle, parlant de la prison comme d'un boudoir, s'exprimait récemment ainsi : « Les conditions de vie des prisonniers sont actuellement meilleures que chez eux. À un moment, nous avons craint qu'ils ne veuillent plus s'en aller. » Un vrai lieu de détente. Programme : forcer les détenus à enlever leurs vêtements et à rester nus plusieurs jours d'affilée ; forcer les détenus à porter des vêtements féminins, à manger du porc et à boire de l'alcool (interdits par leur religion) ; forcer les détenus à se mettre à quatre pattes et à aboyer ; forcer des groupes de détenus hommes à se masturber tout en étant photographiés et filmés ; forcer les détenus hommes nus à s'entasser pour sauter à pieds joints sur leurs corps, etc.

291

Femmes violées, hommes sodomisés, la routine. Simulacres d'exécutions, enfermement dans des sacs ou des cercueils, plaisanteries. L'essentiel, pour avoir du renseignement (comme à Guantanamo), est d'amener les détenus à une pleine collaboration par une série de privations sensorielles. C'est assez simple : perturbation systématique du sommeil, variation de grande amplitude du chaud au froid, musique et éclairages violents (comme en boîte), position debout pendant des heures, perte du sens du temps. Les terroristes ne sont pas des ennemis au sens de la Convention de Genève, mais de la viande malléable, idée que renforce d'ailleurs, de l'autre côté, la décapitation en direct de Nick Berg. L'époque entre ainsi, peu à peu, dans une animalisation radicale, versant noir de la Technique généralisée.

Un historien de l'avenir notera cette coïncidence. Pour peu qu'il ait tendance à penser, il soulignera que l'élargissement de l'Europe à vingt-cinq pays (reformulation d'un énorme continent) laissait le citoyen du temps profondément indifférent. Que le citoyen en question, de même, ne s'intéressait qu'à des révélations sur la vie privée plus ou moins glauque des stars – exemple, cette formule élégante d'Yves Montand racontant sa nuit d'amour avec Marilyn Monroe : « Elle avait de beaux seins, mais le reste n'était pas terrible. »

30/05/2004

MYRIAM

C'est la mère violeuse de ses enfants à Outreau. Elle mérite, elle aussi, d'être célébrée comme une percée de l'audace féminine. Les pédophiles hommes commencent à nous fatiguer, la grande pédophile femme est lancée. Sur ses propres enfants ? Encore mieux. Elle accuse, se rétracte, pleure, gémit, réaccuse, le tribunal (comme au procès Dutroux) a de plus en plus de mal à suivre ses versions successives, ses crises de nerfs, sa démence. Le fait-elle exprès ? Espère-t-elle déjà finir tranquille en psychiatrie pour écrire son best-seller de demain : *Mémoires d'Outreau-tombe* ?

En tout cas, elle n'a pas le charme pointu de Lynndie. Elle est grosse, lourde, absurde, sinistre. Les accusés sont de pauvres gens qui clament en vain leur innocence, tout le monde a été, est ou sera pédophile. La délation et la dénonciation vont courir les rues. Étrange folie, qui conduira bientôt à tenir la famille chrétienne classique, bien conformiste et tranquille, pour une merveille d'exotisme et de transgression. Mais Myriam, ce n'est peut-être pas encore assez comme démonstration.

Sans aller jusqu'à regretter les frasques de Catherine de Russie, la véritable égalité homme-femme (dans le bien comme dans le mal) devrait aller jusqu'à Staline ou Hitler. Un grand film reste à faire : *La Dictatrice*. Hélas, nous en sommes encore loin. Du côté progressiste, l'élection de Sonia Gandhi, en Inde, était un espoir. Hélas, on lui a vite fait sentir qu'en tant qu'Italienne elle n'était pas la bienvenue au gouvernement. Elle a d'ailleurs été dénoncée immédiatement par une sénatrice, une ministresse, et une professeuse de Delhi. L'Inde aux Indiens, aux Indiennes.

30/05/2004

Mariage

Faut-il accepter le mariage homosexuel ? Pourquoi pas, on n'arrête pas le progrès, et les enfants d'Outreau auraient sans doute été mieux traités par une famille de parents du même sexe. Ce qui est étrange, c'est l'engagement de Mamère, de Strauss-Kahn, de Hollande, au point qu'on peut se demander s'ils sont vraiment heureux en ménage. Jospin, lui, l'est. Il l'a dit. Fallait-il se précipiter sur cette question ? Les socialistes ne manifestent-ils pas là comme une curieuse démission à propos de la lutte des classes ? Finalement, tout le monde se marie, hétérosexuels, homosexuels, rabbins, pasteurs, popes, imams. Seule l'Église catholique tient bon : pas de femmes-prêtres, pas de mariage pour les prêtres. Vous me direz que le clergé catholique (comme l'école) est miné par la pédophilie, et ce n'est pas faux.

Ah, les temps sont troubles, renversants, éprouvants. Je vois qu'un couple charmant de lesbiennes s'apprête à faire un enfant. La génitrice, nous dit-on avec componction, est allée prendre une giclée de sperme anonyme à Barcelone. Pourquoi Barcelone ? On aimerait le savoir. Toujours ce problème d'enfant, adoption, insémination, obsession. Les enfants élevés par des homosexuels seront-ils eux-mêmes homosexuels ? Ou bien l'hétérosexualité leur apparaîtra-t-elle comme une contrée désirable, désormais ignorée des hétérosexuels eux-mêmes ? L'adultère, d'ailleurs, pourrait prendre une autre dimension. Avoir une liaison avec une femme qui, le soir, rentre chez sa femme ne manquerait pas de sel. Ce qui est préoccupant, en revanche, c'est le discrédit qui risque de s'attacher aux homosexuels (ou homosexuelles) non mariés. Comment, vous n'êtes pas encore marié ou mariée ? Opprobre.

En tout cas, le grand spectacle conventionnel suit son cours : Letizia et Felipe, morts oubliés, Espagne socialiste, retrait d'Irak, bye-bye.

30/05/2004

CHINOISES

Gong-Li, Maggie Cheung, Zhang Ziyi, voilà les signaux positifs de l'avenir. Chaque année, à Cannes, on pourra noter la présence de nouvelles Chinoises. J'aime bien ce que Wong Kar-wai, le réalisateur de *2046*, vient de déclarer au sujet de la ravissante Zhang Ziyi : « J'ai passé un temps infini à lui faire comprendre à quoi ressemblait une chanteuse de cabaret des années 1960. J'ai dû lui apprendre à marcher, à parler, à s'habiller. Ça avait l'air de l'ennuyer affreusement, mais quand elle a enfin tout intégré, le résultat a été explosif. »

Moore, avec sa Palme d'or anti-Bush, n'est-il pas *au fond* un agent chinois ? J'espère que la CIA et le FBI enquêtent.

30/05/2004

AFFAIRES

Houellebecq, l'écrivain français le plus cher : un ou deux millions d'euros ? Lagardère l'exhibe à ses troupes, son prochain roman est déjà un grand succès, il va en tirer lui-même un film qui est déjà un grand succès, et comme dirait Andy Warhol, à quoi bon lire un livre qu'on a déjà lu et voir un film qu'on a déjà vu ? C'était très bien, c'est très bien, ce sera très bien, seule la jalousie pourra dire le contraire. Quant au rachat d'Éditis par Seillière, il est tellement dans l'ordre des marchés financiers qu'on ne voit pas en quoi il peut surprendre. Il est vrai que le coup d'éclat, la noblesse, l'élégance auraient été, de la part d'Arnaud Lagardère, de privilégier Gallimard et d'en faire ainsi son concurrent direct. Jean-Luc Lagardère l'aurait décidé, je pense. L'édition est d'abord une question d'argent, dites-vous ? Ce n'est pas ce que pensaient les sourcilleux aventuriers de la NRF. D'où ce qu'on appelle un *fonds*. Le futur est toujours un *fonds*.

30/05/2004

LECTURES

Donc, en Pléiade, les contes et les romans de Diderot, ainsi qu'un album, très beau, qui vous conduiront à la lumière [102]. On aime que la police de son temps ait dit de l'auteur du *Neveu de Rameau* et du chef d'orchestre de *L'Encyclopédie* : « C'est un garçon plein d'esprit, mais extrêmement dangereux. » Bien vu. Mais ouvrez aussi les *Lettres à Sophie Volland* [103]. Vous tomberez tout de suite sur la souplesse et l'énergie du style, par exemple le 9 septembre 1767 : « Le bon style est dans le cœur ; et voilà pourquoi tant de femmes disent et écrivent comme des anges, sans avoir appris à dire et à écrire, et pourquoi tant de pédants diront et écriront mal toute leur vie, quoiqu'ils n'aient cessé d'étudier, sans apprendre. »

Après *Rimbaud à Aden* (2001) et *Rimbaud au Harar* (2002), voici, des mêmes auteurs, *Rimbaud ailleurs* [104], photographies contemporaines et entretiens par Jean-Hugues Berrou, textes et documents anciens par Jean-Jacques Lefrère et Pierre Leroy (ce dernier, grand collectionneur obstiné, signant aussi une postface). Vous voici, autrefois et aujourd'hui, à Charleville, Charleroi, Paris, Londres, Bruxelles, Stuttgart, Milan, Java, Chypre et, dernière escale, Marseille. Rimbaud a vécu et marché dans ces villes et ces paysages, on ignore trop ses présences multiples avant son départ africain.

Le témoignage le plus stupéfiant (et le plus pénible) est celui du régisseur du cimetière de Charleville où est enterré Rimbaud : « C'est une tombe particulière. Il y a des gens qui viennent parfois de très loin pour accomplir des rites assez étonnants. Ça va de la scatologie à la messe occulte, avec drap noir et cierges. Je laisse faire, tant qu'ils ne détériorent pas. » On s'adresse ici au ministre rimbaldien de l'Intérieur et des Cultes : ne serait-il pas possible d'exiger qu'on foute la paix, une fois pour toutes, aux os de Rimbaud ?

30/05/2004

Débarquement

Où étais-je en juin 1944 ? Dans un jardin, la nuit surtout, en train de courir vers des caves pour me protéger des bombardements. Ça se passe à Bordeaux, j'aurai bientôt huit ans, le ciel explose, les combats aériens font rage, les canons et les fusées éclairantes illuminent le noir. On parle peu, on descend sous terre, on attend que ça passe. Là-haut, en Normandie, le débarquement a lieu. Comme ma famille est résolument pro-anglaise, on prie pour l'armée britannique à laquelle s'est joint un général français dont on verra bientôt le grand corps saugrenu, dont on entendra de plus en plus la voix facilement imitable. Des Américains il est encore peu question. Ce qui compte, avant tout, c'est la victoire de Londres dont la propagande allemande et collabo annonçait régulièrement la destruction (« Londres, comme Carthage, sera détruite »). Londres, longtemps en feu, est la lumière, la vérité, la vie. La personne qu'on a envie d'embrasser, aujourd'hui, sur la plage, c'est la reine d'Angleterre, et elle seule. Bush est peu digne de défiler devant ses morts, Chirac sert de gros nounours à Schröder, Poutine est toujours aussi glaçant, les anciens combattants pleurent. En 44-45, les foules françaises qui acclamaient Pétain acclament de Gaulle, les femmes qui ont couché avec des Allemands sont tondues, les autres se pressent sur les tanks des vainqueurs. En revoyant tous ces documents d'époque, boucherie énorme et misère populaire, on sent que quelque chose n'est pas dit, reste en retrait, continue son travail vénéneux. Quoi ? Les camps. Le livre à lire, ces jours-ci, est celui, magnifique et terrible, d'Anne-Lise Stern, *Le Savoir-déporté*[105]. C'est un chef-d'œuvre. Elle est française, elle parle aussi l'allemand, elle a été déportée très jeune, elle est devenue psychanalyste, elle raconte avec précision, elle dit avoir été sauvée par Lacan. Son regard sur la plus grande tragédie de notre temps est absolument neuf, dérangeant, radical. Avec le film de Claude Lanzmann, *Shoah*, ce livre. Deux grands Français vivants d'aujourd'hui. On les salue.

27/06/2004

LACAN

Est-ce un hasard si, en même temps, est enfin publié le séminaire de Lacan, de 1963, consacré à l'angoisse [106] ? Le travail de transcription de Jacques-Alain Miller est ici exceptionnel. Qui a connu Lacan, qui a assisté à ses fameux séminaires, retrouve dans l'écrit sa virtuosité, ses fulgurations, son humour. Ceci, par exemple, envoyé au visage plombé de ce que Lacan appelle le « pharisaïsme communiste » (il parle de ce qu'il a éprouvé, dès 1946, comme obstacle principal à sa redécouverte de Freud) : « Je ne peux pas ne pas témoigner que c'est aux toutes spéciales réserves des communistes que je dois d'avoir alors compris que mon discours mettrait encore long-temps à se faire comprendre. » Que signifie « toutes spéciales réserves » ? Quelle formule étrange. Lacan ne s'en prend pas à la presse bourgeoise de son temps mais à la nébuleuse « communiste ». C'est elle qui freinerait la vérité psychanalytique, de façon beaucoup plus impliquée et efficace que le rejet pur et simple. Ce freinage a-t-il disparu ? Ou bien s'est-il infiltré un peu partout ? Il serait intéressant d'en débattre.

27/06/2004

MAMÈRE

Le mariage homosexuel de Bègles (banlieue de Bordeaux) était parfait. Un couple de rêve : lui-lui, grand, fort, baraqué, mari genre camion solide. Lui-elle, gracile, gracieux, ondulant, tout en blanc. Ils s'embrassent sur la bouche, ils se roulent une pelle. Mais c'est l'attitude du maire Mamère qui retient l'attention. Au moment de célébrer le mariage, sa voix dérape, il a un spasme émotif, ça y est, il pleure. C'est l'instant le plus troublant, le plus beau. Ne faites pas du Lacan facile en soulignant le nom de Mamère et en insistant lourdement sur le fait qu'on l'appelle d'habitude Monsieur le maire. Mamère, Monsieur le maire, se marie ici avec lui-même. Il est double, sportif à la moustache d'un côté, jeune fille en fleur de l'autre. Il est Vert mais non pervers. Au contraire : sa pureté est évidente, ses bons sentiments aussi. Il a conscience d'accomplir un désir secret de la République, une réconciliation du sexe avec son semblable, une identité renforcée, un pansement contre l'angoisse, un droit de l'homme fondamental. Les femmes qui sont là, des mères, sans doute, ne s'y trompent pas : elles sont attendries, joyeuses, comblées sans oser dire leurs raisons profondes. Ces deux jeunes mariés accomplissent le désir de leurs mères, désir longtemps nié par leurs pères. Un grand pas en avant, qui jette sur le mariage hétérosexuel classique une lumière crue et critique. Pourquoi donc suspendre Mamère ? Parler de le révoquer ? Une telle attitude est odieuse. Son sanglot témoigne pour lui. C'est ce qu'Arnaud Viviant, dans un livre-choc à paraître à la rentrée, *Le Génie du communisme* [107], appelle, d'une formule empruntée à Lévinas, le « communisme du cœur ».

27/06/2004

FRÊCHE

Et voici un autre maire au nom lui aussi évocateur, de Montpellier cette fois. Il décide la fermeture d'un centre régional des lettres pour des raisons que je ne comprends pas très bien. En revanche, sa déclaration ne me paraît pas d'une exquise fraîcheur. La voici : « La qualité littéraire ne saurait en aucun cas suppléer la déviance morale [...] En 1945, Drieu la Rochelle, Brasillach et Céline méritaient d'être fusillés. Alors, ma réponse à moi, c'est feu sur Drieu la Rochelle. » Monsieur Frêche, maire socialiste, n'y va pas de main morte. Il fusille un suicidé, refusille un fusillé, et, pour faire place nette de quelque chose qui, visiblement, l'angoisse, il fusille un mort. Remarquez bien qu'ici la « qualité littéraire » n'est plus d'aucune excuse pour la « déviance morale ». C'est une grande question qu'on ne se lasse pas de réentendre poser. Le tout est de s'entendre sur l'expression « déviance morale ». Une ligue contre les déviances morales reste à créer. Elle réunirait des gens que tout, par ailleurs, oppose. On fusillerait tantôt Drieu et Céline, tantôt Sartre et Foucault. On pendrait tous les jours le marquis de Sade. Cet *Ulysse* de Joyce n'est pas net, et d'ailleurs Marie Darrieussecq, jeune romancière talentueuse, le dit dans *Les Inrockuptibles* : « Il y a beaucoup de bêtises dans *Ulysse*, surtout sur les femmes, mais il lui sera beaucoup pardonné. » Ouf, on a eu chaud. On ne fusillera pas Proust à cause de son asthme (il a d'ailleurs des protections en haut lieu, comme Morand). Je me demande quand même s'il ne faudrait pas mettre en examen Freud et Lacan. Heidegger, lui, ça ne fait pas un pli : feu ! Ce Frêche est impayable. Peut-on attendre du Parti socialiste une petite protestation contre le zèle exterminateur d'un de ses membres ? On l'espère, mais ne rêvons pas. D'ailleurs, en bon républicain, je n'admets pas qu'on ait laissé s'accomplir l'enterrement pompeux du cœur de Louis XVII, identifié par ADN, à la basilique

Saint-Denis. Une messe royaliste en plein jour ! Ce cœur racorni aurait dû être saisi et fusillé place de la Concorde. Heureusement, aucun représentant de l'État ne s'est compromis dans cette obscurantiste célébration catholique.

27/06/2004

OPHÉLIE

Ophélie, ma libraire, ne va décidément pas bien. Tous ces remous dans l'édition, ces millions d'euros qui valsent, ces trahisons, ces dissimulations, ces spéculations, tout cela l'étourdit, la déprime. À qui se fier ? Vers qui se tourner ? Les éditeurs lisent-ils encore les livres ? Pourquoi en publient-ils tant ? Qu'est-ce que cela cache, ou, plutôt, révèle ? Je la trouve déjà encombrée des paquets de la rentrée. Il y en a partout, cent romans par-ci, cent essais par-là. Qui sont les favoris ? Les exclus ? Les paravents ? Les laissés-pour-compte ? Ce métier devient impossible, me dit-elle, comme si c'était ma faute. L'édition, dit-elle, est en pleine déviance morale et, qui plus est, sans grande qualité littéraire. Déjà déprimée par cette crise de confiance généralisée, Ophélie l'est encore plus d'avoir à lire, ou plutôt à feuilleter, tous ces romans déprimés. Les personnages sont malheureux et le disent, les couples se déchirent et s'ennuient, le futur n'aura jamais lieu, les clichés abondent, la dérision sans joie occupe les vies, les livres sont comme l'envers pénible et gris de la grande fête vide publicitaire. Ophélie s'inquiète : n'y a-t-il pas là un complot ? Allons, allons, pas de paranoïa, lui dis-je, tout suit son cours normal, c'est-à-dire d'effondrement. J'explique à Ophélie qu'elle

a trop mis d'espoir dans son métier de libraire mission-
naire. La vraie littérature a toujours été plus ou moins
clandestine ou masquée. À propos, a-t-elle déjà commandé suffisamment d'exemplaires de l'excellente revue
Ligne de risque consacrée cette fois au védique ? Au
quoi ? me dit Ophélie. Au védique, vous savez, l'Inde, les
Vedas, le sanscrit. Très bon numéro, passionnant, centré
sur l'énergie de la parole. Bon d'accord, ça ne va pas se
vendre à cent mille exemplaires, mais tout de même,
croyez-moi c'est l'avenir. Deux entretiens de très haut
niveau, et un autre sur l'énergie noire avec un astrophysi-
cien. Bref, l'actualité même. Ophélie me jette un regard
torve, elle croit que je me moque d'elle, mais pas du tout.

27/06/2004

PATHOLOGIE

On a l'embarras du choix, et ce serait presque le
moment de se mettre à écrire un *Traité de pathologie
générale*. Cela pourrait aller des « mécréants » décapités
en Irak à l'affaire du RER, en passant par l'explosion de
la délinquance sexuelle, sans oublier la question de la sur-
population carcérale et les six cent cinquante mille
enfants en train de mourir du sida dans l'indifférence
pharmaceutique américaine. Un arrêt sur image sur la
rupture très photographiée entre Isabelle Adjani et Jean-
Michel Jarre, une brève incursion sur le duel titanesque
entre Chirac et Sarkozy (« Je décide, il se couche »), un
ralenti sur l'acharnement de la Socpresse à l'égard de
Cesare Battisti (me voilà mis sur le même plan que Guy
Bedos et Lio en tant que « saltimbanque du show-biz »),

un gros plan sur le visage réjoui de Berlusconi (qui vient d'inviter les ministres français et leurs épouses à le rejoindre dans sa villa du sud de la France), rapide allusion à la Turquie, émeutes à Gaza, discours de Sharon invitant les juifs de France à émigrer d'urgence en Israël, je n'oublie rien ? Mais si, sûrement.

25/07/2004

FOURNIRET

Vous n'arrêtez pas de le voir passer sur vos écrans, le « monstre des Ardennes », cet employé des ténèbres. Allure de fonctionnaire, réservé, strict. Neuf meurtres, ou beaucoup plus, entre la Belgique et la France, les pelleteuses à l'œuvre le diront peut-être, avec sa collaboration confuse et intéressée. Il lui fallait des vierges, il partait à la chasse, sa femme l'aidait (Monique Olivier, dame d'œuvre). Que voulez-vous, il lui fallait ses rations, ça le calmait pour un temps.

Fournir Fourniret n'était pas une mince affaire, d'autant plus qu'après les rabattages, les viols, les étranglements, il fallait encore enterrer les corps. Un homme à vierges, une épouse dévouée : le couple hétérosexuel montre là sa bordure infernale. Sans être HLBT (homosexuel-lesbienne-bisexuel-trans), on peut se demander si le mariage classique est encore adapté à la sombre époque en cours. La preuve : l'immense désillusion d'une pauvre star découvrant l'incroyable perversité de son fiancé infidèle, et sa plainte émouvante de vierge éplorée.

La sexualité (on devrait dire maintenant, comme Queneau, « sessualité ») est quand même un gros problème qui semble désormais conduire tout droit à la criminalité. Il y a quelque chose qui ne va pas dans cette affaire. Quelques penseurs l'ont dit autrefois, pourtant, sans être écoutés.

Je renonce, sur un sujet aussi grave, à mon apologie habituelle et décalée du XVIIIe siècle. Ce serait indécent. Je renonce aux plaisanteries faciles et de mauvais goût (genre : « Le Père Noël n'est plus une ordure puisqu'il s'appelle Mamère »). Je ne m'oppose pas au bracelet électronique généralisé pour les récidivistes. De toute façon, les humanistes ont raison en incriminant la misère, même si Céline, un expert, a eu un jour cette réflexion métaphysique : « Je ne crois pas à la misère, mais à de plus en plus de vice. » Non, nous avons foi en l'homme, et, comme l'a dit un grand humaniste, l'avenir est radieux même si le chemin est tortueux. Français, encore un effort si vous voulez être républicains.

Dans sa passionnante série intitulée « Qu'est-ce qu'être français aujourd'hui ? », *Le Figaro* nous a fait part de cette formule profonde de Jean d'Ormesson (que j'ai très injustement, ici même, il y a quelque temps, comparé à M. de Norpois, le personnage plutôt ridicule de Proust) : « Être français aujourd'hui, c'est être fidèle au passé pour mieux dominer un avenir qui sera tout autre chose. » Exactement mon programme, peu académique, sans doute, mais résolu. En effet, nous sommes en route, chacun le sent, pour tout autre chose. Comme le dit Patrick Le Lay, P-DG de TF1, « nous vendons du temps de cerveau disponible ».

25/07/2004

Marie L.

Les mythomanes, comme les érotomanes, sont intéressants. L'ennuyeux, c'est qu'ils ou elles sont d'une ténacité inébranlable. Ils ou elles vous poursuivent, s'obstinent, inventent des relations imaginaires, vous font entrer de force dans leurs misérables romans, vous harcèlent, n'attendent d'ailleurs aucune réponse, vivent en autarcie avec leur délire qui consiste finalement à dire : « Même si ce n'est pas vrai, c'est vrai. » Le faux, pour eux et pour elles, est un moment d'un faux plus général, ambiant, étroit, gigantesque.

Il est vrai que le scénario de Marie L. dans le métro peut provoquer l'effroi. « Effroi », c'est le mot de Chirac, qui pourtant est un dur à cuire. Croix gammées dans les cimetières ou tracées au feutre par la « victime » sur son pubis (avec, au passage, un gnon sur son bébé), le court-circuit est énorme mais compréhensible. Le bon docteur Freud hoche la tête, fait un geste d'accablement. Ce n'était pas vrai, mais ça aurait pu être vrai : voilà la nouvelle logique du spectacle. Et peu importe que vous vous fassiez passer pour français, juif, maghrébin, noir, catholique, protestant, musulman, athée, sessuel dans un sens ou dans l'autre. Misère, disent les humanistes, qui ont peur que ce soit plus grave que ça. Mais c'est plus grave que ça.

25/07/2004

Goncourt

La France est-elle plus antisémite aujourd'hui qu'hier ? Ou qu'avant-hier ou qu'au Moyen Âge ? Les avis sont partagés. Je pense, moi, que la situation est officiellement bien meilleure depuis que la République a reconnu son crime d'État lors de la rafle du Vel' d'Hiv' (et le discours de Chirac au Chambon-sur-Lignon va dans le même sens). Mais, comme l'Histoire est de plus en plus évacuée, il est bon de rafraîchir les mémoires, non pas par des discours moraux mais par des inscriptions. Voilà pourquoi il faut lire l'incisif petit livre de Roger Kempf, *L'Indiscrétion des frères Goncourt* [108].

Les frères Goncourt, bien avant *La France juive* de Drumont et les pamphlets de Céline, incarnent l'antisémitisme primaire, virulent, compulsif. Ce ne sont que « paralysie bestiale des paupières », « faces batraciennes, yeux éraillés, paupières en coquille, bouches en tirelire buveuses ». Ils prennent pour cible des banquiers (les Rothschild, les Pereire, Mirès), des éditeurs (la famille Lévy), des propriétaires de journaux tous « fils d'Abraham » et symboles du monde de l'argent. « À la Bourse, aurait dit un Rothschild, il y a un moment où, pour gagner, il faut savoir parler hébreu. » De telles idioties seraient inimprimables aujourd'hui, et c'est tant mieux.

Ces Goncourt (malgré leur attirance esthétique pour le XVIIIᵉ siècle) ont la perception grossière et naturaliste, propre aux romanciers ratés. Renan ? « Un homme replet, court, mal bâti, la tête dans les épaules, l'air un peu bossu ; la tête animale tenant du porc et de l'éléphant, l'œil petit, le nez énorme et tombant, avec toute la face marbrée, fouettée et tachetée de rougeurs. »

Baudelaire, Villiers, Verlaine ? Dans l'ordre : « un bohème sadique, un alcoolique, un pédéraste assassin ». Leur misogynie est à l'avenant, comme cette femme à la bêtise « endimanchée » : « Son esprit est un rendez-vous de banalités, de pensées communes et publiques, de superstitions bourgeoises, d'idées qu'on pourrait dire surmoulées, de préjugés épidémiques, cette terrible sottise enfin, la plus impatientante de toutes, la sottise éduquée et façonnée, l'ignorance acquise. »

On n'en finirait pas de citer les étranges frères, il faudrait même leur donner un prix. Le prix Goncourt, par exemple.

25/07/2004

LAMBRON

Soyons sérieux : quelqu'un qui le mérite amplement, ce fameux prix Goncourt qui fascine l'édition française, c'est bien Marc Lambron, avec son meilleur roman paraissant à la rentrée, *Les Menteurs* [109]. C'est enlevé, très informé de l'évolution féminine locale mais aussi des coulisses du pouvoir. Enfin un roman qui balance des personnages connus dans leur ombre : Mitterrand dans les souterrains du Louvre (hallucinant), un milliardaire mafieux russe, un magazine féminin, le conflit permanent entre la FOB (femme orientale battue) et la FOG (femme occidentale geignarde), les « retours de mère » actuels (passage hilarant et juste). Et enfin Chirac en dévorateur.

« Au début du second mandat, il en restait trois sur le pré : Juppé, Sarkozy, Villepin. Le dernier plaçait la France si haut dans les nuages qu'il aurait du mal à la trouver dans les urnes. De Juppé, fils élu, on avait l'impression que l'ogre Chirac se le réservait pour l'ultime festin, lorsqu'il faudrait sucer avec volupté les os du meilleur chapon, longtemps nourri au grain, mûr pour la délectation finale. Des juges allaient en décider autrement. Restait Sarkozy. Celui-là avait la peau dure. Enfant renégat, revenu prendre sa place dans le garde-manger, il ne cessait de jeter son gant au nez du père dévorateur. On sentait qu'il attendait en vibrant d'impatience l'un de ces combats œdipiens chers aux trilogies du cinéma, Luke Skywalker contre Dark Vador, le hobbit de Neuilly contre le vieux roi des Aulnes. »

« C'était la scène archaïque et sauvage que toute la France espérait. Verrait-on le Barbe-Bleue d'Ussel, le croque-mitaine phosphorescent, l'increvable minotaure mordre la poussière sous la dague d'un Thésée monté sur échasses, d'un petit poucet déguisé en vampire ? Ou bien le vieux roi, chapelet de scalps autour du cou, poserait-il son pied sur la tête de son ancien ministre, avant de lui trancher la gorge pour boire goulûment l'hydromel dans son crâne ? » Question posée dans un roman : réponse dans la réalité future.

25/07/2004

POLOGNE

Du 1er août au 2 octobre 1944, il y a donc soixante ans, l'insurrection de Varsovie était écrasée par les nazis sous le regard passif de l'Armée rouge. Bilan : deux cent mille morts. Comme le dit un professeur d'histoire d'aujourd'hui à l'université de Varsovie : « La principale interrogation est pourquoi Staline a-t-il donné l'ordre à l'Armée rouge de s'arrêter sur la rive gauche de la Vistule (qui coupe la ville en deux) et d'interdire aux avions alliés d'intervenir ? Les autorités russes n'ont toujours rien dit à ce propos – pas un mot d'explication, ni bien sûr de regret –, pas plus d'ailleurs que la plupart des historiens russes de réputation internationale. Ce sera sans doute le dernier point qu'ils éclairciront dans la liste des contentieux historiques nous opposant à eux. »

Si on se souvient du pacte germano-soviétique et de la signature, par Staline lui-même, de la radiation de la Pologne de l'espace géographique (sans oublier le massacre de Katyn), la réponse à cette question ne doit pas être très difficile à trouver. Mais voilà, l'Histoire a ses trous noirs, ses silences de mort, ses arrangements falsificateurs, ses lapsus énormes. Dans l'ordre : le message de Poutine saluant « la victoire commune contre les nazis », le département d'État américain confondant l'insurrection de Varsovie avec celle du ghetto (écrasé un an avant), l'absence de tout responsable français important à la commémoration de cet événement. Gerhard Schröder s'est déplacé, lui. L'absence française, selon un diplomate, s'explique tout naturellement « pour cause de vacances gouvernementale et présidentielle ».

À propos de cet échec sanglant du soulèvement de l'armée clandestine abandonnée par les Russes, une historienne ne craint même pas de déclarer : « C'est comme d'imaginer l'armée de Leclerc s'arrêtant aux abords de Paris en laissant crever les Parisiens entre les mains de bourreaux professionnels. » Mais Leclerc aurait probablement eu un réflexe français par rapport à des Français, tandis que Staline était russe, et sa haine des Polonais reste à déchiffrer.

Pour la propagande communiste, donc, il n'y a eu qu'un soulèvement, celui des juifs du ghetto, histoire de gommer l'inaction russe et le patriotisme antisoviétique des insurgés, passant à l'action après le feu vert du gouvernement polonais en exil à Londres. Deux cent mille morts : détail de l'Histoire, pensent encore certains. À l'époque, le vieux Jean-Paul II d'aujourd'hui a vingt-quatre ans. Et le grand poète polonais Czeslaw Milosz, Prix Nobel 1980, et qui a vécu en exil aux États-Unis, en a trente-trois. Il vient de mourir, mais la poésie ne meurt pas.

22/08/2004

MAURIAC

À propos de la croix gammée, qui a tendance à réapparaître dans des délires de cimetière, c'est Mauriac, autrefois, qui aura trouvé la formule définitive : « une araignée gorgée de sang ». Mauriac a de la chance, le temps travaille pour lui, comme le prouve surabondamment ce gros volume de chroniques anciennes du *Figaro*, *D'un bloc-notes à l'autre* (1952-1969) [110].

Sur les partis politiques (en 1962) : « Encombrants, inutiles, ne pouvant plus servir à rien, les partis politiques traditionnels en France ressemblent à ces plantes d'appartement, dans leurs cache-pots énormes, qui ornaient les salons bourgeois de 1895, et que les dentistes de ce temps-là cravataient volontiers d'un ruban rose. Le Parti communiste français lui-même n'impressionne plus malgré sa taille. Ce n'est plus qu'une considérable plante grasse dont les piquants sont plus inoffensifs que les flèches empoisonnées de Tartarin. Hérissée de pointes dérisoires, elle dort debout à la lettre, au point de nous donner des idées sur le sommeil végétal. »

Pierre Dumayet lui demande, au moment du putsch des colonels d'Alger, s'il craint pour sa vie : « Je dois dire que je doute beaucoup de mon courage physique si je ne manque pas de courage moral ; mais j'ai toujours beaucoup compté sur mon orgueil, ce qui est essentiel car il faut toujours combattre un défaut par un autre défaut. J'ai soixante-quinze ans et, aussi optimiste qu'on soit, on sait qu'à cet âge on ne peut plus aller très loin, et qu'aucune porte de sortie n'est préférable à une autre, sans compter l'interminable défilé du gâtisme. Je pense donc que devant les mitraillettes je dirais : "Voilà une belle mort !" »

Dumayet insiste : « Vous avez pensé que vous seriez fusillé ? » Réponse : « Vous savez, c'est une chose qui nous a tous menacés sous l'Occupation et depuis... Un colonel avait dit, le 13 mai, à un de mes amis ministres, en se frottant les mains : "La première personne que je fusillerai, c'est Mauriac." C'est tout de même beaucoup de fusiller quelqu'un parce qu'il n'est pas de votre avis. Enfin, ils sont comme cela, ces colonels. »

À la mort de Jean XXIII : « Sa récompense aura été d'être entendu et compris de l'humanité tout entière et même de ceux qui se sont séparés de la vieille Église mère, et même de ceux qui ont décrété la mort de Dieu. Et nous ses fils, nous aurons pris conscience grâce à lui qu'en dépit des structures vieillies l'eau vive des premiers jours continue de ruisseler. Nous en avons senti tout à coup sur nos faces l'éternelle fraîcheur. »

Cher Mauriac, qui m'invitait de temps en temps à dîner, lorsque j'étais étudiant, gravité, perspicacité, flèches assassines, drôlerie constante. Que dirait-il aujourd'hui de Jean-Paul II, « malade parmi les malades » à

Lourdes ? De ce pape polonais dont il n'aurait même pas pu imaginer l'arrivée ?

22/08/2004

JEUX OLYMPIQUES

Entre le pèlerinage du pape à Lourdes pour le cent cinquantième anniversaire de la proclamation du dogme de l'Immaculée Conception (rappelez-moi de quoi il s'agit, je m'embrouille dans cette histoire) et les Jeux olympiques d'Athènes, le parallèle est inévitable, et *Libération* ne l'a pas évité : « Depuis le festival des JMJ (vite effacé) en 1997, Jean-Paul II a beaucoup vieilli. Le corps souffrant du pape montre sa participation aux communes misères qui ont mené tant d'autres corps blessés et leurs brancardiers sur les bords de l'Adour. On peut aussi y voir l'image incarnée d'une fragilité de l'institution romaine, historiquement inédite depuis ses débuts triomphants dans l'Antiquité déclinante. Coïncidences ? Cette même Antiquité fait, elle, un spectaculaire retour à Olympie chez Jupiter, avec les beaux corps de femmes et d'hommes presque nus qui dansent sous la claire lumière grecque. »

Ce tableau idyllique aurait pu être plus précis, dans la mesure où Jupiter n'a jamais été un dieu grec. Il faut dire Zeus, aucun doute. Quant à la « claire lumière grecque », ce qu'on voyait surtout, lors de l'inauguration, c'était projecteurs sur projecteurs, écrans géants, figurante apparaissant enceinte d'une boule orangée (immaculée conception qui, dans son outrance kitsch, n'avait rien à envier aux vierges sulpiciennes de Lourdes). La flamme avait l'air tellement artificielle que son engouffrement dans une haute fusée à réaction faisait davantage penser à Cap Canaveral qu'à une épreuve chantée par Pindare.

Je ne veux évidemment pas jeter ici la moindre ombre sur Laure Manaudou, Frédérique Jossinet ou Brice Guyart, d'autant plus que ce fleurettiste de talent aime citer une phrase profonde d'André Malraux : « On est vainqueur quand on a un moral de vainqueur. » Malraux se dopait beaucoup, c'est connu. Quant aux femmes, si, d'après Jean-Paul II, elles sont « les sentinelles de l'invisible » (image malheureusement militaire), les plus riantes m'ont paru être celles des délégations du Honduras et du Niger. Bien préférables, en tout cas, aux Américaines et aux Russes. Entre Lourdes et Athènes, si on m'y oblige, je choisis naturellement Athènes, à condition de prendre le premier bateau venu.

L'Histoire est bizarre, surtout quand on regarde les dates de près. Sur l'Immaculée Conception, je me suis attaché à une explication pour les amateurs, dans un petit livre dont il a été très peu question à la télévision, *Le Saint-Âne*[111]. Ce dogme de 1854 correspond à la date de naissance de Rimbaud. Coubertin, lui, l'inventeur des Jeux olympiques, ancien élève des jésuites et imbibé de grec, a été soutenu en 1858 par une « Fondation Olympia » (exposition nationale d'industrie, d'agriculture et beaux-arts, avec un programme d'athlétisme). La bonne riposte ne s'est pas fait attendre : l'*Olympia* de Manet a fait scandale à Paris, en 1863, même année que *Le Déjeuner sur l'herbe*. Manet avait trente et un ans. Deux tableaux à revoir pour mesurer la régression générale.

22/08/2004

MITTERRAND

En 1994, deux ans avant sa mort, François Mitterrand est à Samarcande, sur les traces de Tamerlan. Un témoin raconte : « Nous sommes descendus dans la crypte du Gour Émir, le mausolée de Tamerlan et d'autres comme son petit-petit-fils Oulough Begh. J'ai commenté les épitaphes. En particulier celle d'Oulough Begh, tué par son propre fils. Et, là, Mitterrand a écouté de bout en bout. Quand je lui ai parlé de la femme qui fait l'amour avec un chien jaune, j'ai senti que je retenais son attention. Ce fut le seul endroit où il a posé beaucoup de questions. Il y avait l'atmosphère de cette crypte, avec les tombeaux au-dessus de nos têtes. On sentait son intérêt pour les pierres, c'était un homme de terroir. En 1981, il y avait eu la crypte du Panthéon et là, il y avait celle de Tamerlan, un homme qui, comme lui, avait été attaché à sa postérité. »

Chacun ses grottes, chacun ses cryptes. On aimerait en savoir davantage sur cette femme, sentinelle de l'invisible, qui fait l'amour avec un chien jaune. Et ce qu'en pensait, en réalité, le président de la République. Plutôt que de sentinelle, ne faudrait-il pas parler plutôt ici de « douanière du coït », voire d'« ombilic des limbes » ?

22/08/2004

CARTIER-BRESSON

Vous pensez que je ne vous parle pas assez du mausolée de Nadjaf, lieu sacré des chiites (qui a l'air d'embarrasser le vieux Donald Rumsfeld), de la campagne de

315

Kerry et de sa dynamique et milliardaire épouse Teresa, du clonage en bonne voie, du départ de Zidane, de l'été rassembleur de Sarkozy. Je préfère m'arrêter à Cartier-Bresson, ce rapide artiste de l'instinct photographique, à qui on doit tant d'admirables portraits inquiétants, dramatiques ou cruels.

Dans son livre publié autrefois [112], un portrait en page de gauche est souvent mis en abyme psychologique avec un autre portrait, en page de droite. Ainsi, Aragon à gauche, une vieille femme à droite. Il y a là, quelque part, une photo très intense de moi, la plus « vraie » qu'on ait jamais prise. Je sors des hôpitaux militaires pendant la guerre d'Algérie, j'ai réussi, après une grève de la faim, et grâce à André Malraux, à être réformé n° 2 sans pension pour « terrain schizoïde aigu », j'ai maigri de vingt kilos, je m'apprête à dire quelque chose lors d'une réunion aux Éditions de Minuit. Cartier-Bresson est là, il bouge comme un chat, arme son appareil en nageant, s'en va. Le résultat est là : un profil de masque mortuaire très vivant et fanatique de moine-soldat.

Dans le livre de Cartier, page de gauche. Et en page de droite, cadeau : Giacometti en train de modeler une de ses petites statuettes étrusques. Rapport purement formel, cela va de soi.

22/08/2004

ARTAUD

Préparez-vous à ce que la « rentrée littéraire » soit dominée de très loin par l'édition, enfin, des *Œuvres* complètes d'Antonin Artaud [113]. Ne comptez pas sur la préface, très confuse, pour vous expliquer comment, après mille péripéties, elle a pu avoir lieu. Une centaine de chefs-d'œuvre incandescents vous attendent.

22/08/2004

OTAGES

Des barbares, dites-vous, en pensant aux ravisseurs des otages en Irak. Mais ce qui devrait attirer de plus en plus l'attention, c'est l'extrême maîtrise de la communication dont font preuve ces cagoulés de l'ombre. Tous les spécialistes sont d'accord : la foire aux otages, à Bagdad et ailleurs, est devenue une vaste opération mafieuse, une industrie florissante, doublée d'un art consommé de la terrorisation de masse, par images de crimes rituels en direct.

Cet Italien, ces Américains et d'autres sont égorgés et décapités, là, devant vous, et vous savez que certains plans ont été censurés, ce qui vous oblige à les imaginer dans une convulsion rapide de dégoût et d'horreur. Jamais le Spectacle, dans son essence de mort, n'a montré à ce point son vrai visage. Que « Dieu » soit convoqué dans cette répugnante mise en scène montre à quel point, loin d'être mort, son spectre se déchaîne en folie organisée et froide. Bien entendu, pour sauver les journalistes français, il fallait tout tenter, et tout tenter encore, mais vous ne savez rien des coulisses, et des coulisses des coulisses, sans parler des coulisses au-dessus ou au-dessous des coulisses.

Est-ce qu'on vous dit la vérité ? Ou est-ce que tout le monde ment ? Comment s'étonner que nous soyons entrés désormais dans une « société de défiance » ? Je suis porté à croire fermement à la raison et à l'avenir de la démocratie, mais je tombe là sur un mur, car la folie est un mur. La mobilisation des « musulmans de France » est un événement national important, mais je reste rêveur quand je vois et j'entends une jeune fille voilée dire : « Je ne veux pas que mon voile soit taché de sang. » Je me sens, malgré moi, appeler Voltaire et Freud au secours. Hélas, ils sont injoignables, et le cirque abject continue, un vrai décapité ici, un déluge de faux cinéma là.

26/09/2004

CARNAGE

Bush a menti, il va être réélu, une fois que le sang est tiré il faut le boire. Même constatation pour Poutine, dont rien n'empêchera la montée en puissance sécuritaire face à la barbarie terroriste qui se déploie en miroir de la répression (qui, bien entendu, l'alimente à son tour). Nous avons affaire à des criminels : le moment n'est pas venu de nous demander si nous sommes nous-mêmes criminels. Chaque jour vous apporte votre provision de cadavres, mères et enfants, innocents. Les débris humains ne se comptent plus, les voitures explosées non plus.

On a tort de parler de « kamikazes ». Ce mot japonais renvoie à une tout autre réalité suicidaire. Un aviateur japonais qui va s'exploser contre un porte-avions américain (à moins d'être descendu avant) n'est pas dans la même dimension qu'un type (ou une fille) attaché à son volant pour faire le plus grand nombre de victimes possible. La guerre ne se fait plus entre militaires (avec dégâts collatéraux), mais en plein dans la substance humaine en tant que telle, comme si la rage de détruire et celle de s'autodétruire coïncidaient désormais dans un spasme noir.

Le nihilisme s'est annoncé ouvertement dès le XIXᵉ siècle, mais nous sommes beaucoup plus loin, bien après Dostoïevski (ce prophète), dans un autre Mal, que l'ancien Bien ne conjure plus, d'aucune façon. Otages, carnages, chantages, brouillages.

26/09/2004

EUROPE

On croyait avoir compris qu'entre le délire américain et la pesanteur russe, chaque Européen, surtout français, et responsable politique, se sentirait enclin à aller dans le sens du projet de Constitution européenne. L'instinct de survie ou simplement le bon sens y conduisent. Eh bien, non. Il y a du non dans l'air. Du non possible, et du non tout court. Du non tranchant, du non contourné, du non embarrassé, du non insidieux, du non peureux.

J'ai beaucoup de considération pour Laurent Fabius, mais sa façon de se mettre d'un coup, en 2007, dans le rôle de président déjà élu de la République française m'a franchement étonné. Oui, c'est ça, les socialistes m'étonnent. Ils gagnent des élections, et tout se passe comme s'ils étaient honteux de cette victoire, comme s'ils ne s'en trouvaient pas dignes, comme s'il fallait chaque fois recommencer à se diviser pour régner.

À ce jeu-là, dirait n'importe quel Machiavel amateur, la droite est beaucoup plus forte. Le requin Sarkozy, la mouette Villepin, le cheval Chirac, la biche Douste-Blazy font déjà le plein de la représentation. Ils se combattent, mais chacun son jeu, sa grosse caisse ou sa petite musique. Mais qui va distinguer, dans la plaine, les socialistes du oui des socialistes du non ? Il faudrait être chinois pour être sûr de ne pas se tromper dans cette grande manœuvre provinciale.

Il est vrai que, sans bruit, sans explosions, de manière ultrafluide, Hu Jintao, à Pékin, vient de se voir confier les pleins pouvoirs. Les Chinois, on s'en rendra compte de mieux en mieux, sont très européens, et pour cause. De Gaulle l'a compris il y a quarante ans (surtout grâce à Malraux). On reverra ce film dans quarante ans. Pour l'instant, disons-le froidement : retarder l'Europe, c'est dire oui au couple Bush-Poutine. Avec les dénégations d'usage, bien sûr.

26/09/2004

ARTAUD

Après tout, ces temps-ci, vous pouvez vous contenter de lire un seul livre : les *Œuvres* d'Antonin Artaud[114]. L'époque est folle ? Autant approfondir votre connaissance de quelqu'un qui a traversé la folie. Question de force, de rythme, d'hyperlucidité, de génie. Tout, ici, est brûlant, émouvant, *actuel*.

Exemple, en 1936, dans *Surréalisme et révolution* : « J'ai vécu jusqu'à vingt-sept ans avec la haine obscure du Père, de mon père particulier. Jusqu'au jour où je l'ai vu trépasser. Alors cette rigueur inhumaine, dont je l'accusais de m'opprimer, a cédé. Un autre être est sorti de ce corps. Et pour la première fois de la vie, ce père m'a tendu les bras. Et moi qui suis gêné dans mon corps, je compris que toute la vie il avait été gêné par son corps et qu'il y a un mensonge de l'être contre lequel nous sommes nés pour protester. »

Ou bien : « Ce monde n'est pavé que d'intrus qui n'apportent rien, qui n'ont rien à produire, et où on n'entend ressasser autour de soi que des redites sordides de tout. Et il y a d'affolantes queues devant les guichets de cinéma le dimanche, sous la pluie, les intempéries. »

Ou bien (lettre envoyée de Rodez à Jean Paulhan, le 30 septembre 1943) : « Ce qui reste de l'Infini dans le langage n'est qu'un souvenir du Verbe de Dieu que quelques grands mystiques et de rares très rares grands poètes ont capté. Je crois pourtant, mon très cher ami, qu'il y a dans ce temps-ci quelque chose qui se rapproche de l'Infini, je veux dire quelque chose qui a sauté hors de la mesure temporelle et que tout le monde ne s'en aperçoit pas encore, mais quelques esprits singuliers, parmi lesquels il y a le vôtre, l'ont certainement constaté. Plus le temps avance, plus nous nous éloignons de la mesure "temps" et de sa notion, comme d'ailleurs de celle de l'espace, et plus nos consciences se rapprochent de l'Infini et de l'Éternel, en bref de cette Vie Unitive et Contemplative où tous les grands Mystiques et tous les Saints ont communiqué avec Dieu. »

Artaud n'en restera pas là avec « Dieu » puisqu'il écrit, en 1948, pour la radio, son splendide *Pour en finir avec le jugement de Dieu*, dont la diffusion est interdite. Il anticipe sur des événements à venir (reproduction artificielle, destruction de la nature) : « Il faut que des champs d'activités nouvelles soient créés, où ce sera le règne enfin de tous les faux produits fabriqués, de tous les ignobles ersatz synthétiques, où la belle nature vraie n'a que faire et doit céder une fois pour toutes et honteusement la place à tous les triomphaux produits de remplacement. »

Ce qu'il veut, lui, Artaud, c'est « un changement corporel de fond » : « Je hais et j'abjecte en lâche tout être qui n'admet pas que la conscience d'être né est une recherche et une application supérieure à celle de vivre en société. » Dieu, devenu Société, débouche sur une culture de mort. « Qui meurt, c'est qu'il a voulu le cercueil. » « Nul ne meurt qu'il n'y ait consenti. » Il y a un « commandement parfaitement *éludable* du cercueil ». Artaud contre la mort : combat vertigineux qui devrait être celui de chacun, de chacune. Il faudra plus que jamais choisir la liberté ou la mort.

26/09/2004

RENTRÉE LITTÉRAIRE

Sur ce sujet, on peut se contenter de relire *La Littérature à l'estomac* de Julien Gracq, notamment ceci : « Puisque j'en suis aux prix littéraires, et avec l'extrême méfiance que l'on doit mettre à solliciter son intervention dans les lieux publics, je me permets de signaler à la police, qui réprime en principe les attentats à la pudeur, qu'il est temps de mettre un terme au spectacle glaçant d'"écrivains" dressés de naissance sur leur train de derrière, et que des sadiques appâtent aujourd'hui au coin des rues avec n'importe quoi : une bouteille de vin, un camembert... »

Je tire cette citation du livre de Hubert Haddad, *Julien Gracq, la forme d'une vie* [115]. Il y a aussi ce beau passage sur Chateaubriand extrait de *Préférences*. « Il a eu la chance suprême : les chefs-d'œuvre donnés dans la vieillesse, où tout est philtre et sortilège : jours alcyoniens, concentration des sucs, limpidité, transparence des soleils d'octobre, et cette main parfaite qui, avant les premiers tremblements, sépare comme jamais la lumière de l'ombre. Les *Mémoires* n'ont jamais été plus jeunes : conjonction prodigieuse et solitaire d'une grande époque, d'un grand style et d'un grand format – la langue de la *Vie de Rancé* enfonce vers l'avenir une pointe plus mystérieuse : ses messages en morse, saccadés, déphasés, qui coupent la narration tout à trac comme s'ils étaient captés d'une autre planète, bégayent déjà des nouvelles de la contrée où va s'éveiller Rimbaud. Au lointain de toutes les avenues du parc romantique, au bord du miroir d'eau, il y a ce bel oiseau qui gonfle ses plumes. "Le cri d'un paon n'accroît pas davantage la solitude du jardin déserté" (Claudel). Nous lui devons presque tout. »

De là, tout naturellement, vous allez aux *Semences* du fabuleux Novalis[116], par exemple à ce *Monologue* : « C'est vraiment une chose bien folle que de parler et d'écrire : le dialogue véritable est un simple jeu de mots. L'erreur la plus risible est seulement de s'étonner que des gens pensent parler à cause des choses mêmes. Précisément, la particularité de la langue, à savoir qu'elle ne s'occupe que d'elle-même, personne ne la connaît. C'est pourquoi la langue est un mystère si merveilleux et si fécond – et lorsque quelqu'un parle simplement pour parler, il exprime à cet instant les vérités les plus sacrées et les plus originales. »

Contrairement à tout réalisme ou naturalisme primaire et insubmersible, Novalis compare le langage aux mathématiques et note que « de là vient aussi la haine que tant de gens sérieux vouent au langage. Ils remarquent son espièglerie, mais ne remarquent pas que le bavardage méprisé est le côté infiniment sérieux de la langue ». Autrement dit : un certain don de jeu avec le langage vous fait aussitôt mépriser ou haïr par les gens « sérieux ». Mais il vaut mieux, quel que soit le prix à payer, ne pas être pris au sérieux.

26/09/2004

AMÉRIQUE

Bush ou Kerry ? Kerry, bien sûr, mais arrivez-vous vraiment à vous passionner pour cette élection du roi du monde ? Ce qu'on voit surtout, ce sont des exhibitions de familles, et encore de familles, et toujours de familles. Ils et elles sont là, souriants, déclinés dans le temps, très confortables, très riches, on sent que l'éternité des familles est voulue de toute éternité par un Dieu qui pense avant tout aux familles. Des explosions permanentes n'y changeront rien. La mort n'a pas de prise sur le spectacle familial permanent. Le père, le fils, la femme, la mère, les filles, le sort de la planète est là, dans la blancheur de leurs dents. Dieu bénit sans arrêt ces solides et enthousiastes mâchoires. N'oublions pas que l'avenir démocratique en dépend.

31/10/2004

OTAGES

Silvio Berlusconi est un homme heureux. En récupérant ses deux jeunes femmes italiennes pour un million de dollars (au moins), il montre ses talents de vrai commerçant gouvernant. Il avait d'ailleurs l'air d'un caissier d'hypermarché satisfait de sa transaction, et à juste titre. L'Italie nous étonnera toujours. Elle vient d'absoudre Andreotti de tout contact douteux (Andreotti, cet homme de l'ombre virtuose, surnommé très justement « Belzébuth ») et de libérer Giovanni Brusca, dit « le boucher de la Mafia », un sympathique assassin couvert de sang (dont celui du juge Falcone).

Brusca est un professionnel du crime, mais il est « repenti ». Ce qui veut dire qu'il a balancé (jusqu'où ?) un certain nombre de ses collègues. Il est gros, horrible à voir, il sera tué en temps utile, mais on apprécie la manœuvre de la justice italienne, laquelle se félicite que Raffarin ait signé la demande d'extradition de Cesare Battisti. Battisti crie son innocence, il est donc coupable et doit purger sa peine de prison à vie. La différence entre Brusca et Battisti ? Battisti semble avoir eu des convictions et n'être pas « repenti ». C'est un grand tort. Il faut que tout le monde se repente.

Raffarin nous dit qu'il a signé l'extradition « d'une main ferme ». Dommage que la main soit moins ferme lorsqu'il s'agit des otages français toujours détenus. Avez-vous apprécié la farce du député Julia ? Où est passé l'argent ? Pourquoi ne pas demander à Berlusconi de s'occuper de l'affaire ?

31/10/2004

TURQUIE

Êtes-vous pour ou contre l'entrée de la Turquie dans l'Union européenne ? Pour ou contre la Constitution ?

Quelque chose n'est pas clair, j'hésite. Les musulmans ne me gênent pas, sauf lorsque j'apprends, par exemple, qu'une jeune fille a décidé de se raser la tête plutôt que de laisser voir ses cheveux. Ce problème de pilosité sacrée m'échappe. Il est vrai que nous sommes plutôt menacés par l'obscurantisme infernal de l'Église catholique. Ce Buttiglione, par exemple, et sa déclaration sur l'homosexualité conçue comme « péché » ! Décidément, ces papistes n'en ratent pas une. On dirait qu'ils n'arrêtent pas de fabriquer des croix pour se faire crucifier par l'opinion éclairée.

Un « péché », l'homosexualité ? Quelle idée ! La sexualité, sous toutes ses formes, est à encourager, à répandre, à instrumentaliser. Les annonceurs ne s'y trompent pas, le marché l'exige. Un banquier avisé sait qu'il doit soutenir d'une main le sexe protéiforme, et de l'autre le renouveau puritain religieux. Un investissement pour Dieu, un programme pour le diable. Quand la Turquie en sera vraiment là, ça ira. Buttiglione à ma droite, Brusca à ma gauche. C'est un principe évangélique : la main droite doit ignorer ce que fait la main gauche. *E la nave va.*

31/10/2004

SAGAN

Contrairement au mot célèbre de Mauriac (« un charmant petit monstre »), Françoise Sagan était charmante, mais pas du tout monstrueuse. Délicatesse, intelligence, instinct. Je l'ai rencontrée à ses débuts, elle avait vingt-trois ans, moi vingt-deux. J'arrivais de Bordeaux, je lui avais envoyé un mot, elle m'avait répondu, donc rendez-vous pour déjeuner chez Lipp. Et là, catastrophe. Je ne savais pas quoi dire, elle non plus. Pas du tout le même horizon. En plus, un vieux type, quarante ans au moins, est venu la chercher au café. C'est là que j'ai pu vérifier mon peu de goût à fréquenter des jeunes filles, même douées et célèbres. Je l'ai revue trois ou quatre fois par la suite, elle était dans son tourbillon, avec toujours la même gentillesse, la même réserve.

Mauriac, en 1956 : « Les équipes des prix de fin d'année, tous ces coureurs du Tour de France romanesque, la nuit, j'imagine, voient glisser dans leurs rêves la grosse auto de la petite Sagan. » Et en 1961 : « Hé oui ! la nouvelle vague est un mythe, mais le nouveau raz-de-marée, à l'époque des prix littéraires, n'en est pas un. Pour l'amour du *Bloc-notes*, il faudrait m'y plonger, me laisser rouler, me pencher sur le berceau des talents vagissants, jouer les bonnes fées, être la vieille sorcière qui dit : "Tu seras roi !" à quelque nouveau Sollers, à quelque autre merveille, bordelaise de préférence. »

Je n'ai jamais rêvé des autos de Sagan. Je n'aurais pour rien au monde voulu vivre comme elle. Mais enfin, elle savait faire des phrases, et c'est peu courant. Elle a surtout compris l'essentiel : rien n'est obligatoire. Comme quoi on peut dépenser sans compter, mais c'est très risqué.

31/10/2004

DISPARUS

Ma séance de photo avec Richard Avedon tenait de l'acrobatie psychique. Il dansait, grimaçait, reculait, avançait, essayait par tous les moyens de m'étourdir et de me déstabiliser, le tout avec une vivacité perçante, bref un art du combat martial. J'ai vécu ça, avec plus de 39 de fièvre, pour *Égoïste*, la superbe revue de Nicole Wisniak. Que cherchait Avedon ? La figure sous la figure, la défiguration qui restitue la figure, l'instant désarmé, inquiétant ou loufoque, de la marionnette humaine. D'où ses grands portraits (celui d'Ezra Pound est l'un des plus beaux). Dans la vie courante, même attitude : mobilité, rire, envolées sur place, regard partout. Très gai, très pessimiste, au-delà de tout. Excellent joueur.

Je revois Derrida, alors tout à fait inconnu, roulant en 2CV, raquette de tennis sur la banquette arrière. Pas du tout l'air d'un philosophe : beau, subtil, dissimulé, extraordinairement minutieux. Il venait de publier une préface étonnante à *L'Origine de la géométrie* de Husserl, en esquissant un parallèle entre Husserl et Joyce. On se rencontre, je lui propose d'écrire sur Artaud, ce qu'il fait dans la revue *Tel Quel*. Quelques années d'amitié s'ensuivent. L'un de ses grands textes, *La Dissémination* (qui donne son titre à un volume de lui), prend appui sur un de mes romans, *Nombres*. Le plus étonnant est que ce texte de Derrida est étudié un peu partout dans les universités (notamment aux États-Unis), alors que le livre qu'il commente n'est pas traduit en anglais (autrement dit n'existe pas).

On s'est brouillés ensuite, Derrida et moi, pour des raisons apparemment politiques. Il est devenu, comme beaucoup de mes amis de cette époque (Barthes, Foucault, Lacan), une vedette et une référence internationales. Il faudrait analyser de plus près l'effervescence et la créativité de cette époque, et surtout les passions privées qui la sous-tendaient. Je le ferai un jour. Ce n'est pas ce que croit la dévotion universitaire. L'université me fait en général mourir en 1968, on se demande pourquoi. Il est vrai que j'ai beaucoup déplu au Parti communiste et à la gauche, sans pour autant plaire à la droite. Voilà ce qui arrive à un écrivain qui poursuit son chemin seul, et qu'on ne peut donc ranger dans aucune case connue. Derrida, finalement, était triste. Il a beaucoup parlé de la mort.

31/10/2004

PASSÉ

Quelque chose a dû vraiment se passer en 1968 du siècle dernier, pour que tout le monde s'en préoccupe de façon embarrassée. Le Parti socialiste veut exercer là-dessus son devoir d'inventaire. Tous nos malheurs, on le sait, famille, école, perte de l'autorité et de la responsabilité, viennent de cette méchante insurrection libertaire. Sur ces fameuses années 1960, on peut parcourir le journal de Catherine Robbe-Grillet, *Jeune mariée* [117]. Qui aurait pu imaginer, à l'époque, que le terroriste en chef du « nouveau roman » serait un jour membre de l'Académie française ? Ainsi va la vie.

Mme Robbe-Grillet est simple, facétieuse, discrète. Elle nous apprend quand même que son mari était un grand sentimental, de tendance pétainiste et fasciste, étrange mélange qui s'ajoute à une impuissance troublée. Les séances érotiques, plutôt chastes, que son mari organise pour l'austère Jérôme Lindon, son employeur, saisi par le démon de minuit, sont le clou de ces révélations, le tout étant un peu noyé par des notations d'achats, de décoration et de réunions de famille. C'est naïf, gentil, pas du tout pervers, bizarrement innocent. On attend maintenant le discours de Robbe-Grillet à l'Académie, et son édition, par la suite, aux sévères Éditions de Minuit. Il n'est pas mauvais que l'humour règne.

31/10/2004

LECTURES

Ne manquez pas le nouveau livre de Frédéric Pajak, *Mélancolie*[118]. Pajak dessine, il écrit, ses dessins parlent de façon fantastique, ses mots font voir. C'est une autobiographie dédoublée, avec ses drames, ses morts, ses voyages, ses rêves. Aucune concession. C'est très noir, magnifiquement enfantin, désespéré et plein d'espoir. En voilà un, et c'est très beau, pour qui la vie est une grande aventure sérieuse.

Même impression avec un récit de Jean-Marie Planes, *Reste avec nous car le soir tombe*[119]. S'intéresser aujourd'hui à la résurrection du Christ, au tombeau vide, aux apparitions, comme celle dite des pèlerins d'Emmaüs, prend l'air d'un défi provocant et calme à l'air du temps. Planes dit son expérience personnelle, il passe par la peinture, mais surtout par l'émotion. Plus à contre-courant, tu meurs. Plus à contre-courant, tu vis.

Enfin, il n'y a pas que des humoristes à l'Académie française, il y a aussi un divin Chinois : François Cheng. Son nouveau livre, *Toute beauté est singulière* [120], étudie « les peintres chinois de la Voie excentrique », c'est-à-dire les plus audacieux, les moins académiques, les plus intérieurement inspirés. Je pourrais vous parler longuement de Huang Shen, ce génie du XVIIIᵉ siècle, et seulement de son *Approche de la pluie*, une encre sur papier, aujourd'hui au musée du palais de Pékin. François Cheng, depuis des années, accumule merveille sur merveille. C'est un extraordinaire passeur.

31/10/2004

MIRABEAU

Ne manquez pas non plus un petit roman pornographique du grand Mirabeau (1749-1791), *Le Rideau levé, ou L'Éducation de Laure* [121]. Mirabeau a été l'âme vibrante de la Révolution. On ne connaît pas assez sa vie et son œuvre. Il incarne cette remarque fulgurante de Baudelaire, à la fin de sa vie, voulant écrire sur Laclos : « La Révolution a été faite par des voluptueux. » Pour Mirabeau, le roman par lettres est l'occasion d'exposer ses idées philosophiques sur un point précis, et très français : l'éducation des filles. Son programme de liberté, malheureusement, n'a pas été appliqué. D'où l'ennui actuel.

31/10/2004

MACHIAVEL

Si je ne le fais pas, qui vous signalera la publication nouvelle du *Discours sur la première décade de Tite-Live*, de Machiavel [122] ? Encore un volume pour notre temps. Livre II, chapitre 29 : « J'affirme à nouveau qu'il est très vrai, comme on le voit dans toutes les histoires, que les hommes peuvent seconder la fortune et non s'opposer à elle ; ils peuvent tisser ses trames et non les briser. Ils ne doivent pourtant jamais abandonner ; en effet, comme ils ne connaissent pas ses fins, et qu'elle emprunte des chemins détournés et inconnus, ils doivent toujours espérer et, en espérant, ne pas s'abandonner, quelles que soient les circonstances ou les difficultés dans lesquelles ils se trouvent. »

Quand on arrive à Venise par bateau, la première chose qu'on voit, au loin, au-dessus de la Douane de mer, est la sphère d'or de la Fortune et son ange. J'en viens : elle brille toujours au soleil.

31/10/2004

CONDI

Ce qui est beau, dans la réélection de Bush, c'est le sourire impérial de la foi évangélique. Vous doutiez de l'existence de Dieu, vous aviez tort. Il est là, il s'est incarné dans ce petit bonhomme d'acier qui prétend contrôler la planète entière. Mais il y a plus beau encore : la figure de Condoleezza Rice, « Condi ».

Bush embrasse sur les deux joues cette mince et étrange femme pour laquelle il est tout, père, frère, mari, amant imaginaire, loi, ordre, sécurité, progrès, prophète inspiré, pureté, vérité, surhumanité. Elle est noire, elle est belle, elle a cinquante ans, elle est célibataire, sans enfants, sans liaison connue, entièrement dévouée, jour et nuit, à la nouvelle croisade contre le mal. « Dame de fer », à son sujet, paraît faible. C'est une extraterrestre, un laser. Bush qui, pourtant, n'est pas catholique, a trouvé là sa Vierge noire immaculée. Attention, elle peut jouer du piano, pas du Haydn ou du Mozart, non, ni du jazz, mais du Brahms (on voit ses beaux bras romantiques surplombant un clavier, avec le violoncelliste Yo-Yo Ma, lors d'un concert, en 2002, à Washington).

Condoleezza, son prénom, lui a été donné par sa mère à partir de l'expression italienne *con dolcezza*, avec douceur. Rice veut dire riz, elle s'appelle donc « Riz avec douceur ». Voilà sa nature profonde, au-delà du secrétariat d'État et du ministère des Affaires étrangères. Elle fait la guerre, pas l'amour, on sent qu'elle a pris pour modèle définitif sa spécialité, l'étude du monde communiste ancien (c'est une très brillante soviétologue). Un journaliste américain la décrit ainsi : « Rice, non seulement croit en elle, mais elle croit en la foi en tant que force capable de tout balayer. Le doute, l'ambiguïté et la prudence ne font tout simplement pas partie du paysage. »

Si on regarde trop ses jambes, elle tire immédiatement sur sa jupe. Elle n'aime pas ce genre d'équivoque française. C'est elle qui a décidé de « punir les Français », à cause de leur peu d'enthousiasme pour la guerre en Irak. Être puni par Condi, je dois l'avouer, peut provoquer un rapide fantasme masochiste. Puni avec une certaine douceur, s'entend. Comme j'apprends à l'instant qu'elle vient de subir une petite intervention chirurgicale (fibrome dans l'utérus, tumeur bénigne), j'ai très envie de lui proposer une franche explication, tout en douceur, lors d'un week-end à Venise. Je lui fredonnerai du Brahms. Je choisirai moi-même son risotto. Pas un seul photographe, bien entendu. Discrétion absolue. Une convalescence de rêve. Notre rapprochement avec les États-Unis est à ce prix.

28/11/2004

ARAFAT

La mort secrète et interminable d'Arafat vous aura au moins appris ce qu'est la CIVD, « coagulation intravasculaire disséminée. » Ces hémorragies multiples et irréversibles peuvent être provoquées par des poisons comme la ricine ou des venins de serpent, mais aucun poison connu n'a été identifié sur cet important malade. La rumeur bat son plein, la veuve fait savoir qu'elle tient à vérifier les comptes de son hypermilliardaire et ascétique mari, l'information devient vite floue, froissée, indéchiffrable. Émotion populaire palestinienne, satisfaction israélienne, fleuve nécrologique, photos, commentaires divers, bruit et fureur de l'histoire. Impression, quand même, d'obscénité générale. Vous avez les sincères condoléances de Condoleezza.

28/11/2004

CLEARSTREAM

Suivez les morts, suivez l'argent, vous serez bientôt perdu dans une forêt inextricable. Quel beau nom, pourtant, que « Clearstream » ! Sur les bords de cette onde claire, on peut apercevoir des frégates, quelques cadavres, la Chine, au loin, des embrouilles de services secrets, des comptes numérotés, le Luxembourg, la Suisse, des numéros sans numéro, des ombres, du menu fretin, des baleines. Et tiens, voilà un corbeau. On aurait identifié un informateur anonyme du juge chargé de l'affaire, « un cadre dirigeant d'un grand groupe industriel, ancien haut fonctionnaire passé par le Quai d'Orsay, soupçonné d'avoir agi en vertu de mobiles inconnus, mais qui pourraient trouver leur source dans des conflits internes au monde de l'armement ».

Mais voici plus intéressant : « La DST a surtout établi que cet homme avait recruté, il y a quelques mois, un informaticien de haut niveau, condamné par le passé dans une affaire de piratage de fichiers confidentiels. Le rapprochement a aussitôt été effectué avec l'accès aux archives luxembourgeoises de Clearstream, d'où proviennent d'évidence les listings reçus par le juge, même s'ils semblent avoir ensuite été falsifiés. »

Vous avez compris ? Moi non plus. C'est le moment de rouvrir *Commentaires sur la société du spectacle*, le chef-d'œuvre de Guy Debord (1988), sans se préoccuper de la désinformation ambiante au sujet de son auteur : « Au moment où tous les aspects de la vie politique internationale, et un nombre grandissant de ceux qui comptent dans la politique intérieure, sont conduits et montrés dans le style des services secrets, avec leurres, désinformation, double explication – celle qui *peut* en cacher une

335

autre, ou seulement en avoir l'air – le spectacle se borne à faire connaître le monde fatigant de l'incompréhensible obligatoire, une ennuyeuse série de romans policiers privés de vie et où toujours manque la conclusion. C'est là que la mise en scène réaliste d'un combat de nègres, la nuit, dans un tunnel, doit passer pour un ressort dramatique suffisant [123]. »

Dans la perspective de notre rendez-vous vénitien, j'envoie un exemplaire du livre, par *special delivery* à Condi. Je suis impatient d'avoir son avis.

28/11/2004

ÉCOUTES

Les « écoutes » organisées par l'Élysée il y a vingt ans (procès ces temps-ci) sont une des péripéties les plus grotesques de la République. Mitterrand était fasciné par Hallier. Il voyait en lui « le plus grand écrivain de sa génération », erreur de goût manifeste. Il le faisait donc écouter pour protéger sa fille encore secrète à l'époque, Mazarine (devenue, depuis, critique littéraire à la télévision). Faire écouter Hallier, qui parlait ouvertement partout à tort et à travers, relève de la cocasserie la plus inepte.

Comme ce fou de Hallier me téléphonait de temps en temps pour m'entretenir de ses divers délires, je me suis donc trouvé moi-même « écouté ». Ma fiche doit comporter les renseignements suivants : « Vous croyez ? Vraiment ? Sans doute. À moins que ce soit le contraire. Je n'en suis pas persuadé. Il faut voir. Cela ne me paraît pas urgent. Excusez-moi, j'étais en train d'écrire. Non, non, vous m'avez mal lu. C'est très intéressant, mais peut-être inutile. C'est ça, à bientôt. » Ce genre-là. Je suis sûr, en tout cas (et j'espère que ce renseignement figure dans les archives), d'avoir cité une fois au moins Machiavel : « L'affront et l'insulte engendrent de la haine envers ceux qui en usent, sans aucune utilité pour eux. »

28/11/2004

CÔTE D'IVOIRE

Le président Gbagbo est un curieux socialiste. Il n'a pas vu de morts français après le bombardement effectué par son aviation. Il trouve que les pillards ou les violeurs ne sont pas plus excités que l'étaient, dans le bon temps, les « sans-culottes » (*sic*). Il rappelle les entrepreneurs français avec des mots doux. Il garde ses partisans dans le Parti socialiste, la direction le trouvant pourtant de moins en moins fréquentable. Sa dernière trouvaille est impressionnante : il a vu des soldats français procéder à des « décapitations ». Mme Alliot-Marie se récrie, se gendarme. Elle n'a pas le charme de Condi, on ne la voit jamais en jupe, mais sa voix porte le drapeau, le devoir. Elle tance Gbagbo. N'était la tragédie que vivent les victimes, un fou rire nerveux pourrait se faire entendre en sourdine. On en est là.

28/11/2004

UKRAINE

On avait cru expliquer clairement à Poutine que la falsification électorale ne se faisait plus, que la démocratie devait fonctionner dans ses apparences, qu'il fallait éviter les manifestations populaires et les jugements des observateurs internationaux. Peine perdue, les vieux démons ont la vie dure. En Ukraine, donc, certains électeurs ont voté quarante fois. C'est beaucoup pour un seul homme. Poutine et les quarante voleurs, nouveau film, vieux film, obstination accablante. Résultat : les Ukrainiens sont dans la rue, et on se demande jusqu'à quand le vieil empire stalinoïde continuera de se décomposer avec retours en arrière. Condi doit avoir son idée là-dessus. Lui demander dans quelle mesure, et jusqu'où, elle soutient Poutine.

28/11/2004

ITALIE

Le Parlement européen trouve que la loi italienne sur la contumace ne correspond pas au droit. Petite chance pour Battisti, donc, qui continue, à travers ses nouveaux avocats, à proclamer son innocence. Pendant ce temps, une juge milanaise requiert huit ans de prison contre Berlusconi pour corruption de magistrats. Il est peu probable que Battisti, en cavale, ait les moyens financiers de corrompre les magistrats ou les députés italiens (sans parler des journalistes). Quelle idée, aussi, d'avoir joué au gauchiste de choc, au lieu de suivre la voie de la bonne et tranquille réussite mafieuse.

Le nouveau responsable des affaires étrangères italiennes, lui, n'est autre que Gianfranco Fini, ex-membre du parti fasciste italien, le MSI. Mais voilà : Fini s'est repenti, il a monté peu à peu les marches de l'ascension démocratique, on l'a vu s'incliner à Jérusalem et dénoncer les lois raciales de Mussolini, le voici maintenant en lévitation rapide. Plaira-t-il à Condi ? Ce n'est pas impossible. Là-haut, tout n'est qu'ordre et sécurité, secret, foi, dévouement, service. Pas la moindre douceur. Pas de *dolcezza*. « Mon enfant, ma sœur, songe à la douceur... » Ce genre de vers pervers doit être éradiqué de la planète. Baudelaire ? Pour quoi faire ? La lutte contre le terrorisme, au risque de terroriser tout le monde, est notre seule loi. Le temps manque pour s'occuper d'autre chose.

28/11/2004

PICASSO

Il faut lire les souvenirs du dernier secrétaire de Picasso, Mariano Miguel Montanes [124]. Beaucoup d'anecdotes émouvantes et révélatrices, dont celle-ci : Picasso est énervé, il a très mal dormi la nuit précédente, et Jacqueline, sa femme, dit qu'il a même rêvé à voix haute. Et pourquoi ? « C'est que je suis encore retourné dans une démocratie populaire, raconte Picasso. Je fais souvent ce rêve, depuis des années. Je me trouve donc dans une démocratie populaire, je ne sais pas laquelle, et là-bas, je participe à une réunion avec des peintres et des sculpteurs. Nous avons une discussion à propos du beau, et nous ne sommes pas d'accord. »

Pas d'accord est le moins que l'on puisse dire. Quel est le fond de la question (démocratie populaire ou pas) ? Bien entendu l'érotisme, encore et toujours. « L'art n'est jamais chaste. S'il est chaste, ce n'est pas de l'art. » Oserai-je citer cette formule de Picasso à Condi ? Bush et sa femme Laura ont-ils jamais regardé attentivement un Picasso ? Et Poutine ? Et Berlusconi ? Et Fini ? Et Raffarin, Villepin, Douste-Blazy, Sarkozy ? Et Ben Laden ? Et Kadhafi ? Et Hollande, Royal, Fabius, Strauss-Kahn, Aubry ? Et Gbagbo ? Et Alliot-Marie ?

28/11/2004

CÉLINE

Dans son *Dictionnaire Céline* [125], Philippe Alméras cite cette lettre étonnante de Céline à Milton Hindus, le 15 décembre 1947 (Céline est alors en exil au Danemark) : « Je n'éprouve aucun mal à concevoir un roman, et toujours j'obéis au même procédé – je ne bâtis pas de plan – tout est déjà fait dans *l'air* il me semble. J'ai ainsi vingt châteaux en l'air où je n'aurai jamais le temps d'aller. » L'embêtant, ajoute Céline, c'est qu'il faut les libérer, les extirper d'une sorte de gangue de brume et de fatras. D'où le travail de buriner, piocher, creuser, déblayer… « Ainsi *Voyage*, ainsi *Mort*, ainsi *Guignol's*. J'en ai ainsi une vingtaine qui sortiraient des ténèbres si je vivais deux siècles. » On dirait une formule du dernier Picasso.

28/11/2004

OTAGES

Ils sont enfin libres, mais que vont-ils dire ? Au moment où j'écris ces lignes, ils sont en train de rentrer, joyeux Noël, joie des familles. Le pays qu'on appelle

« France » se détache brusquement de la planète dans sa singularité : pas d'otage français égorgé ou décapité, pas de chantage officiel, à peine une petite histoire de voile. Après quelques cafouillages, les Services français ont agi, la communauté musulmane de France a agi, le gouvernement a agi, le ministre des Affaires étrangères a agi, le Président a agi, le bon M. Raffarin est sincèrement ému, Sarkozy aussi, Hollande de même.

L'union nationale a eu lieu, Allah est grand qui peut réaliser de telles merveilles. L'armée islamique d'Irak est très brutale, soit, mais elle a épargné nos compatriotes, ce dont je suis le premier à me réjouir avec une ferveur dont je ne permets à personne de douter. C'est un grand succès pour la France, son peuple, ses familles, sa République, ses religions, sa laïcité, sa modération, sa sagesse, sa raison, son action inlassable pour la paix et les droits de l'homme. Nos otages ont sauvé leurs têtes, ce sont des héros.

Au passage, cependant, il faut admirer l'art de la communication dont les ravisseurs sont capables. Ils ne sont donc pas aussi fous que l'on dit. On me raconte que Bush, Rumsfeld et Condi ont fait la grimace en apprenant la libération des otages français. Je n'arrive pas à le croire. Une telle inhumanité est impossible au pays du dieu américain en train de sauver le monde. On me raconte aussi que l'Amérique est de plus en plus francophobe, ce qui me semble exagéré, et en tout cas injuste, forcé. Je peux l'avouer maintenant : ma tentative de médiation, à Venise, a échoué, pas de réponse de Condi, pas le moindre geste en direction de la vieille Europe. En revanche, la lettre la plus émouvante que j'ai reçue au sujet de mon *Dictionnaire amoureux de Venise*[126] m'a été adressée, au nom du pape, par le Vatican. La voici :

« Monsieur, vous venez d'offrir au Saint-Père un exemplaire de votre livre intitulé *Dictionnaire amoureux de Venise,* dont les nombreuses références aux auteurs d'œuvres littéraires et artistiques entraînent le lecteur à la découverte de la cité des Doges. Le Pape m'a chargé de vous transmettre ses remerciements pour cet hommage qui a été apprécié. En vous confiant à l'intercession de Marie, Mère de Dieu, il invoque sur vous les Bénédictions du Seigneur. »

Plus aucun doute : le seul vrai dieu d'amour est à Rome. J'espère que le gouvernement français en est conscient, et qu'il a déjà prévu, pour nos otages, un luxueux voyage de repos à Venise. Ils pourront oublier Bagdad.

26/12/2004

DÉCAPITATIONS

L'influence de la folie terroriste se fait sentir un peu partout dans les rapports humains, mais le comble vient d'être atteint dans le double meurtre commis à l'hôpital psychiatrique de Pau. On savait la psychiatrie française sinistrée, mais là, l'horreur est totale. Deux infirmières égorgées à l'arme blanche, en pleine nuit, et l'une décapitée froidement, sa tête ayant été ensuite posée sur un poste de télévision. Ce geste est terrible, il indique une perversité sans limites, quelque chose comme un affreux désir d'œuvre d'art.

Mais d'où est venue cette diabolique inspiration, sinon des images répétées d'égorgements et de décapitations filmées par les professionnels d'Al-Qaida ? Que des fous du dieu islamique influencent des fous provinciaux français, quoi de plus logique ? Les otages sauvent leurs têtes là-bas, deux infirmières les perdent ici. Troublante coïncidence. Le ministre de la Santé a l'air sincèrement ahuri. Nous aussi.

26/12/2004

DIOXINE

La révolution orange d'Ukraine ne plaît pas à Poutine, et on le comprend. La grande et nouvelle affaire de la conquête de la liberté passe quand même par une histoire d'empoisonnement. Il y a le visage de Viktor Iouchtchenko *avant*, son visage *après* : ce n'est plus le même homme. Décidément, les Services russes ou apparentés perdent la main. Cet empoisonné n'aurait pas dû survivre, et d'ailleurs les bavures ont commencé il y a vingt-trois ans à Rome avec deux balles mal tirées par un Turc sur le pape. Raté. Grandes conséquences. C'est fatigant, à la longue, ces assassinats salopés. Le recrutement laisse à désirer, le travail est bâclé, un type manque sa cible, un autre se trompe de dose de dioxine. On voudrait se faire de la contre-publicité qu'on ne s'y prendrait pas autrement. Le plus probable est que cette vilaine histoire sera étouffée, comme d'habitude. N'empêche, ça fait désordre, le prochain nouvel an russe risque d'en être gâché.

26/12/2004

TURQUIE

Le Premier ministre turc, Erdogan, met l'Europe au défi de prouver qu'elle n'est pas un « club chrétien ». Bien dit. Le Président français est pour l'adhésion de la Turquie, son parti plutôt contre. L'opinion est inquiète, et pourtant rien n'indique qu'elle soit dominée par un club chrétien. Nouveau vertige, qui nous renvoie à la bataille de Lépante, en 1571, célébrée partout à Venise comme une grande victoire occidentale sur les Turcs (Cervantès a perdu un bras dans cet énorme événement maritime).

Personnellement, je suis plutôt pour laisser venir la Turquie au contact européen. Aucune crainte à avoir. Venise en a vu d'autres. Et c'est l'occasion de célébrer le « oui » socialiste à la Constitution européenne, le sacre de Hollande, la triste défaite de Fabius. On est impatient d'assister, dans l'avenir, au choc Sarkozy-Hollande. Même petite taille, même pugnacité, même rajeunissement des boxeurs. Comme toujours ce seront les trahisons dans les deux camps qui seront les plus intéressantes.

26/12/2004

NAPOLÉON

Contrairement aux Vénitiens qui se souviennent du mot de Bonaparte « Je serai un Attila pour Venise », les Français adorent Napoléon. Son sacre à Notre-Dame, en 1804, a toujours des partisans partout. Encore une histoire de pape humilié dans la circonstance. Et surtout, reproduction mécanique, dans la presse, d'un des tableaux les plus kitschs du monde, celui de David. C'était le bon temps : on pillait les chefs-d'œuvre italiens (*Les Noces de Cana* de Véronèse, par exemple) et on inaugurait la nouvelle peinture officielle, froide, puritaine, néoclassique, servile. Jeanne d'Arc et Napoléon sont deux grands mystères français : impossible d'y toucher, Voltaire et Chateaubriand, sur ces sujets, ne seront jamais à la mode. J'ai essayé d'expliquer tout ça, sans grand succès, dans un livre sur Vivant Denon, *Le Cavalier du Louvre* [127]. On doit à Denon d'avoir sauvé le merveilleux *Gilles* de Watteau, artiste inouï tombé dans le plus profond discrédit à l'époque (de même que Fragonard, mort presque inconnu). *Le Sacre de Napoléon* ou *Gilles* ? Choisissez, révélez-vous.

26/12/2004

CASANOVA

Il faut admirer la politesse et l'extrême tolérance du Saint-Siège. Mon *Dictionnaire* (pas encore traduit en anglais, en hébreu, en arabe, en russe, mais peut-être bientôt en chinois) comporte de larges passages d'auteurs ayant été (ou étant toujours) à l'Index, le splendide pornographe Baffo, par exemple, sans parler de Sade ou de Casanova. Venise était, dès le XVIe siècle et jusqu'au XVIIIe, le grand bordel de l'Europe. On venait y apprendre l'art de se servir sensuellement de son corps. Montaigne et Montesquieu n'ont pas brillé sur ce terrain, Rousseau encore moins, qui a connu là un fiasco mémorable. Stendhal, lui, n'a rien vu. Mais enfin, c'est la ville de Casanova qui a provoqué, comme la cité elle-même, un grand nombre de falsifications par esprit de vengeance et de ressentiment.

On se souvient du film de Fellini, et de l'acteur Donald Sutherland. Ce dernier s'est expliqué récemment [128]. On se frotte les yeux : « C'est du mépris et non de l'amour que Fellini nourrissait à l'égard du séducteur Giacomo Casanova. Il haïssait sa superficialité. Pour mieux me faire comprendre le personnage, Fellini me raconta un jour ce fait divers tragique : deux jeunes gens tuent une fille qu'ils viennent de rencontrer. Ils enferment son corps ensanglanté dans le coffre de leur voiture et partent danser en boîte de nuit. Arrêtés peu après, ils expriment l'étonnement, incapables de comprendre la gravité de leur acte. Casanova, c'est cela : le dangereux oubli des valeurs de la vie. Fellini détestait tellement Casanova que, lors d'un voyage en voiture entre Parme et Milan, il a jeté les douze tomes de ses *Mémoires* par la fenêtre. »

Plus fort : « Casanova, c'est la ruine de l'âme, l'amour sans conscience, condamné à répéter inlassablement les mêmes erreurs. Il me fait penser à cette nouvelle génération d'Américains qui a récemment revoté pour Bush. »

Il est pénible de constater que nous sommes ici en plein délire révélateur. En tout cas, Bush et Condi seraient très surpris, après la prière du matin dans le bureau Ovale de la Maison-Blanche, d'apprendre que leurs jeunes électeurs sont des adeptes de Casanova. Quant à la jalousie frénétique de Fellini, elle doit tenir à certaines difficultés de sa vie. Qu'aura dit Casanova, finalement ? Des choses de ce genre, bien faites pour déplaire aux mélancoliques de toutes obédiences : « Si le plaisir existe, et si on ne peut en jouir qu'en vie, la vie est donc un bonheur. » Avis à celles et à ceux, forts dévots, qui pensent que la vie n'est qu'une vallée de larmes. Pour plus de précisions polémiques, voir mon *Casanova l'admirable* [129].

Il est en tout cas dommage qu'on n'enseigne jamais dans les écoles les *Poésies* de Lautréamont. Dans ses lettres du début 1870, il annonce comment, désormais, il veut attaquer le doute et chanter l'espoir. Il dit vouloir se dresser contre le « désespoir morne » et la « méchanceté théorique ». Il récuse, pêle-mêle, « mélancolies, tristesses, douleurs, désespoirs, hennissements lugubres, méchancetés artificielles, orgueils puérils, malédictions cocasses, etc. ». Il est en train d'écrire que « l'erreur est la légende douloureuse » et que « l'homme ne doit pas créer le malheur dans ses livres ». Qui l'écoute ? Personne. Qui l'a écouté depuis ? Presque personne. Quelques-uns, cependant.

26/12/2004

ÉROS INVAINCU

Vous avez besoin de ce très beau livre, *Éros invaincu* [130], pour apprécier, dans toute son ampleur, le travail de rassemblement infatigable du grand collectionneur qu'aura été Gérard Nordmann. Voilà un cadeau idéal de fin d'année, un encouragement érotique pour l'année nouvelle. Vous partez de Venise en 1527 avec l'Arétin et les gravures de Jules Romains, vous voyagez ensuite dans tous les paysages autrefois interdits du libertinage. Vous vous étonnez que ces livres fassent semblant d'être publiés à Londres, à Amsterdam, à Francfort, à Hambourg ou, mieux, à la Nouvelle Cythère. Vous découvrez Nicolas Chorier (1612-1692), et son *Académie des dames*, livre d'abord publié en latin, à Genève, pour déjouer la censure. Vous demandez, avec raison, pourquoi il aura fallu si longtemps pour publier Sade ou Georges Bataille en Pléiade (mais peut-être les inquisiteurs ou les policiers du passé savaient-ils mieux lire, ou étaient-ils plus sensibles, que le spectateur blasé des films pornographiques d'aujourd'hui ?).

Les romans de Bataille, en tout cas, *Histoire de l'œil*, *Madame Edwarda*, *Le Bleu du ciel*, *Le Mort*, *Ma mère*, sont maintenant sur papier bible[131], comme *Justine ou Les Malheurs de la vertu* et *Juliette ou les prospérités du vice*. Dans *Éros invaincu*, vous voyez apparaître le premier érotique anglais, *Memoirs of a Woman of Pleasure* de John Cleland, sans parler, plus tard, de l'extraordinaire *My Secret Life* (que je fais parvenir, aujourd'hui même, à Bush et Condi à Washington).

Vous jetez un coup d'œil sur ces grands classiques qu'ont été, et restent, *Thérèse philosophe*, *Le Portier des Chartreux*, *Margot la ravaudeuse*. Cette *Lettre à la Présidente* de Théophile Gautier n'est pas mal du tout, de même que les poèmes obscènes de Verlaine. Voici le meilleur Aragon, et Apollinaire. Et enfin, l'étonnant *Catalogue chronologique et descriptif des femmes avec qui j'ai couché*, de Pierre Louÿs, manuscrit autographe à l'encre violette, avec des photographies. Et bien d'autres choses encore, qu'on est heureux de voir « invaincues ».

26/12/2004

TSUNAMI

Ce qu'il faudrait, face à une catastrophe de cette envergure, c'est inventer une minute de vrai silence. Pas cette minute rapide, trouée de rumeurs, qu'on entend parfois sur les stades pour saluer telle ou telle disparition. Non, une minute de silence qui pèserait un siècle. On annonce d'abord trois mille morts, puis cent mille, puis cent cinquante mille, puis deux cent cinquante mille. Tout le mois a été ponctué de cette montée numérique de charnier.

Là-dessus, pendant qu'on trie les cadavres à grand-peine, arrive le formidable raz-de-marée de l'argent, c'est-à-dire la solidarité mondiale. Il faut s'en réjouir, bien entendu, mais le bruit est énorme. Les photos, plus l'argent, recouvrent le paysage dévasté, et, pendant que les corps « jonchent les plages » (style de journaliste), pendant que les images de la souffrance fondent dans la couleur, la générosité se déchaîne et se célèbre elle-même.

Un philosophe académicien, comparant ce désastre au tremblement de terre de Lisbonne, ose dire que Voltaire a eu tort, autrefois, de se moquer de l'optimisme théologique du « tout est pour le mieux dans le meilleur des mondes possibles ». La nature a ses colères, soit, mais l'élan solidaire nous permet de retrouver l'espoir. La nature est indifférente et cruelle, mais nous sommes bons, c'est l'essentiel. Là-dessus, Condi Rice parle de la « merveilleuse opportunité » du tsunami, qui a permis aux États-Unis de montrer au monde musulman leur sollicitude. Condi sait-elle ce que pourrait être une minute de vrai silence ? C'est peu probable, tout doit être immédiatement exploité.

Certes, il est inévitable et même nécessaire que les journalistes et les télévisions fassent leur travail, que la mise en image soit constante et frappante, mais qui pensera encore à tous ces cris dans quelque temps ? Le spectacle continue, et que voulez-vous faire d'autre ? Se demander peut-être, sérieusement et philosophiquement, pourquoi la mort devient à ce point irréelle. Ou, plus concrètement, pourquoi l'information n'a pas été donnée plus tôt comme alerte. Courir pendant cent mètres aurait permis de sauver des milliers et des milliers de vies. Que s'est-il donc passé ? On n'ose pas imaginer des responsables, pensant au tourisme, mis au courant et faisant comme si de rien n'était. « Pas de vagues ! » a peut-être dit quelqu'un dans un bureau climatisé en Indonésie ou ailleurs. De même, on n'ose pas penser qu'un des tireurs embusqués à Bagdad pour faire exploser la tête d'un électeur courageux se murmurera à lui-même, après avoir tiré : « A voté ! »

30/01/2005

A 380

Désolation et progrès technique sur fond de confort et de bien-pensance généralisée, voilà la réalité : ce nouvel Airbus est une merveille, et d'ailleurs les Chinois l'achètent déjà. Je vois que, dans cet avion du futur, chaque voyageur pourra connecter son ordinateur portable contre le versement d'une somme forfaitaire ou intégrée dans le prix du billet. Envoyer un e-mail, télécharger un programme vidéo et accéder à une sélection de sites et de jeux sera possible en vol, sans perturber la pléthore d'instruments de bord.

Le cockpit de l'A 380 compte pourtant à lui seul dix écrans d'ordinateur (mais cent sont parfaitement envisageables). La luminosité interne, surtout, est un vrai paradis : soixante-quatre réglages lumineux sont disponibles pour détendre les passagers au long du vol. Un éventail de couleurs simule la luminosité de l'aube au crépuscule afin de limiter les effets négatifs du décalage horaire. Deux bars, une boutique détaxée, des petits salons privés, des salles de repos individuel avec couchette et douche, des machines à sous, des bibliothèques, un sauna, une salle de gymnastique, tout cela au-dessus de l'Atlantique, de l'océan Indien ou du Pacifique, qui dit mieux ?

D'autant plus qu'en première classe et en classe affaires de nouveaux sièges arrondis peuvent, une fois ouverts, devenir des lits individuels. Le nom de ces sièges ? « Cocon ». Depuis son « Cocon », donc, le voyageur sensible et vaguement culpabilisé pourra envoyer ses dons aux populations rampantes. La technique suit son cours, la charité aussi. On ne dit pas si, en cas d'accident, le passager du Cocon pourra suivre sa mort en direct. C'est pourtant plausible.

30/01/2005

TITAN

Et me voici, de plus en plus fort que Jules Verne, en train de regarder à la loupe ce satellite de Saturne situé à plus d'un milliard de kilomètres de ma petite planète. Je vois des cailloux. Je me demande si la vie, jadis, a pu surgir dans ce dépotoir inhabitable. Je viens de quitter des photos épouvantables du tsunami et de l'enfer du Darfour, heureusement qu'en tournant les pages de mon magazine la publicité me rassure, de même que le bonheur épanoui de vedettes souriant à leur dernier bébé adopté. Partout des couples heureux, des amours, des jeunes femmes enceintes ou sur le point de l'être (mais n'oublions pas qu'une Roumaine de soixante-sept ans vient d'accoucher de jumelles dont l'une est, hélas, perdue).

Je reviens à Titan (hier, c'était Mars, et demain la galaxie dans son ensemble), et je me persuade immédiatement que je vis bien dans le meilleur des mondes possibles. Je m'en persuade d'autant plus que je lis le titre suivant : « Le capitalisme chinois à l'assaut du monde occidental ». Marionnaud, les parfums, repris par Hongkong, la vie est un roman, pas de doute. Un ironiste vient de m'envoyer ce titre et le dessin qui l'accompagne, où on voit une jeune et pimpante Chinoise se vaporiser les joues avec un grand sourire. Mon correspondant a mis une bulle dans la bouche de la Chinoise qui, faisant allusion à ma jeunesse hasardeuse, s'exclame « Bravo les maos ! »

Où l'on voit que l'ironiste reste naïf en croyant que Mao, ce grand criminel subtil, désapprouverait aujourd'hui la fulgurante ascension du capitalisme chinois. Mais non, voyons, il n'avait pas d'autre but. La preuve : Staline et Hitler ont disparu, la photo de Mao est toujours là. Je note tout de même qu'un film vient de sortir sur la sinistre fin de Hitler dans son bunker où, semble-t-il, il apparaît presque humain. Je m'abstiendrai d'aller le voir, mais, décidément, le capitalisme est étrange.

30/01/2005

TORTURES

Après les Américains, les Britanniques. Et toujours les mêmes clichés écœurants de prisonniers irakiens ligotés et foulés aux pieds, ou bien forcés de simuler des rapports sexuels, ce qui en dit long sur la nature des armées. On s'indigne très fort, mais à peine. J'apprends même que la « torture encadrée » américaine reste un horizon possible (des aiguilles enfoncées sous les ongles, par exemple).

De l'autre côté, si l'on peut dire, les attentats et les enlèvements en Irak redoublent de sauvagerie et d'opacité. Que vivent exactement, en ce moment, la charmante Florence Aubenas, journaliste à *Libération*, et son guide, Hussein Hanoun ? On a reproché à Bernard-Henri Lévy d'avoir imaginé les sensations de Daniel Pearl avant sa décapitation. Mais il a eu raison, c'est ce qu'il fallait faire. Nous manquons d'imagination.

À propos, ce livre contre BHL, vous l'avez lu ? Feuilleté, seulement, tant il est ennuyeux. J'ai quand même vérifié ce qui me concerne : erreurs sur erreurs. Aucune importance. L'existence de BHL en torture psychiquement certains, mais bon, encore quelques livres sur lui et tout sera à refaire. Je pense quand même que Lévy se trompe, dans son hommage funèbre à Françoise Verny, prononcé dans l'église Saint-Augustin à Paris, en la comparant à Jacques Rivière ou à Jean Paulhan. C'est très exagéré. On ne voit pas cette brave femme éthylique, devenue dévote, fonder la NRF, recevoir des lettres d'Antonin Artaud, préfacer *Histoire d'O*, être l'amie de Claudel, de Proust, d'Henri Michaux, de Céline. Je l'ai connue : elle ne lisait rien.

30/01/2005

LE RETOUR DE L'AMOUR

Voilà une bonne idée de couverture de magazine pour entretenir l'espérance dans un monde déboussolé. L'amour revient, la fidélité revient, les sexes se réconcilient et ne demandent pas mieux que de regarder ensemble vers un avenir fécond. Des libertaires irresponsables ont essayé de les détourner de l'idéal, mais ils y croient de nouveau, la jeunesse s'aime sainement, c'est flagrant.

Pour illustrer son propos, *Le Figaro Magazine* a eu une trouvaille géniale. On part de la célèbre photo de Doisneau, dite « Le baiser à l'Hôtel de Ville », représentant un garçon et une fille en train de s'embrasser avec enthousiasme. Photo en noir et blanc d'il y a cinquante ans, talent de Doisneau, Paris auparavant humilié court vers une fête. On prend donc cette photo ancienne comme modèle, et on la fait rejouer, en couleur, par un couple jeune d'aujourd'hui. Des intermittents du spectacle, peut-être.

L'embêtant, c'est qu'au lieu d'avoir l'air amoureux, ils sont appliqués. L'amour est un jeu de rôles le plus souvent mal payé. Le pire, c'est qu'au lieu d'être emportés par un mouvement spontané, les deux acteurs ont l'air de figures installées. Ils sont debout, la fille un peu rétractée, mais ils sont assis. Doisneau, il y a cinquante ans, était indiscret (l'amour est discret). L'amour d'aujourd'hui fait *people* : c'est tout dire.

30/01/2005

AUSCHWITZ

Il faut lire ce livre : *Des voix sous la cendre. Manuscrits des Sonderkommandos d'Auschwitz-Birkenau*[132]. Dans le risque de saturation lié à toute commémoration (je vois des atrocités abominables, j'entends des cours de morale, je tourne la page et j'assiste au confort radieux de notre civilisation), les mots des témoins directs du crime sont plus forts que toutes les photos.

Ainsi Zalmen Gradowski : « Nous contemplons ces femmes avec compassion, car nous voyons déjà devant nos yeux une nouvelle scène, une scène d'horreur. Toutes ces vies palpitantes, ces mondes effervescents, tout ce bruit, ce tapage qui s'en dégage, dans quelques heures tout cela sera mort et figé. Je me tiens ici près d'un groupe de femmes, au nombre de dix à quinze, et dans une brouette se retrouveront bientôt tous ces corps, toutes ces vies, dans une brouette de cendres. Il ne restera plus aucune trace de toutes celles qui sont ici, toutes celles-ci, qui occupaient des villes entières, qui tenaient tant de place dans le monde, seront bientôt effacées, extirpées avec leur racine – comme si elles n'étaient jamais nées. Nos cœurs sont déchirés de douleur. Nous éprouvons, nous souffrons avec elles les tourments du passage de la vie à la mort. »

Et Lejb Langfus, parlant d'une jeune Polonaise de la Résistance, prenant la parole dans le bunker de gazage : « Elle s'est adressée aux Juifs du Sonderkommando en disant : "Rappelez-vous que votre devoir sacré est de venger notre sang innocent. Rapportez à nos frères de Pologne que nous allons au-devant de notre mort avec une grande fierté et en pleine conscience." » Langfus continue : « Les Polonais se sont alors agenouillés à terre et ont récité avec ferveur une prière dans une pose impressionnante. Puis ils se sont relevés et ont chanté en chœur l'hymne national polonais. Les Juifs ont chanté la *Hatikva*. L'horrible destin commun a fondu ensemble dans ce petit coin maudit les accents lyriques de ces deux hymnes différents. »

On lit ces lignes la gorge serrée, comme je me souviens de ma gorge serrée en voyant pour la première fois, très jeune, *Nuit et Brouillard*, d'Alain Resnais, avec un texte bouleversant de Jean Cayrol, dont le livre *Lazare parmi nous* est trop peu connu. Revenant de Mauthausen, son père, à Bordeaux, lui ouvre la porte et lui dit : « Monsieur, vous désirez ? » Il ne l'avait pas reconnu.

Et puis, dans le déferlement commémoratif qui risque de léser la mémoire, il y a eu au moins ce héros de notre temps, un héros du vrai silence : Claude Lanzmann et son prodigieux *Shoah*. C'est un film et, comme toute grande œuvre d'art, c'est beaucoup plus qu'un film : on l'écoute, on l'entend, on le comprend.

30/01/2005

ACCÉLÉRATION

En un mois, cent petits romans très complexes. Comment rendre compte, *à la fois*, de la santé hautement stratégique du pape, de la poignée de main entre Sharon et Abbas, de la visite de charme de Condi à Paris, de la réconciliation apparente de Bush et Chirac, de la victoire électorale des chiites en Irak, du mariage annoncé de Charles et de Camilla, de la victoire marine d'Ellen Mac

Arthur, de l'explosion de Hariri en plein Beyrouth (et, du même coup, dans la cour de l'Élysée), de la mort d'Arthur Miller (photo de Marilyn Monroe blottie dans ses bras), de la commémoration de la libération des camps de concentration et d'extermination, de la Shoah, des dérapages de plus en plus sordides de Dieudonné, du référendum en approche sur l'Europe, du conflit Hollande-Fabius sur fond de caoutchouc, du déménagement de Gaymard, du vrai-faux conflit Le Pen-Marine, de l'insolente popularité de Sarkozy, du retour de Mitterrand au cinéma (avec cette extraordinaire déclaration du metteur en scène : « Que Mitterrand n'ait pas reconnu Vichy comme continuation de la République, qu'il ait dit que Vichy ce n'était pas la France, prouve simplement qu'il était moins vichyssois que Chirac »), de la brusque conversion de Douste-Blazy au lacanisme sous la houlette du subtil Jacques-Alain Miller, de la disparition d'Alfred Sirven emportant avec lui, dans la tombe, les secrets d'Elf, du procès géant d'Executive Life, des otages toujours détenus dont nous voyons chaque jour les photos s'éloignant avec leurs sourires – bref (si j'ose dire), de la rotation du spectacle sur lui-même irréalisant chaque événement ?

Mon énumération est sûrement incomplète. Il s'est passé bien d'autres choses, il est en train de s'en passer beaucoup d'autres, la question étant de savoir si tout cela a encore un sens, et lequel. Prudemment, je décide que oui : le Bien lutte contre le Mal, la démocratie est le Bien suprême, je n'en vois pas d'autre et d'ailleurs on me l'aurait dit. Nous avançons vers le Bien, aucun doute. Et voici la neige qui vient ralentir la circulation pour un temps. Les passagers de mon autobus, très tôt, ce matin, ont l'air plus humains, plus enfantins, plus rêveurs. La neige les inspire. On sent passer, sur leurs visages, des souvenirs d'autrefois. Ils font une pause dans leur rumination soucieuse. Ils se taisent mieux. Ils vont éviter de glisser. Ils sont en retard.

27/02/2005

PAPE

Donnons quand même la vedette au pape. Sa mort est annoncée, tout le monde se précipite, les salles de rédaction sont en fièvre, les photos sont prêtes, les articles sont déjà écrits, les montages de films d'actualité sont prêts. Audimat garanti, ventes massives, spéculations déjà connues sur son successeur. Rome, finalement, reste Rome.

Tout cela vous choque peut-être, vous scandalise, vous fait hausser les épaules ou ricaner, ou bien vous émeut quand même, un peu (non-croyant modéré), beaucoup (croyant aliéné). La communication du Vatican exagère : apparition à la fenêtre de la clinique, micro tendu à la forme blanche tassée, gargouillis inaudible, Angélus parti en fumée, reprise un peu plus ferme peut-être en play-back, petit geste de la main, et voilà.

Ce Saint-Siège se moque de nous depuis des siècles, et ça continue de plus belle. À quoi joue-t-il maintenant ? À l'exténuation du martyr ? À l'agonie en direct ? Ce pape est-il conscient, oui ou non ? Peut-il diriger l'Église par griffonnages et regards ? Jusqu'à quand nous infligera-t-on ce râle venu déjà d'outre-tombe ?

Ce qui est clair, en tout cas, c'est qu'il s'agit d'une offensive sans précédent contre l'esprit d'entreprise. Il est invraisemblable que ce pape n'ait pas été dessaisi de ses fonctions par la direction des ressources humaines. Aucun P-DG ne pourrait s'imposer de la sorte devant son conseil d'administration. L'Église romaine va trop loin : sans parler des sujets qui fâchent (avortement, préservatif, homosexualité, embryons, non-accès des femmes à la prêtrise), elle donne là un exemple accablant de non-respect des lois du marché.

Un chef d'entreprise (car, après tout, c'en est un comme un autre) doit être en forme, souriant, disert, autoritaire en souplesse, sûr de lui et dominateur. Bush, par exemple, ferait un bon pape. Ou Poutine. Ou Blair. Ou Zapatero. Ou Berlusconi. Et pourquoi pas Chirac ? On se demande ce qui leur manque pour ne pas postuler à cette fonction suprême. Bon, ils sont mariés, c'est vrai, et, pour certains, leur morale laisse à désirer. Mais enfin, cachez-nous ce vieillard bredouillant que nos actionnaires ne veulent plus voir. Et remplacez-le par un pape dynamique et progressiste. On vous en prie. Tous les médias vous en prient. Un beau jeune pape fringant et sportif ferait admirablement l'affaire. Un Noir. Un Sud-Américain. Un Chinois peut-être, demain.

27/02/2005

LE FIFRE

Manet a peint *Le Fifre* en 1866. Il est estimé quarante-cinq millions d'euros. C'est un admirable tableau représentant un petit voltigeur de la garde impériale, rouge et noir, en train de jouer de son instrument et de se jouer de lui-même dans le mouvement. Il vient d'être exposé à

Shanghai, avec d'autres chefs-d'œuvre français, notamment impressionnistes. Les Chinois sont venus en foule pour le voir. La garde impériale de Napoléon III ne leur dit pas grand-chose, mais ce petit voltigeur leur a plu. Sa grâce, son énergie, sa musique. Qui peut savoir ce qu'un jeune Chinois d'aujourd'hui fera de cette révélation du *Fifre* dans sa vie ? Le grand avenir de Manet, lui, est assuré, on s'en doute.

27/02/2005

EUROPE

Le plus surprenant, dans la morne agitation autour de l'Europe, c'est le silence étrange des intellectuels. On dirait que la question ne les intéresse pas, que la culture européenne n'est pas la leur, qu'ils l'ont oubliée ou bien qu'ils l'ignorent. Ils parlent beaucoup du Proche-Orient, des États-Unis, de films américains ou de traductions américaines dont le côté dépassé et vieillot est déjà sensible, mais on a l'impression qu'ils n'ont jamais mis les pieds en Italie, en Espagne, en Allemagne, en Hollande, et même, parfois, dans la grande histoire de Paris.

L'Europe est devenue un grand marché sans passé, ou bien avec un passé conçu comme sombre, désastreux, coupable. Il est étonnant de voir des écrivains français qui ne connaissent pas la littérature ou la peinture françaises, comme s'il était superflu ou suspect d'aimer, je ne sais pas, moi, Pascal, Molière, Stendhal, Chateaubriand, Proust, Cézanne ou Manet. Manque d'école ou d'université ? Je ne crois pas : je n'ai jamais rien appris d'essentiel à l'école ou à l'université. Le problème est plus profond, plus physique.

Même stupeur en constatant, par exemple, l'invraisemblable ignorance par rapport à l'Italie, sa Renaissance, sa splendeur baroque, ses trésors toujours actuels même s'ils se trouvent dans des églises ou des musées. C'est aujourd'hui même que Titien ou Michel-Ange vous parlent. C'est aujourd'hui même que Bernin vous fait voir une fontaine, un baldaquin, une sainte en extase. Et c'est aujourd'hui même que Dante vous apprend à traverser l'enfer, le purgatoire et le paradis. Du passé ? Mais non, un esprit qui s'annonce en force, et que l'ennui quotidien permet paradoxalement d'éprouver comme futur. C'est le « moderne » qui est vieux, et l'Antiquité qui est jeune. Mozart, ce soir, résonne mieux que jamais.

27/02/2005

SURRÉALISME

Simone Breton a été la première femme d'André Breton, et on vient de publier ses lettres de jeunesse (1919-1929) à sa cousine Denise Lévy[133]. Ce sont de vraies lettres d'amour, vives, fraîches, et surtout d'un intérêt considérable sur les acteurs de l'époque, celle de la grande histoire de Paris.

Voici ce que Simone, en 1920, dit de sa rencontre avec Breton : « Ce mercredi 14 juillet, il y eut à la maison une conversation magnifique, abstraite et imagée, sur les sujets les plus divers, complexes et attachants, non entachée d'aucun flirt ni coquetterie – une simplicité et une sincérité très grandes, même dans le contradictoire. »

Breton ? « Une personnalité de poète très spéciale, éprise de rare et d'impossible, juste ce qu'il faut de déséquilibre, soutenu par une intelligence précise même dans l'inconscient, pénétrante avec une originalité absolue que n'a pas compromise une belle culture littéraire, philosophique et scientifique. »

À l'époque, Breton habite au coin de l'île Saint-Louis, à l'entresol, sur la Seine, « la fenêtre un peu plus haute que le parapet, une pièce tendue de papier jaune, un divan bleu-vert, un mur de livres ». Il fait une revue, ce jeune homme de vingt-quatre ans, elle s'appelle *Littérature*.

La grande aventure ne fait que commencer, Simone est éblouie : « Tu ne sais pas quelle vie merveilleuse je mène, au cœur de "l'esprit" dans sa plus récente évolution. Toutes les manifestations nouvelles de l'esprit humain, je n'ai pas besoin même d'acheter une revue, un journal ou un livre. Il suffit que je me tourne vers l'un, vers l'autre de ceux qui m'entourent quotidiennement. Elles sont dans l'air que je respire. »

Voici Picasso en 1921 : « Il est petit, brun, fin, mince, tout entier un regard intelligent, mobile, qui pénètre avant même de voir. » C'est le temps des grandes amitiés avant les ruptures. Passent Drieu, Soupault, Aragon, Artaud « beau comme une vague » : « Il représente un supplice et il est sympathique comme une catastrophe. » Ce qui touche le plus, ce sont de simples détails de présence, ainsi le 21 mai 1921 : « La vie était belle aujourd'hui. Il faisait beau soleil. J'avais une jolie robe. André avait l'air d'avoir quinze ans. »

27/02/2005

INQUISITION

Le nom d'André Breton restera à jamais attaché à la résistance contre l'imposture stalinienne. Le temps passe, l'oubli vient, le mensonge n'a pas disparu pour autant, et c'est pourquoi il est nécessaire de lire *Le Dossier de l'affaire Pasternak* dans la réédition du *Docteur Jivago* [134].

Nous sommes en 1956, Pasternak vient d'écrire son grand roman, il va le faire passer à l'étranger (en Italie), son procès commence. Les archives du Comité central et du Politburo sont impressionnantes. On n'a peut-être jamais vu à ce point jusqu'où peuvent aller la médiocrité policière, la bêtise, la jalousie, le ressentiment tatillon, les énormités de raisonnement. Ça n'arrête pas : notes, rapports, instructions, ordres de pression, mobilisation de l'opinion, propagande, infiltration, brouillage diplomatique.

La Russie de l'époque, on le découvre de nouveau avec stupeur, peut compter sur des complicités multiples plus ou moins niaises ou sincères. Des humanistes protestent mollement. Et tout cela pour un roman qui n'est pas dans la ligne officielle de falsification de l'Histoire. Soljenitsyne viendra plus tard et dira le mot qu'il faut : goulag. Mais, en 1956, malgré quelques voix discordantes et vite étouffées, on ne veut rien savoir des grandes tueries staliniennes, des disparitions et des exécutions (celle, par exemple, de ce très grand poète et penseur, Ossip Mandelstam, dont je recommande à nouveau *L'Entretien sur Dante*, publié en 1977 par les éditions L'Âge d'Homme à Lausanne).

Les fautes de Pasternak ? Elles sont, d'après les fonctionnaires-censeurs, innombrables. Il a osé écrire que « l'esprit grégaire est toujours le refuge de la médiocrité » et que, « pour chercher la vérité, il faut être seul ». Voilà bien une thèse contre-révolutionnaire (comme si les fonctionnaires staliniens étaient « révolutionnaires »). Et voici plus grave : « Dans son roman, Pasternak ne s'en prend pas seulement à la révolution socialiste et au gouvernement soviétique, il rompt avec les traditions séculaires de la démocratie russe, il déclare absurdes, mensongères et hypocrites toutes les phrases sur l'avenir radieux de l'humanité, sur la lutte pour le bonheur du peuple. »

Plus grave encore, Pasternak va se voir attribuer le prix Nobel, d'où tempête de protestations officielles et de manifestations de masse. Le présidium du Comité central décide qu'il s'agit d'un acte d'hostilité grave. Une certaine Vera Panova déclare que Pasternak, atteint « d'un orgueil intolérable et d'un égoïsme démesuré », la fait « frissonner ». Et tout de la même veine. À méditer.

27/02/2005

UN CRIME DE NOTRE TEMPS

Qui était réellement Édouard Stern ? Un personnage de roman or et noir, un produit exacerbé de notre époque. Tous les ingrédients d'une sorte de surhomme mondialisé sont réunis dans sa personnalité : la banque, la rotation financière accélérée, l'ambition frénétique, la remise en jeu permanente, les coups tordus et brutaux, le secret à plusieurs étages, les virées de chasse en Afrique, les frontières mafieuses en Russie, les déplacements en jet privé, les relations multiples et enchevêtrées, et surtout une insatisfaction sexuelle toujours en alerte, bisexuelle, polysexuelle, tantôt sado, tantôt maso – bref, le grand jeu avec les moyens de le mener dans l'ombre.

Il a cinquante ans, il est beau, il a été marié (trois enfants), il a choisi d'être le requin agile d'une profession par définition silencieuse. L'argent se tait, s'accumule, part en fumée, se reconstitue, et frappe de près ou de loin. Il boucle la planète entière, Stern en est l'étoile montante, le coulissier agité. Le voilà étendu dans son appartement de la tranquille Genève (rien ne doit arriver à Genève), recouvert d'une combinaison en latex couleur chair, avec quatre balles de revolver dans le corps dont deux dans la tête (ici, l'imagination du lecteur ou de la lectrice doit fonctionner au-delà de la pudeur exigible). Il était harnaché pour un rituel sado-masochiste classique. Il a été abattu comme un animal.

27/03/2005

Une artiste

L'assassin est assez vite découvert, c'est une femme de trente-six ans, grande, jolie, blonde, du nom de Cécile Brossard. C'est une professionnelle de la prostitution de luxe, une Française *escort girl*, une virtuose des services sexuels spéciaux, maîtresse de Stern depuis un certain temps et possédant une clé de son appartement. Elle avoue sans trop de difficultés, en mettant en avant le crime passionnel. Son motif reste cependant obscur, et on peut se demander si elle n'a pas été elle-même manipulée dans cette effarante histoire.

Peu à peu, sa personnalité se dessine. On retrouve son père qui, dit-il, l'a élevée de façon raffinée : « La musique, la peinture, la littérature : ce sont les grandes valeurs que j'ai souhaité inculquer à Cécile. Elle a baigné dans l'art, la musique et les livres, en particulier Bach, Mozart ou Saint-Ex. » L'écrivain d'aujourd'hui se demande aussitôt ce que Saint-Exupéry vient faire à côté de Bach et de Mozart, il attendait plutôt Sade que *Le Petit Prince*.

Mais tout s'éclaire, Cécile, probablement fatiguée de travailler sur des corps vivants et pas toujours ragoûtants, c'est-à-dire de jouer sans fin dans un film sur les prospérités du vice, voulait passer à l'art, le vrai, la sculpture, la poésie, la sublimation épanouissante. Sous le nom d'artiste de « Cescils » (alors que son nom de code prostitutionnel était « Alice »), elle se met à sculpter, peut-être sous l'influence de Camille Claudel, des bronzes fortement érotisés, des corps entrelacés devenant arabesques. Elle les accompagne de poèmes exécrables et pseudo-surréalistes comme ceux-ci :

> *« Les seins pointus vers les lames de toi*
> *Comme le couteau,*
> *Aiguisée sur la courbe sensible de tes sens,*
> *Aux essences nerveuses de tes désirs.*
> *Exhaussés, abusants.*
> *Rendue servile aux pays de tes lois. »*

Ce poème, si on peut dire (un éditeur en refuse de ce genre une centaine par mois), s'appelle *Abysse céleste*. Vous préférez peut-être *Consubstantielle* :

> *« Tu as trop rempli mon âme de toi*
> *Pour qu'elle puisse vivre sans toi.*
> *Et mes cellules qui reconnaissent les tiennes*
> *Comme les chiens leurs chiennes*
> *Et moi tes chaînes. »*

Tout cela est évidemment consternant. Que s'est-il passé ? Édouard Stern l'aurait paraît-il financée pour rechercher des œuvres d'art (notamment des Chagall), avant de lui couper les vivres, l'empêchant ainsi, peut-être, d'ouvrir une galerie pour y vendre ses bronzes et ses poèmes. L'a-t-il humiliée sur ce point sensible en pleine séance sado-maso ? Lui a-t-il lancé à la figure que ses bronzes et ses poèmes étaient de la merde ? C'est fort possible. C'est mon hypothèse. Il faut ici laisser la parole à Stendhal et à son mot si profond : « Le mauvais goût conduit au crime. »

Rien ne prouve que Stern avait du goût, c'est le moins que l'on puisse dire. C'est peut-être ce qui l'énervait au plus haut point et qui lui a fait rencontrer son destin. En tout cas, je ne connais pas de fait divers plus probant de l'intense misère actuelle sur fond de milliards. Le financier insatiable et la pute poétesse, voilà une image de ce que Heidegger appelait « les fonctionnaires enragés de leur propre médiocrité ». C'est horrible sans doute, mais c'est vrai.

27/03/2005

RETOMBÉE

De l'assassinat considéré comme un des beaux-arts, nous retombons, hélas, dans l'actualité grimaçante. C'est la vidéo tragique de la pauvre Florence Aubenas, grise et terrorisée, en contradiction flagrante avec ses photos souriantes dans la liberté. C'est la pauvre Giuliana Sgrena dont la vie a tenu à un fil grâce au sacrifice de l'agent secret Nicola Calipari la couvrant de son corps sous les tirs américains. C'est le procès d'Angers, celui du plus vaste réseau de pédophilie et d'inceste jamais mis au jour en France : quarante-cinq victimes, soixante-six accusés dont vingt-sept femmes (détail piquant : le président du tribunal s'appelle Maréchal). C'est Hariri explosé à Beyrouth, et les femmes turques tabassées dans une manifestation par la police.

Côté confortable et comique, on a le livre de Mazarine Pingeot, *Bouche cousue*[135], où il est question de papa, de maman, et où papa (Mitterrand) ne dit jamais rien d'intéressant, pendant qu'on ne perçoit pas très bien la vraie personnalité de maman. Qu'importe, puisque c'est écrit par une future maman. On peut laisser planer sur tout cela la bénédiction de plus en plus spectrale du pape. J'allais oublier le scandale de l'amiante qui mériterait d'inspirer un petit livre terrible : *L'Amiante*. Malheureusement, Marguerite Duras n'est plus là.

27/03/2005

POLOGNE

Le Parlement européen vient de refuser la commémoration du massacre de Katyn où quatorze mille officiers polonais ont été exécutés par les Russes sur ordre de Staline, signé par lui le 5 mars 1940. Ce charnier a été découvert en avril 1943 et a servi à la propagande nazie. Il n'empêche : la version officielle mettait cette boucherie sur le dos de la barbarie allemande. Toutes les chancelleries étaient au courant, mais motus. Après l'étouffement de ce scandale par les communistes, les faits n'ont été reconnus qu'en 1992. Un témoin : « Jusqu'au début des années 1990, dire la vérité sur Katyn vous envoyait en prison. » L'Europe, donc, ne veut pas se souvenir de cette tragédie, et elle insulte par là la mémoire polonaise.

Des journalistes anglais ont retrouvé sur le tard un des principaux bouchers de Katyn, un certain Blokhin. À la fin de sa journée de tuerie (chaque fois une balle de revolver dans la nuque d'un Polonais), il était un peu fatigué. Il fallait donner à ses aides un supplément de vodka. Les bourreaux font un dur travail. Cela n'a pas empêché Sartre, « conscience de notre temps », de déclarer dans un moment lyrique, en 1954 : « La liberté de critique est totale en URSS. »

L'aveuglement sur la chose communiste a une longue histoire, notamment en France. On peut en voir les symptômes dans la correspondance entre Gide et Schiffrin [136], lors de la publication courageuse, par Gide, de son *Retour d'URSS*. Tout le monde (Schiffrin, Malraux) lui déconseille de publier sous prétexte que cela ferait, à l'époque, le jeu du fascisme. Il l'a fait quand même, sans se douter qu'il était encore très en dessous de la vérité. Stalinisme, fascisme, nazisme, on n'en sort pas, chacun désignant ses coupables selon ses propres refoulements familiaux ou personnels. C'est ainsi que des militants dévoués essaient, périodiquement, d'empêcher la lecture de Heidegger. Même chose pour Céline. Les procès sur les opinions et les personnes peuvent continuer longtemps, la question est de savoir quelles sont les œuvres qui restent. Ce ne sont pas forcément celles que désire la morale, c'est-à-dire la simplification à courte vue.

27/03/2005

LACAN

Dans le séminaire de Lacan sur Joyce, en 1975, publié seulement aujourd'hui par Jacques-Alain Miller qui l'accompagne d'une ébouriffante notice [137], on trouve une mention du film d'Oshima *L'Empire des sens*. Lacan dit qu'il a été « soufflé » par le film « parce que c'est de l'érotisme féminin ». Il ajoute : « L'érotisme féminin semble y être porté à son extrême, et cet extrême est le fantasme, ni plus ni moins, de tuer l'homme. » Que dirait-il aujourd'hui de l'affaire Stern-Brossard ? Nul doute que cela l'aurait beaucoup intéressé. Mais je crois savoir ce qui fascinait Lacan chez l'auteur d'*Ulysse* : Joyce était un athée sexuel complet. C'est très rare, et cela lui donnait beaucoup de liberté.

27/03/2005

RUSSIE

Poutine a été très bien reçu à Paris, on lui passe tout à ce brave homme, notamment ses massacres en Tchétchénie. Il est raide, compassé, somnambulique, il n'a pas l'air du tout polonais. Et puis le Salon du livre était consacré à la littérature russe, ni meilleure ni pire que celle des autres pays. Un absent, cependant : Viktor Pelevine, qui vient de publier en français *Critique macédonienne de la pensée française* [138].

Une journaliste des *Inrockuptibles*, Nelly Kaprièlian, lui pose la très bonne question suivante : « Dans *Homo Zapiens*, vous démontrez l'irréalité de la classe politique et la dématérialisation du monde à travers un mélange de pensée orientale et de nouvelles technologies manipulées par la mafia. Comme dans Shakespeare, il est difficile de dire en vous lisant si le chaos du monde est une tragédie historique ou une blague métaphysique. »

Il répond ceci, avec quoi je suis plus que d'accord : « Hélas la classe politique est douloureusement réelle – c'est un vaste groupe de gens organisés qui dépensent un maximum de ressources. Ce qui est irréel, c'est plutôt "la politique" qu'ils produisent. C'est comme un arc-en-ciel créé par un hypnotiseur pervers – vous vous réveillez, l'arc-en-ciel s'est envolé et votre portefeuille avec. Le vrai problème cependant n'est pas votre portefeuille. C'est que ce ballet de travestis, en occupant tout l'espace public d'information, rend la représentation des problèmes humains impossible. Le boulot de la classe politique actuelle est la protection du pouvoir oligarque et son maintien. La seule source et la seule justification de ce pouvoir résident dans une escroquerie linguistique permanente. Communistes, libéraux, patriotes, nationalistes, même fascistes – tous jouent leur petit rôle… Mais savoir si c'est une tragédie ou une blague dépend entièrement de votre perception. Je crois plutôt que c'est une mauvaise blague. Ce qui est tragique, c'est que la blague est déjà très vieille, pas très drôle, et que pourtant on vous la ressert, encore et encore. »

J'aime bien, ici, « ballet de travestis » et « escroquerie linguistique ». Quant à la « blague métaphysique », c'est ce qui, depuis longtemps, m'inspire.

27/03/2005

EUROPE

Faut-il avoir peur du « non » à 52 % ? De la directive Frankenstein, pardon, Bolkestein ? Je suis comme tous les Français, je suppose : je vois les partisans du oui et j'ai envie de leur dire non, je regarde les partisans du non et le réflexe immédiat est de leur dire non. Mon oui est un non au non. Pour dire vraiment oui avec enthousiasme, il faudrait que j'entende parler de la culture européenne, ce qui n'est pas le cas.

Je note pourtant que si j'étais américain, je ne serais pas partisan du oui : l'Europe me gêne, l'euro m'agace, la France m'est particulièrement antipathique, j'ai envie qu'elle s'enfonce et qu'elle disparaisse. Comme je suis français, ou plutôt européen d'origine française, cet ostracisme m'irrite. En tant qu'ancien aveuglé chinois ayant retrouvé la raison, je demande quand même son avis à Pékin : c'est oui. Alors, oui.

27/03/2005

PAPE I

Il faut s'y faire : dans une société mondiale de spectacle généralisé, l'Église catholique reste, et de loin, la meilleure entreprise. Impossible de faire mieux dans la représentation poussée à son comble : agonie d'un pape quasiment en direct, funérailles grandioses, beauté et rigueur du dispositif, cercueil de cyprès avec livre posé dessus et que le vent feuillette, princes de ce monde agenouillés et fascinés par le trou noir de la mort, foules bouleversées, notamment en Pologne, déluge d'images, avec, comme metteurs en scène, Michel-Ange et Bernin, deux artistes qui, entre nous, *montent.*

Je me revois à New York, en octobre 1978, dans le bureau d'un *chairman* d'une université américaine. Je téléphone à Paris, et j'apprends qu'un Polonais, Wojtyla, vient d'être élu pape, premier non-Italien depuis presque cinq siècles. Cette histoire, immédiatement, me passionne comme un roman. Je me tourne vers mon chairman tranquille et je lui fais part de la nouvelle. Il me regarde avec un air de légère commisération, et me dit : « *So what ?* » Et alors ? On a vu la suite.

Le soir même, sur CBS, je vois apparaître ce Jean-Paul II à l'air sportif, s'exprimant en très bon anglais. Décidément, il tranche sur ses prédécesseurs, très différent, donc, du pauvre Italien Jean-Paul Ier, mort dans des conditions mystérieuses. Il ne faut pas être un grand spécialiste de géopolitique pour deviner ce qui va se passer comme bras de fer entre ce Polonais et l'Union soviétique qui était encore, à cette époque, une puissance énorme. *So what ?* L'insurrection polonaise et, plus tard, la chute du mur de Berlin. Mais pas tout de suite : il faut d'abord passer par l'attentat de la place Saint-Pierre, deux balles de revolver dans le ventre de ce pape gênant.

Comme on l'a constaté avec stupeur, ce sportif réagit très vite : il va tourner autour de la planète à une vitesse d'enfer, rassembler des masses compactes, séduire la jeunesse, répéter sans arrêt ses apologies de la paix et des droits de l'homme. « N'ayez pas peur ! » Formule choc.

On vous a resservi tout ça à la télé et dans les magazines. Vous êtes saturé, c'est l'overdose, vous n'en pouvez plus. Votre conscience laïque est accablée, vous trouvez insensé qu'on mette les drapeaux en berne pour ce rocker de la foi défiant la seule religion qui vaille, c'est-à-dire la républicaine. C'est entendu, il s'est réconcilié, via une repentance suspecte, avec les juifs, mais vous le trouvez implacablement réactionnaire sur les sujets qui vous tiennent à cœur : la contraception, l'avortement, le préservatif antisida, le mariage des prêtres, l'ordination des femmes, le mariage homosexuel. Il n'a pas l'air de s'intéresser à la sexualité, et c'est bien là le scandale. Il a une passion fusionnelle pour la Vierge Marie (celle-là, alors), il ne se rend pas compte que le catholicisme favorise le vice, par exemple la masturbation ou la pédophilie.

Qui sait, d'ailleurs, si le catholicisme n'est pas, au fond, une école de perversion secrète dont on comprend qu'elle ait pu attirer des centaines et des centaines de peintres, de musiciens, de sculpteurs, d'architectes ou de poètes douteux. Baudelaire, par exemple, qui est allé jusqu'à dire : « Personne n'est plus catholique que le Diable. » Ou Joyce, ce redoutable élève des jésuites irlandais, qui, en réponse à une question lui demandant comment lui, incroyant, ne passait pas du catholicisme au protestantisme, disait : « Je n'ai aucune raison de quitter une absurdité cohérente pour une absurdité incohérente. » Et voilà comment un esprit tordu a pu accoucher du pornographique monologue de Molly Bloom dans *Ulysse*, sans parler de ce livre illisible, *Finnegans Wake*, loué, en son temps, par *L'Osservatore Romano*.

30/04/2005

PAPE II

Et maintenant ça continue. Conclave, cardinaux, agitation rouge et blanche, conciliabules, enfermement dans la chapelle Sixtine avec le Saint-Esprit (et toujours Michel-Ange en inspirateur). Que va-t-il se passer ? Est-ce que nous sommes bien dans la fantasmagorie du *Da Vinci Code* ou dans *Anges et Démons* du best-seller kitsch Dan Brown ? Quelle fumée va sortir par la cheminée ? Une conservatrice ou une progressiste ? Aura-t-on enfin un pape marié, ou, mieux, ouvertement homosexuel, ordonnant des femmes par milliers, des préservatifs plein les mains ? Un pape contraceptionniste vantant l'avortement et, pourquoi pas, l'utérus artificiel ? Un pape anticapitaliste, socialiste, révolutionnaire, près des pauvres, et vendant toutes les richesses enfouies dans les caves du Vatican ? Suspense.

Et, brusquement, l'épouvante : c'est Ratzinger, un Allemand, surnommé le « Panzercardinal ». *Libération*, qui, avec une exquise délicatesse, avait titré sur la mort de Jean-Paul II « La messe est dite », titre cette fois « Un pape en arrière ». Cette Église catholique et romaine, c'est un fait, n'avance pas. Elle se ferme, elle se bute, elle régresse. Elle est sourde à tous les appels qui montent vers elle, elle méprise la société, elle ne tient aucun compte, encore une fois, de la sexualité et de ses problèmes.

C'est une machine célibataire excluant les femmes, une officine obscurantiste qui ne veut pas voir à quel point nous avons rendu la sexualité attrayante à coups de cinéma, de publicité, de récits tragiques, d'embarras psychologiques incessants, de drames vécus, d'acrobaties diverses comme celle d'Édouard Stern et de Cécile Brossard, les criminels du jour. Ratzinger, le plus conservateur des conservateurs, est intelligent et cultivé, soit, mais quelle importance ? Est-ce qu'il ne lit pas en cachette les œuvres du penseur nazi Heidegger ? Moi, ça ne m'étonnerait pas outre mesure.

Ratzinger ! A-t-on idée ? Et le voici, cet Allemand, succédant au trône de Pierre après un Polonais, quelle obstination dans l'erreur. Un Africain, un Sud-Américain, un Indien auraient mieux fait l'affaire. Une Église un peu exotique et populaire serait de meilleur aloi. De plus, ce Ratzinger se fait immédiatement appeler Benoît XVI. Il y a donc eu quinze papes appelés Benoît avant lui ? Comme des Louis pour Louis XVI ? Cette brusque avalanche de siècles m'effraie.

Benoît XV, je connais un peu, c'est lui qui a essayé sans succès d'empêcher la boucherie de 1914-1918. J'ai vaguement entendu parler de Benoît XIV, au XVIIIe siècle, à qui Voltaire (Voltaire !) a dédié sa pièce injouable aujourd'hui, *Mahomet*. Mais du diable si je sais exactement qui est saint Benoît, fondateur des bénédictins, quelque part au VIe siècle, lequel, après avoir échappé à un empoisonnement féminin, a été décrété, en 1958, « père de l'Europe et patron de l'Occident ». Tiens, Ratzinger-Benoît XVI viendrait de voter européen ? En pleine crise française à ce sujet ? C'est probable.

30/04/2005

EUROPE

Chirac s'en aperçoit : il n'aurait pas dû déclencher un référendum sur la Constitution européenne. Certes, la manœuvre politique était tentante : un nouveau plébiscite, après celui de 2002, les socialistes coincés, la population unifiée dans le meilleur des mondes possible (puisqu'on vous le dit). Les experts et moi, nous savons où nous allons, dites-nous oui.

Un référendum suppose des citoyens parvenus à une maturité historique. Mais justement, l'histoire a disparu des programmes, la jeune génération n'en a pratiquement aucune idée, le temps où se situent les Français est devenu un présent de proximité, ils sont préoccupés, ils ont peur et ils vous le disent. Mon chauffeur de taxi n'a aucune envie de se voir brusquement remplacé par un chauffeur polonais, et s'il faut désormais téléphoner en Lituanie pour réserver une chambre dans un hôtel Hilton, que voulez-vous, c'est bizarre. Vous avez peur ? Je vous trouve bien *local*. Je vais vous délocaliser en douceur.

Les Français n'ont jamais été de bons Européens, ils ont encore, à l'égard de l'Italie et de l'Espagne, des préjugés touristiques, ils ne se sentent guère en phase avec les autres habitants de cet ensemble, et s'ils sont catholiques par habitude molle, ils se sentent d'abord catholiques français, ce qui est en complète contradiction avec le fonctionnement de la grande multinationale romaine. On leur a beaucoup dit, non sans raison, de se méfier des papes. On leur a vanté des totalitarismes divers. En général, la France commence pour eux en 1789, et encore. Plus loin que Mitterrand et de Gaulle, du flou.

Si on leur disait : « Vous êtes le merveilleux peuple français qui régnait sur l'Europe au XVIIIᵉ siècle, et qui va donc rerégner sur elle après deux siècles de convulsions », on pourrait espérer un frémissement du oui. Hélas, le citoyen observe surtout des querelles de préséance et de place. Il voit X ou Y soucieux de conserver son emploi gouvernemental, sans parler de Z et de V ne pensant qu'à l'Élysée en 2007, ou même en 2012. D'où l'ennui. « La France s'ennuie », a dit quelqu'un, avant une explosion mémorable. L'implosion, cette fois, se profile, et elle n'a rien d'excitant. Allez, Français, un petit oui quand même.

30/04/2005

DARFOUR

Voici ce qu'a observé, au Darfour, un observateur de l'Union africaine : « En décembre, on nous a amenés à deux ou trois kilomètres à l'extérieur du village d'Adwa, dans un champ de cinquante mètres de côté, où l'on ne pouvait marcher sans piétiner des ossements humains. Nous n'avions pas la moindre idée du nombre de personnes tuées là. Les animaux les avaient déchiquetées pendant des semaines et il ne restait plus désormais que des os partout où on allait. Lorsque nous sortions en patrouille, nous pouvions voir des villages totalement brûlés et des centaines de cadavres. Nous avons interviewé des femmes qui avaient été violées, parfois par plusieurs soldats. Nous avons pu voir des preuves de torture, lorsque nous trouvions les corps. Souvent, lorsqu'un village est attaqué, les gens courent se réfugier dans la brousse, mais ils sont poursuivis et tués par les assaillants. Lorsqu'ils rattrapent un homme qui tente de se cacher, ils le castrent et parfois le laissent mourir d'hémorragie. On peut dire qu'il y a eu des exécutions sommaires parce que l'on trouve des gens qui ont été abattus d'un coup de pistolet dans la nuque. Et quand ils brûlent des villages, si des gens se cachent dans leur hutte, les soldats ferment les portes et les brûlent aussi. »

30/04/2005

ARON

On a souvent vanté, avec raison, la raison de Raymond Aron. En voici deux exemples pointus, datés de 1956, après les polémiques suscitées par *L'Opium des intellectuels* : « Beaucoup de lecteurs sont irrités par ce qu'un de mes contradicteurs, au Centre des intellectuels catholiques, a appelé *ma dramatique sécheresse*. Il me faut confesser une répugnance extrême à répondre à ce genre d'arguments. Ceux qui laissent entendre que leurs sentiments sont nobles et leurs adversaires égoïstes ou bas me font l'effet d'exhibitionnistes. Je n'ai jamais jugé qu'il y eût mérite ou difficulté à souffrir, ni que la sympathie pour la douleur des autres fût le privilège des rédacteurs du *Monde* ou des *Temps modernes*, d'*Esprit* ou de *La Vie intellectuelle*. L'analyse politique gagne à se dépouiller de toute sentimentalité. La lucidité ne va pas sans peine, la passion reviendra d'elle-même au galop. »

Et aussi : « L'accroissement de la richesse globale ou même la réduction des inégalités économiques n'impliquent ni la sauvegarde de la liberté personnelle ou intellectuelle, ni le maintien des institutions représentatives. Bien plus, comme Tocqueville ou Burckhardt l'avaient vu clairement il y a un siècle, les sociétés sans aristocratie, animées par l'esprit de négoce et le désir illimité de richesse, sont guettées par la tyrannie conformiste des majorités et par la concentration du pouvoir dans un État gigantesque. Quelles que soient les tensions que crée le retard économique en France, la tâche la plus malaisée, en une perspective historique à long terme, n'est pas d'assurer l'accroissement des ressources collectives, mais d'éviter le glissement à la tyrannie des sociétés de masses [139]. »

Cela a été écrit il y a cinquante ans. Où en sommes-nous maintenant avec la tyrannie conformiste des sociétés de masses ? Regardez autour de vous, et dites-moi.

30/04/2005

Noui

Même si le résultat du référendum n'est pas encore connu, on peut dire que le non l'a emporté en profondeur en France. C'est un non complexe, contradictoire, bariolé, viscéral, une sorte de oui au non, un *noui*. Les effets ne vont pas tarder à se faire sentir. Le Pen regonflé, Villiers électrisé, Buffet requinqué, Hollande traumatisé, Besancenot stabilisé, Bové épanoui, Sarkozy fatigué, Raffarin en boule, Chirac planant déjà en sauveur de la patrie, Villepin à l'attaque, Alliot-Marie grave, Bayrou dérapé, Douste-Blazy rajeuni, Jospin dignement vieilli – quel joyeux bordel en perspective.

Les Français sont comme ça : ils veulent que ça bouge. Ils sont immoraux, égoïstes, jouisseurs, butés, méfiants, conséquents et inconséquents. On leur préconise le oui, on leur montre la voie de la raison, ils se rebiffent. Descartes lui-même ne les convaincrait pas après une heure de télé. L'Europe ? C'est quoi ça, l'Europe ? Un truc pour les nantis, les élites, les intellectuels serviles, les requins financiers. Quelqu'un, en tout cas, les a compris, ces Français de base. Fabius, le grand vainqueur de ce grand débat démocratique (n'est-ce pas ?), à moins qu'il ne se soit agi d'une extravagante séance de cirque.

29/05/2005

FABIUS

Il mérite son nom, celui-là. Pour ceux qui n'ont pas fait de latin, il faut rappeler que les Fabius ont été une grande dynastie romaine, le plus célèbre ayant vécu de 275 à 203 avant notre ère (ou, si cela ne vous choque pas, avant J.-C.). Son surnom ? Fabius Cunctator, autrement dit le Temporisateur. C'est à lui que Rome doit sa victoire contre le dangereux Carthaginois Hannibal. Sa stratégie militaire était simple : ne jamais risquer une bataille rangée, mais laisser l'envahisseur (le oui) s'épuiser, en le harcelant sans trêve et en prenant soin de se tenir toujours sur les hauteurs.

Traduit en langage moderne, à travers Machiavel ou Mitterrand (ce Charentais de Florence), cela signifie aussi que l'on prend d'abord le pouvoir, ensuite on voit. Les alliances sont paradoxales, tactiques, provisoires. On tâte le pouls des frustrations, des humiliations, des revendications, on est bien entendu social, on se tient toujours un peu au-dessus de la mêlée, on rassemble, on est calme. On incarne la force tranquille, ouverte aux mouvements de fond. De plus, il vaut mieux apparaître seul, c'est-à-dire sans femme officielle (je n'ai pas dit homosexuel). Trop de reportages sur le bonheur familial des hommes politiques finissent par lasser. L'affichage *people* irrite. Fabius est célibataire, voilà un fantasme porteur.

29/05/2005

SARKOZY

Tous les observateurs sont d'accord : la photo, dans *Match*, de Sarkozy et Hollande en jumeaux a été désastreuse. S'ils ont le même costume, la même cravate, s'ils sont déjà les finalistes de 2007, autrement dit si le tour est joué, où est le suspense ? On vous raconte la fin du film avant qu'il ait commencé. Mais c'est là que la question féminine prend toute son importance. Hollande et Ségolène Royal, bon, voilà le couple parfait, à quoi répondait logiquement le couple parfait symétrique Nicolas-Cécilia. Quelle Présidente pour la France ? Cécilia ou Ségolène ? Chacun ses choix. Et puis l'accident énorme : Cécilia ne s'entendrait plus avec Nicolas, affaire purement privée, sans doute, mais effet politique majeur.

Cécilia renâcle au milieu du gué ? En pleine campagne ? Nicolas en est à ce point affecté qu'il annule une prestation à la télé ? Pincez-moi, je rêve. Imagine-t-on Bernadette ayant un brusque coup de cœur pour quelqu'un d'autre que le Président ? Ségolène éprouvant tout à coup un faible pour Thierry Ardisson ? Mme Raffarin lâchant son bon mari au bord de l'abîme ? Mme de Villepin préférant un joueur de tennis montant ? Si Cécilia ne veut à aucun prix aller à l'Élysée, qu'elle le dise, c'est son droit le plus strict. Il n'empêche : voilà le pauvre Sarkozy dans de beaux draps. Le rebond possible : dignité dans l'adversité, air sombre et déterminé, *no comment*. Surtout pas une nouvelle liaison tapageuse. Le célibataire malheureux avec enfant a toutes ses chances. Peut-être même davantage que le célibataire heureux.

29/05/2005

ÉPOQUE

Vous trouvez que je plaisante, mais vous avez tort, je suis très sérieux. C'est l'époque, en revanche, qui feint d'être sérieuse, mais qui me paraît de plus en plus folle. La photo du jour est celle d'un paysan afghan trônant au milieu de son champ de pavot, autrefois interdit par les talibans. Il est radieux, il brandit une poignée de drogue future, voilà un homme de la campagne heureux. L'Afghanistan est un grand narco-État. Plus de trois mille cinq cents tonnes d'opium y sont produites chaque année, soit près de 80 % de la production mondiale, ce qui génère la moitié du PIB afghan. La guerre du pétrole est aussi une guerre de l'opium.

Vous me direz que, côté avions, l'A 380 s'est élevé majestueusement dans les airs. C'est un fait, et comment ne pas s'en réjouir ? Comment ne pas s'attendrir aussi sur le petit Alexandre, fils d'Albert de Monaco et d'une hôtesse de l'air togolaise ? Comment ne pas applaudir à la victoire souriante de Tony Blair malgré ses mensonges éhontés sur la guerre en Irak ? Applaudissements vite réprimés, d'ailleurs, par les explosions permanentes et le sort tragique de l'otage Florence Aubenas. Voilà l'atmosphère. Un détail plaisant, cependant : c'est Bernard Frank, dans une de ses dernières chroniques de *L'Observateur*, qui trouve que le nouveau pape allemand, Benoît XVI, a quelque chose de moi dans le regard. J'ai, bien entendu, transmis cette remarque troublante au Vatican, en même temps que mon livre sur Mozart, puisque c'est, paraît-il, le musicien préféré du pape. J'attends la réponse. Vous saurez tout.

29/05/2005

383

Pentecôte

Pour couper court à la querelle du travail de solidarité imposé par le gouvernement le jour férié du lundi de Pentecôte (avec, comme résultat automatique, une montée spectaculaire du non), je propose une mesure simple. Tous les travailleurs et les travailleuses passeront un examen rapide dans les mairies, les commissariats et les entreprises, avec comme question : « Qu'est-ce que la Pentecôte ? »

Ceux et celles qui sauront répondre correctement, en donnant des détails précis sur les langues de feu, le parler en langues, bref sur l'effusion du Saint-Esprit en définissant bien sa place à l'intérieur de la Trinité, seront renvoyés chez eux afin de se reposer d'une connaissance aussi épuisante. Les autres travailleront jusqu'à l'année prochaine. Deux séances de rattrapage, pas plus. Les plus motivés gagneront une visite gratuite de la collection François Pinault au palazzo Grassi à Venise, comme compensation qu'offrira gracieusement ce milliardaire pour avoir désespéré Boulogne-Billancourt.

Une brochure spéciale est déjà en préparation à Rome pour les débutants. L'histoire est très belle, très baroque, des tableaux nombreux et sublimes la représentent avec flamme (des tableaux beaucoup plus beaux que ceux qu'on verra chez Pinault, mais peu importe). Les réfractaires se verront contraints de payer un impôt supplémentaire, ou bien viendront aussi travailler le dimanche. Voilà une mesure de civilisation accélérée, un peu insolite, peut-être, mais qui rejoint le magnifique esprit du *Droit à la paresse* du gendre de Marx, Paul Lafargue. Sans aller jusqu'au radicalisme de Guy Debord dans sa fameuse formule « Ne travaillez jamais ! », cette initiative donnera de l'air dans les rouages. On pourra proposer à son sujet un référendum. Une marée de oui s'ensuivra.

29/05/2005

HOUELLEBECQ

Les Inrockuptibles, toujours à la pointe de l'actualité souterraine, préparent le tsunami de la rentrée : le roman de Michel Houellebecq, intitulé (titre peut-être un peu long) *La Possibilité d'une île*. D'où « une rencontre andalouse avec un auteur heureux ». Une rencontre, bien sûr, « exclusive », dans son « refuge ». Les fans de Houellebecq l'aimeront-ils en « auteur heureux » ? C'est tout le problème. L'entretien se déroule dans un des hôtels de charme d'Espagne. Houellebecq est souriant, bronzé, serein, apparemment en pleine forme.

Son roman paraîtra en France le 1ᵉʳ septembre, mais aussi quasiment au même moment en Allemagne, en Angleterre, en Italie, aux États-Unis, en Espagne. Ce qui semble inquiéter un peu l'interviewer, c'est la façon dont Houellebecq écoute maintenant la *Messe en si* de Bach, et même le début en boucle (rassurons-nous, il y a aussi les Pink Floyd). Cette messe, pourtant, est étrange. Houellebecq serait-il saisi d'une nostalgie catholique, lui, le fervent thuriféraire de la religion positiviste d'Auguste Comte ? Il parle du vieillissement, et a les larmes aux yeux en annonçant que son livre est triste. Il dit que les gens ne peuvent pas comprendre ce qu'on éprouve d'avoir grandi avec des parents qui ne vous aiment pas.

Il précise : la chute du catholicisme l'obsède. « Il y a une interrogation pour laquelle je n'ai pas vraiment trouvé la réponse : qu'est devenue l'espérance de la vie éternelle ? » Plus loin : « Les gens avaient la foi dans une éternité de bonheur, ils ont maintenant la foi dans le néant. Mais on n'y peut rien, la vérité est triste. C'est quand même globalement un événement triste, la fin des religions. » La vérité comme tristesse, la tristesse comme vérité, voilà un message qui ne devrait pas être mal reçu.

La science met fin aux religions ? Chaque jour nous prouve le contraire. Il faut être l'inénarrable socialiste Georges Frêche pour traiter le défunt Jean-Paul II d'« abruti » et regretter que l'Allemand Benoît XVI ne soit pas mort, jeune, dans les bombardements de Dresde. Les Guignols, eux, l'avaient immédiatement nommé « Adolf II ». On se défoule comme on peut, mais les passions persistent. Heureusement, il nous reste la *Messe en si*. Houellebecq, d'ailleurs, en convient : pour les besoins de son roman, il a fréquenté une secte (il y en a des centaines en voie d'expansion). « Ils étaient deux mille à hurler et ça m'a beaucoup plus effrayé que les deux millions de jeunes que j'avais vus aux JMJ. » L'avantage, avec les foules catholiques, c'est qu'on leur met la messe de Bach et elles se taisent. C'est toujours bon à savoir.

29/05/2005

GUYOTAT

Deux livres importants au sujet de Pierre Guyotat : une excellente biographie de Catherine Brun, précise, informée, passionnante [140]. Et les *Carnets de bord (1962-1969)* [141] de l'auteur de *Tombeau pour cinq cent mille soldats* et d'*Éden, éden, éden* [142]. C'est l'histoire d'un combat

386

pour une toujours plus grande liberté d'écriture, passant par la guerre d'Algérie et le mouvement d'avant-garde de son temps (j'étais là). Rien de plus nécessaire à faire que le bilan, fond et forme, des quarante dernières années. Il y a là une effervescence, une ténacité, une invention et un génie qui ont de quoi effrayer notre époque conformiste et plate.

Du passé ? Mais non, tout revient un jour ou l'autre, nous ne sommes peut-être pas encore tombés assez bas. Guyotat « écrivain-monstre » ? Mais non, très raffiné dans son obsession, au contraire. Un musicien pour bacchanales terribles et grandioses, dont le diagnostic sur la prostitution généralisée et l'asservissement de notre temps est d'une cruauté complexe et poétique. Il a été censuré, il a failli mourir, il est toujours là. Salut, et courage.

29/05/2005

FÊTES ET BACCHANALES

C'est le titre de la conférence que je vais faire au Grand Palais pour célébrer un certain nombre de peintures françaises venues d'Allemagne. Une Europe des Lumières a eu lieu, elle a été refoulée et punie. Quelle joie de montrer ces Poussin, ces Watteau, ces Boucher, ces Fragonard. Comme l'espace s'ouvre, tout à coup, à ces corps de jouissance, de détachement, de récréation, de gratuité fabuleuse. Baudelaire est ici chez lui. Et c'est Nietzsche, en 1886, craignant le plus sombre avenir pour l'Allemagne, qui écrit : « Aujourd'hui encore, la France est le siège de la civilisation européenne la plus spirituelle et la plus raffinée – et la haute école du goût. » C'est toujours le cas, ici, pour quelques instants, dans les couleurs, les formes, les gestes, les ombres.

29/05/2005

TONY

On ne l'attendait pas à ce point, mais le grand vainqueur européen, c'est lui : Tony, Tony Blair, le tonique et carnassier Tony, l'homme qui vous sourit en pleine figure, le Britannique de toujours, vainqueur de Jeanne d'Arc, de Napoléon, de Staline, de Hitler. C'est une longue histoire, elle est mal enseignée dans les écoles, mais le visage crispé de Chirac en dit long sur cette partie d'échecs. Tony, le travailliste et conservateur Tony, le cauchemar des socialistes français, l'homme qui veut détruire notre agriculture, l'allié de Bush, mais pour son compte, le réélu, l'élu. Il est souple, vif, arrogant, sympathique, rapide, il court en politique comme s'il était dans un match de foot ou de rugby, ses coups de pied arrêtés sont célèbres, sa réussite économique hante le code du travail, tous les hommes politiques rêvent secrètement d'être Tony : Sarkozy, Villepin (difficile à cause de sa passion pour Napoléon), Fabius (un peu lent peut-être), Hollande (mais il vient de rater un important penalty), Besancenot (Ardisson ne jure que par lui, mais il semble avoir des convictions, c'est dommage). Marine Le Pen n'aime pas Tony ? Normal, le supplice de Jeanne d'Arc le lui interdit. Marie-George Buffet déteste Tony Blair ? Fatal, il en sait trop long sur l'histoire communiste française. Les Françaises, en général, sont très réservées sur Tony ? Il est

388

agité, c'est vrai, il n'incarne pas vraiment le désir de sécurité et de proximité.

Finalement, ce « non » au référendum arrange qui ? Les États-Unis, bien sûr, malgré quelques grimaces hypocrites. La Russie, cela va de soi. Qui, en revanche, est déçu ? La Chine, et son besoin d'Europe comme contrepoids à la puissance américaine. Le Vatican, mais voilà ce qui arrive quand on ne veut pas inscrire le christianisme dans une constitution. Vous remuez tout ça comme un cocktail et vous obtenez Tony. Pauvre Chirac, obligé de prendre Sarkozy à l'Intérieur ! Il y a un an, c'était : « Je décide, il exécute. » Attendons le 14-Juillet et cette phrase qui ne viendra pas : « Il décide et il m'exécute. » Sarkozy l'insubmersible, le nettoyeur attendu, le candidat insistant, le bulldozer spirituel et scientologique, l'énergie, le recours : Tony Sarkozy.

26/06/2005

FLORENCE

Elle descend d'avion, elle est en pleine forme, elle commence sa grande tournée médiatique, c'est la superstar du moment. Courage ? Sûrement. Pudeur ? Extrême. L'ennuyeux, c'est qu'elle a l'air de sortir d'un rallye, épuisant, certes, mais finalement plus drôle. Cinq mois dans une cave, attachée et les yeux bandés, bon, d'accord, mais on ne va pas en faire un plat, c'est une sorte de *Loft Story* en plus dur, une *cellar story*, avec des terroristes plutôt zozos qui sont allés jusqu'à lui demander si elle n'avait pas le mail de Chirac.

Rançon ? Bien sûr, mais parlons d'autre chose. En l'absence de toute revendication coranique ou politique (sans parler de l'extraordinaire cassette-supplique à l'inénarrable Didier Julia), force est de constater qu'on est là dans le business mafieux qui fleurit plus que jamais à Bagdad (et ailleurs), avec ponctuations d'explosions et exécutions sommaires. Il faut saluer, c'est entendu, l'absence de démagogie et la bonne humeur de Florence Aubenas, mais l'effet latéral consiste quand même à irréaliser beaucoup de morts et de têtes coupées, comme s'il s'agissait d'un grand film, et d'ailleurs c'en est un par la volonté automatique du Spectacle.

Le Spectacle règne, adaptez-vous, saluez, dégagez. Que vous ayez perdu la vie au passage, est-ce si important ? Les guignols qui détenaient Florence dans sa cave, et qui lui offrent, à la fin de ce séjour dégueulasse, un flacon de parfum, sont parfaitement dans la note. Allons plus loin dans le mauvais esprit : supposons qu'on organise un concours de *cellar story* pour personnel féminin, bien sûr. Deux mois dans une cave de Bagdad (cinq, c'est trop long), et, à la sortie, médias en folie. Combien y aurait-il de volontaires chez les jeunes femmes ambitieuses ? Mille ? Cent mille ? Trois cent mille ? Hypothèse diabolique, j'en conviens. Mais qui peut affirmer que le vieux Diable ne mène pas cette danse ?

26/06/2005

FUTUR

La télévision s'adapte à tout, c'est son rôle. Je lis que, désormais, les chaînes vont se transformer en machines à explorer l'avenir en diffusant une multitude de téléfilms et de docu-fictions qui envisagent le futur sous des auspices plus ou moins effrayants. C'était déjà le cas, mais la demande s'amplifie, s'aggrave. Le journal *Le Monde* raconte : « Une jeune fille, jeans troués, pousse la porte avec timidité. Elle s'avance au centre de la pièce, s'assied face à un comité de trois scientifiques qui sondent avec froideur ses motivations. L'interrogatoire est bref mais filmé sous quatre angles différents. Secondé par une éminente biologiste, le gourou d'une secte recrute des cobayes désargentés qui acceptent de se prêter à des expériences de thérapie génique qui transforment leur personnalité. Quelques siècles plus tard, l'humanité mutante ne s'exprimera plus qu'en chanson : terrifiante mélodie du bonheur que signe Sarah Lévy, avec Yolande Moreau et Jean-Claude Dreyfus dans la distribution. »

Riche idée, et qui, d'ailleurs, vient, elle aussi, d'Angleterre. La réalisatrice s'explique : « Ce n'est pas de l'anticipation mais de l'extrapolation. J'ai discuté avec de nombreux biologistes moléculaires et n'ai rien inventé : la possibilité d'intervenir sur les cellules germinales pour diminuer une maladie rare, les termes de "gène suicide" ou d'"anti-sens" qui désignent un processus de neutralisation des protéines. » Vous aurez donc le droit, pêle-mêle, à un trafic de clones pour des greffes d'organes, à l'effacement des frontières, déjà très avancé, entre le réel et le virtuel, à des histoires de mondes parallèles, à des maladies infectieuses inconnues, bref à des séries de catastrophes qui doivent vous faire éprouver à quel point vous êtes privilégié, là, dans votre fauteuil. Vous communiquerez avec les animaux, et une puce informatique, implantée sous votre peau, vous rendra capable de comprendre n'importe quelle langue étrangère (sans en savoir davantage, bien entendu, sur la vôtre). En 2030, votre espérance de vie atteint cent cinquante ans. Sachez, en tout cas, que la Cité des sciences et de l'industrie de la Villette, la Cité de l'espace et le Futuroscope envisagent d'ores et déjà un partenariat.

Le docu-fiction peut aussi bien reconstituer le passé qu'inventer l'avenir. Dans quel sens ? Une responsable se révèle d'un coup : « Ces films qui emploient la même méthode – l'approche scientifique enrichie par l'imaginaire – permettent d'apaiser un malaise social et donnent au citoyen les moyens de réfléchir, voire d'agir. » Pour apaiser le malaise social, voilà le bon narcotique. Quant à réfléchir ou agir, on verra ça une autre fois. Une seule question : quelle sera la part de l'érotisme dans ce déluge ? Y aura-t-il des scènes pornos ? Je suppose que, sur tous ces sujets, le spécialiste Michel Houellebecq doit avoir ses idées. Mais pourra-t-il montrer ce qu'il veut montrer ?

26/06/2005

OVAIRES

C'est une grande première, et elle a eu lieu dans le Missouri. Une jeune femme américaine de vingt-cinq ans, Stephanie Yarber, stérile depuis l'adolescence, a reçu de sa sœur jumelle, Melanie Morgan, déjà mère de trois enfants, la première greffe d'ovaires hétérologues réalisée dans l'espèce humaine. L'histoire de cette greffe est racontée en détail dans le *New England Journal of Medicine* (encore l'Angleterre !). Résultat parfait : un bébé normal et en bonne santé est né en Alabama. Je constate que, pour aboutir à une telle réussite, l'ovaire de Melanie a été coupé en trois morceaux, dont l'un a été congelé, et les deux autres greffés par parascopie dans chacun des ovaires stériles de Stephanie, en cinq heures d'opération. Le beau bébé (dont, curieusement, on ne donne pas le sexe), pèse trois kilos et demi.

« Stephanie devrait pouvoir avoir d'autres enfants grâce à cette greffe », a annoncé le docteur Sherman Silber, le chirurgien à l'origine de cette première mondiale. Je vois que le legs d'ovocytes entre sœurs est interdit en France. Là encore, notre pays prend du retard. La photo des deux sœurs américaines nous montre de solides jeunes femmes blondes avec des queues-de-cheval. Elles regardent résolument vers l'avenir. Mais l'avenir, ce sera, on s'en doute, l'utérus artificiel, dont Henri Atlan, dans un livre récent [143], prédit la construction imminente. Ce qui oblige à se poser la question suivante : si la technique peut produire un utérus artificiel, l'utérus n'a-t-il pas été, de tout temps, artificiel ? On pressent ici les révisions qui s'imposent.

26/06/2005

RELATIONS NON PROTÉGÉES

C'est la dernière statistique : les relations sexuelles non protégées ont augmenté de 70 % depuis 1997 chez les homosexuels. Les répondants de cette enquête passionnante et très fouillée précisent, pour la moitié d'entre eux, qu'ils ont eu au moins dix partenaires durant les douze derniers mois. Pour les pratiques, la fellation est systématique (98 %). La pénétration anale, active ou passive, est aussi très répandue : 89 % des individus interrogés la pratiquent. On notera, sans rire, que la sodomie non protégée est plus fréquente chez les séropositifs : 56 % la pratiquent, contre 28 % chez les séronégatifs. Enfin, toujours sans rire, on apprend que la syphilis monte en flèche : de 1 % des infections sexuellement transmissibles en 1997, elle est passée à 20 % en 2004.

26/06/2005

VIOLENCES CONJUGALES

Elles sont très nombreuses et encore très mal connues, surtout, étrangement, pour les hommes qui en sont victimes. Élisabeth Badinter écrit aussi : « Reste un sujet toujours tabou qui n'a fait l'objet que de très rares et parcellaires travaux – spécialement en France –, la violence au sein des couples de lesbiennes. Une étude de l'Agence de santé publique du Canada de 1998 conclut qu'il y a la même proportion de violence dans les couples gays et lesbiens que dans les couples hétérosexuels. Toutes violences confondues, un couple sur quatre fait état de violence en son sein. »

Ce que j'aime ici, c'est la répétition de l'expression « au sein de ». Que se passe-t-il dans un couple *en son sein* ? Sur tout cela, la littérature, mais, hélas, pas toujours la meilleure, nous renseigne.

26/06/2005

LECTURES

Le terme de « lesbienne » n'était pas encore employé dans son sens actuel au milieu du XIXe siècle. On peut dire qu'il a fait son apparition fracassante avec *Les Fleurs du mal* de Baudelaire, surtout dans les pièces condamnées pour atteinte à la morale publique en 1857. Le réquisitoire du substitut Ernest Pinard, lors du procès, est une sorte de chef-d'œuvre. Il frémit, il vibre, il s'embrase, il est fasciné. Je relis ces admirables poèmes pour une préface. Car c'est bien la poésie elle-même que le tribunal a sanctionnée, condamnation qui ne sera annulée par la Cour de cassation qu'en 1949. Quatre-vingt-douze ans après, c'est beaucoup, mais ne croyons pas que Baudelaire ne fait plus aujourd'hui scandale. Je me fais fort de montrer comment fonctionnent les Pinard actuels. Très différemment, sous d'autres habits, mais c'est bien toujours le même embarras et la même haine.

On devrait rêver d'une puce informatique qui, placée sous la peau, apprendrait aux enfants à lire la littérature. Où en est l'enseignement du français et de la littérature française ? Là-dessus, il faut consulter le dernier numéro du *Débat* [144]. Il est édifiant, très documenté et parfois très drôle. On y discerne ce que Jean-Claude Milner, dans un petit livre percutant, *La Politique des choses* [145], définit comme la folie galopante de notre temps : celle de l'évaluation amnésique et du contrôle infantilisant. « Le commentaire le plus indulgent sur l'évaluation, érigée en contrainte institutionnelle, se résume à ceci : elle relève de la croyance dont elle est une variante. On sait qu'il n'y a pas de Père Noël complet sans un Père Fouettard. Solidarité indéfectible de l'évaluation douce et du contrôle sévère. L'enfant qui ne se conduit pas en enfant est puni ; telle est la règle. Tout discours qui ne vise pas à l'infantilisation sera puni par les évaluateurs, tel est le constat. Le contrôle, c'est aussi cela : la régression infantile comme promesse et amorce de la transformation en chose. »

26/06/2005

FICTION

C'est l'été, le moment où vous lisez, paraît-il, des romans noirs, de la science-fiction, de la littérature érotique ou fantastique. Mais, comme la réalité dépasse depuis longtemps la fiction, voici un Journal écrit, comme un rêve ou un cauchemar, de tous ces points de vue à la fois.

31/07/2005

GÉNÉROSITÉ

Je me trouve d'abord à Londres au milieu d'une foule énorme qui, sur fond pop rock-techno, réclame à grands cris l'abolition de la pauvreté en ce monde. Comme toutes les télévisions sont là, les grandes vedettes se sont déplacées pour le plus important show politico-humanitaire des dernières années. Même affluence à Philadelphie, Johannesburg et Versailles. Madonna gesticule, Nelson Mandela délivre un message. Le bruit est assourdissant, les bonnes intentions indubitables, et nul doute que les misérables, les faibles, les sans-voix, africains ou autres, bénéficieront d'une manière ou d'une autre de ce spectacle qu'ils n'ont aucune chance de voir.

Ai-je mauvais esprit en ressentant soudain que j'assiste à une obscénité *innocente* ? Ce ne sera pas la dernière fois que j'aurai cette sensation. Je la réprime aussitôt, cela va sans dire, mais elle revient, rampante, lancinante, jetant un voile sur cette sentimentale effusion.

31/07/2005

PRÊTRISE

Le décor change brusquement, je suis à Lyon, près d'une péniche. Une brave bonne femme timide, elle aussi innocente, est en train de se faire ordonner prêtre catholique par deux autres innocentes qui n'ont pas l'air de plaisanter. On apprend ainsi que la nouvelle « évêque » ou curé (ou curée ?) est automatiquement excommuniée par Rome. On s'indigne donc, une fois de plus, que l'Église catholique soit aussi archaïque, réactionnaire, misogyne, sourde aux aspirations des croyantes d'un certain âge qui, pourtant, formeraient des bataillons militants répondant à la crise sévère des vocations. La péniche s'éloigne dans la mélancolie générale. Heureusement, on apprend dans la foulée que le mariage homosexuel est légalisé au Canada et en Espagne. Ce renouveau du mariage est une immense bonne nouvelle planétaire, et un espoir pour tous les enfants.

31/07/2005

PRÉSIDENTS

Apparition de Laurent Fabius, dont l'attitude dit, en somme : « Vous avez dit non, dites-moi oui. » Il est radieux, décontracté, modeste, il écoute avec indulgence le slogan « Laurent Président ! ». On comprend que, armé d'une force tranquille, il est déjà Président si Sarkozy s'obstine à s'agiter. Hélas, le visage lunaire de Fabius s'efface devant des nouvelles du cosmos par *Deep Impact*, bombardement réussi au cœur d'une comète, lequel peut nous apprendre les origines du système solaire, donc de notre planète.

Une comète ? Mais en voici une, humaine, fulgurante : Laurence Parisot, la nouvelle présidente du Medef. Une femme, enfin. Honte à l'Église catholique, gloire au Medef. Une patronne pour les patrons, juste retour des choses. Un patron dit d'ailleurs, sans rire, que l'élection de cette femme énergique et résolument libérale est aussi importante que celle, autrefois, de Jean-Paul II.

Laurence, c'est vrai, a l'air battante et marrante. Elle vient d'une expérience de portes coulissantes, c'est une professionnelle de la communication, elle fait du ski nautique, et son grand-père était pilote d'avion. Sa promotion l'enchante, c'est un garçon réussi. Mais voilà un coup dur pour les autres actrices : Martine Aubry, Marie-George Buffet, Arlette Laguiller, Marine Le Pen. On n'arrête pas le progrès, et Laurence me semble bien partie pour abolir la pauvreté en ce monde. Pourquoi pas, demain, Laurent et Laurence, la main dans la main ?

31/07/2005

SINGAPOUR

Vous ne m'avez pas aperçu, mais j'étais bien entendu à Singapour, et dans les coulisses de l'attribution des Jeux olympiques de 2012. La délégation française, très décalée, faisait un peu penser à un film de Louis de Funès, *Les Gendarmes de Saint-Tropez à New York*, ou quelque chose de ce genre. L'Asie garde ses mystères. Mais j'ai vu comme je vous vois les Anglais dépasser la ligne jaune, et les membres du CIO descendre de la chambre de Tony Blair, ce qui est pourtant formellement interdit par le règlement. Et puis, catastrophe, Paris recalé, Paris écrasé, Paris humilié, Paris martyrisé.

Et Tony, encore lui, qui, comme l'a dit Bertrand Delanoë avec son franc-parler, « la ramène ». Sacré Tony ! Hyper-Tony ! Il ne va pas danser longtemps, celui-là. Al-Qaida veille. Nous sommes naturellement horrifiés, nous, Français, par ces attentats meurtriers, et j'interdis à quiconque de penser que je ne sais pas quel esprit de revanche a pu apparaître à cette occasion. Nous sommes humains avant tout. Cela n'a pas empêché Chirac de plaisanter avec ses virils amis, Schröder et Poutine, sur la mauvaise qualité de la cuisine anglaise. La tête de veau échappe aux Anglais, la reine elle-même en mange rarement, c'est tout dire.

Résumons : les Anglais sont mal nourris, ils vivent pour cette raison moins vieux que nous, ils sont hypocrites, perfides, corrupteurs, raides, empotés, pas du tout fair-play. Le projet parisien pour 2012 était en béton, d'où l'injustice. Que de travaux envolés ! Et comment ne pas avoir été ému par l'éloquence romantique de Delanoë vantant à un jury insensible le crépuscule de Paris : le soir tombe, a-t-il dit, les amoureux s'enlacent sur les quais comme les anneaux olympiques. Et comment ce jury frigide a-t-il pu résister à la voix enjôleuse de Catherine Deneuve lançant : « *Welcome to Paris* » ?

31/07/2005

TERREUR

Attention, on ne plaisante plus, le choc, le noir, la mort. Des voitures piégées à Bagdad, avec cinquante ou cent morts par jour, des attentats classiques au Proche-Orient, bon, c'est la routine. Mais là, à deux pas de chez nous, dans les métros ou les bus, c'est trop. Surtout qu'il y a du nouveau : le terroriste « tranquille », apparemment bien intégré, au-dessus de tout soupçon, bien élevé, sympathique, éducateur, accompagnateur, libraire, chimiste-amateur.

Ali Jekyll s'appelle aussi Ali Hyde. Il sort de temps en temps, avec deux ou trois copains de retour du Pakistan, ils prennent leurs sacs à dos et vont se faire exploser dans une rame de métro. On retrouve leurs images grâce aux caméras de surveillance, qu'il faudra donc multiplier partout. De façon touchante, une Anglaise très calme, à qui on demande si ça ne la dérange pas d'être filmée à ce point, répond : « Pourquoi ? Je n'ai rien à cacher. »

Dans le futur, sachez-le, on vérifiera de plus en plus que vous ne cachez pas quelque chose. Londres une fois, Londres deux fois, et puis l'Égypte. Du haut de ses Pyramides, quarante mille terroristes vous contemplent. Je veux des caméras dans tous les coins, et jusque dans les yeux des sphinx. Quelqu'un se met à courir, a donc quelque chose à cacher ? Un Brésilien ? Huit balles dans la tête. On appelle ça, bizarrement, une bavure.

Mais l'image qu'on n'oublie pas, celle de la tragédie et de la honte, est celle de ce jeune garçon de quatorze ans montant, au milieu de ses camarades plus âgés, vers le lieu de son exécution. Ça se passe à Srebrenica. Voyant la caméra, il la regarde bien en face, puis remonte son tee-shirt sur son visage. Au bout du chemin, le charnier.

31/07/2005

REQUINQUENNAGE

Et voici le 14-Juillet, avec un Chirac requinqué, à l'aise, pas du tout (dit-il) sur la défensive. Un Chirac heureux d'être là, toujours là, encore là, balayant du revers de la main le référendum, Singapour, les sondages, comme autant de miasmes, de broutilles, de malentendus. Un Chirac olympien, olympique, sûr de lui et dominateur, lancé dans l'action. Vous serez là l'année prochaine ? Eh oui. Et l'année d'après ? Vous le saurez quand le moment sera venu. C'est-à-dire ? Au moment opportun.

Chirac n'est pas du tout le faible Louis XVI occupé à trafiquer des serrures à Versailles, comme semble le croire, de façon pressée, Nicolas Robespierre ou Bonaparte Sarkozy. C'est bel et bien Louis XIV : « L'État, c'est moi. » Mais après vous ? Moi. Et après ? Moi encore. Villepin vous tire vers le haut ? C'est son rôle. Sarkozy vous énerve ? Mais non, il est parfait dans le film. Et que devient Raffarin ? Qui ça ? Bernadette n'est pas Marie-Antoinette ? Ah, pas du tout, pas la moindre affaire de collier à l'horizon, ce sera difficile de lui couper la tête.

401

Pas de doute, la République monarchique fonctionne, et la France gronde, peut-être, mais rien n'annonce 1789. Si c'était le cas, la Terreur y mettrait bon ordre. Côté sexy, ça laisse à désirer, mais que veut le peuple ? Travail, stabilité, sécurité. Notre nouvelle partenaire allemande, Angela Merkel, que Sarkozy embrasse avec fougue, n'est certes pas le canon de l'été, mais son sérieux de l'Est, très fille de pasteur, nous changera du jovial buveur de bière Schröder. Laurence Parisot, Angela Merkel, voilà la nouvelle équipe de l'Économie, c'est-à-dire de la vie tout court.

31/07/2005

BOURSE

Les Chinois réévaluent leur monnaie, vous voyez que tout baigne. Pour ce qui est de l'imaginaire mondial en cours d'effervescence, on peut s'adresser aux fictions qui occupent les cerveaux et qui marchent. La vie sexuelle de Jésus-Christ dans *Da Vinci Code*, et le tournage d'un film qui défoncera les écrans, la nuit, en secret, près de la pyramide du Louvre. Plus fort, *Anges et Démons*, qui pulvérise les records de vente en ciblant les mystères du Vatican (c'est Gide qui serait surpris de voir à quel point ses vieilles *Caves* sont dépassées par la superstition populaire). Dan Brown, voilà l'écrivain d'aujourd'hui.

Mais non, il y a encore plus fort : J. K. Rowling et son *Harry Potter*. Le dernier volume, attendu fiévreusement par des hordes de vieux gamins obscurantistes et leurs parents subjugués, s'est vendu à plus de sept millions d'exemplaires le premier jour de sa sortie à New York.

L'édition française est prévue pour octobre chez Galli-mard (stupeur accentuée de Gide), et cette manne céleste permettra à quelques auteurs courageux et confidentiels de survivre dans notre dur univers magico-infantile. « Écrivain » ? Vous avez dit « écrivain » ?

31/07/2005

ÉCRIVAIN

S'il y en avait un, d'écrivain, et rien qu'écrivain, c'était bien lui, Claude Simon, Prix Nobel de littérature, qui vient de s'éteindre, très vieux. Il n'a jamais provoqué des embouteillages dans les librairies, *La Route des Flandres* et *L'Acacia* sont désormais des classiques, ses romans paraîtront bientôt en Pléiade, il s'est toujours adressé à ceux qui lisent pour aller, par les mots, au fond de la sensation. C'était un Juste. Pas de bruit, le métier bien fait, l'obstination, la vérité *politique* (guerre d'Espagne, aucune illusion sur aucun pouvoir).

J'étais allé le voir dans sa maison de Salses, il y a huit ans, et il en était résulté une longue conversation passion-nante, dont des extraits ont paru dans *Le Monde* (Simon y parle admirablement de Conrad). *Le Monde* vient de republier des fragments de cet entretien, mais on se demande pourquoi le journal n'a pas cru nécessaire de préciser qu'il avait été recueilli par Josyane Savigneau. Pure négligence, sans doute.

31/07/2005

HOUELLEBECQ

Eh oui, *La Possibilité d'une île*[146], le prochain roman de Michel Houellebecq, est un grand livre, et on n'a pas fini d'en parler. Rigueur de la composition et suspense constant : vous l'ouvrez, vous ne le lâchez plus, car Houellebecq, très supérieur à tous les romanciers américains récents, est un grand raconteur, et qui sait faire.

Deux histoires d'amour précises, une Française sur le déclin, une jeune Espagnole hard (Ophélie, ma libraire, sera choquée, mais tant pis). Un narrateur humoriste lucide, méchant et paumé, qui en réalité n'aime que son chien (pages admirables). Une plongée très troublante et caustique, ambiguë, dans les soubassements d'une secte, l'Église élohimite, qui propose à ses adeptes la vie éternelle via l'ADN. Cette nouvelle religion, plus ou moins porno, prophétise le narrateur, va bientôt remplacer toutes les autres, à commencer par l'Église catholique. Elle donnera naissance à des « néohumains ». Fiction, science-fiction, sexe, désespoir, suicides, rien ne manque. Polémiques garanties à côté de la plaque, coup très travaillé, réussi.

31/07/2005

COULISSES

Le mois d'août est trompeur : l'impression est que rien ne s'y passe, que tout va être vite emporté par la rentrée, que les événements sont réduits aux incendies, à la sécheresse, aux avions qui s'écrasent, aux rumeurs, aux batailles de la communication à venir. En politique française, quoi ?

La montée de Villepin dans les sondages. Ce bonus est-il consolidable ? On va voir. L'été morose et célibataire de Sarkozy. « Est-il fou ? » demande *Marianne* de façon bizarre. Des psychiatres interrogés n'hésitent pas à répondre à cette question peut-être prématurée. Bref, pas grand-chose. Le « marronnier » d'août aura quand même été, une fois de plus mais on ne s'en lasse pas, les secrets des francs-maçons, deux enquêtes simultanées dans *Le Monde 2* et dans *L'Express*. Que veulent ces magiciens de l'ombre ? Que cachent-ils ? Où en sont-ils ? Sont-ils en déclin, ou le contraire ? La concurrence des obédiences est-elle positive ou négative ? Les femmes seront-elles de mieux en mieux reconnues comme des êtres humains à part entière dans cette région mystérieuse ? Autant de graves questions dont dépend l'avenir de l'humanité.

21/08/2005

UNE VACHE

On retiendra pourtant le voyage de Sharon à Paris, sur fond de la dramatique évacuation des colons de la bande de Gaza. « Chirac est un grand dirigeant », a dit Sharon, de façon un peu contrainte. Chirac, lui, de plus en plus requinqué, a offert à Sharon une vache pour son ranch. Une vache sacrée française en Terre sainte, voilà du symbolisme imprévu.

21/08/2005

Adieu aux armes

Le monde change, et s'il en fallait une preuve, ce serait l'adieu aux armes décrété par l'armée secrète irlandaise. Que de morts, pourtant, que d'attentats, quel sombre bilan séculaire. Mais enfin, c'est fini. Les explosions islamistes de Londres ne sont sans doute pas pour rien dans cette décision historique. Les guerres de religion occupent le temps, on peut les trouver absurdes, mais il s'agit d'une maladie profonde. La « question Dieu », qu'on le veuille ou non, reste d'actualité. Il n'existe peut-être pas, Dieu, mais il fonctionne. Il est peut-être mort, mais son spectre est très actif. « L'avenir d'une illusion », disait le lucide Freud. Mais cet avenir, comme celui de l'hystérie ou de la pulsion de mort, reste immense. Voyez le frisson provoqué par la sinistre affaire des fœtus. Nous sommes tous des fœtus réussis. Enfin, réussis, c'est beaucoup dire.

21/08/2005

Nagasaki

On parle de Hiroshima, mais on oublie Nagasaki. Était-il vraiment nécessaire d'en rajouter, à l'époque, dans le massacre expérimental ? Des documents effroyables ont été longtemps occultés par les Américains. Ce jour-là, la bombe s'appelait « Fat Man », et elle est tombée à pic sur la cathédrale catholique de la ville, prouvant, par là même, l'existence indubitable du Diable sous forme de gros porc atomique faisant d'emblée soixante-quatorze mille morts. Voilà, c'est loin, tout s'efface, les derniers irradiés sont en train de mourir. La compétition nucléaire se poursuit de plus belle, en Corée du Nord, en Iran, chacun convoite cette énergie prodigieuse. Comme l'Irak tarde à se calmer et que le Moyen-Orient tout entier est sans cesse au bord de l'abîme, suivez le cours du baril et vérifiez à la pompe. Circulez, mais attention aux radars.

21/08/2005

MARIAGE

Heureusement, les people existent. On suit distraitement leurs acrobaties amoureuses, leurs exhibitions variées. Ici un coup de foudre et un mariage, là un divorce. Tout cela pour en arriver forcément à Sa Majesté Bébé, le divin enfant fait déjà la une. De ce point de vue, la palme d'août revient à Renaud, propulsé par *Match* avec sa nouvelle, jeune et ravissante épouse. Elle a l'air en pleine forme, lui semble un peu effrayé. La légende de la photo, surtout, est un choc : « Nous voulons un bébé tout de suite. » Là, sur-le-champ, sortant de l'appareil ? Le « nous » prend ici toute sa grandeur romantique et poétique. Elle fait plaisir à voir.

21/08/2005

DISCOVERY

C'est quand même le clou de l'été : la navette réparée en plein vol par ses astronautes mêmes. Vous avez vu ça ? Le type qui, flottant dans le vide, va réparer sa capsule spatiale comme s'il changeait des tuiles sur un toit ? Avec ses petits gestes d'artisan du cosmos ? J'ai la plus grande considération pour les coureurs français du quatre cents mètres haies, je suis avec passion le retour en bleu de Zidane, je n'ai rien à objecter au sacre de plus grand Français en la personne de Noah, mais là, je m'incline. Mieux : je m'identifie indûment. Après tout, se lever chaque jour à six heures du matin pour écrire quelques pages d'un gros roman en cours relève du même art d'ajustement microscopique. Une plaquette, une autre. Et retour, un jour ou l'autre, dans les flammes de l'atmosphère. « À quoi pensez-vous dans ces moments-là ? » demande-t-on à un type qui a vécu ce genre d'expérience. « À rien, répond-il, j'ai trop de travail avec mes instruments. » Une erreur de un degré dans le vol, et c'est l'explosion (comme pour Columbia). Voilà, l'équipage a atterri, le commandant de bord est une femme précise et tranquille. Impossible, à ce moment-là, de ne pas penser aux Canadair écrasés dans le feu, ou aux charters dépressurisés s'abîmant en quelques minutes, avec leur cargaison de pauvres touristes.

21/08/2005

PROPHÉTIE

Heureusement que Le Pen est là pour faire rire et prédire l'avenir. Ce vieux Nostradamus teigneux a eu une vision. Puisque la droite, en 2007, sera trop divisée (Villepin, Sarkozy, Bayrou, Villiers), et que la gauche sera immobilisée par ses conflits internes, il sera, lui, Le Pen, présent comme en 2002 au deuxième tour. Et contre qui ? Fabius, Hollande, Strauss-Kahn, Lang, Jospin ? Vous n'y êtes pas : contre Ségolène Royal, candidate d'un consensus final. Voilà le poker. Ségolène Royal, première femme présidente de la République française ? Avec Besancenot dans son sac et 82 % des voix ? Pourquoi pas ? Alléluia.

21/08/2005

COLOGNE

Pauvre Benoît XVI, obligé de quitter ses vacances tranquilles passées à lire et à pianoter du Mozart pour faire la vedette rock devant huit cent mille jeunes en Allemagne ! Le métier de pape est tuant. D'abord, il faut réaffirmer sans cesse, avec fermeté, des principes auxquels presque plus personne ne croit. Ensuite, médias obligent, il faut plaire. Or que fait ce pape ? Il promet des indulgences à ceux qui auront fait le pèlerinage jusqu'à lui, suscitant par là la fureur des protestants qui en sont restés, sur ce point, à Luther. Lacan, dans un mot célèbre et très juste (y compris du strict point de vue étymologique), avait l'habitude de dire : « Les juifs ne sont pas gentils. » Eh bien, les protestants ne sont pas indulgents, c'est le moins que l'on puisse dire. Il va falloir les calmer, et ce ne sera pas facile. Voyons le programme papal : une visite à la synagogue, une ouverture vers l'islam modéré, un appel de phares aux orthodoxes avec voyage prévu à Constantinople, et espéré à Moscou, un horizon possible à Jérusalem, une normalisation discrète avec la Chine, et tout cela avec la crise des vocations, les églises plus ou moins désertes, une pression constante en faveur de la culture d'embryons, de l'ordination des femmes, du mariage homosexuel, du préservatif tous azimuts, de la pornographie déferlante, et, en plus, une encyclique à écrire dans les délais les plus brefs. Quelles nuits, quel boulot, quelle migraine ! À soixante-dix-huit ans ! Allez, une pause-café, avec sous les doigts une sonate de Mozart. « Mais dites-moi, Très Saint-Père, pourquoi Mozart ? N'est-il pas suspect sur le plan du dogme ? — Ah, écoutez, ne m'embêtez plus avec ça, on n'en est plus là. Lisez donc *Mystérieux Mozart*, de Sollers, un très bon livre [147]. »

21/08/2005

MAO

Vous pouvez déjà commander la formidable biographie qu'un Anglais, Philip Short, vient de consacrer à un des plus grands criminels de tous les temps : Mao. Plein de nouveaux documents, histoire hallucinante de la Longue Marche, luttes de pouvoir, batailles menées par ce stratège qu'il faut bien qualifier de génial, bizarreries d'un poète à orgies discrètes, bref un grand roman d'aventures, très informé et sans complaisance [148]. D'où vient le contentieux terrible entre la Chine et le Japon ? Pourquoi Mao, en dépit de ses crimes, est-il toujours considéré en Chine comme un héros national, une légende de bande dessinée, un empereur millénaire, un personnage d'Andy Warhol ? Il est intéressant de comprendre, surtout quand c'est passionnant, croyez-moi.

21/08/2005

Encore Houellebecq

Les gens sont marrants. Houellebecq publie son nouveau roman, il a envie que je le lise, il me fait envoyer les épreuves de son livre, je le lis, je le trouve excellent, je le dis. Là-dessus, *Marianne* s'insurge et écrit que je donne un « ordre » ou une « consigne » pour la rentrée littéraire, comme si je dirigeais une campagne de publicité. Mais non, chers camarades, il se trouve que j'ai lu un livre, point. Que ce roman obtienne le prix Goncourt me paraît inévitable, et c'est le contraire, en effet, qui créerait la surprise. Le jury Goncourt est au pied du mur. Je lui donne même l'ordre de couronner Houellebecq, malgré, ou plutôt à cause de ses outrances bien faites pour émouvoir en profondeur les membres féminins du jury. J'ai dit. Et que ça saute.

Plus amusante encore, cette critique de *L'Express* : « Alors que les soixante-huitards gardaient jalousement le monopole de la révolte, Houellebecq a fait exploser tout cela au point même de voler la vedette au provocateur de service, Philippe Sollers. »

Là, je suis « le provocateur de service ». Au service de qui ou de quoi ? On se le demande. Quoi qu'il en soit, il faudrait s'entendre. Soit je donne des ordres, soit je fais de la provocation. Ou peut-être les deux, qui sait ?

En tout cas, il faut souligner, dans ce genre de proposition, le désir d'en finir, une fois de plus, avec « les soixante-huitards ». Ça pourrait durer encore un siècle, ce ne serait pas si mal.

Le train Houellebecq est donc parti à vive allure. À part son étonnante plongée dans la cinglerie d'une secte, un des aspects les plus importants du livre a trait à la hantise du vieillissement, à la poursuite d'un rêve éternel de jeunesse, à la croyance éperdue dans la toute-puissance de la sexualité, « unique plaisir, unique objectif en vérité de l'existence humaine ». Il y a aussi ce portrait très juste de la jeune fille en cours de mondialisation : « Je pris conscience au moment où le taxi s'arrêtait devant le hall de l'hôtel qu'elle embrassait en pratique assez peu. C'était assez curieux parce que sinon elle appréciait la pénétration sous toutes ses formes, elle présentait son cul avec beaucoup de grâce (elle avait des petites fesses haut perchées, plutôt un cul de garçon), elle suçait sans hésitation et même avec enthousiasme ; mais à chaque fois que mes lèvres s'approchaient des siennes elle s'était détournée, un peu gênée. »

Et voici la vision philosophique : « Le corps physique des jeunes, seul bien désirable qu'ait jamais été en mesure de produire le monde, était réservé à l'usage exclusif des jeunes et le sort des vieux était de travailler et de pâtir. Tel était le vrai sens de *la solidarité entre générations* : il consistait en un pur et simple holocauste de chaque génération au profit de celle appelée à la remplacer, holocauste cruel, prolongé, et qui ne s'accompagnait d'aucune consolation, aucun réconfort, aucune compensation matérielle ni affective. » Tragique, non ?

21/08/2005

KATRINA

Pas de doute, la planète est bouclée, et pendant que l'histoire se répète, stagne, bégaie et piétine, la nature, longtemps tenue pour secondaire, semble vouloir se rappeler à nous avec pertes et fracas. Ouragans, cyclones, typhons, raz-de-marée, tremblements de terre, les preuves de l'inexistence de Dieu n'ont jamais été aussi flagrantes que depuis la résurgence hallucinée de Dieu. Voyez ces pèlerins chiites balayés par une panique. Voyez surtout Katrina, qu'on dirait commanditée par Al-Qaida, submergeant la Louisiane et faisant de La Nouvelle Orléans une ville fantôme.

Écoutez ce que dit le photographe Robert Stolarik qui a déjà couvert la guerre du Kosovo et les attentats du 11 septembre 2001 : « Je pensais que l'événement que j'allais couvrir était un ouragan et les dégâts qu'il avait causés. Au lieu de cela, je fus témoin de l'effondrement complet de notre société. Comme je demandais à l'officier de police posté à l'hôtel où je résidais qui était encore en ville, elle répliqua : "Les seules personnes qui sont encore à La Nouvelle Orléans sont pour la plupart des criminels que nous essayons de faire sortir de force de la ville depuis des décennies. Si les digues cèdent, Mère Nature portera un insigne de shérif." »

Et aussi : « Le lendemain, je rapportai avec moi de Baton Rouge un énorme sac de nourriture pour chiens que je dispersai le long des routes pour des milliers de chiens courant abandonnés par leurs maîtres. Deux jours plus tard, je découvris que les chiens avaient trouvé une meilleure source d'approvisionnement : les cadavres des gens qui étaient morts sur l'autoroute en attendant d'être conduits hors de la ville. Beaucoup de personnes n'ont été sauvées des inondations que pour mourir de maladie, de déshydratation ou de faim alors qu'elles attendaient sur l'autoroute 10 que des bus viennent les emmener dans un endroit où elles seraient en sécurité. Même au Kosovo, je n'ai rien vu de semblable. »

25/09/2005

DIEU

On connaît l'effet que le tremblement de terre de Lisbonne a eu, en son temps, sur Voltaire. On peut rêver à ce qu'il dirait aujourd'hui de Bush et de son incompétence obscène, entre deux prières et des apparitions sur place relevant de la pure loufoquerie. Le meilleur commentaire sur la religion américaine a été prononcé par Gore Vidal en France.

On lui demande ce qu'il pense de la religion, aujourd'hui, outre-Atlantique : « C'est l'œuvre du diable, dit-il. Il n'y a peut-être pas de bon Dieu, mais il y a sûrement un diable, et sa passion dominante, c'est la religion des fondamentalistes protestants. Je crois que mon pays commence, à de nombreux égards, à ressembler à une théocratie. Par le biais de la télévision, les évangélistes lèvent des fonds considérables qu'ils investissent ensuite pour faire élire des obscurantistes attardés. Comme il n'y a pas de système d'éducation publique, la grande majorité de nos concitoyens est d'une ignorance à faire peur. Ils ne savent pas où est l'Irak. Ils prennent tout ce que le gouvernement leur dit pour parole d'évangile. Bon sang, n'importe quel pays normal se serait révolté contre cette guerre ! Mais nous sommes un pays anormal, gouverné par des experts en publicité mensongère. »

25/09/2005

CRISE

Et c'est Emmanuel Todd qui fait l'analyse la plus lucide : « Une catastrophe naturelle sur le territoire national confronte un pays à sa nature profonde, à sa capacité de réaction technique et sociale. Or, si la population américaine s'entend fort bien à consommer – le taux d'épargne des ménages étant d'ailleurs quasiment nul –, en termes de production matérielle, de prévention et de planification à long terme, elle s'avère catastrophique. Le cyclone a montré les limites d'une économie virtuelle identifiant le monde à un vaste jeu vidéo. »

Et ceci, plus incisif : « Le néoconservatisme américain n'est pas seul en cause. Ce qui me semble le plus frappant, c'est la manière dont cette Amérique, incarnant le contraire absolu de l'Union soviétique, est sur le point de produire la même catastrophe par un chemin opposé. Le communisme, dans sa folie, prétendait que la société était tout et que l'individu n'était rien, base idéologique qui causa sa propre ruine. Aujourd'hui, les États-Unis nous assurent, avec une foi de charbonnier aussi intense que celle de Staline, que l'individu est tout, que le marché suffit et que l'État est haïssable. »

« L'intensité de la fixation idéologique est tout à fait comparable au délire communiste… C'est toute la société américaine qui semble lancée dans une politique du scorpion, système malade qui finit par s'injecter son propre venin. Une telle conduite n'est pas rationnelle, mais elle ne contredit pas pour autant la logique de l'Histoire. Les générations d'après guerre ont perdu l'habitude du tragique et du spectacle de systèmes s'autodétruisant. Mais la réalité empirique de l'histoire humaine, c'est qu'elle n'est pas raisonnable. »

25/09/2005

FAULKNER

Pour entrer vraiment à l'intérieur d'un cyclone, il faut la littérature. Il est quand même étrange que William Faulkner ait publié *Si je t'oublie, Jérusalem* [149] – intitulé pendant trop longtemps *Les Palmiers sauvages* – en 1939. Son personnage est ici emporté par une crue gigantesque du Mississippi :

« Il continuait à pagayer bien que le canot eût complètement cessé d'avancer et qu'il parût suspendu dans l'espace, tandis que la pagaie continuait à plonger pousser et ressortir pour plonger à nouveau. À présent le canot n'était plus entouré d'espace et il se trouva soudain au centre d'un fouillis d'épaves en fuite – planches, baraques, corps d'animaux noyés et néanmoins grotesques, arbres entiers bondissant et plongeant comme des dauphins, au-dessus desquels il paraissait planer en une indécision impondérable et aérienne, tel un oiseau au-dessus d'un paysage fuyant qui ne sait où se poser ni même s'il doit se poser. »

25/09/2005

VASCULAIRE

Ce n'est pas un cyclone, mais quand même une petite tempête sous un crâne. Il a suffi que Chirac ait ce fâcheux accident de santé pour que la scène politique prenne une allure de guignolade. Vous ajoutez l'œuf de Fabius à la Fête de *L'Humanité*, œuf lancé, paraît-il, par des « zozos » (zozos vous-même), et la pénible mascarade apparaît dans toute son ampleur, sur fond de pétasses (pour parler comme Houellebecq) allumant par jalousie un incendie mortel dans un immeuble.

C'est donc le bal des prétendants en goguette : Nicolas Villepin et Dominique de Sarkozy, Jack Fabius et Laurent Lang, François Strauss-Kahn et Dominique Hollande, Ségolène Buffet et Marie-George Royal, Jean-Luc Emmanuelli et Henri Mélenchon, n'oublions pas Vincent Montebourg, Arnaud Peillon, Alain Besancenot et Olivier Krivine. À l'étranger, c'est pareil : George Blair ne fait pas oublier Tony Bush, et Gerhard Merkel semble embarrassé de s'appeler tout à coup Angela Schröder. La France titube, l'Allemagne est bloquée, et la meilleure photo est quand même celle de Villepin, à l'ONU, serrant la main du Chinois Hu Jintao, hilare.

À part ça, beaucoup de sourires crispés, de baignades, de joggings, de meetings. Levez-vous, orage désiré de 2007 ! Jusque-là, prions pour que Bernadette ne perde pas la tête.

25/09/2005

ADN

C'est le vrai Dieu de notre époque. Je lis ainsi dans *Le Monde* : « Cyclone Katrina, crashs d'avions, attentats meurtriers, comme ceux du World Trade Center, de Madrid ou de Londres : à chaque drame, on veut savoir. Les papiers d'identité sont souvent retrouvés loin des corps déchiquetés, les bijoux ont été dispersés, les cicatrices et les tatouages sont devenus illisibles. L'examen des prothèses ou des plombages de la mâchoire inférieure par les dentistes légistes ne suffit pas toujours. On veut être certain. Pour des raisons financières, bien sûr, les certificats de décès et d'authentification sont nécessaires pour les assurances et les héritages. Mais aussi pour d'autres raisons qui tiennent à l'humeur de l'époque. »

L'époque est à la génétique, où le Dieu ADN reconnaît les siens. ADN, c'est le nom du Père. Pendant qu'il est temps, il me semble qu'on doit cloner au moins trois sportifs : Roger Federer, cet extraterrestre du tennis, et les deux Russes, Sharapova et Dementieva. Il était rassurant de les voir jouer sur fond de cyclone. Dementieva, surtout, est charmante : en tapant sur la balle, elle hurle un petit « hihou ».

25/09/2005

CECILIA

Non, non, pas Cécilia Sarkozy, Cecilia Bartoli. Si vous ne l'avez pas encore fait, vous vous précipitez sur son dernier disque *Opera prohibita*[150], et surtout sur la plage 14, à écouter encore et encore. Elle chante là le rôle de l'ange dans l'*Oratorio pour la Résurrection* de Haendel. Elle ouvre les portes de l'Enfer, elle est la lumière, elle fait disparaître l'épouvante et l'horreur, elle est là, fulgurante, comme une messagère du Roi de Gloire. Ce n'est pas trop tôt.

Elle a chanté ça, récemment, dans une église de Rome. On me dit qu'elle vient en décembre à Paris, et que toutes les places sont déjà prises. Ça ne fait rien, j'aurai mon coussin dans un coin.

25/09/2005

Pauvre Houellebecq

On m'assure que les intrigues se multiplient pour priver Houellebecq du prix Goncourt. C'est très injuste, mais on peut voir là un sursaut du milieu littéraire, furieux d'avoir été dépassé par les événements. C'est curieux comme les professionnels de la manipulation se mettent à crier contre la manipulation quand la manipulation n'est pas passée par la leur. Quoi qu'il en soit, *La Possibilité d'une île* reste le meilleur roman de la rentrée, et voici un argument sentimental en faveur de l'auteur.

Dans une curieuse déclaration, intitulée *Mourir*, Houellebecq fait cette poignante confidence : « Lorsque j'étais bébé, ma mère ne m'a pas suffisamment bercé, caressé, cajolé ; elle n'a simplement pas été suffisamment tendre ; c'est tout et ça explique le reste, et l'intégralité de ma personnalité à peu près, ses zones les plus douloureuses en tout cas. Aujourd'hui encore, lorsqu'une femme refuse de me toucher, de me caresser, j'en éprouve une souffrance atroce, intolérable ; c'est un déchirement, un effondrement, c'est si effrayant que j'ai toujours préféré, plutôt que de prendre le risque, renoncer à toute tentative de séduction... Je le sais maintenant : jusqu'à ma mort, je resterai un tout petit enfant abandonné, hurlant de peur et de froid, affamé de caresses. »

Quand je lis ça, que voulez-vous, je craque. Houellebecq a de l'argent, soit, mais l'argent ne fait pas le bonheur. J'ai un tempérament social : le malheur doit être récompensé, et le bonheur puni. Le Goncourt, donc, ou au moins le Femina s'il y a encore des entrailles de compassion en ce monde.

25/09/2005

WEYERGANS

Il est vrai que Weyergans, avec son *Trois jours chez ma mère* [151], roman si longtemps attendu, est un concurrent redoutable. Son livre est excellent, drôle, emporté, virtuose, émouvant, du grand art. Ce jeune homme de soixante-quatre ans, ancien enfant de chœur, dame le pion à tous les vieux jeunes d'aujourd'hui qui se traînent à côté de lui dans un naturalisme poussif. Son délirant *Salomé* [152], qu'il a raison de publier, alors qu'il a été écrit en 1969, n'a pas une ride.

Ses *Trois jours*, avec des coucheries très crues et épatantes, comportent des passages de ce genre : « C'est loin d'être la première fois que je choisis un écrivain comme narrateur. Je me sens plus à l'aise avec un écrivain qu'avec un serial killer, un chirurgien ou un ministre. Les écrivains, dans les romans, sont de plus en plus déprimés, aux prises avec l'argent, le sexe, leur famille et les concepts opératoires qu'ils opposent aux vérités prétendument éternelles. Le narrateur de mon livre s'enferme chaque nuit dans une pièce où il se propose de travailler mais où il se livre à d'autres occupations qui, dirai-je en sa faveur, sont censées lui donner des idées pour le travail en cours.

« "Mais qu'est-ce que tu fais toutes les nuits ?" s'était inquiétée sa mère. Il n'a pas osé lui répondre qu'à l'âge qu'il avait il se masturbait encore, non pas au figuré dans ses textes, mais au propre, si le mot propre convient quand il s'agit d'essuyer avec un mouchoir en papier le sperme qui dégouline sur le ventre, les cuisses et le plancher. »

Voilà un auteur qui a du jus, en tout cas. On admire.

25/09/2005

AVIAIRE

J'aurais dû me méfier. J'avais bien remarqué, à la fin
de l'été, que les mouettes n'étaient pas dans leur état
normal. Un peu ralenties, soucieuses, presque mélancoliques, elles s'attardaient par moments près de moi,
comme pour me transmettre un message codé. Quelque
chose se grippait dans leur vol d'habitude allègre. Que
se passait-il ? Quelles nouvelles leur étaient parvenues de
loin ? De quoi voulaient-elles m'avertir ? Eh bien, nous y
voici. Des poulets aux oiseaux migrateurs, il n'y a qu'un
pas. La grippe circule à travers les airs, la volaille l'avale,
la transmet, mais aussi les perroquets, les perruches, les
oiseaux des îles, tous les volatiles libres ou en cage.

Ce pigeon, ce matin, à Paris, ne me dit rien qui vaille.
Il marche lourdement, son œil est trop rond. J'ai déjà
demandé qu'on m'achète des réserves de Tamiflu en
Suisse. Sans doute, tout le monde se veut rassurant, mais
voilà qui justement ne me rassure pas. Je me souviens de
la sombre prédiction de Lautréamont dans *Les Chants de
Maldoror* : « Un angle à perte de vue de grues frileuses
méditant beaucoup, qui, pendant l'hiver, volent puissamment à travers le silence, toutes voiles tendues, vers un
point déterminé de l'horizon, d'où tout à coup part un
vent étrange et fort, précurseur de la tempête. »

Sans aller jusqu'à cet humoriste qui, imitant la voix
de Chirac, conseille comme remède de piquer Sarkozy
puisqu'il est le patron des poulets, je me demande ce qu'il
faut faire. Ici, une rumeur me vient des laboratoires. Il
paraît que la meilleure façon d'éviter la grippe aviaire
consiste à fumer. Oui, fumer. Le virus a horreur de ça, il
recule, il s'éloigne. À quand, donc, des affiches partout,

et des inscriptions sur les paquets de cigarettes : « Fumer protège » ? Il faut rectifier les emballages. Non plus « Fumer tue » mais « Fumer sauve ». Mieux vaut, à tout prendre, un long cancer qu'une asphyxie terrible et rapide. Voilà ce que voulaient me dire les mouettes au bord de l'eau : continue à fumer, mec, tu survivras à l'épidémie montante. Et mange du poisson, c'est plus sûr.

30/10/2005

DÉSOLATION

Un tremblement de terre par-ci, des cyclones par-là, des attentats à la pelle, des inondations, des avions qui s'écrasent, des cris, de la misère, du malheur. Les émigrants africains errent dans le désert, l'assassinat de Hariri embarrasse la Syrie, Sadam Hussein, dans une sorte de parc pour bébé, défie le tribunal qui le juge. Heureusement, dans l'œil du cyclone, le beau visage lumineux de Claire Chazal reste impassible, un peu préoccupé, pourtant. Elle nous envoie les images sinistres de la planète avec une réserve et une grâce un peu perverses du XVIIIe siècle. Elle semble dire : voyez ce qui a lieu, mais c'est déjà du passé. Et en effet, tout présent, désormais, est immédiatement passé. Ce que vous avez de mieux à faire est de ne pas rater votre soirée. Un bon vin, en somme, et de la musique.

30/10/2005

PRÉSIDENTIELLE

La présidentielle est encore loin (ne pourrait-on pas l'avancer ? Ne devrait-elle pas avoir lieu tous les ans ?), mais la préprésidentielle bat son plein, vrai cyclone dans le microcosme. Nous en sommes à quatorze prétendants et prétendantes, et le nombre devrait augmenter. Cette course de canards devient fascinante, irréelle, belle, expression de l'infini narcissisme humain. Chacun s'y voit, et avec raison, et pourquoi pas, le jeu en vaut la chandelle.

Qui tient la corde aujourd'hui à droite ? Napoléon Villepin ou Bonaparte Sarkozy ? Que trament les femmes dans l'ombre ? Combien de temps le canard socialiste sans tête pourra-t-il tourner en rond dans la cour ? Ségolène Royal me séduit assez, mais on la dit puritaine. Alliot-Marie réveille en moi une fierté militaire que je croyais définitivement enfouie, mais c'est plus fort que moi, je me sens déserteur dans l'âme. Le livre de Jospin est honnête et sage, et la preuve c'est qu'il est publié par Gallimard. J'oublie tout ce que disent Hollande et les autres, sauf un, qui me paraît finalement bien parti : Fabius.

Si j'étais influent dans la bourgeoisie d'État, de gauche à droite, ce serait mon candidat idéal. Après tout, il a toujours été le fils préféré de Mitterrand. Mais il lui faut travailler dur, rallier subtilement l'extrême gauche et un bout d'extrême droite. En étant, par-dessus le marché, le candidat des Américains, ça pourrait aller. Le Medef se ferait une raison. Chirac pourrait partir tranquille. L'État, vous dis-je, l'État. Dans un numéro récent du populaire magazine *Marianne* consacré à « l'Anti-France », je me vois défini ainsi, à cause d'un ancien article intitulé « La France moisie » : « Formé aux canons de la grande Révolution culturelle, Philippe Sollers adore les slogans et les listes noires. » Les slogans, j'en doute, mais voici ma liste rose. Fabius boosté par le peuple de gauche, ce serait frappant.

30/10/2005

OPHÉLIE

Ma libraire, Ophélie, me bat froid, c'est un fait, elle a sa mauvaise figure. Je crois comprendre qu'elle me reproche tout : d'avoir soutenu Houellebecq, dont les ventes, paraît-il, se tassent ; d'avoir dit du bien de Weyergans qui n'hésite pas à faire étalage de ses aventures extraconjugales ; bref, c'est son point de vue bétonné, de ne pas être *moral*. Elle trouve Houellebecq d'une misogynie écœurante, a interdit à sa fille de lire *La Possibilité d'une île*, espère bien qu'un livre aussi déprimant n'aura pas le Goncourt (un méchant roman qui parle de « pétasses » et de « rombières », un ramassis d'obsessions sexuelles de très mauvais goût). « D'ailleurs, sa femme le quitte », me dit Ophélie, dans un élan de solidarité féminine. Elle me conseille vivement le *Hannah Arendt* de Laure Adler [153] et, bien entendu, prend un air dégoûté quand je lui demande *Approche de Hölderlin*, de Heidegger [154]. Va-t-elle me traiter de nazi ? C'est tout juste. Délicieuse Ophélie : la détestation la rend brusquement jolie.

30/10/2005

MÉLANCOLIE

C'est une déferlante : la mélancolie est partout, livres, expositions, commentaires, photos, articles. De l'Antiquité à nos jours, avec point culminant, Vienne, la mélancolie est notre destin, notre fatalité, notre humeur noire et figée. Ce n'est plus la grippe aviaire, mais la grippe psychique, quelque chose comme une marée occulte dans la dépression de base. Éros est vaincu, Thanatos triomphe. Même l'humour noir de Dada est récupéré dans le grand tombeau du musée. N'espérez plus contempler tranquillement une Vénus nue de Titien, une fête de Fragonard. Egon Schiele ou Klimt ont pris le dessus, vous irez au décharné, au fardé, au précieux misérabiliste, à l'hallucination mortifère. La chair est triste, hélas, l'érotisme est malade, nous sommes laids, souffrants, promis à la mort. Catastrophe dehors, catastrophe dedans. Vous dites Mozart ? Mais non, Wagner.

30/10/2005

WAGNER

Et le revoilà, celui-là, il est increvable. On monte le *Ring* dans l'admiration générale, les jeunes musiciens sont prosternés, et, grâce à Bob Wilson, Wagner est de nouveau d'avant-garde. C'est le moment de relire ce grand méconnu : Nietzsche.

Voici ce qu'il écrit dans *Le Cas Wagner*[155] : « Wagner est la ruine de la musique. Il a su déceler en elle le moyen d'agacer les nerfs fatigués et, par là, il a rendu la musique malade. Ses dons d'invention ne sont pas minces dans

425

l'art d'aiguillonner ceux qui sont à bout de forces, de rappeler à la vie les demi-morts. Il est le maître des passes hypnotiques ; les plus forts, il les renverse comme des taureaux. Le succès de Wagner – son succès sur les nerfs, et donc auprès des femmes – a fait de tous les ambitieux du monde de la musique des disciples de son art maléfique. Et c'est vrai non seulement des ambitieux, mais aussi des malins... De nos jours, on ne gagne plus d'argent qu'avec la musique malade. Nos grands théâtres vivent de Wagner. » Ces lignes datent de mai 1888.

Et aussi : « Ah, le vieux sorcier ! Comme il nous fait la guerre, à nous, les esprits libres ! Comme de ses accents de sirène il sait plier à sa guise toutes les lâchetés de l'âme moderne ! Jamais il n'y eut haine plus mortelle de la connaissance ! Il faut être un cynique pour ne pas être séduit, il faut savoir mordre pour ne pas tomber en adoration. » Mais qui est encore cynique ? Et qui sait encore mordre ? Pour comprendre ce qui se joue là d'essentiel, il faut redécouvrir tout Nietzsche, décidément l'auteur le plus actuel.

30/10/2005

SADE

J'avais attiré l'attention, il y a deux ans, avec le collectionneur Pierre Leroy, sur un personnage crucial de la vie du marquis de Sade, sa belle-sœur, Anne-Prospère de Launay. Mais voici maintenant, grâce à Maurice Lever, un scoop considérable, *Je jure au marquis de Sade, mon amant, de n'être jamais qu'à lui...* [156], un document extra-ordinaire curieusement conservé, malgré sa charge explo-sive, dans les papiers des descendants de la Présidente de Montreuil (mère de la femme de Sade et de sa sœur).

C'est donc une jeune et jolie chanoinesse de dix-sept ans qui écrit ce qui suit à son beau-frère, et qui signe cette déclaration de son sang : « Je jure à M. le Marquis de Sade, mon amant, de n'être jamais qu'à lui, de ne jamais ni me marier, ni me donner à d'autres, de lui être fidèlement attachée, tant que le sang dont je me sers pour sceller ce serment coulera dans mes veines. Je lui fais le sacrifice de ma vie, de mon amour et de mes sentiments, avec la même ardeur que je lui ai fait celui de ma virgi-nité, et je finis ce serment par lui jurer que si d'ici à un an, je ne suis pas chanoinesse et par cet état, que je n'embrasse que pour être libre de vivre avec lui et de lui consacrer tout, je lui jure, dis-je, que si ce n'est pas, de le suivre à Venise où il veut me mener, d'y vivre éternelle-ment avec lui comme sa femme. Je lui permets en outre de faire tout l'usage qu'il voudra contre moi dudit ser-ment, si j'ose enfreindre la moindre clause par ma volonté ou mon inconscience.

« Signé avec du sang, De Launay, 15 décembre 1769. »

On croit rêver, mais non, ce document existe, on peut en voir le fac-similé. Sade, à cette date, a vingt-neuf ans. Tout indique que sa jeune belle-sœur l'a trouvé beau, séduisant, irrésistible, aimable. Même instruite de ses débauches et de sa philosophie extrême, elle le suit trois ans plus tard à Venise et dans toute l'Italie. Sade vient d'être condamné à mort pour une sale histoire à Mar-seille, il est donc en fuite avec sa chanoinesse de belle-sœur qu'il présente là-bas comme étant sa femme. Diffi-cile d'aller plus loin dans la liberté insolente. C'est d'ailleurs à partir de cette affaire scandaleuse qu'il passera presque toute sa vie en prison.

30/10/2005

GRACIÁN

Vous ne pouvez pas vous passer de l'édition des traités de Baltasar Gracián [157], ce jésuite de génie (début du XVIIe siècle) particulièrement admiré par Nietzsche. Voici, par exemple, ce qu'est pour lui un esprit vif : « L'esprit vif est toujours sur le fil de l'actualité, car seule sa force en fait une puissance de l'âme... Cette promptitude consiste soit dans la vigueur naturelle de l'esprit, soit dans l'abondance des sujets perçus par lui, soit dans la facilité à en jouer. La passion suffit à les susciter, à lui fournir des armes. La chaleur matérielle elle-même, naturelle ou artificielle, l'excite. » Et voilà.

30/10/2005

SIMON LEYS

Les imbéciles croient que faire des citations est à la portée du premier venu. Pas du tout, c'est un art fondamental, risqué, dans lequel il faut autant de profondeur que de variété insolite. Voici un petit livre admirable de Simon Leys qui prouve cet art de lettré chinois : *Les Idées des autres* [158]. Au hasard (ou presque) de ce florilège : « Le social est irréductiblement le domaine du diable » (Simone Weil). « Le mauvais goût mène au crime »

(Stendhal). « Je refuse de savoir ce que peut penser des hommes de talent un homme qui n'en a pas » (Jules Renard). « Dans le monde, vous avez trois sortes d'amis : vos amis qui vous aiment, vos amis qui ne se soucient pas de vous, et vos amis qui vous haïssent » (Chamfort). Et puis Zhuangzi : « Qui me dit que mon attachement à la vie n'est pas une illusion ? Qui me dit que mon horreur de la mort n'est pas simplement la réaction d'un individu qui, ayant quitté sa maison natale tout enfant, aurait oublié le chemin du retour ? »

30/10/2005

BANLIEUES

Tout a été dit et redit sur l'explosion des banlieues, sauf, me semble-t-il, l'essentiel : une société qui engendre une telle violence ne peut être qu'une société du mensonge permanent et de la fausseté programmée. Des corps laissés pour compte s'en aperçoivent, ils tournent en rond dans la nuit, ils n'en peuvent plus, ils cassent, ils brûlent. Ce qui veut dire : présent insupportable, passé détruit, aucun futur. Le nihilisme actif répond à la routine du nihilisme passif, le cocktail Molotov au matraquage publicitaire. Sacré Molotov ! Qui se souvient de ce sinistre bureaucrate stalinien éliminé en 1957, et signataire, en 1939, du pacte germano-soviétique ? Il brûle en enfer, ce vieux salaud, mais il inspire encore les émeutiers sans espoir. Traiter ces derniers de « racaille » les dope. L'état d'urgence et le couvre-feu les calment un peu, mais les encouragent en secret. La misère de la politique éclate dans la politique publicitaire. Ces incendies sporadiques ont une seule destination usée : l'Élysée.

27/11/2005

SYNTHÈSE

Le Parti socialiste est une grande famille agitée, avec ses pères, ses mères, ses fils, ses filles, ses oncles, ses tantes, ses neveux, ses nièces, ses cousins lointains, ses proches par alliances. Des conflits ont lieu, ils font beaucoup de bruit, il y a des séparations, des divorces. On se regarde de travers, on se jalouse férocement, on ne se salue plus, on se bat froid. Qui est le chef ? C'est moi, non, c'est moi. Qui a eu le plus de télés, de magazines, de photos, toi ou moi ? Et le meilleur couple ? Les enfants les plus beaux ? On se pousse, on se blesse, on s'espionne. Et puis, tout à coup, voitures carbonisées aidant, on est rassemblés, unis, réunis, comme une vraie famille bourgeoise en danger face à une opinion franchement morose. Les socialistes redécouvrent les Français et la France réelle, leurs problèmes, leurs doutes, leur perte d'identité. Certains parlaient de fonder une Sixième République, mais ce mauvais rêve, trop démocratique, a été écarté. Tous ensemble, on verra après. Bravo Hollande. Il court, il vole, il réconcilie, il bénit, et son épouse le suit, la belle Ségolène pourtant déjà présidente. Le grand vainqueur dans tout ça ? Fabius, évidemment, je vous l'avais dit. Il est providentiel, ça saute aux yeux, et c'est même la raison pour laquelle la famille ne l'aime pas, le redoute. Passer de TSF, Tout Sauf Fabius, à TPF, Tous Pour Fabius, sera une longue ascèse, une drôle de couleuvre à avaler. Mais si je suis Chirac, Villepin, Sarkozy, je joue Fabius à fond pour la finale. Il est battu de justesse, le film futur est parfait. Les banlieues se tassent un instant, les grèves reprennent, la presse écrite respire à peine, la mondialisation s'accélère. Et la littérature dans tout ça ? Elle tient bon, et en voici la preuve : après des années d'hésitations, de fausses informations, d'apparitions et de disparitions, le prix Weyergans a enfin été attribué au Jury Goncourt. Le lauréat a rejoint sa mère, et son concurrent Houellebecq repart, avec un pourboire et son chien, dans son île. Tout est rentré dans l'ordre, passons à l'année suivante. Je crois donc venu le moment de publier mon magnifique prochain roman.

27/11/2005

L'ABBÉ

Heureusement que l'abbé Pierre, l'homme le plus vénéré des Français, est là, penché sur nos âmes. Il vient enfin de l'avouer, dans une bouleversante confession qui a ému le pays entier : oui, il a commis le péché de chair, oui, il a goûté à la sexualité qui est bien, paraît-il, la seule chose qui nous intéresse. Oh, n'allez pas croire que ce saint homme ait eu (comme autrefois le bienheureux Charles de Foucauld) une jeunesse libertine ou dépravée, ce n'est pas son genre. Mais enfin, il comprend ces choses, elles lui parlent, il est libéral dans ce domaine, donc bien peu papiste, ce qui lui vaut l'admiration complice de tous. D'autant plus que son expérience, dans ce sport dangereux, semble avoir été décevante. La chair est triste, hélas, et l'abbé n'a pas lu beaucoup de livres. Il est dans l'authenticité, lui, et le vice rend hommage à sa vertu. On sent qu'il sera indulgent sur les écarts de conduite, l'homosexualité, et même l'homoparentalité, mais n'attendez pas de lui qu'il justifie la polygamie africaine. L'abbé Pierre est notre pasteur, notre Père blanc, notre grand-père et notre grand-mère. Le laïcard le plus fanatique s'incline devant son béret célèbre.

27/11/2005

OUTREAU

Là, on entre dans la folie quotidienne. Remarquons d'abord qu'un autre abbé, l'abbé Wiel, a passé deux ans et demi en prison avant d'être innocenté du délit de pédophilie. Des enfants l'accusaient, ils se rétractent. Mais il paraît qu'à l'école tout le monde pensait que l'abbé était coupable. C'était même le coupable idéal. Il est toutefois difficile de faire mieux, dans le mensonge inventif, que Myriam Badaoui, la principale accusée de ce procès terrible et cocasse. Elle est grosse, elle est bavarde, elle a une énergie inouïe. Le sexe ne lui fait pas peur, elle le met à toutes les sauces. Elle dénonce, elle invente, elle force le trait. Le juge crédule et expéditif qui a eu affaire à elle en est resté médusé. Il faut dire que les innocents du procès sont bizarres. Ainsi de Franck Lavier, accusé d'avoir reniflé de trop près la petite Stéphanie. « Ça a été grossi », dit-il à l'audience. « C'est arrivé qu'une fois. Je lui ai senti le cou, les aisselles, je me suis arrêté au nombril. » C'était juste pour vérifier que la petite Stéphanie avait fait correctement sa toilette. L'innocent est prolixe, il admet avoir déliré dans ses dépositions (il n'est pas le seul), jure qu'il n'a jamais eu envie de Myriam (pas gentleman, ça), et surtout se met à parler en argot sexuel, ce qui a le don de faire rire la salle (ah, ces Français !). Il a quand même passé pour rien trente-six mois et vingt jours en cellule. Maintenant, il pleure. Misère de la justice, donc, et ce n'est pas drôle. L'abbé Wiel écrira-t-il un jour ses *Mémoires d'Outreau-tombe* ? On aimerait.

27/11/2005

GUANTANAMO

De la folie provinciale française, on passe à la folie planétaire avec l'histoire de Mohammed, quatorze ans, un Tchadien raflé au Pakistan en septembre 2001, et totalement étranger à toute activité terroriste. Il est défendu, dans la mesure du possible (ou plutôt de l'impossible), par un avocat britannique qui a passé une partie de sa vie avec les condamnés, dans les couloirs de la mort. Mohammed, d'abord torturé par la police pakistanaise, a été livré aux Américains, et est toujours à Guantanamo en train de croupir. Il faut dire que le langage de Guantanamo est spécial. On ne dit pas tentative de suicide, mais « conduite autodestructrice ». On ne dit pas, pour les grévistes de la faim, nourris de force, mais « fortement assistés pour se nourrir ». Les gardiens n'aiment pas avoir des cadavres sur les bras, ça fait désordre. On sait un certain nombre de choses sur l'enfer de Guantanamo, mais rien, en revanche, sur les prisons secrètes de la CIA en Europe de l'Est. Circulez, sans quoi on dira, ici ou là, que vous vous intéressez de trop près aux terroristes.

Supposons que vous ayez été plus ou moins catalogué comme gauchiste ou maoïste dans votre inconséquente jeunesse : vous êtes donc, par nature, antiaméricain primaire ou même antidémocratique tout court.

Mohammed n'avait jamais vu de Blancs avant les Américains. Il n'avait jamais entendu parler anglais, et le premier mot qui lui a été adressé dans cette langue est « nigger », nègre, assorti de « bâtard », « terroriste », avant de se retrouver, sous les coups, dans des cages à cinq ou six. « Un policier militaire me tenait le pénis entre des ciseaux et disait qu'il allait le couper. Je le croyais. J'étais incroyablement effrayé. C'était la première fois de ma vie que j'avais affaire à des Blancs. » L'examen médical consiste à enfoncer un doigt dans l'anus du prisonnier. Il est ensuite suspendu à des crochets au-dessus du sol, battu et encore battu, parfois pendant huit heures d'affilée. Il faut qu'il dise la vérité, mais laquelle ? Après quoi, on l'empêche de dormir en le changeant de cellule toutes les vingt minutes, et puis, le jour, il est empêché de s'asseoir. C'est ensuite l'isolement dans des pièces glacées avec des éclairages stroboscopiques, bleu, jaune, rouge, avec une musique fracassante (voilà une belle sortie en boîte). Évidemment, des chiens partout. Les prisonniers ont droit à une sortie par semaine, ou bien toutes les deux semaines. Il est étonnant, dans ces conditions, d'être encore vivant. Qu'en pense la séduisante Condi Rice, maîtresse du monde ?

27/11/2005

434

HOUELLEBECQ

Et comme tout finit par arriver, voici une récente déclaration de Houellebecq à *Paris Match* où il apparaît qu'il devient brusquement sollersien : « Je crois que j'ai aujourd'hui la capacité d'écrire une idylle. Il me semble, par exemple, que les passages très heureux dans mes livres expriment le bonheur avec force. Je me dis que ça doit être possible de faire plus long dans le "purement heureux". » Et même : « Je continue de penser que la poésie est plus que le roman. Elle est plus, parce qu'elle touche de plus près à la catégorie platonicienne du beau. » La possibilité d'une idylle, le retour à Platon après une cure sévère de Schopenhauer : allons, tous les espoirs sont permis, et le Goncourt dans deux ans, c'est promis.

27/11/2005

DEBORD

On imagine le sourire de Guy Debord, suicidé il y a onze ans, et cinéphobe intransigeant, devant la publicité qui lui est faite pour la sortie de ses films anti-cinéma en coffret de trois DVD. Sont présents dans la promotion : Gaumont DVD, *Le Monde*, *Les Inrockuptibles*, Radio Nova, TSF 89.9 et Carlotta Films. On se demande combien d'amateurs de DVD iront au texte même de *In Girum Imus Nocte Et Consumimur Igni*, lu, dans le film, par Debord lui-même. Exemple : « Le cinéma dont je parle ici est cette imitation insensée d'une vie insensée, une représentation ingénieuse à ne rien dire, habile à tromper une heure d'ennui par le reflet du même ennui ;

cette lâche imitation qui est la dupe du présent et le faux témoin de l'avenir ; qui, par beaucoup de fictions et de grands spectacles, ne fait que se consumer inutilement en amassant des images que le temps emporte. Quel respect d'enfants pour des images ! Il va bien à cette plèbe des vanités, toujours enthousiaste et toujours déçue, sans goût parce qu'elle n'a eu de rien une expérience heureuse, et qui ne reconnaît rien de ses expériences malheureuses parce qu'elle est sans goût et sans courage : au point qu'aucune sorte d'imposture, générale ou particulière, n'a jamais pu lasser sa crédulité intéressée. » Le style emprunté ici par Debord n'est autre que celui, splendidement rythmé, de Bossuet dans *Oraison funèbre d'Henriette d'Angleterre*. Bossuet est, comme on sait, l'écrivain préféré des *Inrocks*. Et aussi : « Ainsi donc, au lieu d'ajouter un film à des milliers de films quelconques, je préfère exposer ici pourquoi je ne ferai rien de tel. Ceci revient à remplacer les aventures futiles que conte le cinéma par l'examen d'un sujet important : moi-même. »

Je remplace maintenant, dans la citation qui suit, le mot film par celui de roman, et voici : « On m'a parfois reproché, mais à tort je crois, d'écrire des romans difficiles : je vais pour finir en publier un. À qui se fâche de ne pas comprendre toutes les allusions, ou qui même s'avoue incapable de distinguer nettement mes intentions, je répondrai seulement qu'il doit se désoler de son inculture et de sa stérilité, et non de mes façons ; il a perdu son temps à l'Université, où se revendent à la sauvette des petits stocks de connaissances avariées. »

Ailleurs, dans son livre *Panégyrique*, Debord justifie admirablement son usage nouveau et révolutionnaire des citations : « Les citations sont utiles dans les périodes d'ignorance ou de croyances obscurantistes... La lourdeur ancienne du procédé des citations exactes sera compensée, je l'espère, par la qualité de leur choix. Elles viendront à propos dans ce discours. Aucun ordinateur n'aurait pu m'en fournir cette pertinente variété. » Il ajoute, avec sa désinvolture coutumière, qu'il sera ainsi, au-delà de l'ignorance et de l'obscurantisme actuels, plus facile à traduire, le français étant devenu, dans l'avenir, une langue morte, comme le latin ou le grec.

27/11/2005

Mémoire

Où en est la France ? Le pays, la République, les villes, les banlieues, les habitants, la circulation, l'histoire, la mémoire ? Je me frotte les yeux, je m'endors, je rêve, je me réveille à nouveau. S'agit-il d'un déclin, d'une crise, d'une amnésie passagère, d'un trou dans le scénario habituel ? Prenez Napoléon, par exemple. Si quelqu'un semblait pouvoir dormir tranquille aux Invalides, c'est lui. Eh bien, non. Il a rétabli l'esclavage, il doit être maintenant considéré comme un précurseur de Hitler. La victoire d'Austerlitz n'est pas célébrée, ou à peine. De toute façon, il paraît qu'on nous a menti sur la colonisation. Elle a eu ses bons côtés, paraît-il, l'affaire n'est pas claire, des associations s'en mêlent, les Antilles protestent, la tension entre Blancs et Noirs est de retour, l'universel se délite, et c'est probablement la faute des élites. Un philosophe s'énerve dans la presse israélienne : dérapage voulu ou piégé ? Ses déclarations font grand bruit, il est attaqué, mais le ministre de l'Intérieur dit aussitôt de lui qu'il « fait honneur à l'intelligence française. » J'aimerais bien recevoir le même compliment, mais non rien, j'attendrai, cela viendra peut-être un jour, ces mots pourraient franchir les lèvres de la belle Ségolène Royal, notre seul espoir, désormais, dans un retour à la raison ménagère et pratique. Je dois le dire une bonne fois : je suis fier d'être français, mais j'attends qu'on m'explique pourquoi. Qu'on me donne enfin un bon manuel d'histoire officielle. Sinon, je me sens perdu. Est-ce que la collaboration avec l'occupant allemand a eu, oui ou non, des effets positifs ? Dois-je continuer à vénérer Jeanne d'Arc ? Louis XIV a-t-il vraiment existé ? La Révolution reste-t-elle un bloc ? Mitterrand était-il sourdement aux écoutes ? Je suis prêt à tout reconsidérer, mais il faut m'aider. Me dire ce qui est permis, interdit, toléré, déconseillé, prescrit. Je veux ma boussole. Rendez-moi une mémoire, je ferai mes devoirs. Qu'on me réapprenne le b.a.-ba. Sans quoi, je balbutie, je titube. Notre-Dame de Paris est-elle un monument d'illusion ? Ne faut-il pas débaptiser toutes les rues de villages qui s'appellent Thiers ? La guerre de 1914-1918 doit-elle être considérée comme si glorieuse que ça ? De Gaulle était-il l'otage de Papon ? La stricte laïcité a-t-elle encore un sens ? Quel est mon passé ? Où suis-je ? Qui suis-je ?

25/12/2005

PAPE

Benoît XVI est-il un « nouveau réac » ? Les avis vont dans ce sens, mais ses récentes déclarations sur la France brouillent les pistes. Il reçoit l'ambassadeur de mon pays, et lui explique posément que le message de révolte des banlieues doit être entendu, que la jeunesse a besoin d'idéal, que la République doit savoir remercier tous ses travailleurs immigrés qui lui ont permis de s'enrichir, que la loi de 1905 est excellente, chacun son truc, restons-en là. Un vrai sermon de gauche de la part d'un pontife intello, dont le moins qu'on puisse dire est qu'il n'est pas favorable à l'évolution normale des mœurs, préservatifs, avortement, homosexualité, mariages du même sexe et autres bricoles. Quand j'apprends que ce pape est servi par quatre quadragénaires aux noms de rêve, Carmela, Emmanuela, Loredana, Cristina, et qu'il a fait monter au troisième étage du Vatican son vieux piano demi-queue pour pouvoir jouer son musicien favori, Mozart, je me pince. De qui se moque-t-on ? La planète est en pleine dérive, et ce pape, levé à cinq heures trente et couché à vingt et une heures trente, se détend en jouant du Mozart ? On est loin du rocker Jean-Paul II, mais voici ma question : Mozart, était-il réactionnaire ? Ce n'est pas impossible, après tout.

25/12/2005

CHINE

Et voilà que tout se complique : la Chine arrive maintenant en quatrième position d'énergie économique mondiale, dépassant la France, ce qui est un comble, et n'arrange pas mon désarroi. Ces Chinois totalitaires sont partout, ils montent sournoisement en puissance, ils sont polis, souriants, déterminés, actifs, ils ne dorment jamais, ils progressent, ils s'infiltrent. Voici une commande d'Airbus A 320 pour huit milliards trois cent millions d'euros, c'est tout dire. Avez-vous vu le visage radieux de Wen Jiabao entouré de ses clients français ? Un type sûr de lui et dominateur, et surtout bien peigné, net, implacable. Les Droits de l'Homme attendront, Airbus d'abord. Et puis la rumeur : il semblerait qu'une détente soit en cours entre le Vatican et Pékin, à quand un récital Mozart de Benoît XVI à Shanghai en hommage aux jésuites ? Dans l'ère où nous entrons, tout est possible. Il paraît que Bush et Poutine sont très inquiets à ce sujet, leur apparence n'ayant rien, il est vrai, de particulièrement mozartien. Le président iranien, lui aussi, fait la gueule, mais lui est vraiment fou et peu enclin à apprécier *L'Enlèvement au sérail*.

25/12/2005

MITTERRAND

Le meilleur livre que j'aurai lu sur le règne à facettes de Mitterrand est celui de Pierre Joxe, *Pourquoi Mitterrand ?* [159], titre où le point d'interrogation est d'une importance particulière. C'est sérieux, distancié, souvent humoristique et, surprise, très bien écrit. Parmi les choses amusantes : « Nous avons souvent vu Mitterrand avec des femmes qu'on connaissait parfois ou qu'on ne connaissait pas, qu'on voyait débarquer puis qu'on voyait disparaître – ce n'était pas notre affaire. Il arrivait à une réunion dans une voiture conduite par une demoiselle inconnue, repartait avec elle, sans se cacher, se contrefichant totalement de ce qui pouvait être dit. Sur le plan fonctionnel, je ne trouvais pas cela très sérieux de s'afficher ainsi. Il me faisait penser à ce proverbe russe qui dit : "On ne peut pas coucher avec toutes les femmes, mais on peut toujours essayer." »

Joxe a été ministre de l'Intérieur, et il est protestant plutôt anglophile. Il observe ce curieux « catholique social » à la mémoire incroyable, et se fait un malin plaisir de souligner son ignorance de la Bible. Mitterrand se trompe sur Job, il se trompe sur la tour de Babel. Son sourcilleux ministre, déjà réservé sur la vie privée de son prince, lui fait remarquer ses erreurs. En avion, au-dessus de l'océan, Mitterrand oblige Joxe à lire du Chardonne, mais Joxe se venge en lui imposant Louise Michel. Tout cela est feutré et rapide, avec, comme dans toutes les histoires de pouvoir, une réalité violente irréelle, dissimulation, retournements, non-dits, tragédies et cocasseries.

25/12/2005

LIBERTINAGE

En 1988, Mitterrand, déjà alerté par mon roman *Femmes*[160], me dit qu'il est en train de découvrir Casanova. Bienvenue au club, lui dis-je. Il était vraiment passionné, et Octavio Paz, qui se trouvait là, ne voyait pas ça d'un bon œil. Je suis sûr qu'aujourd'hui il se précipiterait à la librairie Gallimard du boulevard Raspail pour se procurer le deuxième tome récent, en Pléiade, des *Libertins du XVIIIᵉ siècle*. Voici une note de ce volume éclatant qu'il aurait lu avec délices. Il s'agit du roman anonyme *Vénus dans le cloître ou la Religieuse en chemise*, paru en 1672 ou en 1682, et réédité en 1746. Une jeune fille se fait expliquer ce qu'est le baiser à la florentine : « Voilà la façon dont les personnes qui s'aiment véritablement se baisent, enlaçant amoureusement la langue entre les lèvres de l'objet qu'on chérit. Pour moi, je trouve qu'il n'y a rien de plus doux et de plus délicieux quand on s'en acquitte comme il faut, et jamais je ne le mets en usage que je ne sois ravie en extase et que je ne ressente par tout mon corps un chatouillement extraordinaire et un certain je-ne-sais-quoi que je ne te puis exprimer qu'en te disant que c'est un plaisir qui se répand universellement dans toutes les plus secrètes parties de moi-même, qui pénètre le plus profond de mon cœur, et que j'ai droit de le nommer un abrégé de la souveraine volupté. »

Dans ses entretiens plutôt barbants et pénibles avec Marguerite Duras[161], Mitterrand n'aborde pas le sujet qui, sans aucun doute, lui tenait le plus à cœur. J'aurais dû, à l'époque (bicentenaire de la Révolution), lui proposer un programme de revalorisation des études licencieuses du XVIIIe. La mémoire française en aurait été rafraîchie, la République serait enfin devenue attrayante. Est-il désormais trop tard ? Je le crains. Ségolène Royal lit-elle ce genre de romans ? J'en doute.

25/12/2005

ROBBE-GRILLET

Robbe-Grillet, de l'Académie française, parle de son dernier film dans *Les Inrockuptibles*. Ses propos sont pieusement recueillis et tournent autour de ses fantasmes habituels, petites filles enchaînées, femme absente, kitsch maniéré. Mais pourquoi éprouve-t-il soudain le besoin d'attaquer Hitchcock ? « Ce n'est pas un grand auteur, dit-il, il veut toujours s'expliquer. » Entre Robbe-Grillet et Hitchcock, il y a, hélas, un abîme, celui qui sépare l'artisan besogneux de l'artiste de génie. On n'imagine pas le pauvre Robbe-Grillet sachant diriger et aimer Ingrid Bergman, Kim Novak, Grace Kelly, Eva Marie Saint, ou encore l'extraordinaire Tippi Hedren (pas plus, d'ailleurs, que Cary Grant). Voilà toute la différence entre un brave ingénieur agronome légèrement pervers et le grand vice enveloppant d'un jésuite anglais. On peut revoir cent fois les films de Hitchcock, et, chez lui, les femmes sont en effet très présentes. Elles sont toutes des « abrégés de la souveraine volupté ».

25/12/2005

VOLTAIRE

On monte en province le *Mahomet* de Voltaire, mais cela déclenche aussitôt les foudres de plusieurs associations musulmanes locales et de représentants de la mosquée de Genève. Là-dessus, un sous-préfet français croit bon d'expliquer que la pièce est surtout dirigée contre le fanatisme catholique, ignorant sans doute que Voltaire a dédié sa pièce au pape Benoît XIV qui, en retour, lui a envoyé sa bénédiction. Voilà notre époque.

Vous en profiterez donc, puisqu'il vient de paraître enfin en livre de poche, pour lire, de Voltaire, *Le Siècle de Louis XIV* [162]. Voici un passage, presque au hasard. Mme de Montespan tombe en disgrâce, Mme de Maintenon commence son règne obscur : « On conservait à la marquise de Montespan tout l'extérieur de la considération et de l'amitié, qui ne la consolait pas ; et le roi, affligé de lui causer des chagrins violents, et entraîné par d'autres goûts, trouvait déjà dans la conversation de Mme de Maintenon une douceur qu'il ne goûtait plus auprès de son ancienne maîtresse. Il se sentait à la fois partagé entre Mme de Montespan, qu'il ne pouvait quitter, Mlle de Fontanges, qu'il aimait, et Mme de Maintenon, de qui l'entretien devenait nécessaire à son âme tourmentée. Ces trois rivales de faveur tenaient toute la Cour en suspens. Il paraît assez honorable pour Louis XIV qu'aucune de ces intrigues n'influât sur les affaires générales, et que l'amour qui troublait la Cour n'ait jamais mis le moindre trouble dans le gouvernement. Rien ne prouve mieux, ce me semble, que Louis XIV avait une âme aussi grande que sensible. »

25/12/2005

LATIN

Allons plus loin, et soyons résolument modernes. Je ne saurais trop vous conseiller d'avoir, dans votre poche, l'*Anthologie de la littérature latine*, dans la nouvelle édition de Jacques Gaillard et René Martin [163]. Ils sont tous là, les vrais immortels : Cicéron, César, Lucrèce, Catulle, Salluste, Virgile, Horace, Tite-Live, Ovide, Sénèque, Pline l'Ancien, Tacite, Pétrone, Suétone, Apulée. Merveilles sur merveilles. Voici, par exemple, dans Suétone, l'ignoble Caligula : « Il eut des relations sexuelles avec toutes ses sœurs, et l'on dit qu'il déflora Drusilla alors qu'il était encore mineur. On dit même qu'il fut surpris dans ses bras par Antonia, chez qui il avait été élevé avec elle. Il lui fit épouser l'ancien consul Lucius Cassius Longinus, après quoi il la lui prit et la traita publiquement comme son épouse légitime, au point que, étant tombé gravement malade, il la coucha sur son testament en tant qu'héritière de ses biens et de l'Empire. Lorsqu'elle mourut, il fit décréter un deuil général durant lequel le simple fait d'avoir ri, d'être allé aux bains ou d'avoir dîné avec ses parents, sa femme et ses enfants était puni de mort. » Voilà, ce n'est pas du vieux nouveau roman, on ne s'ennuie pas une minute.

25/12/2005

PROMO

Écrire est, du moins pour moi, une joie constante, publier est une autre affaire. On va sur le terrain, on s'agite, on est réduit à quelques phrases, presque toujours les mêmes, on passe d'un plateau à l'autre, d'un studio à l'autre, d'un journal à l'autre, d'une indifférence plus ou moins bien dissimulée à l'autre, beaucoup de taxis, d'embouteillages, de courses dans les couloirs, c'est amusant, crevant, consternant. Pas de quoi se plaindre, c'est le jeu, il a ses bons moments de rire intérieur. Pour équilibrer la déperdition d'énergie qui s'ensuit, j'ai ma méthode. Avant de plonger dans le spectacle, lecture de livres les plus difficiles possibles, par exemple un peu de Hegel, *La Phénoménologie de l'esprit* : « La mort est ce qu'il y a de plus terrible, et maintenir l'œuvre de la mort est ce qui demande la plus grande force. » Voilà de quoi tenir le coup, lorsqu'à une heure très tardive il faut expliquer en une minute, devant les caméras, ce que Nietzsche entendait par « Éternel Retour ».

L'animateur s'en fout éperdument, il a fait parler, juste avant, une pseudo-critique littéraire débraillée pour stigmatiser, de façon confuse, ma « misogynie », mais la seule chose qui compte est de savoir si la couverture du livre est bien passée à l'antenne. Oui ? Alors tout va bien. À part quelques injures rituelles, les articles sont plutôt très bons, avec, parfois, une couleur un peu paternaliste qui me plaît et me rajeunit. Quand j'étais au lycée, mon professeur de français, un bon vieux gros communiste qui me reprochait de préférer La Fontaine à Paul Éluard, me donnait une bonne note en dissertation, non sans me dire chaque fois : « Ne soyez pas trop content de vous. » Je retrouve avec délices cette tonalité de dérision et de tendresse jalouse sous la plume de Patrick Besson : « Sollers explose de contentement de soi. Chacune de ses pensées le ravit et tous ses raisonnements l'enchantent. Quant à ses phrases, il est tellement content de les avoir écrites qu'il doit se faire, la nuit, plein de bisous sur les mains. »

Ici, question : comment Patrick Besson a-t-il eu connaissance de ce détail intime ? Ai-je été trahi par une de mes anciennes amies, surprise de me voir soudain, à trois heures du matin, m'embrasser les mains avec effusion ? Non, Besson est seulement un bon écrivain, donc il a un don de voyance. C'est vrai, je l'avoue, je me fais souvent des bisous sur les mains la nuit. Elles le méritent, ces pauvres mains de forçat de la littérature. C'est ma petite prière dans les ténèbres, ma pilule de philosophie.

29/01/2006

SÉGO

« La femme est l'avenir de l'homme », disait Aragon. Nous y sommes. Mais Ségolène Royal aurait-elle eu autant de succès si elle s'appelait Ségolène Buffet ? J'en doute, et le mot royal prend ici toute sa dimension subliminale. Le vieux rêve monarchique français refait sourdement surface et Marie-Antoinette n'aura pas perdu sa tête pour rien. Oui, les femmes montent, elles convainquent, elles rayonnent. Voyez Michelle Bachelet au Chili : « C'est le temps des femmes pour le bonheur des hommes. » Ségolène, aussitôt, prudente, met un bémol : « Il ne faudrait pas donner le sentiment que les femmes arrivent d'un coup. » D'un coup, non, cela pourrait inquiéter l'ennemi immémorial qui craint de voir rétrécir son empire. À voir la tête que fait Chirac au côté de sa nouvelle partenaire d'acier, Angela Merkel, on peut en effet craindre le pire. Mais un duel futur Royal-Merkel serait fascinant. On a envie de voir ça. François Poitou et Ségolène Charentes d'un côté, la Prusse ennemie des restaurateurs français de l'autre. Ségolène en beauté rose, Merkel boudeuse. Quel match !

Pour l'instant, la pensée politique de la nouvelle star est encore dans les limbes, mais qu'importe ? Elle a une formule qui dit l'essentiel : « Ce qui est important est de donner un désir d'avenir. » Son site s'appelle d'ailleurs Désir d'avenir. J'ai de bonnes raisons d'avoir des désirs d'avenir, j'applaudis, je m'inscris, j'adhère. D'autant plus que Laurence Parisot (autre femme d'avenir) n'a pas de mal à me convaincre que Ségolène conjugue une image protectrice (famille, éducation des enfants) et antiprécaire (socialisme sans exagération). De toute façon, là est le nouveau, l'aventure, le romanesque futur, l'ivresse des médias. Ne nous parlez plus de déclin, de fracture, de rupture : tout est dans un sourire de force tranquille auquel chaque provincial français peut avoir envie de s'identifier. Qui a oublié que la France est une grande province ? Paix, famille, école, emploi, sécurité et stabilité, voilà le secret. C'est ce que Laurence Parisot, dans une déclaration patronale qui fera date, appelle « rendre la France lisible ».

29/01/2006

JARNAC

Au fond, c'est le message *post mortem* de Mitterrand, ce grand sage de tous les villages. Ségolène n'était pas à Jarnac, mais on ne voyait qu'elle, l'absente la plus présente loin des lourds éléphants sous la pluie. Mazarine est encore un peu jeune, mais elle sera d'un secours puissant dans le style Royal. Fabius, avec son chapeau, a bien essayé de la jouer en oncle choisi, mais le coup de Jarnac était un peu gros, un peu trop téléphoné sur la tombe. Coup de vieux pour tout le monde, soudain. Bal des fantômes. Le jeune Mitterrand, là, se réincarnait sous nos yeux dans sa fille, laquelle devra attendre son tour sous la houlette de tante Ségo. Il faut d'abord que Ségo l'emporte sur tous ses rivaux et rassemble le peuple de gauche dans un grand élan d'avenir. Gros travail, peut-être impossible, sauf inspiration mystique dans le genre Jeanne d'Arc. Ségo contre Sarko, ensuite, ça pourrait aller, avec le soutien larvé de la chiraquie déchaînée. Mais si c'est Villepin ? Ce dernier, après avoir pointé du doigt les « déclinologues », est-il pour autant devenu progressologue ? Il est fier d'être français, nous aussi. Mais son appel, peut-être humoristique, au passé des druides nous laisse sceptiques sur sa potion magique. Une finale Villepin-Ségo serait quand même un spectacle superbe, tendu, vibrant, cruel, haletant. Oubliés les problèmes du *Clemenceau*, l'épouvantable gâchis d'Outreau, la trahison de Johnny le Belge ! Oublié le pauvre Sharon maintenu à l'état de mort-vivant après une curieuse affaire d'anticoagulants ! Oublié le redoutable Gazpoutine ! Oubliée, espérons-le, la grippe aviaire venue depuis la Turquie nous chatouiller les narines ! L'avenir, rien que l'avenir ! Les druides, Solutré, le Chili, Jarnac, le Poitou-Charentes, la rose enrobée, l'avenir !

29/01/2006

FRANCE

La France compte aujourd'hui soixante-deux millions neuf cent mille habitants, mais le plus important est que le taux de fécondité est en augmentation continue, atteignant, selon des statistiques récentes, 1,94 % par femme en 2005. Ce 1,94 % fait rêver, et contredit absolument les thèses des déclinologues. Hélas, les suicides sont aussi en augmentation continue, et les prévisions d'un généticien comme Axel Kahn sont très sombres. « Le suicide est une maladie d'avenir. Je crois que ce monde où l'on nous dit que tout est déterminé d'avance par le progrès et les gènes crée une société propice au suicide. » Que faire ? Écouter le pape Benoît XVI qui n'hésite pas à parler d'une « atrophie spirituelle » de l'humanité ? Le

suivre dans sa première encyclique « Dieu est amour » ?
L'ex-assassin raté de Jean-Paul II sort de prison en Turquie, après vingt-cinq ans d'enfermement, mais il est
arrêté de nouveau pour un autre meurtre plus ancien, et
ne sera libéré que dans dix ans. Jean-Paul II lui avait
pardonné lors d'une rencontre mémorable où on ne sait
pas ce qu'ils se sont dit (mystère de cet attentat, peut-être
uniquement connu de Gazpoutine). Étrange Ali Agça qui
ne craint pas de clamer qu'il est le Christ et qu'il vient
annoncer l'Apocalypse. Simulateur, dissimulateur, mais
vrai tueur apparemment repenti. Quoi qu'il en soit, cette
affaire a fait moins de bruit que le retour de Cécilia Sarkozy (Dieu soit loué !) ou la montée en puissance de
Ségolène. Qui sait ? En apprenant que Cécilia revenait
chez son mari, son mari a peut-être poussé un « ouf ! »
de soulagement. Les hommes sont si lâches, si faibles.

29/01/2006

STARDUST

J'aimerais assez être planétologue. Quand je vois la
sonde Stardust aller percuter dans le cosmos la comète
Wild-2 pour en ramener des poussières nous racontant
les débuts de notre Univers ! Allez, un peu de vertige :
« Nos calculs prévoient deux mille à trois mille grains sur
mille centimètres carrés d'aérogel. La plupart de l'ordre
du micron, une centaine pourraient mesurer vingt
microns. Statistiquement, on attend un gros grain de cinquante microns, le diamètre d'un cheveu. La quantité
totale de matière reste minuscule : un microgramme, soit
un million de fois moins qu'une cuillère à café. »

Face à notre destin de poussières, j'aime bien cette déclaration de la sublime Charlotte Rampling : « J'ai un visage qui prend bien la vieillesse, comme d'autres prennent bien la lumière. »

29/01/2006

MOZART

Mozart vient d'avoir deux cent cinquante ans, et il n'a jamais été aussi jeune. « Jamais aussi jeune, le scélérat », comme dirait Bernard Pivot en pensant au fameux dialogue de *Don Giovanni*. La statue du Commandeur demande à Don Juan de se repentir : « Repens-toi, scélérat ! » Et l'autre, décidément insensible à toute morale, lui répond : « Non, vieil infatué ! » Il vient de chanter son hymne à la liberté : « Vive les femmes, vive le bon vin, soutien et gloire de l'humanité ! » Il doit être puni, il va aller en enfer. A-t-on jamais écrit une musique aussi dramatique, aussi audacieuse ? Pauvre Mozart : le voici mis à toutes les sauces, découpé en morceaux, diffusé par fragments à longueur de temps, devenu une marchandise à bonbons, incarné dans des feuilletons radiophoniques par des comédiens ineptes, faisant jaser et encore jaser, lui, le virtuose du grand silence ! Mais aussi, quelle revanche ! Quelle victoire par rapport à l'écrasant Wagner ! Quel vent de liberté dans le tintamarre ! Le subtil Benoît XVI a pris les devants, dès l'été dernier, en faisant savoir qu'il aimait jouer au piano Mozart, son musicien préféré. On a ainsi monté son piano demi-queue (charmante nuance pour un pape) dans les étages du Vatican. Entendez-vous, la nuit, cette merveilleuse sonate

451

venant des appartements pontificaux ? N'êtes-vous pas convaincus qu'à ce moment-là Dieu existe ? Est-il possible, comme la rumeur en court, qu'après avoir bien joué son musicien préféré le pape se fasse des bisous sur les mains ? Mozart est amour, c'est certain.

29/01/2006

LECTURES

Ne perdez pas votre temps avec les lourds et barbants romans anglo-saxons que vous vante, de façon automatique, la critique littéraire. La littérature française est en pleine forme, soutenez-la, aidez-la. À part *Une vie divine*, vous lisez déjà l'excellent petit *Ravel* de Jean Echenoz [164]. Mais vous n'avez pas encore assez découvert un écrivain majeur de notre temps, Valère Novarina, dont voici *Lumières du corps* [165], méditation profonde et nerveuse sur le théâtre comme vie métaphysique. « Mais les idoles d'aujourd'hui les plus mortes sont les mots. Nous nous sommes forgé à partir d'eux des statues invisibles que nous vénérons mécaniquement ; nous nous agenouillons devant les *mots magiques* agités comme des grigris… Alors qu'il faut replacer les mots dans leur dépense, leur marche, leur chemin, leur passion, dans leur voie ardente. Le langage doit être remis au feu. Notre corps est emporté avec la pensée. La respiration nous donne ordre de traverser, nous rappelle que nous sommes des animaux de passage. » Et aussi : « La lumière passe par-dedans la matière, c'est là la vraie physique des amants *bien accordés* : Dieu est une attraction dans l'univers aimanté, une force nue multipliante allant au un. Aucune force de mort n'est en lui, aucune force de destruction : l'amour est simple, l'amour est voyant, l'amour est d'un trait, les amants voient soudain d'un seul instant l'univers aimanté. » Et aussi : « Le langage est une figure de la matière. Le langage est au plus près de la matière vraie parce qu'il se tisse sans cesse à plusieurs temps, apparaît et disparaît, parce qu'il est en volume, respire ; parce qu'il se déploie en volutes, parce qu'il meurt et parce qu'il est insaisissable mouvement. Les phrases sont des phénomènes de la nature. Les phénomènes de la nature sont des phrases. »

29/01/2006

MAHOMET

Il faut s'y faire : Mahomet est désormais la grande vedette du spectacle mondial. Je m'efforce de prendre la situation au sérieux, puisqu'elle est très sérieuse, mais je dois faire état d'une certaine fatigue devant la misère de son ascension au sommet. Bien entendu, je me range résolument du côté de la liberté d'expression, ma solidarité avec *Charlie Hebdo* et *Le Canard enchaîné* est totale, même si les caricatures, en général, ne sont pas ma forme d'art préféré. Que ces inoffensives plaisanteries, très XIXᵉ siècle, puissent susciter d'intenses mouvements de foules, des incendies, des affrontements, des morts, voilà qui est plus pathologiquement inquiétant, à supposer que le monde où nous vivons soit tout simplement de plus en plus malade. Il l'est, et il vous le crie. Là-dessus, festival d'hypocrisie générale qui, si mes renseignements dans l'au-delà sont exacts, fait lever les maigres bras épuisés de Voltaire au ciel. On évite de se souvenir qu'il a dédié, à l'époque, sa pièce *Mahomet* au pape Benoît XIV, lequel l'en a remercié très courtoisement en lui envoyant sa bénédiction apostolique éclairée. Vous êtes sûr ? Mais oui. Je note d'ailleurs que le pape actuel, Benoît XVI, vient de reparler de Dante avec une grande admiration, ce qui n'est peut-être pas raisonnable quand on sait que Dante, dans sa *Divine Comédie*, place Mahomet en Enfer. Vérifiez, c'est au chant XXVIII, dans le huitième cercle et la neuvième fosse qui accueillent, dans leurs supplices affreux, les semeurs de scandale et de schisme. Le pauvre Mahomet (Maometto) se présente comme un tonneau crevé, ombre éventrée « du menton jusqu'au trou qui pète » (c'est Dante qui parle, pas moi). Ses boyaux lui pendent entre les jambes, et on voit ses poumons et même « le sac qui fait la merde avec ce qu'on avale ». Il s'ouvre sans cesse la poitrine, il se plaint d'être déchiré. Même sort pour Ali, gendre de Mahomet et quatrième calife. Ce Dante, impudemment célébré à Rome, est d'un sadisme effrayant et, compte tenu de l'œcuménisme officiel, il serait peut-être temps de le mettre à l'Index, voire d'expurger son livre. Une immense manifestation pour exiger qu'on le brûle solennellement me paraît même inévitable. Mais ce poète italien fanatique n'est pas le seul à caricaturer honteusement le Prophète. Dostoïevski, déjà, émettait l'hypothèse infecte d'une probable épilepsie de Mahomet. L'athée Nietzsche va encore plus loin : « Les quatre grands hommes qui, dans tous les temps, furent les plus assoiffés d'action, ont été des épileptiques (Alexandre, César, Mahomet, Napoléon). » Il ose même comparer Mahomet à saint Paul : « Avec saint Paul, le prêtre voulut encore une fois le pouvoir. Il ne pouvait se servir que d'idées, d'enseignements, de symboles qui tyrannisent les foules, qui forment les troupeaux. Qu'est-ce que Mahomet emprunta plus tard au christianisme ? L'invention de saint Paul, son moyen de tyrannie sacerdotale pour former des troupeaux : la foi en l'immortalité, c'est-à-dire la doctrine du "jugement". »

On comprend ici que la question dépasse largement celles des caricatures possibles. C'est toute la culture occidentale qui doit être revue, scrutée, épurée, rectifiée. Il est intolérable, par exemple, qu'on continue à diffuser *L'Enlèvement au sérail* de ce musicien équivoque et sourdement lubrique, Mozart. Je pourrais, bien entendu, multiplier les exemples.

26 février 2006

OUTREAU

Les innocents ont été acquittés, le juge jugé de façon télévisée, tout est nettoyé, le soulagement est extrême. Le juge Burgaud avait l'air de passer son bac devant des examinateurs prospères. Il n'en menait pas large, il bafouillait, il relisait sa copie, il pensait avoir fait son devoir, mais non, il était collé à l'oral, et avec lui toute l'institution judiciaire. On finissait par oublier qu'il y avait eu des coupables, à commencer par l'incroyable Myriam Badaoui, grande figure de la maladie du temps. Scène dantesque ? Oui, mais à la mesure étriquée de notre époque. L'enfer est désormais grisâtre, sinistre, ennuyeux, administratif, tocard. Misère, misère, comme les tortures infligées au pauvre Ilan par le gang antisémite dirigé par le « cerveau des barbares ». Fourmillement de

455

petits enfers partout, déferlement de banlieue. Vous ajoutez dans le film le *Clemenceau* à la dérive, Alliot-Marie humiliée, Chirac à la course aux contrats à Bangkok et à New Delhi, la controverse autour du CPE avec ses envolées oratoires, et vous obtenez un vide assez conséquent. Il nous manque ici le grand roman qui envelopperait tout cela dans un style rude et tragique. Marguerite Duras, aujourd'hui, trouverait, de façon forcément sublime, l'angle qu'il faut. Elle écrirait un bref récit fulgurant, *L'Amiante.*

26/02/2006

FRÊCHE

Il paraît que l'inénarrable Georges Frêche s'est excusé et que l'incident est clos. C'est du moins ce que disent les socialistes, soucieux de ménager une puissance électorale locale qui les déshonore périodiquement. Traiter les harkis de « cocus de l'Histoire », de lâches « s'étant laissé égorger comme des porcs », et enfin de « sous-hommes », ne serait donc qu'un incident. Là encore, on croit rêver. Je me rappelle que le même Frêche, il n'y a pas si longtemps, voulait refusiller les cadavres de Drieu La Rochelle et de Céline, mise en scène un peu compliquée et déclaration à la Mahomet. Eh bien non, l'incident n'est pas clos, et il ne pourra l'être (et encore) que lorsque le Parti socialiste aura exclu ce membre extravagant. Frêche se prend peut-être pour un surhomme, mais son miroir l'abuse. « N'importe quel trou du cul, disait Céline, se voit Jupiter dans la glace. » Il serait temps de siffler la fin de ces guignolades obscènes, excuses forcées, surdité éléphantesque, piteuse révélation du micmac ambiant.

26/02/2006

AVIAIRE

Les oiseaux migrateurs sont-ils devenus musulmans ? On le chuchote, on le craint, on imagine là une ruse supplémentaire de l'insaisissable Ben Laden. Certains ont même entendu des cygnes râler, dans leur dernier chant, le nom d'Allah. Quoi qu'il en soit, on n'a jamais vu autant de volatiles, de volailles, de canards suspects. Vacciner toute cette volière rentable risque de prendre du temps, et le coq gaulois est soucieux, on le comprend, devant cette attaque céleste. Le moustique s'y met, lui aussi, il se pique de faire parler de lui comme le premier cygne venu. Hitchcock aura donc été prophète avec son grand film *Les Oiseaux*. Remarquez pourtant l'évolution diabolique : l'introduction du virus mutant, invisible à l'œil nu, est un ressort dramatique puissant. Le gouvernement nous rassure, dit qu'il a la situation bien en main, nous verrons bien le mois prochain, je mangerai des œufs et un peu de poulet quand même. Ici, un aveu personnel : un des plus beaux tableaux du monde, érotiquement suggestif, a toujours été pour moi *Léda et le cygne* de Véronèse. On voit une splendide Vénitienne nue avec bijoux, sur laquelle Dieu (pardon, Zeus) se dispose à opérer une pénétration profonde. Zeus, pour s'unir à une mortelle, s'est transformé en un magnifique cygne blanc, et déjà son bec jaune entre dans la bouche entrouverte de la voluptueuse pâmée (ce n'est pas tous les jours qu'on fait l'amour avec

457

le Divin lui-même). Une reproduction de cette scène mystique m'accompagne depuis l'enfance. Je m'étonne aujourd'hui que Véronèse n'ait pas été davantage inquiété par l'Inquisition, les papes ont donc laissé passer ce genre de fantaisie hautement condamnable mais électrisante, d'un surréalisme rarement égalé. À vrai dire, les dieux grecs, et surtout les déesses, nous manquent, ils nous boudent depuis longtemps, ils ont fui loin de nous, et j'ai peur de me retrouver seul avec eux. Tant pis, je les garde. Cela dit, Zeus voudrait-il encore se métamorphoser en cygne pour assouvir son désir passager sur une splendide femme épanouie ? N'aurait-il pas peur d'être infecté et de transmettre sa grippe aviaire à sa partenaire ? Ce tableau lui-même n'est-il pas condamnable aux yeux du sourcilleux Mahomet ?

26/02/2006

VERDUN

On commémore ces jours-ci la grande bataille de Verdun, qui a commencé en 1916. Le plus effarant (et ça devient automatique) est de faire évoluer des figurants sur le lieu même d'un des plus grands massacres de l'Histoire : la boue, les tranchées, les poilus, les baïonnettes, les gaz asphyxiants, les obus, les mitrailleuses, les cris, les hurlements. Les figurants sont en costumes d'époque. Ils font du théâtre d'effacement. « Les morts, les pauvres morts, ont de grandes douleurs », a dit Baudelaire. Tous les malheurs de l'Europe commencent en 1914-1918. Il paraît que cette boucherie insensée a été glorieuse, héroïque. On a quand même réhabilité les mutins qui refusaient de monter à l'attaque pour rien. Un journal a publié récemment une photo unique montrant l'exécution d'un réfractaire de cette trempe, honneur au mutin inconnu. Les soldats sont conviés à assister à ce supplice pour l'exemple, un officier lève son sabre, pour commander le peloton des fusilleurs, on voit les fumées des coups, mais le plus curieux, ce sont les impacts blanchâtres situés sur la butte derrière le condamné à mort. Certains soldats, commis d'office à cette brillante démonstration de discipline, ont donc tiré à côté, ou au-dessus. Ils n'ont pas obéi, c'est leur grandeur. On sait que seulement 10 % d'individus, placés dans des conditions où ils doivent tuer leurs semblables, résistent pour des raisons qui n'ont rien à voir les unes avec les autres. L'expérience a été faite, il y a longtemps, aux États-Unis, c'est la fameuse démonstration de Milgram. 90 % suivent les ordres, 10 % sont en état de mutinerie. Dans ces 10 %, on trouve de tout, des croyants, des incroyants, des névrosés, des corps un peu trop sensibles qui ont à ce moment-là des embarras gastriques, et même des individus tout simplement de bon goût. Le chiffre de cette minorité disparate semble rester constant à travers les régimes et les âges. En somme, c'est une loi scientifique, ce qui ne veut pas dire que les 10 % en question pourraient former une église, un parti, ni même un club. Ils peuvent même se détester cordialement. Mais voilà, ils sont comme ça, sceptiques.

26/02/2006

CASANOVA

On rediffuse le *Casanova* de Fellini, film d'une rare violence haineuse contre un des personnages les plus jalousés de tous les temps. *Les Inrockuptibles* saluent l'événement ainsi : « Pour Fellini, Casanova n'est qu'un con qui n'a pas vécu, une marionnette obsédée par ses exploits sexuels, mais incapable d'aimer. C'est un pantin pathétique ne se souciant jamais des sentiments de ses partenaires. Au-delà de la façon dont Fellini ridiculise les prouesses sexuelles de son Casanova, tout le film baigne dans un climat morbide. Les couleurs sont froides, à dominantes bleutées et grises. L'eau de la lagune, faite de bâches en plastique, donne à Venise un air de cercueil. Tristesse infinie, désespoir complet. » On le voit : tout un programme.

26/02/2006

Toujours Ségo

Jusqu'où pourra aller Ségolène Royal ? Ce qui est sûr, c'est qu'elle est en train de vieillir d'un coup ses partenaires socialistes. Ils pérorent, elle se tait. Ils font semblant d'avoir un programme, elle n'en a pas, d'où sa force. On dit qu'elle n'est qu'une image, mais nous sommes définitivement dans une société d'images. Plus profondément : on a oublié la déclaration métaphysique de Mitterrand avant sa disparition : « Je crois aux forces de l'esprit, je ne vous quitterai pas. » Le miracle de Jarnac a eu lieu : Mitterrand s'est bel et bien réincarné sous nos yeux à travers sa fille, mais aussi à travers l'absente, Ségolène elle-même. Le vieux magicien avait préparé son coup fantastique : revenir en femme parmi nous, en force tranquille souriante et rassurante. Toutes les angoisses, toutes les catastrophes, toutes les violences travaillent pour Ségo. C'est l'infirmière courageuse et chic qu'il nous faut. Et c'est là qu'il convient d'écouter attentivement Bernadette Chirac depuis la ville sainte de Bénarès : « Ségolène Royal peut être une candidate sérieuse, elle peut même gagner. Ses petits camarades socialistes ne lui feront pas de cadeaux, mais l'heure des femmes a sonné. Regardez Angela Merkel en Allemagne. Ségolène a un look, et à l'heure actuelle ça compte beaucoup. À l'avenir, il y aura de plus en plus de femmes pour commander les hommes. C'est bien embêtant pour eux, mais c'est ainsi. » Eh bien, si Bernadette le dit, c'est parti.

26/02/2006

ÉTRANGE VILLEPIN

Je crois que tout le monde se trompe sur Dominique de Villepin. C'est un romantique, un poète, une âme de feu, un ténébreux, un inconsolé et, au fond, un dangereux gauchiste. Il voit la France affaiblie, traînante, douteuse, oublieuse d'elle-même et de son glorieux passé qui va des cathédrales à l'Empire, de la Commune à de Gaulle, d'Austerlitz à Mai 68. Il s'émeut, il rougit, il a honte. Il veut réveiller les énergies, tenter un électrochoc, provoquer une insurrection salvatrice. Contrairement à un Chirac fatigué qui laisserait le pays glisser vers la décadence irréversible, il a l'audace de vouloir faire une révolution contre lui-même. Il appelle la jeunesse à se révolter, il la défie, la bafoue, la précarise, incarne tout à coup tous les fantasmes de l'Ancien Régime, se réjouit devant les premières voitures brûlées, trouve que les barricades tardent, ressent profondément en lui-même la colère et l'ivresse des manifestants.

461

Levez-vous, orages désirés, murmure-t-il en faisant son jogging matinal. Les poèmes qu'il écrit fiévreusement la nuit, après une journée épuisante de négociations inutiles, sont des visions hallucinées de désordre, de tourbillons, de charges et de contre-charges incessantes. Il fait feu sur le quartier général et le ministère de l'Intérieur. Il se voit en monarque, en sauveur, en sans-culotte, en gargouille, en requin, en mouette, en mamelouk sous les pyramides d'Égypte. Quarante siècles le contemplent, et il faudrait perdre son temps au milieu des syndicats, des présidents d'université, des députés connards, des petits intérêts sociaux ? Ah non, plutôt la rue, les cris, les slogans, les pancartes, la grande rumeur d'un peuple enfin réveillé. Villepin, ne l'oublions pas, est un voleur de feu, un éternel Rimbaud qui aspire à une malédiction secrète. Qu'ils me haïssent, si ça peut enfin les faire bouger. *Libération*, son journal complice, a raison de l'appeler le « forcené de Matignon ». *Le Canard enchaîné* et *Les Inrockuptibles*, autres supports du complot, ne sont pas en reste. Son copain Giesbert, dans son dernier livre, l'attaque sans ménagement ? C'est parfait, la légende prend corps, elle s'amplifie, elle fonctionne.

26/03/2006

GIESBERT

On dit que Giesbert roule pour Sarkozy ? Quelle erreur ! Giesbert, c'est dans sa nature, sait où il faut frapper pour marquer les imaginations. Villepin ? Un type qui aime les coups tordus, un spadassin de l'ombre. Et surtout un mec qui en remet dans le style troupier inauguré par Chirac. Ce ne sont que « couilles » par-ci, « couilles » par-là, sans parler de « trouillomètre à zéro », et autres délicatesses du même genre. « Moi, j'ai des couilles », semble répéter Villepin à longueur de temps. On mesure ici les progrès sensationnels de la volonté politique. « Avez-vous des couilles ? » demande Villepin au peuple anesthésié, aux chômeurs, aux femmes, aux jeunes. Et cette merveille : « La France veut être prise, ça la démange dans le bassin. » Voilà un programme simple, osé, concret, enthousiaste. De même que, dans les temps héroïques de la République, il a bien fallu prononcer la séparation de l'Église et de l'État, de même il serait temps de célébrer les noces de l'État et des couilles. Oublions la grippe aviaire, le moustique chikungunya, l'avenir sombre et les dévastations en tout genre. Les couilles, vous dis-je, les couilles. Celles de Chirac sont en berne, on va voir si celles de Sarkozy tiennent le coup dans ce duel de titans. On comprend que Poutine apprécie, en expert, la dégaine de Villepin, même s'il le trouve trop ardent et, précisément, trop gauchiste. Jouer avec le feu c'est bien, mais s'agiter sans avoir un parti derrière soi, c'est dangereux, l'histoire le prouve. Cependant à la place de Villepin, qui ? Borloo ? Alliot-Marie ? Vous voulez rire. Les notables usés socialistes ? Quel ennui. Ségolène ? Pourquoi pas, si elle promulgue tout de suite une loi de séparation de l'État et des couilles. Un peu de repos nous fera du bien.

26/03/2006

Repérage

Il faut observer les enfants dès leur plus jeune âge, savoir repérer s'ils n'ont pas de troubles du comportement annonçant une délinquance future, une nature antisociale, une barbarie potentielle qu'il serait mieux d'étouffer dans l'œuf. L'enfant, on ne le sait pas assez malgré Freud, est un pervers polymorphe dont les tendances subversives peuvent être appréciées très tôt. Les mères doivent ici redoubler de vigilance, saisir des anomalies, prévenir les autorités. Le petit Villepin, par exemple, avec sa manie de griffonner, dès l'âge de sept ans, des bribes poétiques incompréhensibles, aurait dû éveiller l'attention. Trop tard. Mais qui évaluera précisément ces colères du bébé, puis du jeune garçon ou de la petite fille ? Comment distinguer un vrai Rimbaud d'un faux ? Le jeune Sade aurait pu être arrêté à temps. Même chose avec le petit Baudelaire. L'enfant Proust a les yeux bien cernés : il a dû contracter de mauvaises habitudes. Le gamin Céline n'a-t-il pas une attitude trop renfermée, annonciatrice d'explosions futures ? Méfiez-vous de l'eau qui dort. Qui aurait pu soupçonner, chez la douce et tranquille Charlotte Corday, la tueuse du citoyen Marat (lisez, à ce sujet, l'excellente biographie de Jean-Denis Bredin, toute ruisselante du sang de l'époque) [166] ? Comment deviner, sous le masque angélique et mystique de la petite Dominique Aury, la germination vénéneuse du scandaleux roman *Histoire d'O* ? Là encore, une biographie passionnante et très documentée nous apporte révélations sur révélations sur les coulisses littéraires et politiques d'il y a cinquante ans [167]. Tout cela est vieux ? Sans doute, mais très instructif. Question : que se passait-il réellement et souterrainement ces jours-ci qui ne sera révélé que dans cinquante ans ? Les paris sont ouverts.

26/03/2006

MILOSEVIC

Milosevic est mort dans sa cellule du Tribunal international de La Haye de façon obscure. Cinquante mille partisans viennent de l'accompagner vers sa dernière demeure. Sa femme, Mira, surnommée « la sorcière rouge », fait lire à son enterrement une déclaration rédigée depuis Moscou. « Du premier jour de lycée jusqu'à ce jour honteux où tu as été enfermé, nous n'avons jamais été séparés. Je t'ai attendu pendant cinq longues années. Tu n'as pas pu me rejoindre, maintenant toi, attends-moi. » Fidèle à ses convictions communistes, cette veuve énergique avait interdit toute manifestation religieuse. Pas de pope orthodoxe, donc, pour son mari. Lequel, en entendant dans son cercueil les mots d'amour de son épouse, « attends-moi », aurait gémi, selon certains témoins dignes de foi : « Non ! Pas ça ! »

26/03/2006

CRIME ET FARCE

La justice italienne vient de le révéler : l'attentat contre Jean-Paul II, en 1981, à Rome, a bel et bien été ordonné par le vieux Brejnev lui-même, et exécuté par les services secrets de l'armée soviétique, via les services bulgares. Les preuves sont là, et, comme on s'en doute, elles n'ont pas été facilitées par l'aimable Poutine. J'ai écrit un roman sur ce sujet : *Le Secret*[168]. Bernard Pivot s'en souvient peut-être : sur le plateau d'*Apostrophes*, en 1982, j'ai dit immédiatement que cet attentat était d'origine russe pour éliminer un Polonais subversif. André Frossard, qui se trouvait là pour un livre sur le pape, m'a aussitôt repris en me disant qu'il ne fallait pas avoir une conception policière de l'Histoire. Eh si.

Dans le genre farce, l'ineffable Raël, au nom de sa secte très hostile, bien sûr, à l'Église de Rome, vient de nommer « prêtre honoraire » le sympathique Michel Onfray. Ce dernier proteste, mais le fait est là : on a beau être athée, on n'en est pas moins prêtre honoraire. L'autre prêtre honoraire raélisé n'est autre que Michel Houellebecq. Bizarre époque, il faut prendre ses précautions. Malgré mes tendances hédonistes, je ne pense pas être raélisable, mais sait-on jamais ? Exorcisons ce danger : je ne suis qu'un humble pécheur de l'Église catholique, apostolique et romaine. Tout ce que dit Benoît XVI me paraît sensé. Après quoi, retour aux choses sérieuses.

26/03/2006

BHL

Qui parle ainsi du Dieu protestant américain : « Un Dieu idole : un Dieu quasi païen ; un Dieu qui se montre tout le temps ; un Dieu qui ne s'arrête jamais de parler ; un Dieu qui est là, derrière la porte ou le rideau, et ne demande qu'à se manifester ; un Dieu sans mystère, un Dieu *good guy* ; un presque-humain, un bon Américain, un qui vous aime un à un, vous entend si vous lui parlez, vous répond si vous le lui demandez, Dieu, l'ami qui vous veut du bien. » Eh bien Bernard-Henri Lévy, dans son dernier livre *American Vertigo*, reportage analytique très réussi sur les États-Unis d'Amérique [169]. Ce qui est drôle, avec Lévy, c'est qu'il se force à être proaméricain alors que la plupart de ses descriptions constatent la folie du lieu, son puritanisme accablant, sa lourdeur, ses mensonges, sa mémoire trafiquée, sa saturation automatique.

Là encore, tout le monde se trompe sur Lévy. On n'arrête pas de l'attaquer, de le traiter d'imposteur, et personne ne semble se douter que c'est lui qui mène la danse, suscite six biographies de lui, manipule *Libération*, *Les Inrockuptibles*, *Le Canard enchaîné*, et jusqu'à une feuille de chou comme *Royaliste*. Les insultes pleuvent ? Très bien. Encore. Quel talent ! Il a ses possédés et ses possédées qui en rajoutent dans la bassesse et la bave, c'est intéressant à voir (pas longtemps) comme des présentations de malades à Saint-Anne. Lévy, grand déclencheur d'hystérie. Lévy, jalousé à mort. Lévy diabolisé par la France profonde. Il arrive, publie un livre, fait quelques apparitions à la télévision, s'agite comme un chiffon blanc, et ça marche. Il a compris cette grande loi fondamentale : faire travailler, sans relâche, l'adversaire pour soi. Après quoi, il reprend l'avion et poursuit sa vie luxueuse, augmentant ainsi la rage infantile de ses admirateurs haineux. Tout un art.

26/03/2006

MURAY

Nous avons été très amis, et je ne le regrette pas. J'ai publié de lui deux livres très importants, un *Céline*, et *Le XIXᵉ Siècle à travers les âges*. Ce dernier essai est un chef-d'œuvre, et qui est là pour longtemps. Après quoi, il semble que nous nous soyons brouillés pour des raisons apparemment politiques (on donne ces raisons-là plutôt que de s'expliquer sur le fond, ce qui serait trop complexe et trop long). Muray s'est mis, de plus en plus, à parler de ce qu'il détestait dans notre époque, au point de trouver des partisans qui se soucient peu de ses lectures (vastes) et de ses intérêts réels (métaphysiques cachés). L'ennuyeux, lorsqu'on restreint son discours à ce qu'on déteste, sans plus parler de ce qu'on aime, est le risque de renforcer en soi ce qu'on déteste. C'est malheureusement une loi. Maintenant que Muray est mort beaucoup trop tôt, je garde le souvenir de l'ami et du charmant camarade de combat. J'oublie le reste.

26/03/2006

VOLTAIRE

Et voici enfin de l'esprit pour un monde sans esprit : *Les Écrits autobiographiques* de Voltaire [170]. Début des Mémoires : « J'étais las de la vie oisive et turbulente de Paris, de la foule des petits maîtres ; des mauvais livres imprimés avec approbation et privilège du roi ; des cabales des gens de lettres, des bassesses et du brigandage des misérables qui déshonoraient la littérature. Je trouvais en 1733 une jeune dame qui pensait à peu près comme moi, et qui prit la résolution d'aller passer plusieurs années à la campagne pour y cultiver son esprit loin du tumulte du monde. C'était Mme la marquise du Châtelet, la femme de France qui avait des dispositions pour toutes les sciences. »

Heureux Voltaire, qui a pu, plus tard, se reposer sur sa nièce et maîtresse, lui écrivant ainsi de Berlin, le 26 décembre 1750 : « Je vous écris à côté d'un poêle, la tête pesante et le cœur triste, en jetant les yeux sur la rivière de la Sprée parce que la Sprée tombe dans l'Elbe, l'Elbe dans la mer, et que la mer reçoit la Seine, et que notre maison de Paris est assez près de la Seine... » Et plus loin : « *Variété, c'est ma devise.* J'ai besoin de plus d'une consolation. Ce ne sont point les rois, ce sont les belles-lettres qui la donnent. »

26/03/2006

IRRÉALITÉ

Il s'est bien entendu passé quelque chose, mais quoi ? Les mots les plus ressassés, sur fond de manifestation de slogans et de discours ronflants, ont été, et restent, « emploi », « embauche », « précarité », « débouché ». Il faudrait être bouché, ou singulièrement débauché, pour ne pas les entendre jusqu'au vertige. La première embauche, la nouvelle embauche ouvrent-elles vers des débouchés ? Où irions-nous, où irait la jeunesse, sans emplois et sans débouchés ? « Nous avons eu la peau du cépéheu », clame un syndicaliste très remonté. A-t-il été abrogé, ce fameux cépéheu ? Non, mais remplacé, amendé, écorné, atténué, raboté, et finalement retiré, sans pour autant calmer les esprits, puisque le problème de l'emploi, de l'embauche, de la précarité et des débouchés reste le même. À chaque époque ses dimensions : il y a eu Napoléon le Grand, et puis Napoléon le Petit. De Gaulle a eu droit à un grand 68, Chirac et Villepin à un minuscule. Dans la foulée, fallait-il interdire en hâte de fumer dans tous les endroits publics ? La décision, d'une immense urgence, semble reportée pour l'instant, autre preuve de la fumisterie gouvernementale. L'idée de cellules à fumer spéciales dans les bars est pourtant grandiose. Tous les tarés de la cigarette comprimés ensemble dans l'irrespirable et la cancérisation assurée, voilà qui ne manque pas de gueule. Sécurité, santé, propreté, embauche, emploi, débouché.

30/04/2006

PAUVRE CHIRAC

On le regrettera, le pauvre Chirac. Avec lui, c'est toute une vieille France qui s'effondre. Mitterrand était l'oncle, Chirac le grand fils de son épouse et mère, un peu mécanique, soit, mais tellement adapté à la vénérable République radicale-socialiste. Oui, on regrettera son côté chef de rang de grand restaurant, sa passion pour la tête de veau, sa familiarité sans pareille avec les vaches, sa dégaine, ses poignées de main au hasard, ses frais de bouche, sa baraka abracadabrantesque, ses ruses, son innocence, sa jambe agitée. Devait-il se laisser séduire à ce point par le flamboyant Villepin ? Sarkozy n'a-t-il pas tourné ce Bonaparte imprudent sur la gauche, avant de se rabattre sur la droite par une manœuvre risquée ? Pour l'instant, Le Pen et Villiers font beaucoup de bruit, et n'oubliez pas, si vous prenez l'avion à Roissy, de regarder de près l'allure de vos bagagistes. Un Moussaoui, schizophrène et paranoïaque, peut en cacher un autre, et paf, vous vous retrouvez en chute libre sur l'Arc de Triomphe. De toute façon, si vous n'aimez pas la France, vous n'avez qu'à aller voir ailleurs. Oui, pauvre Chirac, avec sa façon, étonnamment imitable, d'articuler « mes chers compatriotes » les grands soirs de vœux. Pauvre vieille souche de Corrèze poussée vers une triste précarité sans débouché !

30/04/2006

SÉGOLÈNE SUPERSTAR

Regardez une carte de l'Hexagone. Les régions les moins touchées par l'explosion de Tchernobyl sont indubitablement à l'ouest, tenez, par exemple le Poitou-Charentes. Le salut vient de là, tout le monde le sent, le pressent. Le prix du baril s'envole, le nucléaire iranien fait flamber la planète à l'horizon, le Hamas vous angoisse, Ben Laden vient de refaire coucou sur sa chaîne de télévision préférée (document audio authentifié), le tourisme en Égypte n'est pas vraiment conseillé, Katmandou a bien changé depuis son époque mystique, vous avez le bonjour du camarade Battisti en cavale quelque part dans l'hémisphère Sud, à moins qu'il ne soit passé au Nord. Les Renseignements généraux de moins en moins renseignés sont sur les dents, tiraillés par des conflits internes. La marine nationale perd son sonar très coûteux en pleine mer. L'affaire Clearstream (quel nom !) vous

471

échappe dans les ténèbres, vous ne savez plus qui est le corbeau de qui, ni même s'il y a un vrai corbeau dans cette forêt profonde. Avouez-le : vous êtes perdu, vous vous dirigez donc instinctivement vers le Poitou, vers les Charentes. Et, là, miracle : vous trouvez un climat tempéré, de merveilleuses vaches sont allongées pour vous dans les prés, une claire maison apparaît, et, sur le pas de la porte, une femme en tailleur rose vous accueille avec un grand sourire qui dit oui à votre désir d'avenir. Elle vous demande gentiment ce que vous voulez, vous hésitez un peu à lui répondre, vous percevez que, derrière son affabilité attentive, se tient un vrai caractère qui n'hésitera pas à vous réprimander si votre conduite laisse à désirer. En tout cas, elle semble vous écouter, c'est toujours ça par les temps qui courent. Vous avez entendu tout le mal que disent d'elle ses concurrents mâles de la tribu socialiste, sans parler de la jalousie féminine qu'elle déclenche presque automatiquement, vous êtes donc étonné qu'elle persiste, ou du moins son image, dans la publicité des sondages. Qu'est-ce que cela veut dire ? Peut-être, simplement, que le Spectacle a ses lois. À quatre-vingts ans, la reine Élisabeth d'Angleterre vient de nous montrer un délicieux bibi framboise. Elle est en pleine forme, et Ségolène Royal aussi. Est-ce vraiment un hasard si les Anglais s'installent de plus en plus dans le sud-ouest de la France ? Vous dites que Ségo n'a pas de programme, qu'elle n'est pas vraiment de gauche, que son féminisme est douteux, qu'elle va disparaître au creux de l'été, qu'elle va être rattrapée par la dure réalité ? C'est possible mais, pour l'instant, Ségo bat Sarko.

30/04/2006

ROME

Plutôt Prodi que Berlusconi ? Bien sûr. Après ça, bonjour la confusion, les carambolages, les coups tordus, les rivalités hétéroclites, toujours le Spectacle et ses lois. L'Italie est un pays de pointe en la matière, et, à vrai dire, on a chaque fois l'impression que l'Italie fonctionne toute seule, on ne sait jamais très bien comment ni pourquoi. La star de Rome, n'en déplaise aux autres religions comme aux incroyants courants, est quand même le pape, le nouveau, l'Allemand, Ratzinger, autrement dit Benoît XVI. Pour rien au monde je ne manquerais la retransmission de la bénédiction *urbi et orbi* du dimanche de Pâques à midi, devant, chaque fois, une foule considérable. La proclamation de la résurrection du Christ en plus de cinquante langues est la plus surréaliste qui soit. Imaginez le travail, intonation, changements d'accents, répétitions, et, sans doute, rêves. La moindre faute serait un crash.

Là-dessus, les vaticanologues s'interrogent. Ce pape est secret, réservé, solitaire, réfléchi, ce n'est pas un bon client pour les journalistes. Il tranche avec le style rock de son prédécesseur. N'est-il pas élitiste, aristocratique ? Il a une voix un peu flûtée, sa virilité n'est pas évidente, il se lève tôt, se couche tôt, n'invite personne à sa messe du matin, et convie très peu de monde à sa table. On l'entend souvent jouer du Mozart au piano. Un spécialiste du *Messagero* se demande s'il habite bien « ce monde où résonnent aujourd'hui des tragédies wagnériennes avec des héros païens ». Henri Tincq, dans *Le Monde*, renchérit dans un article intitulé « La petite musique de Benoît XVI ». Question : « Le pape Ratzinger est-il taillé pour affronter les drames wagnériens de la planète, ou

restera-t-il l'homme de la petite musique mozartienne ? »
On peut se demander ce que les commentateurs des caves
ou des greniers du Vatican diraient si un pape allemand
choisissait de faire jouer du Wagner dans ses appartements. Je ne savais pas, quant à moi, que Mozart était de
la « petite musique ». Il est vrai que l'équation
Pape + Mozart a un air étrange : quelque chose me dit
pourtant qu'elle dérange le Diable, dont nous pouvons
moins douter que de Dieu.

30/04/2006

SARTRE-BEAUVOIR

Dans le genre assommant et presque sans arrêt ridicule,
la télévision a diffusé un film sur Sartre et Beauvoir, ou
plutôt sur Beauvoir et Sartre. L'actrice bredouillait tellement dans les basses qu'on ne comprenait qu'un mot sur
dix de son discours. Elle semblait abattue, romantique,
mélancolique, surplombant un Sartre-roquet dont on
avait du mal à percevoir la nausée, l'être, le néant, l'existence, la liberté. Ça s'appelait (et c'est tout dire) *Les
Amants du Flore*. Bref, des clichés, comme si, au fond, ces
deux-là n'avaient rien écrit ni vraiment pensé. Beauvoir
et Sartre décaféinés ? Voilà l'époque. Sans parler de la
politique qui évolue vers une cocasserie sinistre, jamais,
sans doute, le mépris des livres et de la pensée n'a été
aussi massif et bassement stipendié. « Ça a toujours été
comme ça », me dit quelqu'un. Et c'est vrai : il y avait
des résistances diverses mais là, on dirait que le système
nerveux lui-même est atteint par une sorte de lésion
molle, une maladie de haine du passé.

30/04/2006

CLAUSEWITZ

Le *De la guerre*, de Clausewitz (1780-1831) est un chef-d'œuvre, méconnu comme tous les chefs-d'œuvre. En voici une édition abrégée, traduction de l'allemand et présentation de Nicolas Waquet [171]. Tentative unique en Occident pour penser le phénomène de la guerre ? Mais oui. On connaît la phrase fameuse : « La guerre n'est que la poursuite de la politique par d'autres moyens. » Mais il faut entrer dans les détails de ce livre prodigieux de clarté et d'intelligence. Guy Debord l'aurait mis dans sa poche, tout en considérant avec un sourire la parution de ses propres *Œuvres* dans la collection Quarto [172]. Il relirait une fois de plus ce passage : « Nous voyons donc que, dans le fond, l'absolu, la prétendue mathématique ne trouve aucune base ferme pour les calculs de l'art de la guerre. Dès le début s'y mêle un jeu de possibilités, de probabilités, de chance et de malchance qui court dans tous les fils fins ou épais de sa trame ; de toutes les ramifications de l'activité humaine c'est du jeu de cartes que la guerre se rapproche le plus. »

Voilà, le Quarto Debord, Clausewitz, vous avez vos lectures de base, vous entrez dans la véritable histoire du temps, le jeu, la guerre. Clausewitz : « Si nous allons plus loin dans ce que la guerre exige de ceux qui s'y consacrent, nous rencontrons, dominante, *la puissance intellectuelle*. La guerre est le domaine de l'incertitude. Les trois quarts des éléments sur lesquels se fonde l'action flottent dans le brouillard d'une incertitude plus ou moins épaisse. C'est donc dans ce domaine plus qu'en tout autre qu'une intelligence fine et pénétrante est requise, pour discerner la vérité à la seule mesure de son jugement. » Clausewitz insiste sur le « coup d'œil » et la « présence d'esprit » comme « capacité supérieure à vaincre l'imprévisible ». Et encore : « Répétons-le : une âme forte n'est pas une âme simplement susceptible de puissants élans, mais une âme capable de garder son équilibre dans les élans les plus puissants. Si bien que, malgré les tempêtes qui se déchaînent dans sa poitrine, son discernement et ses convictions conservent toute leur finesse pour jouer leur rôle, comme l'aiguille du compas sur le navire en pleine tourmente. » Et encore : « Il faut croire solidement à la vérité supérieure des principes éprouvés et ne pas oublier que, *dans leur vivacité*, les impressions momentanées détiennent une vérité d'un caractère inférieur. Grâce à cette prérogative que nous accordons dans les cas douteux à nos convictions antérieures, grâce à la fermeté à laquelle nous nous y tenons, notre action acquiert cette stabilité et cette continuité que l'on nomme caractère. »

30/04/2006

LE FEU D'HÉRACLITE

Clausewitz a connu les champs de bataille, la mitraille, les boulets, la mêlée sanglante des combats rapprochés. Il a réfléchi et pensé au milieu du feu. Plus près de nous, Erwin Chargaff, un biologiste à qui on doit une percée décisive dans la découverte de l'ADN, écrit ceci dans ses Mémoires étonnants [173] : « Ma vie a été marquée par deux découvertes scientifiques inquiétantes, la fission de l'atome et l'élucidation de la chimie de l'hérédité. Dans un cas comme dans l'autre, c'est un noyau qui est maltraité : celui de l'atome et celui de la cellule. Dans un cas comme dans l'autre, j'ai le sentiment que la science a franchi une limite devant laquelle elle aurait dû reculer. »

Chargaff, dont j'ai honte d'avouer que je ne connaissais pas le nom, a vécu à Vienne dans sa jeunesse, s'est passionné pour Karl Kraus, et fait preuve, tout au long de son récit, d'une culture littéraire très vaste. Il écrit aussi : « Il existe des liens mystérieux entre le cerveau et la langue, et l'insensibilité, la brutalité avec lesquelles on l'emploie aujourd'hui comme si elle n'était qu'un outil commode pour communiquer avec des clients, le plus court chemin du producteur malin au consommateur naïf, me sont toujours apparues comme le signe avant-coureur le plus menaçant d'une bestialisation naissante. »

Chargaff, dont la mère a disparu dans les camps d'extermination nazis, a vécu à New York jusqu'en 2002. Il est mort à quatre-vingt-dix-sept ans. Non seulement l'ADN, donc, mais toute l'histoire du dernier siècle.

30/04/2006

DARKSTREAM

Vous avez tout lu, tout vu, tout entendu, mais d'où vous vient brusquement ce sentiment de n'avoir rien lu, rien vu, rien entendu ? Voilà une loi, de plus en plus apparente, du Spectacle. Il surgit par petites touches, il monte, il gonfle, il bouillonne, il envahit les journaux, les écrans, les commentaires, les conversations, et puis c'est la courbure presque imperceptible, la déflation, la lente retombée, la fatigue, l'usure, la cendre. La grenouille était un vrai bœuf, elle se retrouve grenouille. Le corbeau était le phénix de l'actualité, le renard s'est éclipsé avec son fromage. Les frégates de Taïwan se sont transformées en parapluies de Cherbourg. Selon l'expression courante (que je n'emploie qu'avec répugnance, à cause de son caractère raciste), vous avez de plus en plus l'impression d'avoir assisté à un combat de nègres dans un tunnel. Elle est déjà si loin, l'affaire Clearstream : si démodée, si confuse, si péniblement répétitive. Si j'étais régisseur de la spectacularisation ambiante, c'est ça qui m'inquiéterait : la profonde indifférence de l'opinion profonde, sa nature de canard peu touchée par le déluge de l'information. Je révèle, je suggère, j'organise des fuites, j'agite des juges, des avocats, des ministres, je manipule un bon vieux général des services secrets qui laisse traîner partout des notes confidentielles, je lifte des listings, je laisse transparaître d'énormes mouvements de fonds, des comptes numérotés, des transferts instantanés à travers la planète, des vengeances latérales mortelles, bref un bordel de tous les diables dans les plus hautes sphères du pouvoir, et, tout à coup, le film, quoique irrésistible, s'essouffle, il méritait pourtant la palme d'or du cinéma amateur. Tout espion, me dites-vous, vit aux dépens de celui qui l'écoute, et cette leçon vaut bien un best-seller, sans doute. Ah, les « écoutes » ! C'était le bon vieux temps de Tonton ! Désormais, nous sommes dans le secret-défense, le verrouillage des disques durs qui s'autodétruisent dans la nuit financière glacée. Nouvelle inquiétude : le match Ségo-Sarko ne commence-t-il pas, de la même façon, à lasser ? N'entendez-vous pas, au loin, cette rumeur à peine audible d'une possible remontée de Villepin, si courageux, si tenace, si social ? Impossible, me dites-vous, mais justement, les spectateurs sont parfois friands d'impossible. Je maintiens ce que j'ai déjà dit : le meilleur soutien de Villepin est le bizarre acrobate

Giesbert. Villepin principale victime du ruisseau noir ? Prochain épisode : le poète voleur de feu passant de maudit à béni. Que voulez-vous, le public est versatile, féminin, frivole.

28/05/2006

DA VINCI CODE

Une dame très convenable s'occupant d'une revue féminine et, si je comprends bien, « postféministe », vient m'interroger sur la guerre des sexes où elle souhaiterait, dit-elle, que se produise une pause, une trêve, vu l'étendue des dégâts. Sa spiritualité me paraît irréprochable. Quelle n'est pas ma surprise lorsqu'elle me demande si je crois que Jésus-Christ a eu une liaison avec Marie-Madeleine, une vraie liaison amoureuse, n'est-ce pas, avec naissance d'une fille cachée, secret occulté par l'Église catholique, et surtout par le cabinet noir de l'Opus Dei. Je lui fais courtoisement remarquer que l'étrange Dieu de la Bible a eu, semble-t-il, l'inspiration soudaine d'engendrer un fils par des voies impénétrables, c'est l'histoire bien connue de la Vierge Marie, mère de Dieu, mais aussi, par là même, fille de son fils, ce qui va assez loin comme proposition incroyable. Je vais jusqu'à lui citer le vers célèbre de Dante au début du dernier chant de son *Paradis* : « Vierge Mère, fille de ton fils. » Je vois qu'elle m'écoute distraitement, ébranlée malgré tout par le *Da Vinci Code*. Dante n'est pas très à la mode, c'est vrai. Revenons donc à la sexualité, sans laquelle on ne voit pas comment le cinéma pourrait survivre. Le cinéma, c'est-à-dire le bavardage global. Vous ne voudriez

479

tout de même pas interrompre ce flot crucial ? Va pour Marie-Madeleine et le sombre complot millénaire du Vatican jusqu'à l'Opus Dei ou, plus exactement, l'Opus Diaboli. Ça marche.

28/05/2006

PETER HANDKE

Il ne fallait pas, bien entendu, déprogrammer la pièce de Peter Handke à la Comédie-Française. Le plus curieux, ce sont les justifications de Handke lui-même, gênées, tarabiscotées, pseudo-sérieuses, et, finalement, obscures. On a l'impression qu'il a perdu, sur ce sujet, tous ses dons d'écrivain. Comédie pour comédie, on s'indignera d'un autre scandale : le fait que le milliardaire Pinault, dans sa collection d'art moderne du Palazzo Grassi, à Venise, ose abriter un portrait de Mao par Andy Warhol. Un très beau tableau, soit, mais sans aucune agressivité, au contraire. N'est-il pas effarant de présenter au public, sans précaution ni avertissement, le portrait complaisant d'un des plus grands criminels de l'Histoire ? Cette œuvre perverse devrait être brûlée ou jetée dans le Grand Canal. Vous me dites qu'elle vaut très cher, mais raison de plus. J'attends un mouvement de protestation, une manifestation, une pétition. Les artistes n'ont pas tous les droits, quand même. Qu'a voulu dire exactement Warhol en mettant sur le même plan plastique Mao et Marilyn Monroe ? N'y a-t-il pas là une immoralité inquiétante ? Mao était-il l'homme que Marilyn aurait pu aimer ? Qui sait ?

28/05/2006

LE CIGARE DE FREUD

La purification du passé sera une longue marche. Déjà, pour l'exposition Sartre à la BNF, il avait fallu effacer, dans une photo, le mégot qu'il tenait entre ses doigts. Mais je m'offusque, aujourd'hui qu'on célèbre la mémoire de Freud, de voir reparaître les clichés où il pose, en bourgeois satisfait, avec un cigare. Ce cigare est arrogant, nanti, dogmatique, réactionnaire, suspect, phallocratique, machiste, malsain. On devrait le faire disparaître. Mauvaise influence : Lacan lui-même n'arrêtait pas, avec désinvolture, de mâchonner des cigares tordus. Ah, il faut se méfier de la psychanalyse.

28/05/2006

FOOT

La tête est confuse, les jambes s'enlisent, je parle évidemment des Bleus, et de la France qui n'arrive pas à marquer des buts. Cette équipe, malgré sa difficile victoire sur le Togo, est malade, aucun doute. Pauvre Zizou appliqué, pauvre Thierry Henry étouffé, pauvre Ribéry brouillon, pauvre Cissé opéré, étrange Domenech buté, sombre plaine. On a l'impression que les Français se la jouent plutôt que de jouer, ils sont dans un film, le match a déjà eu lieu, la seconde mi-temps leur paraît trop longue, si on pouvait passer tout de suite aux interviews et à la publicité, ce serait mieux, on pourrait respirer. On n'est pas starisé pour affronter la réalité. On n'est pas une vedette pour faire ses preuves. Chirac, déprimé, maintient Villepin en attaque, mais l'embêtant c'est que ce joueur s'obstine à rater ses penaltys. Vous avez remarqué que l'ailier Sarkozy fait tout pour ne pas lui passer le ballon, et frappe de façon déraisonnable en touche. L'équipe se rebiffe, essaie de faire pression sur l'entraîneur qui n'en démord pas, en grommelant qu'il n'est pas là pour céder à la dictature de la rumeur. Les éléphants socialistes, en milieu de terrain, font traîner la partie en attendant de prendre les commandes du bateau à la dérive. Les remplaçants, sur leurs bancs, boudent de façon voyante. L'univers nous regarde, ricane, s'apitoie, ne manque pas une occasion de tirer sur le coq gaulois. Pendant ce temps-là, les Argentins emballent leur tango, les Brésiliens continuent leur samba, les Espagnols peaufinent leur corrida, les Portugais naviguent, les Anglais et les Allemands sont professionnels, aucun état d'âme, alors que la psychologie ravage les visages hexagonaux. Je te hais, je t'adore, j'aurai ta peau, je ne pense qu'à toi, mourons ensemble, c'est la loi. Des femmes, ici et là, s'inquiètent dans les tribunes. Que faire ? Les raisonner ? Ils n'écoutent rien. Demander à l'armée d'intervenir ? Pourquoi pas, mais c'est quand même un risque. Les joueurs, maintenant, en sont à s'insulter en public. Le mot « lâcheté » est prononcé et enregistré. L'avant-centre l'a crié à l'ailier gauche qui venait de bousiller un corner. L'arbitre siffle, sort tous ses cartons jaunes, perd les rouges, les ramasse, et renvoie tout le monde aux vestiaires sous l'œil médusé de l'équipe étrangère qui n'en attendait pas tant de son adversaire supposé.

25/06/2006

SÉGO

Le mieux, au point où on en est, serait une candidature de progrès bicéphale. Voilà la vraie rupture paritaire, un aigle à deux têtes et quatre pattes, l'androgynat parfait. Donc : Royal et Hollande. Tantôt à droite, tantôt à gauche, l'union nationale, avec débordements de mariages gays. Pour l'instant, Ségo est une frégate chinoise, ou plutôt un sous-marin avec Hollande en sous-main. Ses atouts : une enfance malheureuse dans une famille catholique de huit enfants, un père colonel très réactionnaire, une fierté et une ténacité à toute épreuve, une morale d'acier. On la soupçonne de vouloir militariser la lutte contre la délinquance ? D'avoir ainsi un retour de refoulé au père ? Elle tient bon : « Alors, quoi, le mot discipline serait un mot de droite ? » Et aussi : « Depuis quand l'uniforme des militaires, des gendarmes et des pompiers ne serait pas socialiste ? » C'est vrai, ça, et honte à ceux qui ont crié autrefois, sous les coups de matraque, « CRS-SS ! ». Un colonel socialiste n'a rien à voir avec un colonel d'extrême droite. Un policier socialiste se remarque aussitôt, malgré l'uniforme, et inspire une confiance qu'un gendarme du Front national serait incapable d'incarner. N'importe quel dissident de l'ex-URSS vous dira qu'un gardien socialiste était doux, modéré, ouvert, humaniste, cultivé. La discipline, vous dis-je, la discipline. Une bonne équipe est une équipe disciplinée.

25/06/2006

BAC

J'aurais bien aimé plancher sur un des sujets du bac :
« Faut-il préférer le bonheur à la vérité ? » J'ai aperçu des
candidats et des candidates disant à la télé que non, bien
sûr, impossible d'obtenir le moindre bonheur à travers le
mensonge. Ils avaient l'air tous très convaincus, les filles
surtout. Préférer le bonheur à la vérité serait une faute,
une erreur, une très mauvaise action, un crime. Le professeur Ferry, jamais à court de citer Kant, leur donne
raison. Tout va donc bien, l'avenir est radieux, les nouveaux couples se diront la vérité, et tant pis si elle est
triste, cruelle, malheureuse. Le bonheur, que voulez-vous,
est toujours une illusion que la vérité contredit. Le bonheur est une vieille et mauvaise idée en Europe. N'écoutons surtout pas les faux prophètes dans le genre de
Casanova disant : « Si le plaisir existe, et si on ne peut en
jouir qu'en vie, la vie est donc un bonheur. » Bonheur,
bonheur, voilà bien une vision du monde suspecte. Et là,
je suis préoccupé. La dernière photo de Ségo-Hollande,
prise à Antibes, elle en pantalon, lui en bermuda, me
semble angoissante : Hollande a l'air d'un garçonnet
timide accroché au bras de sa maman qui, les mains dans
les poches, fait visiblement la tête. Question : Ségo
est-elle heureuse ? La vérité le lui permet-elle ? Et
Sarkozy ? Et Cécilia ? En tout cas, on ne les imagine pas
passer leur été à lire Casanova.

25/06/2006

MAO

Quand j'étais à Pékin, il y a plus de trente ans, le correspondant du *Monde* avait l'air passionné par le régime communiste, avec une grande obstination et une bizarre ferveur. Heureusement, il avait un vélo que j'ai pas mal utilisé dans les rues, ce qui me faisait remarquer par des milliers de Chinois comme un « long nez », c'est-à-dire une bête curieuse. Depuis, beaucoup d'eau a coulé sous les ponts. Le même journal, aujourd'hui, s'enthousiasme pour une biographie à charge du monstre Mao [174], le pire criminel du XXe siècle, responsable de soixante-dix millions de morts, et prêt à en faire tuer trois cent millions. C'était donc une « ordure ». Soit. Mais il y a plus grave : c'était un pauvre type, un médiocre, un mégalomane orgiaque, un sadique primaire, un agent simultané de Staline, des nationalistes, des Japonais et ensuite des Américains. Un fou, mais sans envergure. Autant dire que les anciens « maoïstes » occidentaux, Français en tête, ont bonne mine. Max Gallo, dans *Le Figaro*, parle même, avec commisération, de ceux « qui agitaient le Petit Livre rouge au bar du Pont-Royal ». Il ne manque que la photo qui, bien entendu, n'existe que dans l'imagination de Gallo.

25/06/2006

LIBÉ

Serge July, avec le temps, a-t-il eu raison de quitter Mao pour Rothschild ? La question se pose, et elle est grave pour l'avenir de la presse. Pour toute une génération fiévreuse, la sortie du délire Mao aura été problématique. Peu d'individus sont revenus à la bonne vieille maison de gauche. Certains ont cru se délivrer en allant de Mao à Moïse, ou, mais ça revient presque au même, de Mao à Bush. Je crois être le seul à avoir basculé de Mao au pape. Chacun ses goûts. Benoît XVI, à Auschwitz, est d'ailleurs apparu en même temps qu'un arc-en-ciel, signe évident d'alliance biblique. Qui d'autre l'a remarqué ? Je ne sais pas.

25/06/2006

ANGOT

Le prochain livre de Christine Angot, *Rendez-vous* [175], est excellent, puissant, rapide, audacieux, drôle. Il y a là un banquier pervers, un acteur fasciné par la littérature, et Angot qui s'offre à eux, les observe, souffre, se reprend, l'écriture étant sa seule vraie vie dramatique. Vous commencez à lire, c'est immédiat, vous ne lâchez plus les pages, vous vous demandez comment elle va se tirer d'une folie parfaitement maîtrisée, inceste traumatique, sincérité, crudité lucide. Eh oui, il faut s'y faire : Angot est un des meilleurs écrivains français d'aujourd'hui. But marqué, donc. C'est rare.

25/06/2006

ZIDANE

J'ai eu tort, c'est vrai, comme bien d'autres, de sous-estimer, au début, l'équipe de France de football. Elle s'est ranimée, elle a ressuscité, elle a accompli des miracles, saint Zidane est monté au ciel devant nous, jusqu'à ce coup de boule en finale qui nous a ramenés brutalement sur terre. Mon dieu, mon dieu, quelle histoire. Que s'est-il passé ? Suivons le mouvement : Zidane marque un penalty contre l'Italie. Plus tard, il frôle, d'une tête splendide, le but de la victoire détourné *in extremis* par le gardien italien. À ce moment-là, il est furieux, il hurle, son visage est contracté, bouche ouverte, il ressemble soudain à un bouc de choc. Puis vient le coup de boule sur Materazzi, la vidéo irréfutable, le carton rouge, l'expulsion, la dégradation, la honte. Tempête sous un crâne, stupeur mondiale.

Les commentaires ont aussitôt proliféré, le plus cocasse étant sans doute celui des *Nouvelles de Pékin* : « Tout roi du football est une combinaison d'ange et de démon. » Pendant des jours, on a vu, en boucle, le front de Zidane administrer un sévère pneumothorax à son insulteur. Mais qu'avait donc dit ce dernier ? Une injure raciste ? Des propos orduriers sur sa mère, traitée de « terroriste » ? On imagine la hantise publicitaire des sponsors de Zidane (Danone, par exemple). Enfin, tendance générale, le dieu Zidane est redevenu humain, c'est-à-dire comme vous et moi, n'est-ce pas, qui avons le coup de boule facile. Ségolène Royal a trouvé l'attitude de Zidane « exemplaire » par « sa capacité à défendre farouchement le respect dû à sa mère, le respect dû à sa sœur ».

Mais qu'a dit exactement Materazzi, cette brute tatouée ? Il faudra désormais équiper les joueurs d'un micro-enregistreur plutôt que de perdre du temps à déchiffrer des mots sur leurs lèvres. Le pudique Zidane évoquait sa maman, sa sœur. La réalité est plus triviale et bêtement érotique : Materazzi pelote Zidane à travers son maillot, celui-ci lui propose de le lui donner dans les vestiaires. Le tatoué lui lance alors « casse-toi, pédé », « avec ta pute de sœur », et, enfin, tir au but, « je vais te défoncer le cul ». D'où le coup de boule. Là-dessus, censure générale, il ne faut pas choquer les enfants et les éducateurs. Zidane a certes défendu sa sœur, mais surtout sa virilité humiliée. Je ne vois pas en quoi il est condamnable. À quand, d'ailleurs, un grand match de coups de boule ? Ça devrait valser.

30/07/2006

LIBAN

Israël, pour sa défense, a choisi l'action militaire à l'américaine. Zéro mort pour soi, bombardements massifs, éviter les engagements au sol (mais ils sont en train de venir), indifférence impériale pour les pertes civiles, d'ailleurs symétrique de celle de son adversaire fou. Dans ce genre de stratégie, il faut aller vite, anéantir l'ennemi en quelques jours, sinon c'est le bourbier classique, l'émotion internationale, etc. Soit les services de renseignements de Tsahal ne sont plus ce qu'ils étaient, soit la stratégie à l'américaine montre de plus en plus ses limites, mais le moins qu'on puisse dire est que l'engrenage est celui des dégâts. Le cinglé du Hezbollah paraît à la télévision, il est calme, c'est un bébé rose barbu, il n'a pas du tout l'air impressionné par les destructions en cours, au contraire. Là-dessus, comme d'habitude, exode des populations, évacuation des étrangers, civils brûlés avec leurs enfants dans leurs voitures, explosions meurtrières à Haïfa, sinistre passion de mort à l'œuvre, comme en Irak.

Chirac tire son épingle du jeu, remonte dans les sondages, provincialise Sarko et Ségo, obtient des corridors humanitaires, des corridors, que dis-je, bientôt des couloirs. Il avait déjà fait un très bon 14-Juillet, demandant qu'on s'occupe d'autre chose que du « sexe des anges », stigmatisant « la morosité que d'aucuns s'obstinent à dépeindre », n'arrêtant pas de répéter « La France, la France, la France ». Pauvre Liban, désormais, pauvre pays du cèdre.

Quelqu'un qui ne s'arrange pas avec le temps, en tout cas, c'est Condoleezza Rice : sa démarche est de plus en plus mécanique, son sourire robotisé, on dirait une employée des pompes funèbres planétaires. Comble d'étrangeté, des observateurs de l'ONU sont tués dans un bombardement, dont un Chinois. Le ministre adjoint des Affaires étrangères chinois, Zhai Jun, convoque en urgence à Pékin l'ambassadeur israélien pour une ferme protestation et une demande d'excuses. Excuses israéliennes, donc, et promesse d'enquête approfondie et rendue publique. On verra bien.

30/07/2006

CANICULE

Je fais comme vous, je me saoule d'eau, je m'asperge, je regarde avec accablement les informations et la météo, je suis obligé de me demander où court cette petite planète projetée dans la fonte des glaciers et l'effet de serre. Coup de boule de Zidane, guerre du Liban, canicule, c'est beaucoup pour un seul mois d'été. Vers midi on se prend à souhaiter l'arrivée de l'hiver, du gel, de la neige.

Je ferme mes volets, je continue à écrire un livre sur les fleurs, plus à contre-courant tu meurs. Cela me permet, en ce moment, de rendre visite au très grand poète persan Omar Khayyam (1040-1125), qui a été aussi un mathématicien et un astronome célèbre. Ses quatrains sont presque tous des célébrations du vin, de l'ivresse, mais aussi des « jolies », qui pour lui sont toutes des tulipes. Il est bon de l'écouter dire « Au loin islam, religion, péché ! », et « Assieds-toi au Paradis avec une jolie ».

Et ceci :

> « *Boire du vin, chatouiller des jolies comme des tulipes,*
> *C'est mieux que des cafarderies, des hypocrisies.*
> *S'ils sont damnés, ceux qui font l'amour et qui boivent.*
> *Qui donc voudra voir le Paradis ? Qui ? »*

30/07/2006

CÈDRE

Je tombe sur ce passage de Claudel, dans *Le Poète et la Bible* : « Les cèdres, c'est la végétation immortelle qui de tous les côtés escalade les pentes du Liban. Le cèdre avec ses vastes plateaux superposés est tout ce qui obéit à une invitation pour monter à surmonter et à se surmonter. Le cèdre croît dans une émulation avec lui-même. Il ajoute un horizon à l'horizon au-dessous de lui élargi. C'est un édifice contemplatif. Son rôle est de transformer la contemplation en construction. Sa substance est du temps enregistré. Il a fait de la terre qu'il suce par le moyen de cette lumière qu'il respire du bois. Il élabore de la solidité, tout ce qui permet de circonscrire de l'espace à l'usage de l'homme : voici le parquet sous nos pieds pour nous séparer de la terre, le toit au-dessus de nos têtes soutenu par la charpente et ces parois qui transforment l'ambiance en une géométrie habitable de rapports. Salomon s'adresse au Liban pour se procurer le moyen de rendre Dieu intérieur. Ce qui transforme la contemplation en un temple. »

Est-il indécent de citer ces phrases admirables en face des tonnes de béton effondrées, des bombes, des cris, du sang, des larmes ? Quelqu'un a dit que la beauté sauverait le monde. Je l'ai cru. Je le crois toujours.

30/07/2006

OUF

L'obscénité diplomatique est lente, mais elle a du bon puisqu'elle limite les dégâts et les morts, après avoir compté et recompté ses billes. De ce point de vue, le titre qui dit tout est celui d'un journal économique : « Le cessez-le-feu au Liban calme l'or noir ». Sachez donc que « les marchés ont soufflé », que le prix du baril de pétrole a baissé, qu'on est revenu à une déraison normale. « À la fin de l'Histoire, a dit quelque part Hegel, la mort vivra une vie humaine. » C'est fait, c'est arrivé, c'est bouclé. L'embêtant, avec la fin de l'Histoire, c'est qu'elle ressemble à la mort de Dieu : ça n'en finit pas de finir, ça n'en finit pas de mourir. Le parti de Dieu est celui de la mort, il a de beaux jours devant lui, c'est de l'or noirci en série.

Là-dessus, beaucoup de discours et de bonnes paroles, mais qui ne passent plus, dirait-on, qui se répètent sans

491

conviction, qui s'enlisent. Les acteurs manquent de style : Bush, de plus en plus bodybuildé, continue à rouler les mécaniques ; le pâle Olmert a l'air d'un expert-comptable d'un magasin beaucoup trop grand pour lui (avec, en prime, un chef d'état-major en délit d'initié, vendant toutes ses actions juste avant la crise) ; Blair, surnommé « le caniche » par les Britanniques, remue gentiment la queue ; « Condi » Rice, seul miracle, s'anime soudain et glisse une œillade d'enfer et même un bisou frôleur au pharmacien de charme Douste-Blazy, notre *Latin lover*. Le Premier ministre libanais essuie une larme de crocodile devant les momies de la Ligue arabe, et l'assassin rose et replet à la barbe fleurie, Nasrallah, joue la star islamo-sociale. Vous enchaînez sur les décombres et les cadavres déjà oubliés, puisqu'on va nettoyer, tamponner, reconstruire jusqu'au prochain spasme. La mort vit une vie humaine, mais il ne faut pas le dire, ça pourrait freiner les marchés. Et tant pis pour les jeunes soldats tués, courtes vies fauchées, comme d'habitude.

20/08/2006

TERREUR

Il y a eu les grandes terreurs de masse, il y a maintenant la terrorisation par saccades. Les terroristes sont partout, ils sont diaboliques, ils n'arrêtent pas d'inventer de nouveaux gadgets. Ils peuvent mélanger des liquides en vol, des crèmes, des lotions, et, qui sait, peut-être même leur urine, pour fabriquer des explosifs insoupçonnables. Il faut que le voyageur soit terrorisé en permanence, pris en otage, traqué dans ses effets personnels et ses produits de beauté. Sa vie est en danger, on s'en occupe sans cesse. Des foules entières transformées en campeurs d'aéroports ? Déjà vingt mille bagages perdus ? Et alors ? Vous respirez, c'est l'essentiel. Ce genre d'exercice deviendra constant, il faut habituer les populations. On prend soin de filmer des touristes américains qui se félicitent qu'on assure ainsi leur sécurité. Ils marchent. Tout va donc pour le mieux dans la meilleure confusion possible.

20/08/2006

FUMEURS

Le vrai coupable dans tout ça, c'est quand même le fumeur. On l'a dénoncé cent fois, mille fois, mais ce n'est pas assez : il faut lui interdire l'accès aux entreprises, il ne sera plus embauché. Un Irlandais l'a décrété, et la Commission européenne l'approuve. Cet homme de santé dit que « les salariés qui reviennent à leur bureau après une pause cigarette puent ». Il ajoute que « la vérité est que ces fumeurs ne réalisent pas les risques qu'ils encourent, ce qui signifie qu'ils n'ont pas le niveau d'intelligence recherché ». On sait que la législation interdit la discrimination sur la base d'origine raciale, ethnique, d'un handicap, de l'âge, de l'orientation sexuelle, de la religion et des croyances, mais le fumeur, lui, est désormais le discriminé total. Normal, il pue, c'est un incendiaire et un criminel en puissance, il tue d'ailleurs à petit feu ses proches et ses collègues, c'est un dangereux asocial, il prend l'existence avec une désinvolture insupportable, il se croit seul, il est plus dangereux qu'un drogué, un maniaque sexuel ou un fou de Dieu. De nouveaux appareils de détection seront mis en place un peu partout ; ne pas fumer ne suffira pas, il faudra prouver qu'on ne fume jamais, même en cachette, et l'appareil tranchera : il pue. Pas de travail pour les fumeurs ! C'est peut-être là leur honneur : ils minent la notion de travail elle-même. Mais que me dit-on ? Que malgré le désastre entraîné par cette puanteur s'attaquant aux grossesses, aux spermatozoïdes, aux poumons, aux enfants, aux arbres, la consommation de cigarettes a repris en France ? Que la législation française interdit de ne pas embaucher un fumeur ? Ces Français sont des fumistes, et on attend le candidat ou la candidate à la présidence de 2007 pour mettre fin à cette situation choquante. Tout fumeur sera interdit d'aéroport, de gare, d'autoroute. Son véhicule pourra être saisi, son appartement perquisitionné, et ses relations interrogées sur dénonciations préalables.

20/08/2006

DOPEURS

J'ai oublié le nom de l'Américain maillot jaune du Tour de France. On le piquait à la testostérone, et hop, il s'envolait sur son vélo enchanté. Je crois l'avoir aperçu, un peu maigrichon, rien d'un King Kong, mais, a-t-il affirmé, très bon producteur de cette hormone testiculaire. Question : la testostérone favorise-t-elle l'activité mentale ? Si oui, j'ai envie d'essayer. Je pourrais même cesser de fumer. Et, sans oser plonger avec elle, aller interviewer l'extraordinaire Laure Manaudou, cette sirène à turboréacteur, au regard malicieux, si frais, si doux.

20/08/2006

DICTATEURS

Ils disparaissent peu à peu, ces grands dinosaures d'autrefois, ces hâbleurs, ces gesticulateurs, ces hurleurs, ces péroreurs d'estrade. Dire que les États-Unis ont essayé six cent trente-huit fois d'assassiner Fidel Castro : cigares explosifs, pilules empoisonnées, mollusques piégés, tout aura été tenté. Ce fumeur viril et sinistre n'aura même pas été diminué par la fumée, il s'en va par les intestins, morne plaine. Les exilés de Miami font la fête, dans un débordement fascinant de vulgarité. Le président véné-zuélien Chavez vient embrasser son pote et le frère mili-taire de son pote. On m'assure que Castro relit Ignace de Loyola dans son lit, en souvenir de son éducation jésuite de jeunesse. Interdit, évidemment, de prendre en photo la couverture des *Exercices spirituels*. Après tout, c'est possible, à moins que le Saint-Siège, une fois de plus, n'essaie de faire de l'intox.

20/08/2006

GÉNIE

Il est vingt-deux heures trente, j'écoute à la radio un concert donné à Salzbourg. Tout à coup, j'entends la nou-velle : Élisabeth Schwarzkopf vient de mourir en

Autriche, à l'âge de quatre-vingt-dix ans. Après un moment, on diffuse un ancien enregistrement de *La Flûte enchantée*, où elle interprète le rôle de Pamina. C'est elle, oui, c'est bien elle, reconnaissable entre toutes, beauté, justesse, velours inouï, tension, abandon, et révélation de l'amour s'il existe. Elle aura été la vraie femme de Mozart. Toute la journée, il n'a été question que de violences et de bombes. Maintenant, la nuit est calme, étoilée, la Grande Ourse, là, sur ma gauche, va peu à peu basculer vers l'horizon, comme pour se mêler à l'océan noir. La voix de Schwarzkopf troue la nuit en douceur. C'est bouleversant de grandeur.

20/08/2006

MARILYN

Vous voulez savoir jusqu'où peut aller la pathologie américaine ? Alors, lisez le passionnant roman *Marilyn dernières séances* [176], que Michel Schneider a tiré de la très bizarre relation entre Marilyn Monroe et son très étrange psychanalyste, Ralph Greenson. C'est une histoire terrible, une course à la mort entre cinéma, désir de ne pas savoir et argent. Le sexe s'est volatilisé, il ne reste que les médicaments, quelques films, et le vide.

20/08/2006

PAPES

Décidément, les deux derniers papes, Jean-Paul II et Benoît XVI, sont étranges. Le premier, à peine élu, attaque de front l'ex-Empire soviétique, soulève la Pologne, prend deux balles dans le ventre, s'en tire miraculeusement, devient une star mondiale, est en voie de canonisation. Il n'est pas pour rien dans la chute du mur de Berlin, mais on lui reproche son peu d'enthousiasme pour le préservatif et le trafic d'embryons. On finit par lui donner une place à Paris, devant Notre-Dame, mais les manifestants sexuels ne sont pas contents. Malaise historique, trouble biologique.

L'autre, Benoît XVI, l'Allemand, jette un petit pavé dans la mare islamique lors d'une conférence universitaire. Il cite un auteur médiéval hostile à Mahomet et à la violence coranique, soulève la colère musulmane qui, comme pour lui donner raison, se déchaîne en hurlements divers, jusqu'à l'assassinat répugnant, en Somalie, d'une religieuse italienne de soixante-dix ans. On lui demande de toutes parts des excuses, mais il se dit seulement désolé, attristé. Le *New York Times* lui-même trouve le discours papal « terrible et dangereux ». Benoît XVI rallié à la croisade Bush ? Peu probable. Quoi qu'il en soit, scandale aux abysses.

Je lis Benoît XVI : très bonne dissertation, très claire, très convaincante, pas du tout « absconse » comme l'ont dit certains journalistes. C'est une apologie de la raison vivifiée et amplifiée par la foi, qui culmine, selon lui, dans la fusion de la révélation biblique et de l'Antiquité grecque. Si j'ai bien compris, Dieu n'aime pas le sang, le délire, la transcendance inaccessible, le calcul rationaliste borné. Il termine ainsi : « C'est à ce grand *logos*, à cette immensité de la raison que nous invitons nos interlocuteurs dans le dialogue des cultures. » Mais c'est très bien, ça, et je ne vois que des obscurantistes pour ne pas applaudir. Là-dessus, vous me dites que toutes les religions sont virtuellement déraisonnables et criminelles. Voilà quand même un pape qui vous propose gentiment d'en sortir, « ce qui n'inclut en aucune façon l'opinion qu'il faille désormais revenir en arrière, avant les Lumières, en rejetant les convictions de l'ère moderne ». Très bonne copie, 16/20.

24/09/2006

SARKOSÉGO

Comparé à ce tourbillon tragi-comique, le petit théâtre de marionnettes présidentiables françaises fait peine à voir. Le cirque Sarko, avec Johnny Hallyday et Doc Gynéco, s'épuise en province, et une photo prise à la sauvette avec Bush fait plutôt froid dans le dos. Quant à Ségo, elle sent quelque chose : la France, avec jeu de mots, est en train de devenir la Hollande, elle veut une grande sœur maternelle, elle a bobo. Du simple point de vue publicitaire, si elle ne se fatigue pas trop vite, Ségo a un avantage : elle porte avec elle un avenir indiscutable de films, de magazines, de fringues, de sacs, de souliers, de bijoux, de lingerie fine, de produits de beauté, de propreté, de pureté, de dignité, de sécurité, de respect, de désirs d'enfance. Elle réprimande une petite Bretonne ? Et alors ? Elle se montre avec le play-boy Montebourg ? Pourquoi pas ? Le spectacle la veut et l'impose, face à des concurrents d'avant le 11 septembre et le quinquennat. Problème de la parité : combien de femmes à droite ? Et à gauche, à part la vedette ? On attend de voir. Quant à Chirac, regonflé à l'international, impossible de ne pas l'imaginer pensant à la future passation de pouvoir : Sarkozy sur le perron de l'Élysée ? L'enfer. Ségolène s'avançant vers lui tout sourires ? Bernadette fera la tête, mais tant pis.

24/09/2006

BIOMÉTRIE

Si j'étais le Diable, j'encouragerais partout le terrorisme au nom de Dieu, pour renforcer la sécurité en tous sens, et prendre ainsi le contrôle des corps de façon de plus en plus intime. C'est en bonne voie. Je lis ce qui suit dans une enquête vertigineuse du *Monde 2* : « En ce XXIe siècle, le corps prend sa revanche. C'est à lui que l'époque moderne confie la tâche de lire l'identité de la personne, de dire qui est qui et qui, par conséquent, a le droit d'entrer. Pour s'assurer que vous êtes bien celui que vous prétendez être et que vous êtes, en outre, bien répertorié dans le système, la biométrie vérifie ce qu'elle sait lire de vous : empreinte de doigt, d'orteil, contour d'une main, d'un iris, extrait d'ADN, traits d'un visage, réseau de veines. Un jour sans doute utilisera-t-elle aussi la modulation d'une voix ou le rythme d'une démarche. » L'auteur de l'article n'a pas osé évoquer les préférences sexuelles et les enregistrements des divers stimuli ou sécrétions locales. Mais ça viendra, on n'arrête pas la folie.

24/09/2006

499

OPIUM

On peut imaginer la tête du pape en lisant la nouvelle : l'Afghanistan produira 92 % de l'opium mondial en 2006. Tous les records sont battus, avec une production en augmentation de 49 % et une amplification des surfaces cultivées de 59 %. Juste un détail : dans la province de Helmand, où sont déployés trois mille militaires britanniques, les surfaces cultivées ont augmenté de 162 %. Les talibans étaient odieux, mais, comme on voit, la démocratie a son charme. La communauté internationale dépense plus de deux milliards de dollars pour lutter là contre la drogue, la corruption et le crime organisé. C'est trop peu : il faut augmenter la dose. Elle ne sera pas perdue pour tout le monde.

24/09/2006

MAO

Dans l'excellente et sérieuse revue *Commentaire*, je lis ce qui suit : « Philippe Sollers, parfois considéré comme le plus talentueux des écrivains français vivants, est revenu au catholicisme, comme l'avait prévu François Mauriac. Le pape de l'avant-garde devient l'avant-garde du pape. Il pourrait mieux faire pourtant en contrition. Il prend encore la mouche pour Mao et ne bat pas sa coulpe. »

Les bons pères de *Commentaire* ont raison : je fais acte de contrition, je bats ma coulpe. Dans mon délire de jeunesse, j'ai aimé un monstre, et j'avoue que, parfois, la fièvre me reprend furtivement. Mais je me soigne, je prie,

je jeûne, je me confesse, je progresse dans le renonce-
ment, l'humilité, la méditation. Il faut quand même me
dire jusqu'à quand je dois expier mes crimes commis il y
a plus de trente ans. J'ai obtenu mon pardon du pape.
J'ose espérer que les bons pères me l'accorderont.

24/09/2006

VOLTAIRE

Avis aux amateurs, qui sont beaucoup plus nombreux
qu'on ne croit : procurez-vous la magnifique édition de
Candide avec des illustrations de Hugh Bulley et une préface d'André Magnan. C'est une publication du Centre
international d'étude du XVIIIᵉ siècle, diffusée par les
Amateurs de livres international, 62, avenue de Suffren,
Paris 15ᵉ. L'adresse du Centre est tout simplement BP 44,
F, 01212 Ferney-Voltaire cedex. Je donne ces précisions
avant que l'auteur de *Mahomet*, béni en son temps par
Benoît XIV, soit interdit sur toute la planète. Le texte est
ce qu'il est : éblouissant, immortel. Les illustrations sont
pleines d'invention et de fraîcheur. Un cadeau de rêve (je
l'envoie à Benoît XVI). Et puis une autre merveille : la
Correspondance Vauvenargues-Voltaire, 1743-1746, textes
réunis et présentés par Lionel Dax [177]. Là, le plaisir et la
liberté d'esprit éclatent à chaque page, à chaque ligne.
Lettre de Vauvenargues à Voltaire, depuis Nancy, le
4 avril 1743 : « Dans les matières de goût, il faut sentir
sans aucune gradation, le sentiment dépendant moins des
choses que de la vitesse avec laquelle l'esprit les
pénètre. » Et Voltaire de répondre le 15 avril : « Le grand
nombre des juges décide, à la longue, d'après les voix du

501

petit nombre éclairé. Vous me paraissez, Monsieur, fait pour être à la tête de ce petit nombre. »

24/09/2006

DU SANG DANS LE GAZ

Anna Politkovskaïa, la journaliste russe assassinée froidement au bas de son ascenseur à Moscou, avait l'habitude de dire : « Je n'ai que ma plume et Dieu pour me protéger. » Sa plume l'a condamnée à mort, et Dieu, il en a l'habitude, s'est éclipsé au moment du meurtre. Bref, Poutine, et encore Poutine, et toujours Poutine. Il faut le ménager, celui-là, lui faire de petits reproches voilés, lui sourire, ne pas le braquer, surtout, il risquerait de nous couper le gaz. Son surnom, en économie politique, est Gazprom. Gazprom est rigide, déterminé, tenace. Comment le contenir, l'amadouer, le faire entrer dans le jeu démocratique, malgré sa sale guerre en Tchétchénie et ces liquidations brutales (dont il est personnellement innocent, bien sûr) ? Eh bien, en le décorant : Grand-Croix de la Légion d'honneur, ça lui va très bien. Un dessin de Wiaz a tout dit : on y voit Poutine en garagiste, les mains tachées de sang, devant un buste sévère de Staline. Il s'excuse, le légionnaire, devant la statue du père fondateur, en lui disant : « Je sais, je sais, je bricole. » C'est exactement ça, Poutine : un bricoleur. Brave garçon, donc.

29/10/2006

TURQUIE

Le poète Mallarmé, en bon prophète, voyait venir vers nous « un tourbillon d'hilarité et d'horreur ». Nous y sommes, et c'est tantôt le fou rire, tantôt la frayeur. La Turquie ne veut pas reconnaître le génocide arménien ? Glace. Le ministère turc de l'Éducation censure les manuels scolaires comportant une reproduction de *La Liberté guidant le peuple* de Delacroix ? On s'esclaffe, mais sur fond d'abîme. C'est bien une Parisienne à la belle poitrine dénudée qui se dresse, avec un drapeau français, sur une barricade révolutionnaire ? Cachez-moi ce sein que nous ne saurions voir. Ce tableau de Delacroix fait tache dans le paysage, et il faudrait sans doute le retirer du Louvre, ou même le brûler, pour cesser d'offenser Dieu et l'islam (il faut quand même noter que le Vatican n'a fait aucune demande dans ce sens). Que dire, d'ailleurs, de tous ces nus féminins partout exposés et qui nous offensent ? *L'Olympia*, par exemple, du bourgeois libertin Manet, sans parler de son insolent *Déjeuner sur l'herbe* ? Et cette scandaleuse *Origine du monde* de l'anarchiste Courbet ? Qu'on les peigne donc en noir, ces obscénités d'un ancien temps trop libre. Si encore elles étaient laides, on pourrait s'arranger. Mais c'est très beau, donc pernicieux en diable. Enfin, vive la Turquie libre, et le prix Nobel à Pamuk.

29/10/2006

CHINE

Gazprom-Poutine nous protégera-t-il de la Chine ? Avouez que les nouvelles, de ce côté-là, sont plus qu'inquiétantes. L'Industrial Commercial Bank of China (ICBC) vient de faire une entrée fracassante en Bourse. Ce premier prêteur chinois est capable de lever près de vingt-deux milliards de dollars, doublant ainsi le record détenu depuis huit ans par le japonais NTT Mobile. Ce géant bancaire compte trois cent soixante mille salariés, dix-huit mille succursales et cent cinquante-trois millions de clients. Ce n'est qu'un début, et le grand criminel Mao, dans ses rêves les plus fous, ne pouvait pas imaginer mieux. Bush empêtré en Irak, le nucléaire coréen et iranien, le président israélien poursuivi pour viols et harcèlements sexuels, le tourbillon s'accélère. Avez-vous aperçu, aux championnats du monde, la sublime gymnaste chinoise Fei Cheng ? Elle court, elle saute, elle vole, elle devient spirale, elle tourne, elle retombe sur ses pieds comme si de rien n'était. Médaille d'or, et de loin. Tout se tient.

29/10/2006

CONGÉLATION

Dans le genre criminelle tranquille, Véronique Courjault m'épate. On ne sait plus, dans cette histoire de fous, ce qu'il faut souligner le plus : l'incroyable aveuglement du mari qui ne se serait pas rendu compte d'au moins trois grossesses de sa femme, ou bien la solitude tragique de cette pauvre fille, mariée, en noir, s'accouchant elle-même, puis brûlant un bébé dans une cheminée, en étranglant deux autres qu'elle entrepose dans un congélateur en Corée. Voilà donc un petit couple français d'aujourd'hui, avec deux enfants vivants, un couple parfaitement normal à l'extérieur. Ce congélateur transformé en morgue pose quand même un problème. Pourquoi garder ces petits cadavres comme de la viande ? Dans quel but ? Cannibalisme ? Exclu. Fantasme de résurrection possible ? Allez savoir. Hommage inconscient à la science ? Qui sait ?

Je vois qu'un professeur de gynécologie obstétrique, membre du Comité national d'éthique, ex-président de l'Académie nationale de médecine, déclare ceci à propos du débat sur les cellules-souches humaines : « L'un des problèmes les plus préoccupants d'aujourd'hui est celui posé par la congélation, durant cinq, dix, quinze ou vingt ans, d'embryons humains conçus par fécondation *in vitro* et destinés à être implantés dans un utérus féminin. Je considère ces embryons comme des êtres humains, et le fait d'avoir des êtres humains congelés me met mal à l'aise. Je ne suis pas le seul, comme en témoignent les réticences de ceux qui, dans certains cas, sont amenés à détruire ces embryons. »

Freud a écrit autrefois un grand livre, *Malaise dans la civilisation*. Écrirait-il aujourd'hui un *Malaise chez les embryons* ?

29/10/2006

505

LITTELL

Le gros roman de Jonathan Littell, *Les Bien-veillantes* [178], est extraordinaire. Il faut le lire lentement, en entier, passer par des massacres et des horreurs sans nom, suivre le narrateur nazi dans sa descente aux enfers à Stalingrad puis à Berlin, exterminations de masse, ruines, rêves concentrationnaires, débris humains, vomissements, merde. Documentation fabuleuse, précision des descriptions, férocité mécanique, portraits et dialogues percutants. Mais le secret du roman, dont personne ne semble vouloir parler, n'est pas là. Il s'agit en réalité d'un matricide commis en état d'hypnose, et d'une identification de plus en plus violente et incestueuse entre le narrateur homosexuel et sa sœur. Question : comment être une femme lorsqu'on est un homme ? La sodomie y suffit-elle ? Le héros jouit rarement, mais parfois de façon très claire. Ainsi à Paris, en 1943, ce SS cultivé, qui lit Maurice Blanchot et fréquente Brasillach et Rebatet, raconte son expérience : « Je descendis vers Pigalle et retrouvai un petit bar que je connaissais bien : assis au comptoir, je commandai un cognac et attendis. Ce ne fut pas long, et je ramenai le garçon à mon hôtel. Sous sa casquette, il avait les cheveux bouclés, désordonnés ; un duvet léger lui couvrait le ventre et brunissait en boucles sur sa poitrine ; sa peau mate éveillait en moi une envie furieuse de bouche et de cul. Il était comme je les aimais, taciturne et disponible. Pour lui, mon cul s'ouvrit comme une fleur, et lorsqu'enfin il m'enfila, une boule de lumière blanche se mit à grandir à la base de mon épine dorsale, remonta lentement mon dos, et annula ma tête. Et ce soir-là, plus que jamais, il me semblait que je répondais directement à ma sœur, me l'incorporant, qu'elle l'acceptât ou non. Ce qui se passait dans mon corps, sous les mains et la verge de ce garçon inconnu, me bouleversait. Lorsque ce fut fini, je le renvoyai mais je ne m'endormis pas, je restai couché là sur les draps froissés, nu et étalé comme un gosse anéanti de bonheur. »

Comme quoi, malgré la défaite et l'humiliation de l'Occupation, la verge française gardait encore sa vigueur.

29/10/2006

ENCORE LITTELL

Le fonctionnement minutieux et les ravages du nazisme sont la toile de fond du roman de Jonathan Littell [179], et les historiens ont déjà beaucoup réagi, et réagiront encore, à ce sujet brûlant, en méconnaissant, pour la plupart, la force et l'invention fourmillante de la narration romanesque. Il est cependant étrange que personne ne s'attarde sur les passages explicitement sexuels, et ils sont nombreux. Pages magnifiques sur l'inceste pubertaire du narrateur avec sa sœur, précisions de plus en plus vertigineuses sur son homosexualité passive qui culmine vers la fin hallucinée du livre (branches d'arbres enfoncées dans l'anus, etc.). D'où vient ce silence ? Y aurait-il là un tabou ? Le succès du roman ne serait-il pas dû aussi à ce déploiement d'analité frénétique ? L'auteur ne paraît pas vouloir s'expliquer sur ce point, et on apprécie sa pudeur, sa prudente réserve. Il dit faire sienne cette déclaration de Margaret Atwood : « S'intéresser à un écrivain parce qu'on aime ses livres, c'est comme s'intéresser aux canards parce qu'on aime le foie gras. » Peut-être, mais si le foie gras a un goût très singulier, et peu trouvable sur le marché, on devrait admettre une demande d'information supplémentaire sur le canard producteur. Littell est un canard très spécial, et son humour maîtrisé ne fait aucun doute. Humour plus que noir, et alors ?

26/11/2006

MAO

C'est le triomphe de Mao peint par Warhol en 1972, dans une vente de Christie's à New York. Un Mao bleu, de toute beauté, surplombant les enchères, comme un extraterrestre. Il a été acheté par un collectionneur de Hongkong pour dix-sept millions trois cent dix mille dollars. Staline et Hitler, eux, n'auraient pas fait un kopeck. Il est vrai que Warhol, financier formidable de l'art, a dédaigné leurs figures. S'agit-il d'une prophétie ? Oui, puisque le dollar le dit.

26/11/2006

POLONIUM

Vous devez désormais vous habituer à vivre mentalement entre deux mondes : celui des festivités plus ou moins détendues ou abruties et celui de la misère insupportable des sans-logis, sur fond de terreur mondiale explosive ou latente. Dans la maîtrise du monde terroriste, très au-delà du n'importe quoi islamiste, il faut reconnaître que les Russes gardent la main de l'ombre.

Le polonium 210, produit hautement sophistiqué et rare : voilà la nouvelle arme de dissuasion. Nucléaire condensé, irradiation rapprochée, empoisonnement garanti, mort certaine dans des souffrances atroces. Ça vient de se passer à Londres mais, demain, avertissement solennel, ça pourra être partout. Le poutinium, variante active du polonium, ne pardonne pas, et le pauvre espion retourné professionnel Litvinenko vient d'en faire l'expérience. Le plus étrange dans cette affaire qui n'est pas près d'être élucidée, c'est la conversion tardive de la victime à l'islam et son enterrement dans une mosquée de Regent's Park. Recherche désespérée d'une ultime protection divine ? Dans ce cas, c'est raté, mais il faut dire que le fantôme de Dieu, ces temps-ci, est très occupé.

Le poutinium vous prévient : on peut vous le faire boire ou inhaler dans les plus grands restaurants ou bien au bar, entre deux cocktails. Certes, il faut tout faire pour éviter le sinistre iranium. Quant à l'irakium, l'expérience est concluante : c'est trop lourd, trop cher, trop désordonné dans la production de cadavres ; la méthode Bush conduit droit à un désastre plombé. (Je doute que la pendaison de Saddam Hussein arrange les choses alors qu'un peu de poutinium dans sa cellule aurait réglé la question, d'autant plus que le contraste avec la fin du criminel Pinochet, mort dans son lit, risque de choquer la morale planétaire.) Heureux Français, pensez à votre chance : vous n'avez rien à craindre du sarkozium, du ségolénium, du chiraquium, mais méfiez-vous quand même du lepénium. Oui, je sais, vous n'en pouvez plus d'avoir à attendre encore quatre mois les résultats de la présidentielle. Mais c'est comme ça : voyez, écoutez, lisez, inhalez, vous aurez juste une légère migraine. Bonne année.

31/12/2006

COULISSES

Andrew Nurnberg est l'agent britannique comblé du phénomène Jonathan Littell, dont le gros best-seller *Les Bienveillantes* a été le tsunami de la rentrée littéraire. C'est un homme avisé, numérique, multipolaire, qui ne s'intéresse pas qu'à la littérature. Dans son bureau de Londres, raconte *Le Monde*, figure, en face de lui, une dédicace en russe signée Boris Eltsine, puisque Nurnberg a géré trois de ses livres, dont son autobiographie. « Il était Président, dit Andrew, mais d'abord un client et un ami. Dans sa datcha, on parlait de tout et de n'importe quoi. Dans son sauna, on mangeait ou on buvait. » Eltsine a présenté Andrew à Poutine, lequel lui a promis de lui confier ses Mémoires. Là, ce sera le scoop. Il paraît que Poutine a beaucoup aimé le livre de Littell et qu'il s'est fait traduire exprès les passages les plus crus de la bataille de Stalingrad, sans parler de la prise hallucinante de Berlin. Pour les Mémoires de Poutine, je propose un titre choc par antithèse : *Le Labo du diable*. On découvrira avec surprise dans ce best-seller mondial automatique que le président russe est, en réalité, un humaniste de haut vol. Le poutinium ? Faribole, pure propagande dirigée contre la Russie éternelle. Une préface de Littell ? Pourquoi pas ?

31/12/2006

EXÉCUTIONS

On a beaucoup coupé de têtes en France jusqu'à l'abolition (enfin) de la peine de mort. Dans ce genre de sport, vous avez la pendaison, la fusillade, la balle dans la nuque, l'égorgement, la chaise électrique (dépassée) et, enfin, l'injection létale aux États-Unis. Mais voilà, il y a, paraît-il, un problème technique, au point que la Californie et la Floride viennent de suspendre, pour un temps, leurs exécutions. En principe, les produits chimiques doivent conduire le cobaye humain à une mort rapide et sans douleur, sauf qu'un condamné, récemment, a mis trente-quatre minutes à mourir devant des témoins un peu gênés de le voir se contorsionner et essayer de parler. Un autre, dans l'Ohio, a mis quatre-vingt-dix minutes pour claquer, et les témoins, horrifiés, l'ont entendu hurler : « Ça ne marche pas. » Propos sérieusement rapportés par le *New York Times* : « La question qui est au cœur du débat est de savoir si on privilégie le confort des condamnés ou celui des témoins qui les voient mourir. » Une heure et demie de spectacle, c'est en effet assez long. Mais pourquoi ne pas vendre aux États-Unis (cinquante-trois exécutions cette année) des modèles neufs de guillotine ? « Une légère fraîcheur dans le cou, et c'est tout », disait notre génial inventeur français. Là, vous me direz que le spectateur américain a horreur du sang concret, que la tête fait du bruit en tombant, et qu'enfin le spectacle est trop court. Réaction puritaine, sans doute.

31/12/2006

DRÔLERIES

Je passe sur le départ de Johnny Hallyday en Suisse, sur le redressement fiscal de Doc Gynéco (sept cent mille euros), sur le dérapage de Pascal Sevran à propos de la bite des nègres, sur la grosse migraine de Sarko qui s'ensuit. Un psychanalyste écrit, par ailleurs, probablement sous le coup d'une enfance pénible, que Ségo a tout d'une « mère sévère ». Laurent Joffrin, dans *Libération*, vantant les qualités du philosophe plébéien Michel Onfray appelant à l'union de la gauche antilibérale (que les communistes viennent de saboter), ne craint pas d'écrire : « Michel Onfray est nietzschéen, mais il a du bon sens. » À propos du siècle des Lumières, on voit un peu partout cette réflexion étrange de Julien Gracq : « Ce siècle a tout éclairé et rien deviné. » (Mozart n'a rien deviné ?) Dans un numéro spécial consacré à la Renaissance, *Le Point* publie cinq écrivains contemporains accouplés à leurs prédécesseurs célèbres. C'est ainsi qu'on peut vérifier, en comparant les photos actuelles aux portraits anciens, à quel point Marc Fumaroli est le sosie de Rabelais et Jean d'Ormesson celui de Ronsard. On le savait mais c'est mieux d'en avoir la preuve. Benoît XVI, en Turquie, a eu ce mot judicieux : « Ce n'est pas parce qu'on prie ensemble qu'on est ensemble pour prier. » L'acteur Podalydès, attrapant très bien à la télévision la voix coupante de Sartre, est excellent lorsqu'il répond à un jeune militant qui se plaint des cauchemars que lui donne la violence : « Écoutez, mon vieux, vos cauchemars ne prouvent rien. » Je termine par un éloge de la croissance en Allemagne, mais surtout par la décision magnifique de ce pays de renoncer à interdire le tabac dans les lieux publics. C'est dit : j'irai vivre à Berlin l'année prochaine.

31/12/2006

MARCEL DUCHAMP

Par les temps hyperconformistes qui courent, il ne serait pas mauvais que vous fassiez une petite cure d'anarchisme. Une biographie épatante s'y prête : *Marcel Duchamp*, par Judith Housez [180], première biographie de Duchamp en français, par une jeune femme de trente-six ans, très enlevée. Vous apprendrez bien des choses sur ce génie normand qui, à vingt-cinq ans, a tout compris du puritanisme américain, en 1913, à New York, devant le scandale provoqué par son tableau cubiste *Nu descendant un escalier*. Ce joueur d'échecs très beau, très aventureux et couvert de femmes, va affoler l'art moderne par ses provocations, sa réserve, son silence, sa solitude obstinée, son abstention, ses fameux *ready-mades* (un urinoir signé, un peu de moustache et de barbe à la Joconde avec l'inscription célèbre « L.H.O.O.Q. »). Distance, élégance, intelligence, humour, ironie, secret : tout un art de vivre. Il dit des choses comme ça, Duchamp : « Mon capital est du temps, pas de l'argent. » Ou bien : « J'aime mieux respirer que travailler. » Ou bien : « Je n'ai jamais fait de distinction entre mes gestes de tous les jours et mes gestes du dimanche. » Ou encore : « Je veux être seul le plus possible. [...] Mon avis est que ce que fait chacun est bien, et je refuse de me battre pour telle ou telle opinion ou son contraire. [...] Ne voyez pas de pessimisme dans mes décisions : elles ne sont qu'une voie vers la béatitude. »

31/12/2006

TOURNIS

Elle monte ou elle descend ? Elle décroche ou elle se reprend ? Elle dévisse ou elle se hisse ? Ségo, ces temps-ci, nous donne un peu le tournis, pas elle spécialement, non, mais bien la manière dont l'information la traite. Sondages ou pas, chiffrages ou pas, je m'en tiens, moi, à ses moments d'émotion, quand elle dit « ardente obligation », « chevillée au corps », « j'en fais le serment ». Cette ardeur, ce corps, ces serments me parlent. Qu'elle soit en rouge ou en blanc (le blanc est plus performant), elle se met à incarner, elle convoque du sacré, elle est maman, elle a des enfants, nous sommes tous des enfants, elle appelle, elle veille, elle guérit, elle se penche, elle gronde, elle console. Qui a peur de maman ? Beaucoup de monde, mais pas moi. Je devine à quel point le rôle est épuisant, fastidieux, désespérant, monotone. Être une femme est déjà très compliqué, mais être une jolie femme politique, et une maman qui veut devenir présidente de la République française, c'est un comble. Que de soucis, que de fatigue, derrière ce sourire éternel ! Comme elle doit être rompue, tard, le soir, dans son bain, la pauvre Ségo ! Et il faut recommencer le lendemain, les débats, les télés, les participants plus ou moins chiants, les réunions inutiles, le désordre, le poids des éléphants à porter, les jalousies de coulisses, les prétentions montantes, bref le bordel du pouvoir. Mettre un peu d'ordre juste dans tout ça, et jusque dans la société ? Faire enfin tenir tranquilles les enfants à table ? Ils parlent tous en même temps, on ne s'entend plus, et ce sera encore pire demain, à l'Élysée, si Dieu la conduit jusque-là, même s'il n'existe pas. « Tiendra-t-elle ? » titre un magazine, laissant entendre par là qu'elle ne tiendra pas. Pour la beauté et le suspense du roman en cours, moi, j'ai envie qu'elle tienne. L'imprévu, c'est elle, la vraie révélation des passions, encore elle. Ça s'écrit tout seul, et c'est passionnant. Titre : *La bienveillante.* Si ça marche, ce sera un best-seller, surtout à l'étranger. Ségo ? Un grand produit d'exportation littéraire.

25/02/2007

INTELLECTUELS

C'est là qu'on voit à quel point les intellectuels séduits par Sarkozy sont peu écrivains. Ils veulent sourdement de l'ordre, ils ont peur des rebondissements de l'intrigue, de cette odeur de femme qui met les imaginations en émoi. Ils ne croient plus à leurs discours abstraits, les pauvres. Il y a longtemps qu'ils ont abandonné la philosophie pour la morale à tout bout de champ. Remarquez, Sarkozy n'est pas n'importe qui : il court, il court, il est passé par ici, il repassera par là, il est de plus en plus fluide, poisson, insecte tenace, beaucoup plus intéressant que ses partisans qui, rassemblés, font un peu croquemorts ou syndicat des pompes funèbres. C'est un fils de père, Sarko, et il est pressé de prendre la place du bon vieux Chirac qui, lui, désormais, rêve de Ségo. L'intellectuel se voit toujours conseiller du prince, c'est-à-dire homme du cardinal, alors que l'écrivain est fondamentalement du côté de la reine, c'est plus amusant, plus mousquetaire, plus gratuit, plus insolent. Alexandre Dumas vote Ségo, aucun doute. L'imagine-t-on se ranger derrière l'oncle Bayrou aux grandes oreilles, même si ce dernier est agrégé de lettres ? Avoir un faible pour le poussif Le Pen, devenu star médiatique, lequel veut rétablir la peine de mort et la guillotine ? Ce plébéien de choc n'a pas froid à l'œil en demandant qu'on réutilise la sinistre machine qui a tranché le cou délicat de Marie-Antoinette ! Quelle honte ! Quel dégoût ! Quoi qu'il en soit, si l'intellectuel, même sérieux, penche vers Sarko, c'est probablement à cause de l'absence de femmes présentables dans son équipe. Vous n'allez pas me dire qu'Alliot-Marie est réellement une femme. Il y en a bien une, dans l'ombre, mais là, le mystère du cardinal Sarko est total. Tous ces hommes sont vêtus de noir, et je préfère le bleu de Gascogne. Vive la reine, messieurs ! Ségo à Versailles ! Et sortons une bonne fois pour toutes des vieilleries françaises contradictoires, représentées par la voix cocasse de Roger Hanin, lourd Navarro : au premier tour Marie-George Buffet, au second Sarko. Tout un poème.

25/02/2007

PETITE PLANÈTE

C'est une astronaute de la Nasa américaine, elle est très belle, et elle s'appelle Lisa Novak. L'été dernier, elle a passé douze jours en mission à bord de la station spatiale internationale. C'est une excellente professionnelle de l'espace, sang-froid, réflexes, calculs immédiats, une sorte de surfemme, donc, comme seule la science peut la souhaiter dans les siècles des siècles. L'ennui, c'est qu'elle a voulu enlever et tuer la femme qui avait une liaison avec l'homme dont elle était amoureuse, le pilote d'un autre vol de la navette Discovery. Voilà un roman d'aujourd'hui, le meilleur. À quoi pense une femme jalouse en tournant autour de la planète ? À sa rivale, et à la technique nécessaire pour l'éliminer. C'est ainsi que Lisa a eu la présence d'esprit de porter des couches pour faire mille cinq cents kilomètres en voiture sans avoir à perdre de temps en arrêt pipi. On a même retrouvé la liste méticuleuse de ce qu'elle ne devait pas oublier : imperméable, perruque, maquillage, sac-poubelle, couteau. Elle avait aussi un pistolet à air comprimé chargé, et un plan des environs du domicile de la jeune femme à abattre. Arrêtée avant d'avoir pu agir, elle a déclaré, dans un style purement américain, qu'elle avait, avec son pilote, « un lien qui était plus qu'une relation de travail et moins qu'une relation romantique ». S'il s'était agi d'une « relation romantique », où en serions-nous ? Commentaire du directeur du Johnson Space Center à propos de ses astronautes : « Comme tout le monde, ils sont humains. » Il paraît pourtant que le Centre va revoir les modalités d'évaluation psychologique des candidats planétaires. Je suis curieux d'en connaître les résultats.

25/02/2007

COCHON

La Chine entre ce mois-ci dans l'année du Cochon, et pas n'importe lequel, le « cochon d'or », très favorable, paraît-il, à une fécondité record. Les Chinois ont l'air très contents que des millions d'enfants s'épanouissent. Mais voilà : la télévision d'État a été priée de s'abstenir de toute représentation du cochon dans ses publicités, pour ne pas choquer les vingt millions de musulmans qui vivent en République populaire. Des internautes ont beau faire remarquer que l'année du Cochon est fêtée en Chine depuis des siècles, bien avant que l'islam s'y développe, c'est comme ça. Nous avons eu les caricatures de Mahomet et le procès ubuesque contre *Charlie-Hebdo*, les Chinois, eux, sont priés de faire cochon bas. Que voulez-vous, Allah est Allah.

25/02/2007

ANDRÉ BRETON

Je vous ai déjà recommandé de lire l'excellente biographie de Marcel Duchamp par Judith Housez [181]. Et en voici une autre, bien documentée, de Bernard Marcadé [182]. Vive Duchamp, nom de Dieu, qui a osé faire écrire sur sa tombe : « D'ailleurs ce sont toujours les autres qui meurent. » Après son incinération, on a retrouvé dans l'urne ses clés qui n'avaient pas fondu. On les a laissées là, c'est juste. Un conseil de Duchamp aux vrais artistes en tous genres ? « Prenez le maquis, ne laissez croire à personne que vous êtes en train de travailler. » Et puis, cet émouvant hommage à Breton, en 1966 : « Je n'ai pas connu d'homme qui ait une plus grande capacité d'amour, un plus grand pouvoir d'aimer la grandeur de la vie. On ne comprend rien à ses haines si on ne sait pas qu'il s'agissait pour lui de protéger la qualité même de son amour de la vie, du merveilleux de la vie. Breton aimait comme un cœur bat. Il était l'amant de l'amour dans un monde qui croit à la prostitution. C'est là son signe. »

J'ouvre le premier *Manifeste du surréalisme*, et je lis :
« Le seul mot de liberté est tout ce qui m'exalte encore.
Je le crois propre à entretenir, indéfiniment, le vieux fanatisme humain. Il répond sans doute à ma seule aspiration
légitime. Parmi tant de disgrâces dont nous héritons, il
faut bien reconnaître que la *plus grande liberté* d'esprit
nous est laissée. À nous de ne pas en mésuser
gravement. »

25/02/2007

DRÔLE DE RÊVE

Je rêve que je suis convoqué par le gouvernement
d'Union nationale au ministère de l'Identité nationale. Je
dois répondre à un interrogatoire serré sur mes origines,
mes activités, mes connaissances de la langue française,
mes opinions, mes goûts, mes lectures préférées. Je dois
apporter la preuve que je ne descends pas d'immigrés
entrés clandestinement en France et que j'ai toujours soutenu la Nation dans toutes mes évolutions. Le jury qui
me reçoit est composé, de droite à gauche, par Le Pen,
Sarkozy, Bayrou et Royal.

Ça commence par Le Pen qui, au vu de mon identité,
m'accuse immédiatement de menées antinationales notoires,
en agitant devant mes yeux de volumineux extraits de mes
écrits. Il exige mon expulsion immédiate, mais Sarkozy
l'interrompt, en me demandant courtoisement de me justifier. Avant que j'aie pu ouvrir la bouche, il me cite, pêle-
mêle, Blum, Jaurès, Baudelaire et Rimbaud. « Votre jeunesse, me dit-il d'un air compréhensif, n'a été qu'un ténébreux orage, traversé çà et là par de brillants soleils. » Je

hoche la tête, et m'apprête à enchaîner sur Rimbaud, quand il me somme d'expliquer mon soutien ancien à Cesare Battisti. Là, je tremble. Je sais qu'une enquête est en cours au sujet de tous les vieux gauchistes de la planète, enquête d'autant plus dangereuse qu'elle pourrait bénéficier des archives d'André Glucksmann, récemment rallié au ministère de l'Identité nationale. Être expulsé au Brésil ? Bon, j'essaierai de survivre à Rio. Heureusement, François Bayrou intervient et me demande si je suis catholique. « Assurément », dis-je avec fermeté. Il insiste : « Avez-vous la foi ? » Je saisis la perche : « Aucun problème. » Bayrou me sourit. Avec beaucoup de délicatesse, il propose que mon procès d'expulsion se déroule en ma présence. Il me fait même un clin d'œil.

25/03/2007

Encore le rêve

C'est au tour de Ségolène Royal. Puis-je définir exactement ce qu'est l'« ordre juste » ? Je cafouille un peu, je sens que ma réponse ne lui convient qu'à moitié. Nouvelle question : est-ce que je comprends vraiment son expression fétiche, qu'elle répète dans toutes ses interventions, « gagnant-gagnant » ? Je réponds aussi sec que c'est la base du contrat social de l'ordre juste, c'est-à-dire le contraire du perdant-perdant. Mais, idiot, je ne peux pas me retenir de faire du mauvais esprit, en disant qu'à force d'entendre « gagnant-gagnant », on finit par trouver ça gnan-gnan. Là, Royal se fâche, et déclare que mon cas relève désormais uniquement du Brésil. Elle se lève, et déclame des vers de Baudelaire :

« Je suis belle, ô mortels ! comme un rêve de pierre,
Et mon sein, où chacun s'est meurtri tour à tour,
Est fait pour inspirer au poète un amour
Éternel et muet ainsi que la matière. »

Je me tais, je prends l'air contrit.

25/03/2007

SUITE

Décidément, ce rêve tourne au cauchemar. Le Pen commence à hurler en agitant un texte de moi très compromettant, paru autrefois dans *Le Monde*, « La France moisie ». « Ce monsieur, dit-il, a reconnu lui-même qu'il ne faisait plus partie de la communauté nationale. » À ce moment-là entrent Simone Veil et Doc Gynéco, qui font semblant ne pas me voir. Je remarque que Doc Gynéco a avec lui un livre de Christine Angot qui s'appelle, comme par hasard, *Pourquoi le Brésil ?* Simone Veil semble quand même gênée de se retrouver au ministère de l'Identité nationale, mais enfin il faut vivre avec son temps. Je suis de plus en plus inquiet, lorsque Bayrou se lève et vient me chuchoter à l'oreille une phrase de Péguy que je fais aussitôt semblant d'apprécier. Sarkozy, très républicain, me demande alors de crier « Vive la Nation ! ». Je m'exécute. Royal, elle, veut que je crie « Vive la VIe République ! ». Je le fais de bon cœur. Le Pen vocifère maintenant que je suis un menteur et un imposteur, et que toute la Nation me rejette. Sarkozy, lui, se souvient brusquement que j'ai eu, dans ma vie, des références suspectes : Mao et Sade. Royal, très réservée, pense que je suis trop individualiste, et que je n'ai d'ailleurs pas signé l'appel émouvant de quarante-quatre écrivains, paru dans *Le Monde*, pour une « littérature monde » à l'imitation du réalisme sans rivages du communiste, fourvoyé depuis, Roger Garaudy. Suis-je, oui ou non, pour un réalisme national, international, mondial et social ? Ne suis-je pas léger par rapport à « la valeur travail » et à la famille ? N'y a-t-il pas une sourde misogynie dans mon cas ? Sarkozy enchaîne : mon intérêt constant pour le XVIIIe siècle prouve, au fond, que je suis peu républicain et peu national, et que je dois avoir des tentations de royaume. Bon, c'est à moi de parler.

25/03/2007

BAUDELAIRE

Qu'est-ce qui me prend ? Pour ma plaidoirie, je crois bon de citer Baudelaire dans ses *Journaux intimes* : « Les nations n'ont de grands hommes que malgré elles, comme les familles. Elles font tous leurs efforts pour ne pas en avoir. Et ainsi, le grand homme a besoin, pour exister, de posséder une force d'attaque plus grande que la force de résistance développée par des millions d'individus. »

Consternation évidente du jury. Bayrou tente une dernière manœuvre, en demandant pour moi une retraite d'un an dans un couvent. Puis on passe au vote : deux voix pour mon expulsion immédiate, une contre et une abstention (Royal, quand même). Je suis donc bon pour le Brésil. Je m'éveille accablé, en sueur.

25/03/2007

MANQUE DE FEMMES

Les statistiques sont formelles : le déficit démographique de filles en Asie, conséquence d'un culte pour les garçons, conduit, de plus en plus, à un déséquilibre entre les sexes. L'Asie est ainsi le seul continent au monde à compter plus d'hommes que de femmes. Où sont donc passées les quatre-vingt-dix millions de femmes qui manquent actuellement en Asie ? Elles ne sont pas nées, ou bien sont mortes en bas âge, victimes d'avortements sélectifs, d'infanticides ou du manque de soins. On estime ainsi que cinq cent mille fœtus de filles sont supprimés chaque année en Chine. Conséquence : trente millions de Chinois seront en mal d'épouses en 2020.

Pour rire un peu, lisez quand même le petit livre de Pierre Antilogus et Philippe Trétiack, *Oui, vous pouvez devenir chinois en 45 minutes chrono* [183]. Exemple : « On dit qu'en Chine les nouveau-nés de sexe féminin sont noyés comme des chatons ou servis en petits pâtés rissolés aux cinq-épices. Rien ne le prouve. C'est peut-être exagéré. C'est peut-être de la propagande impérialiste. En tout cas, le surnombre de mâles chinois en quête de femmes est une chance à saisir pour nos Françaises célibataires qui ont tant de mal à trouver un compagnon travailleur et sobre. » Un autre petit chapitre de cet essai drolatique s'intitule « Les Chinois font ce qu'ils disent » : « Et cela se vérifie jusqu'au plus haut sommet de l'État ! Mao avait dit qu'il nagerait dans le Yangzi ; il l'a fait le 16 janvier 1966, et sur quinze kilomètres ! Chirac avait annoncé qu'il nagerait dans la Seine, on attend toujours. C'est toute la différence. »

25/03/2007

STENDHAL

Le 16 mai 1840, Stendhal est à Rome. Il a cinquante-sept ans. Il écrit en secret *Les Privilèges*[184] qui, dit-il, lui sont donnés, comme un brevet, par God (Dieu). Voici l'article 4 : « Le privilégié, ayant une bague au doigt et serrant cette bague en regardant une femme, elle devient amoureuse de lui à la passion, comme nous voyons qu'Héloïse le fut d'Abélard. Si la bague est un peu mouillée de salive, la femme regardée devient seulement une amie tendre et dévouée. Regardant une femme et ôtant sa bague du doigt, les sentiments inspirés en vertu des privilèges précédents cessent. La haine se change en bienveillance, en regardant l'être haineux et frottant une bague au doigt. Ces miracles ne pourront avoir lieu que quatre fois par an pour l'*amour-passion* ; huit fois pour l'amitié ; vingt fois pour la cessation de la haine, et cinquante fois pour l'inspiration d'une simple bienveillance ».

Beaucoup de noms, à commencer par celui de Jeanne d'Arc, auront été cités n'importe comment par les candidats à l'investiture nationale. Jamais celui de Stendhal. Comme c'est curieux.

25/03/2007

GÉNÉTIQUE

Le mauvais rêve du mois dernier continue. Après mon interrogatoire éprouvant au ministère de l'Identité nationale, me voici maintenant convoqué au ministère du Contrôle génétique. Le nouveau président de la République française, Nicolas Sarkozy, vient de l'inaugurer, et ça va chauffer. On se souvient de son entretien, dans un très curieux support branché, *Philosophie Magazine*, avec le plus célèbre philosophe d'aujourd'hui Michel Onfray, lequel, partisan de José Bové puis d'Olivier Besancenot, était quand même allé, place Beauvau, offrir au futur président des livres de Michel Foucault, Nietzsche, Freud et Proudhon. Sarkozy les a lus, bien sûr, de même que tous les livres d'Onfray et, depuis, comme on sait, ils sont partis en vacances ensemble. Les voilà de retour, joyeux, très bronzés, finalement complices dans l'art de vivre au sommet, au soleil.

Avant ma comparution, qui s'avère difficile, je parcours les déclarations du nouveau Président, à la veille des élections, dans *Libération*. Les propos ont fière allure : « Je suis né hétérosexuel. Je ne me suis jamais posé la question du choix de ma sexualité. C'est pour cela que la position de l'Église consistant à dire que l'homosexualité est un péché est choquante. On ne choisit pas son identité. » J'en conclus que non seulement on naît hétérosexuel ou homosexuel, mais qu'il en va de même pour les pédophiles, les suicidaires, les autistes, les délinquants repérables dès l'âge de trois ans, et enfin les migraineux auxquels le Président dit appartenir, de même que sa mère et ses fils. Je suis inquiet, car je sais qu'Onfray, chargé de rédiger des notes de service, m'a plusieurs fois dénoncé comme catholique, c'est-à-dire partisan du péché. Je m'interroge : suis-je né hétérosexuel ? Sans doute, mais de quel type ? Autrement dit : le Président va-t-il me reconnaître comme un des siens, alors qu'Onfray insiste lourdement sur mes vices ? Mon attirance politique instinctive pour Ségolène Royal ne pèse-t-elle pas très lourd dans mon dossier ? La première réaction de Ségo m'a fait frémir : elle a dit que, sur ce sujet, elle laissait la science trancher. Mais, dans mon cas, si particulier, la science redouble mes craintes. Mes livres, passés au scanner rapide, peuvent me valoir une condamnation expédiée. Hétérosexuel, peut-être, mais pas dans la norme. Ah, l'heureux temps d'autrefois, où le président Mitterrand, me prenant à part dans un clin d'œil, me disait qu'il était en train de lire Casanova : « Bienvenue au club », lui ai-je soufflé, à l'époque. Une terreur me saisit : dois-je avouer désormais que j'ai été, enfant, coupable de pédophilie sur moi-même ? Faut-il que j'en sois honteux ? Les temps sont durs, et je tremble un peu de me retrouver devant le Président et son philosophe, car je n'ai pas oublié, avant l'élection, la chevauchée, en Camargue, du premier sur son cheval blanc.

29/04/2007

SPERMATOZOÏDES

Le Président est cordial, il a une autre idée en tête, il a lu dans *Le Monde 2* les conclusions d'un épidémiologiste courageux, Alfred Spira, sur la diminution, en un demi-siècle, du nombre de spermatozoïdes produits en moyenne par un homme occidental. Le résultat est accablant, il n'en reste que la moitié. D'où la question : l'homme est-il une espèce en voie de disparition ? Le mâle occidental, qui ne produit que la moitié de spermatozoïdes de son grand-père, peut-il survivre dans ces conditions ? Et d'où vient ce qu'il faut bien appeler cette sorte de génocide ? De la pollution chimique ? D'un nouveau cycle biologique ? Du stress ? De mauvaises lectures ? Au passage, je rappelle au Président qu'un millilitre de sperme contient entre quatre-vingt-dix et cent millions de spermatozoïdes, mais je sens la migraine m'envahir devant ces chiffres dont la rigueur scientifique me pompe. Le Président, lui, semble intéressé par le fait, prouvé, que, sous l'effet des rayonnements ionisants de la haute atmosphère, les pilotes et les stewards conçoivent davantage de filles. On connaît d'autres facteurs d'appauvrissement spermatique : le tabac, la marijuana, l'alcool, la position assise prolongée qui comprime les testicules entre les cuisses et élève leur température, déficit observé chez les chauffeurs de camion, de taxi et les écrivains. Avec un fin sourire, le Président me demande si je ne suis pas inquiet pour ma virilité. À ce moment-là, Onfray surgit dans son bureau et, me voyant debout devant le Président, hurle « papiste ! ». Je me réveille une nouvelle fois en sueur, mais heureusement il fait beau.

29/04/2007

PAPE

Le Diable existe-t-il ? On se le demande à propos du tueur coréen en action sur un campus de Virginie (trente-deux morts), mais Jonathan Littell, un expert, nous assure qu'il s'agit d'un écrivain qui n'a pas pu s'exprimer jusqu'au bout. Benoît XVI hoche la tête, et contre-attaque sur la question des bébés non baptisés. Avant, ils allaient dans les limbes, ni sauvés ni damnés, dans une bordure de l'enfer déjà comble. Terminé : ils iront maintenant droit au paradis. Ça fera du monde, mais la mesure est progressiste, même si tardive. Cependant, il y a plus drôle. Dans un article plutôt réprobateur du *Nouvel*

Observateur, je vois repris un article italien de gauche disant qu'on « se souviendra de Benoît XVI comme d'un pape désespéré. Chacune de ses paroles est inspirée par une vision sombre, quasi wagnérienne de la société ». Ici, le comique et la désinformation augmentent. Reprenant ce propos, Marie Lemonnier et Marcelle Padovani ne craignent pas en effet d'écrire : « Wagner ? Benoît XVI est un fervent admirateur du créateur du *Crépuscule des dieux.* À Rome, certains critiquent son goût trop prononcé pour la culture allemande. [...] Aux dîners conviviaux, il préfère les tête-à-tête avec don Gänswein, son secrétaire particulier, un grand Bavarois aux yeux bleus de cinquante ans. »

Pauvre Benoît XVI ! Il n'a pas cessé, depuis son élection, de rappeler sa prédilection pour Mozart, dont il joue très bien les sonates au piano. Peine perdue, personne ne veut enregistrer cette information, pourtant capitale. Suivez mon regard : Wagner, culture allemande, secrétaire masculin particulier aux yeux bleus, l'affaire est entendue, nous sommes chez les Damnés eux-mêmes.

29/04/2007

CHINE

Depuis la restitution de Macao à la Chine, on observe l'ahurissant phénomène suivant : Macao, l'enfer du jeu et du vice, détrône Las Vegas comme capitale des recettes de casinos. Macao, en 2006 : sept milliards deux cents millions de dollars. Las Vegas : six milliards six cents millions. Douze millions de Chinois sont venus ainsi s'éclater dans cette ancienne colonie portugaise. Sheldon Adelson, le milliardaire américain, a vu juste et sa performance dépasse de loin les pauvres indemnités, d'ailleurs scandaleuses, du pâle Français Forgeard. Adelson va bientôt ouvrir sur une presqu'île proche de Macao, une réplique de sa « Venise » de Las Vegas, où des gondoliers rameront sur des canaux artificiels dans le cadre d'un complexe hôtelier et de jeux comprenant trois mille suites et sept cent cinquante tables. Coût de l'investissement : un milliard huit cents millions de dollars.

Ce n'est pas tout : une des séries télévisées les plus attendues en Chine, la saison prochaine, se déroulera en France. Titre : *Rêves derrière un rideau de cristal.* Sujet : une jeune Chinoise se laisse séduire par le propriétaire d'un château de la campagne française, un riche créateur de parfums français (mais attention, d'origine chinoise) qu'elle rencontre lors d'un séjour à Paris. Il lui fera découvrir la Normandie, la Provence et les lieux les plus romantiques de la capitale.

Je m'étonne que les Chinois ne m'aient pas pris comme conseiller pour cette série prestigieuse. Mais ils vont faire des progrès. La prochaine fois, l'actrice chinoise tombera amoureuse d'un jeune et brillant aristocrate français, la fois suivante un jeune Chinois sera ébloui par une ravissante Française. Nous ne serons plus en Normandie ou en Provence, mais au bord de la Loire, ou encore dans des châteaux de vins à Bordeaux. La *guest star* sera Ségolène Royal, élue ou pas présidente. On la verra d'abord sur la Grande Muraille, disant sa « bravitude », et ensuite, vérité ou fiction, dans les jardins de l'Élysée. Titre de la série : *La France présidente.* Le film, en plusieurs épisodes, aura un succès fou dans toute l'Asie.

29/04/2007

HUGO

Il faut que je l'avoue : depuis quelques mois, angoissé par l'importance de l'élection présidentielle française, je me suis mis à faire tourner les tables, à la recherche d'un contact direct avec Victor Hugo, lequel, on le sait, s'est beaucoup livré, en son temps, à cette divination de l'ombre. Je me disais, non sans raison, que les écrivains restent sourdement solidaires à travers la légende des siècles. Hugo es-tu là ? C'est moi. Mon guéridon est léger, il craque bien, mes partenaires féminines sont magnétiques, mais l'au-delà des ondes est très encombré. Tout de même, Hugo a fini par se manifester, et j'ai transcrit ses réponses, dictées par petits coups secs, et parfois en alexandrins.

Il a commencé par voter Ségo, Hugo, peut-être à cause de la rime, mais surtout parce qu'il avait été flatté qu'elle cite *Les Contemplations* comme une de ses lectures préférées. Hugo trouvait Ségo belle, émouvante, énergique, lyrique, une vraie figure de la République en marche, et son cri de meeting, « Dressez-vous vers la lumière ! », avait galvanisé son spectre. Pour Hugo, qui ne s'est jamais embarrassé de programmes détaillés et vaseux, Ségo, à ce moment-là, incarnait le rêve. Inutile de dire que les socialistes, dans leur ensemble, lui paraissaient des notables plats, surtout les éléphants, à propos desquels il se montrait implacable. Oui, la France méritait une Présidente, oui, une lumière d'amour brillait sur son front.

Dans les jours qui ont précédé l'élection, j'ai senti Hugo plus réticent. Dans les ondes aussi, il y a des sondages. Malgré mes demandes pressantes, Hugo se dérobait et, parfois, refusait carrément de répondre. Des coups faibles, confus. Impossible de lui tirer un commentaire sur Bayrou, par exemple, là, silence de mort. Sur Sarko, une étrange réserve. Une fois, cependant, à propos de Ségo : « Waterloo, Waterloo, sombre plaine. » Grand silence, ensuite, lors de l'élection triomphale de Sarko, rien sur le Fouquet's, la Concorde, le yacht *Paloma* au large de Malte. Et puis, récemment, ce simple et beau distique, frappé de façon particulièrement nette :

> « *La France était très moisie,*
> *Elle méritait Sarkozy.* »

Un châtiment, donc ? L'annonce d'une résurrection possible ? Là-dessus, motus, *no comment*. Hugo ne répond plus, et je dois dire que je suis épuisé par cette traversée des mondes.

27/05/2007

DÉCONTAMINATION

Je me suis demandé si, après l'Identité nationale et le Contrôle génétique, je n'allais pas recevoir, en rêve, une convocation au ministère de la Décontamination, à cause de ma folle jeunesse gauchiste. Le Président actuel l'a dit, ou plutôt vociféré, en pleine campagne, à Bercy : il faut en finir avec le diable de Mai 68, le liquider, tourner la page une fois pour toutes. Mais non, rien, le sourire, le calme, l'ouverture. Kouchner est-il passé par là en modérateur ? Possible. Mais c'est plutôt le jogging, je crois, qui a ramené le Président à plus de sagesse et de tolérance. J'ai fait beaucoup de jogging moi-même, autrefois, poursuivi par des grenades lacrymogènes et des charges de

CRS. Ça fait réfléchir. Magnifique, le jogging du président Sarkozy : il vieillit d'un seul coup la panoplie des anciens assis de la République. Tous les Présidents antérieurs, même de Gaulle, ont l'air pétrifiés, essoufflés, lointains, sans mollets. Et hop, photo officielle parfaite : reprise de la bibliothèque de l'Élysée, drapeaux français et européens amoureusement enlacés, position debout impeccable. Chirac, pour se différencier de Mitterrand, avait abandonné la bibliothèque pour se présenter, image fade, dans un décor de *Maison & jardin*. Erreur, la bibliothèque est sacrée, Mitterrand tenait dans ses mains les *Essais* de Montaigne (procurez-vous vite la nouvelle édition en Pléiade, et le superbe album qui va avec), le président Sarkozy, lui, ne va pas jusqu'à exhiber un livre, mais il nous force quand même à penser qu'il pourrait en lire un, *L'Odyssée*, par exemple. Je sais : le nouveau Président n'est pas favorable à l'étude des langues anciennes (donc au grec et au latin), et il trouve que le contribuable n'a pas à payer pour ce genre de luxe. Il est vrai qu'avoir fait du grec ou du latin (comme Montaigne) peut apparaître comme un privilège désormais aussi inutile qu'exorbitant. On pourrait même créer un impôt rétroactif pour ceux et celles qui ont eu droit à cette formation élitiste. Le génial Condorcet, pendant la Révolution, s'est fait ainsi cueillir pendant sa fuite, parce qu'il avait sur lui un livre de grec. Il s'est arrêté dans une auberge, on l'a vu avec ce volume à la main, ça lui a coûté la vie. Casanova raconte une histoire du même genre : il voyage avec un livre en latin, il est dénoncé comme sorcier, il a failli y passer.

27/05/2007

MISSIONS

L'ambition du président Sarkozy semble immense : il remet les pendules à zéro, il revient à 1958, il refonde la République, la cinquième *bis*, ou la sixième, c'est lui. La « valeur travail » m'inquiète un peu, mais après tout ce n'est pas moi qui ai écrit le blasphème suprême « Ne travaillez jamais ! » sur les murs de Paris. L'heure est donc à l'effort, au mérite, au résultat, à la modestie. Le nouveau gouvernement va faire des merveilles. Et moi, dans tout ça ? Il me semble que je peux demander à Juppé, au nom de Bordeaux, une mission spéciale, par exemple la valorisation poétique de l'Aquitaine et de sa nature enchantée. À moins que Kouchner accepte de me loger, de temps en temps, dans le consulat de France à Venise, d'où j'enverrai des notes écologiques soignées. Si jamais j'ai des problèmes de logement, je compte sur Christine Boutin, fervente catholique, pour m'attribuer une tente moderne de SDF dans les jardins de l'archevêché. Tout est possible, que diable. J'aime beaucoup l'expression « développement durable », dont je me sens d'ailleurs la vivante incarnation. Au Japon, je serais déjà considéré comme « trésor national ». Ici, ça tarde un peu, mais gardons confiance. Je sens maintenant que vous me trouvez trop narcissique et égoïste, mais qui ne l'est pas ?

27/05/2007

CHINE

Laissons la boucherie irakienne et celle du Proche-Orient, et observons comment la Chine se glisse subrepticement dans le capital financier américain. Ces Chinois sont bizarres : pas de bruit, volonté, action. Ils viennent de loin et iront loin. Pour mieux comprendre de quoi il s'agit, au fond, voici mes conseils de lecture.

D'abord, la réédition du grand livre de Pierre Ryckmans (alias Simon Leys), traduction et commentaire de Shitao, peintre, poète et penseur le plus important de la Chine classique. *Les Propos sur la peinture du Moine Citrouille-Amère* [185]. Ce traité commence ainsi, par la définition de « L'Unique Trait de Pinceau » : « L'Unique Trait de Pinceau est l'origine de toutes choses, la racine de tous les phénomènes ; sa fonction est manifeste pour l'esprit, mais le vulgaire l'ignore. [...] La peinture émane de l'intellect : qu'il s'agisse de la beauté des monts, fleuves, personnages et choses, ou qu'il s'agisse de l'essence et du caractère des oiseaux, des bêtes, des herbes et des arbres, ou qu'il s'agisse des mesures et des proportions des viviers, des pavillons, des édifices et des esplanades, on n'en pourra pénétrer les raisons ni épuiser les effets variés, si en fin de compte on ne possède cette mesure immense de l'Unique Trait de Pinceau. »

Voilà pour la nature. Et maintenant, la guerre, à travers *Les 36 Stratagèmes*, ancien manuel secret anonyme, admirablement traduit et présenté par Jean Levi [186]. Le premier stratagème s'appelle « Traverser la mer à l'insu du Ciel » : « À se garder de tous côtés, la vigilance s'endort ; un spectacle familier n'éveille pas le soupçon. L'occulte est au cœur du manifeste et non dans son contraire. Rien n'est plus caché que le plus apparent. » Dans la guerre incessante entre tous et tous, je vous recommande aussi « Faire du bruit à l'est pour attaquer à l'ouest », « Emprunter un cadavre pour y loger une âme », « Le stratagème des jolies femmes », « Le stratagème de la ville vide », « Le stratagème des agents retournés ».

Il y a aussi « Créer de l'être à partir du rien », « Contempler l'incendie depuis la rive opposée », « Retirer l'échelle après avoir fait monter l'autre sur le toit », « Laisser filer l'adversaire pour mieux le capturer ».

Ça a l'air tout simple, mais c'est très difficile à comprendre, puisque l'essentiel repose sur l'éternel *Livre des mutations*. Conseil, donc, pour le XXIe siècle : devenez le plus possible chinois, sinon rien.

27/05/2007

LA FRANCE VIOLETTE

Regardez une carte de France après les élections législatives : beaucoup de bleu (moins que prévu), pas mal de rose, mais comme le bleu et le rose ont de plus en plus tendance à se conjuguer, vous êtes dans le violet. Quelqu'un de droite vous dira sans doute que le bleu s'ouvre trop au rose, quelqu'un de gauche ajoutera que le rose s'est trop entaché de bleu. En réalité, vous avez le bleu sombre pompé au Front national, le bleu clair traditionnel, le rose rosé habituel, le rose tirant sur le rouge, mais sans excès. L'Assemblée nationale n'est donc pas du tout « bleu horizon », mais violette, puisque le bleu, très habilement, a capté du rose, et que le rose était depuis longtemps de plus en plus infiltré de bleu. Moralité : le drapeau tricolore, alternativement agité par les deux partis en campagne, ne peut plus être le symbole de la nation en cours de mondialisation. Le bleu-blanc-rouge, avalant difficilement le bleu à étoiles européen, doit laisser la place à un drapeau violet de belle apparence. Comme, sous toutes les dénégations, la droite passe à gauche et la gauche à droite, la France, violée en douceur, est donc violette, et il s'agit d'un événement majeur.

24/06/2007

RÔLES

Évidemment, le vrai coup d'État aurait été une alliance surprise entre Sarko et Ségo, c'est-à-dire l'immoralité même. Écartons cette diabolique tentation, même si, en un sens, on obtient, dans le violet montant, quelque chose comme du Bayrou sans Bayrou, ce qui n'est pas le moindre des paradoxes. Juppé, lui, était-il soluble dans la vague violette ? Eh non, trop de bleu ancien, trop de Chirac dans ses bottes, pas assez de bleu d'air, malgré sa conversion tardive et canadienne à l'écologie. En quoi les Bordelais ont été injustes par rapport à quelqu'un qui a nettoyé leur ville de la crasse noire du XIXe siècle, pour la rendre à sa blondeur restaurée. Ces ingrats le gardent quand même comme maire, ce qui est la moindre des choses. Le gentil Borloo, rescapé de la TVA, le remplace ? Choix excellent, ductile, souriant, adaptable. La rivalité fatale entre Sarko et Borloo sera d'ailleurs intéressante à observer, le sage Fillon restant, pour sa part, aussi transparent qu'impénétrable. Mais enfin, le vrai problème n'est pas là.

24/06/2007

COUPLES

Il y a eu la grande valse Cécilia-Sarko, sur laquelle les interrogations pèsent encore. Reviendra, reviendra pas ?

Le pays retenait son souffle, les photographes n'en pouvaient plus, les journalistes n'ont pas révélé grand-chose, ce genre de situation ne peut d'ailleurs être comprise que par des romanciers, s'ils existent encore. En plus compliqué, sinueux, tordu, silencieux, et probablement véneneux, vous avez le couple Royal-Hollande. Quoi, tant d'efforts communs, de complicités, d'enfants, de plans et de contre-plans, pour finir dans un communiqué aussi triste que petit-bourgeois, le type qui doit « quitter son domicile conjugal » ? Mon Dieu, mon Dieu, comme la politique et l'exposition abîment l'amour ! Que de fatigues et de larmes plus ou moins rentrées au pays qui a eu la palme de la fantaisie, de la raison, du libertinage ! Toutes ces familles décomposées, recomposées, surcomposées me brisent le cœur. Voyez la joyeuse Christine Boutin : elle n'a pas de problèmes, elle. Roselyne, Rachida, Rama, Fadela, non plus. La France violette éclate de joie de vivre, tandis que le vrai roman de Ségolène et de François nous reste inconnu. Des journalistes ont gagné beaucoup d'argent avec des révélations minimales. Nous ne savons rien, la République nous cache tout, les parachutes dorés, l'affaire Clearstream, les vrais enjeux du désir. Oui, il faut refonder tout ça, aller plus loin dans le mélange bleu-rose. Du violet ! Du violet heureux, sans cesse et partout ! Et honneur aux vaincus : Juppé, Hollande. Ah, ils en auraient des choses à dire, ces deux-là pour qui sonne le glas !

24/06/2007

BAUDELAIRE

Les collectionneurs sont des gens étranges, des maniaques de la mémoire concrète, des spécialistes de l'ombre. Voyez Pierre Leroy. Il n'a l'air de rien, il parle peu, il connaît les vraies affaires mieux que personne, mais il reste constamment en attente, en alerte, à la limite de l'effacement. Et puis, tout à coup, poker : une vente chez Sotheby's [187], et là, des merveilles : manuscrits de Proust, photo extraordinaire et inconnue de Rimbaud, un manuscrit de Jean-Jacques Rousseau, des lettres de Chateaubriand, et j'en passe. Mais l'événement, la part du lion, concerne Baudelaire : un dossier passionnant sur son père, des lettres de Caroline Aupick, sa mère, qu'on découvre moins idiote et bornée qu'on ne croit. L'édition originale des *Fleurs du mal*, envoyée à Delacroix, « en témoignage d'une éternelle admiration ». Le manuscrit du *Vin des chiffonniers*, célébrant le vin comme « fils du soleil ». L'étonnante photo « au cigare », prise par un photographe belge à la fin de la vie du poète. Des témoignages bouleversants sur son effondrement et sa mort. Nadar le décrit ainsi dans sa jeunesse : « toujours en quête d'aventure, le plus grand chasseur de filles devant l'Éternel que j'ai rencontré ». Il a assisté à la rencontre de Baudelaire avec Jeanne Duval, sa maîtresse créole et son inspiratrice trop méconnue : « Il n'a vu, il ne voit que la femme qu'il a du premier coup d'œil déclarée "fort intéressante" et avec lui on sait ce que parler veut dire... » Quant à Caroline, surprise, elle défend son fils : « *Les Fleurs du mal*, qui ont causé un si grand émoi dans le monde littéraire, et qui renferment parfois, malheureusement, des peintures horribles et choquantes, ont aussi de grandes beautés. Il y a de certaines strophes admirables, d'une pureté de langage, d'une simplicité de forme qui produisent un effet poétique des plus magnifiques. Il possède l'art d'écrire à un degré éminent. [...] Ne vaut-il pas mieux avoir trop de fougue et trop d'élévation artistique que de la stérilité d'idées et des pensées banales ? »

La mère de Baudelaire l'a beaucoup ennuyé, on le sait. Mais elle a écrit ces lignes. Elle est donc sauvée.

24/06/2007

SARKOZIUS I

Avouez que, malgré les horreurs ambiantes, on s'amuse en France, puisque la Société du spectacle a trouvé dans ce pays son représentant idéal : Nicolas, l'homme-orchestre aux mille interventions et apparitions, le nouvel empereur global. Quelle santé ! Quelle alacrité ! Quelle joie ! Quelle angoisse ! C'est beau comme le fonctionnement lui-même, puisqu'on peut, heure par heure, observer le travail. On le croit ici, il est là-bas, là-bas, et il est ici, envolé ailleurs, et le revoilà. Difficile d'être plus bosseur, tournicoteur, coureur, fonceur, défonceur.

Je le vois en consul romain, Sarkozius, rentrant dans la capitale avec ses légions, lui qui est né modestement aux confins de l'Empire. Le triomphe de Sarkozius s'est fait démocratiquement contre Chiracus et Villepinus. On a tenté de l'étouffer, Sarkozius, de le marginaliser, de le mouiller dans de sombres affaires. Il expiait ainsi son ancien soutien à Balladurus, éliminé de façon peu claire par Chiracus et Villepinus. On stigmatise alors Sarkozius, on le déclare pestiféré « à droite » (comme on disait à l'époque), on le contient, on le surveille, on l'emploie parce qu'il est utile, on tente de le fatiguer, mais il résiste à tout, et même à une étrange défection de sa femme, en plein combat.

Peu à peu, dans l'ombre, il se redresse, s'organise, tisse ses réseaux de conjurés intérieurs, grâce à Guéantus, surnommé « le grand calme ». Il peut compter sur des soldats éprouvés qui attendent des places (leur solde est maigre, l'Histoire n'avance pas). C'est là qu'il affronte la belle Ségolénia, fille symbolique et têtue du vieux Mitterrandus. Elle a ses partisans, elle enflamme des foules, fait frémir le Forum. Mais Sarkozius ne faiblit pas, les légions non plus. Et c'est la victoire, l'arrivée du Consul au pouvoir (Bonaparte, avec le succès que l'on sait, l'imitera plus tard).

Pouviez-vous croire qu'il allait s'enfermer, se bunkériser, s'endormir ? Sarkozius ne dort pas, il agit, même en rêve. Et c'est là qu'il déploie ses talents stratégiques, qui lui ont valu l'admiration de ses cohortes. Il déclare aussitôt « l'ouverture », autre nom d'une fermeture à triple tour. Il achève le vieux Le Pénus, mais surtout s'attaque au parti d'opposition traumatisé par sa défaite. Ségolénia est isolée, Sarkozius perce. Son mouvement, dit « enveloppement par les ailes », est désormais étudié dans toutes les écoles militaires. Napoléon s'en souviendra, et Clausewitz en théorisera les dégâts.

29/07/2007

SARKOZIUS II

Balladurus rêvait, Chiracus et Villepinus ne pensaient qu'à se maintenir, Ségolénia ne voyait que sa propre étoile, Sarkozius, lui, travaille. Son réseau d'informations force, aujourd'hui encore, l'admiration des spécialistes. Ses adversaires, d'ailleurs prudents, l'accusent de pratiquer une politique du « coup d'éclat permanent ». Coup d'éclat, c'est bien la moindre des choses dans l'ère spectaculaire. Le coup d'État, désormais, est publicitaire, et ceux qui s'en plaignent, en voulant restaurer le sérieux d'autrefois, ne comprennent rien au phénomène. Quelle naïveté ! Sarkozius sait tout, sonde tout, les reins, les cœurs, la valeur travail, la Bourse. Il connaît les désirs, les ambitions et les faiblesses de chacun. C'est Big Little Brother à la manœuvre. Il prend, comme il le dit lui-même, « le réel à bras-le-corps », voyez d'ailleurs ses bras et ses mains électriques. « Il mouille sa chemise », ajoute la belle Rama Yade, éblouie. Ce n'est pas Yasmina Reza qu'il lui faut comme biographe, mais Salluste, Tite-Live, Tacite, les grands noms latins. Tout en douceur il attire Glucksmanus, depuis longtemps vulnérable, manque Bernardus-Henricus Levius, enlève Kouchnerus qui veut être proconsul à l'Est, rapte Strauss-Kahnus et l'envoie à l'Ouest, chope Langus au passage, place Védrinus en réserve. On a parlé du ralliement du consul Fabius, mais il tarde, Jospinus est en exil, Hollandus est chassé de chez lui par l'implacable Ségolénia. C'est la panique. Que voulez-vous que fasse une génération sacrifiée de bons légionnaires, les Montebourgus, les Vallsus, les Peillonus ? Ils parlent de « rénovation », ils sont sur des ruines.

29/07/2007

Sarkozius III

Enveloppement par les ailes, écrasement du centre (pauvre Bayrounus en fuite, « mon royaume pour un tracteur ! »), force et rapidité de l'exécution, de l'audace, encore de l'audace, toujours de l'audace. Sarkozius, une fois couronné, nomme un certain Fillonus à la figuration taciturne, mais, en réalité, Guéantus surplombe la scène. Les potiches raflées font déjà la gueule ? Qu'ils la bouclent, et se contentent d'être sur la photo. Le 14 juillet, défilé des légions, chacune avec son fanion régional. L'Empereur, au comble du bonheur, désigne sa femme au peuple : « N'est-ce pas qu'elle est belle ? » La première dame de l'Empire n'a pas l'air convaincue, mais elle est là, elle sera de plus en plus là, on a des rôles pour elle dans le grand film en cours. Film étonnant où Sarkozius, un peu à la Louis de Funès (célèbre acteur de l'époque), fait merveille de façon planétaire. On le voit avec Bush, il est déjà avec Poutine, le meilleur moment étant celui où il s'amuse, comme un enfant, avec la grosse Angela Merkel. Nicolas ! Angela ! Dans nos bras ! Les voilà en train d'échanger des maillots d'Airbus, ils sont à la récré, les employés n'en croient pas leurs yeux, mais ça marche. Le dernier grand coup d'éclat, ce sont les infirmières bulgares. Cécilia est parfaite, Sarkozius a un rêve africain, il ira voir le super humaniste Kadhafi à Tripoli, mais, croyez-moi, Kadhafi, bien fol est qui s'y fie.

L'opéra du futur ne s'appellera plus *Così fan tutte*, mais *Sarko fa tutto*. Bravo.

29/07/2007

BENEDICTUS

Pendant ce temps-là, le vieux pape Benedictus essaie de rassembler ses troupes. Sarkozius se dit catholique, bien sûr, mais enfin on ne sait jamais. « Le pape ? Combien de divisions ? », dira plus tard un autre Empereur. Il faut reconnaître que les ouailles de Benedictus sont un peu déboussolées, surtout en France. La plupart pensent qu'elles font désormais partie d'une vaste amicale humanitaire, et Benedictus est obligé de leur rappeler un peu de latin. Scandale dans les sacristies, régression, retour en arrière ! Benedictus tombe dans le fanatisme intégriste, c'est un réactionnaire démasqué. *La Gazette de l'Empire* n'a pas de mots assez durs pour lui faire la leçon. Mais il y a pire : Benedictus, non content de remettre du latin dans son vin, fait savoir que son Église « est la seule et unique Église du Christ ». Après les progressistes du monde entier, voilà qu'il se met à dos les protestants et les orthodoxes, et ça fait du monde. Je vois par exemple qu'un pasteur ghanéen est secrétaire général de la Fédération luthérienne mondiale (cent quarante Églises, représentant soixante-dix millions de chrétiens). À Genève, c'est le Conseil œcuménique, qui regroupe trois cent quarante-sept Églises protestantes, anglicanes et orthodoxes. Benedictus est très mal jugé : il va se faire tirer les oreilles.

Heureusement, le dernier *Harry Potter* s'est vendu, le premier jour de sa publication, à vingt millions d'exemplaires. Ça s'appelle *Harry Potter et les reliques de la mort*. Les enfants en sont fous, et les parents, ces grands enfants attardés, aussi. Les six premiers livres de la série en sont à trois cent vingt-cinq millions d'exemplaires. La productrice, nous dit-on avec émerveillement, est maintenant

« plus riche que la reine d'Angleterre ». Il paraît que la reine d'Angleterre s'en fout, mais c'est comme avec Benedictus : ces gens croient dur comme fer à leur passé comme à leur avenir. Des fous curieux, dans leur genre.

29/07/2007

LETTRE

Un ami, légèrement déprimé, m'envoie cette citation de Tocqueville : « On peut prédire qu'il ne restera de grandeur intellectuelle que chez ceux qui protesteront contre le gouvernement de leur pays, et qui resteront libres au milieu de la servitude universelle. S'il y apparaît de grands esprits, ce ne sera pas parce que rien ne se fait de grand dans le pays, mais parce qu'il se trouvera des âmes qui conserveront encore l'empreinte de temps meilleurs. »

29/07/2007

GONCOURT

Le Président a raison : à l'ère spectaculaire, il ne faut pas laisser deux minutes au spectateur. Il doit être sans cesse réveillé, bousculé, empoigné, déménagé, intrigué. Tout va si vite que l'épisode d'hier est déjà emporté par celui de demain, et nous irons ainsi, à toute allure, de surprise en surprise.

L'opposition court après l'épisode Kadhafi ? C'est déjà loin. L'énigme Cécilia ? C'était il y a dix ans. L'avenir de la gauche ? Revenez à la case départ, c'est-à-dire à la fin du XIXe siècle. Non, la seule question intéressante des prochaines semaines, c'est de savoir si le Président (ou plutôt Yasmina Reza) aura le Goncourt. À mon avis, pour des raisons hautement historiques, il le faut. On aurait ainsi la réédition du Goncourt de Marguerite Duras dans le sillage de Mitterrand. *L'Amant*, rappelez-vous, un million d'exemplaires, et ensuite des entretiens au sommet qui sont dans toutes les mémoires. Le moment est venu de faire moins provincial, plus cosmopolite, plus mondial. Je n'ai pas encore lu le Reza, mais j'imagine que les réseaux s'activent dans l'ombre. Le bouquin est sûrement enlevé, captivant, théâtral, susceptible d'une transposition scénique immédiate avec comédiens doués, sans parler d'une série télévisée qui s'impose, ou d'un film en plusieurs épisodes. On attend déjà la suite. Et puis Reza et Sarkozy reçus ensemble chez Drouant, quelle gueule ça aurait ! Quelle fête ! Vous n'allez quand même pas me dire qu'il ne s'agit pas d'un vrai roman !

19/08/2007

BUSH

La vie survoltée du Président m'intéresse : c'est la chevauchée fantastique, en avion, en bateau, en hors-bord. Le Président a des amis fortunés partout, il tient à le faire savoir aux Français racornis dans leurs petites vacances maussades. Le voici luxueusement installé aux États-Unis, et invité par Bush à déjeuner. Là, on voit bien à quel point les Américains déclinent et sont vulnérables. Pas de homard grillé traditionnel pour notre Président ?

Seulement des hot-dogs et des hamburgers « au choix », comme dans un vulgaire McDo ? Quelle radinerie ! Quel scandale ! Une petite virée sur l'eau, conduite par Papa, et pas le moindre espadon brandi ? Misère. Ces Bush, que voulez-vous, déjà sur le départ, sont des caricatures : le père, le fils, la femme, l'énorme Mémère, les enfants et les enfants des enfants, quelle lourdeur sur fond de Bagdad ! En plus tarte, ces jours-ci, je ne vois que Mazarine Pingeot, photographiée, enceinte de son deuxième enfant, pour vendre son livre.

D'accord, on reçoit le Président d'un petit pays, d'un dominion de sous-traitance, mais ce n'est pas une raison pour le traiter comme un garagiste ! Lui mettre sans arrêt la main sur l'épaule, se pencher sur lui, comme sur un enfant, pour voir s'il est content et s'il a bonne mine ! On comprend Cécilia et son « angine blanche » (un ange passe, et il n'est pas forcément blanc). Angine ou *angyne* ? Allez savoir. Quoi qu'il en soit, bien joué, l'honneur national est sauf. D'autant plus qu'on a vu la malade se balader le lendemain en tee-shirt et short pour faire du shopping. Le Président est allé jusqu'à dire que c'était lui qui avait contaminé son épouse (donc par un bouche-à-bouche). Aux dernières nouvelles, mais c'est peut-être une rumeur malveillante, on me dit que toute la famille Bush est au lit avec des angines blanches carabinées. Voilà la vengeance du homard !

19/08/2007

NOTRE-DAME

Le Président a longuement hésité. Fallait-il interrompre ses vacances de rêve et rentrer à Paris pour les obsèques solennelles du cardinal Lustiger à Notre-Dame de Paris ? La République pouvait-elle se montrer catholique ? Le triste Fillon suffisait-il comme représentation ? Vite fait, bien fait : le Président prend l'avion (au moins quatorze heures aller-retour), déboule à l'heure sur le parvis de la cathédrale, on lui donne un fauteuil un peu grand pour lui. Là, le grand jeu de l'au-delà commence : terre d'Israël minutieusement versée dans un bol sur le cercueil, kaddish dit en araméen (langue que parlait Jésus, soulignent les commentateurs), entrée dans la cathédrale sur fond de requiem chanté en latin, discours en français du successeur, un peu pâle, de Lustiger, éloge spiritualiste, mais fatigué, de l'Académie française, message du pape lu de façon légèrement pincée (pourquoi ?) par le cardinal Poupard. C'est parfait.

Tout cela très insolite et d'ailleurs émouvant et beau (la chorale de Notre-Dame est en net progrès), puisque ce n'est pas tous les jours qu'un cardinal, juif, et français, monte au firmament du Saint-Siège. J'entends, ici et là, des murmures. Je les fais taire. Ils sont déplacés.

Pensons plutôt à la fatigue du Président, déjà sous angine, passant d'un enterrement éprouvant aux bourrades de son camarade de chambrée, tout en emportant avec lui une biographie de La Fayette. Les États-Unis, il ne faudrait pas l'oublier, ont existé grâce à nous. Vous savez combien il y avait d'Américains, il y a deux cent cinquante ans ? Non, le président McDo ne le sait pas. Seulement quatre millions, assène notre Président, qui, visiblement, a préparé son effet, sachant qu'on a supprimé le homard grillé.

19/08/2007

Journaux

À part une passionnante enquête du *Journal du Dimanche* sur les sept péchés capitaux dans laquelle quelques grandes vedettes, avec des photos géantes, sont restées quand même plutôt évasives sur la luxure, mes séries préférées de l'été ont été, dans *Le Figaro*, les reportages de François Hauter sur la Chine et la diaspora chinoise à travers le monde, et la bande dessinée de *Libération*, *Tigresse blanche*, épatant délire de Conrad et Wilbur. Hauter nous raconte que la psychanalyse connaît un développement foudroyant chez les Chinois, de plus en plus stressés par l'évolution brutale de leur société. Après « l'oncle Marx », « l'oncle Freud » ? se demande-t-il. Ça me donne presque envie d'ouvrir un cabinet là-bas, avec séances courtes, ultrazen, à la Lacan. Après quoi, récit de mon expérience, *Un divan à Pékin*, best-seller automatique, surtout après les Jeux olympiques. Mais non, je recule devant la pollution.

19/08/2007

Président

Il y a quelques petites choses intéressantes dans le livre de Yasmina Reza, mais enfin elle n'a pas su prendre Nicolas Sarkozy de l'intérieur, elle le regarde, elle le suit, elle n'entre pas dans son speed profond qui est en train d'ahurir l'Hexagone et le monde. Je l'imagine très bien, moi, le Président, je le capte sur sa longueur d'ondes courtes, ça vibre, ça grésille, ça vibrionne, c'est incessant, épuisant, captivant. Ça y est, je deviens le Président lui-même, et je trouve que tout est trop lent, trop lourd, lamentablement humain, trop humain, et pour tout dire réactionnaire et retardataire. Je n'ai pas été élu pour faire la sieste, et, comme le dit superbement Louis XIII dans *Les Trois Mousquetaires*, « je ne dors pas, Monsieur, je rêve tout au plus ». Me voici à la télévision, devant deux professionnels : je les largue en cinq minutes, ils ont à peine le temps de balbutier une question que j'en suis déjà à la quatrième question suivante. Ils dorment, voilà la vérité, ils n'en finissent pas d'occuper leurs fauteuils, ils sont comme mes ministres. Ah, ceux-là ! Disons-le calmement : je devrais changer de gouvernement tous les mois, et peut-être même toutes les semaines. Je suis en avion, moi, j'en ai assez de traîner derrière moi ces rampants, ces terriens, qui ne comprennent pas que, désormais, il faut aller plus vite que la musique. Le Spectacle l'exige, et le Spectacle est roi.

Que voulez-vous que je fasse de ce Kouchner qui, tout à coup, parle de « guerre » ? Il est fou ou quoi ? Et l'autre qui lâche le mot « faillite » ? Faut-il le mettre sous anti-dépresseurs ? La France ne va pas bien, soit, mais moi je vais très bien, et croyez-moi, ce n'est pas si simple. Il y a des moments où je sens pourquoi les chiens, mal sur-veillés par Alliot-Marie, deviennent enragés et bouffent des petites filles. La guerre ! La faillite ! Le trou de la Sécu ! Les retraites ! Le bouclier fiscal ! Les syndicats ! Et la grosse Merkel qui me fait maintenant la tête, soi-disant parce que je la touche trop ! Elle semblait aimer ça au début, l'hypocrite ! Décidément, ces protestants de l'Est m'échappent, ils me glacent, ce sont des tanks. Quoi encore ? L'ADN ? La barbe.

30/09/2007

CONSEILS

Une seule solution : poursuivre l'ouverture, l'élargir toujours plus, foncer sur les socialistes qui ne demandent pas mieux que de participer à la grande union qu'il nous faut. Strauss-Kahn est casé, ouf, mais Jospin m'intéresse. *L'Impasse*, voilà du sérieux. « Guerre », « faillite », « impasse », vous me direz que ce n'est pas gai. Et si je renversais le jeu en nommant Jospin Premier ministre ? Poker, d'accord, mais pourquoi pas ? Quel titre trouver ? *L'Issue* ? Oui, *L'Issue* ne serait pas mal. Et puis autre carte à couper le souffle : une réconciliation éclatante avec Villepin. C'est vrai, après tout, son *Napoléon* tient le coup, et il a vu tout de suite en moi le sosie du Premier Consul. L'affaire Clearstream, désormais, ennuie tout le monde, le feuilleton a assez duré, c'est Darkstream by night. Je téléphone à Villepin, on se moque en passant de Chirac réfugié chez Poutine, je lui demande de mettre en sourdine son antiaméricanisme d'autrefois, je le nomme à la propagande, on refait du jogging ensemble, et le tour est joué. Il est évidemment trop tôt pour envisager un sacre à Notre-Dame, Cécilia y est très hostile, mais rien n'interdit de sonder Benoît XVI, de loin bien sûr, de très loin, sur cette question. Ah, je rêve. Ce serait quand même très beau, surtout si Ségolène Royal acceptait de venir en Jeanne d'Arc.

30/09/2007

HISTOIRE BELGE

La Belgique va-t-elle éclater ? Possible. Les frontières craquent, les langues se mélangent, mais il nous reste une certitude : l'internationale bureaucratique ne bouge pas. Pour preuve, la mésaventure grotesque qui arrive aux deux fils de Pierre Ryckmans, plus connu sous le nom de Simon Leys. Pour une obscure histoire de passeports renouvelables, les voilà, en Australie, décrétés apatrides par le consul de Belgique à Canberra. Mieux : ils relèveraient maintenant de la nationalité chinoise, alors qu'ils veulent, comme leur père, et c'est tout à leur honneur, rester belges. Cette affaire, qui devrait être réglée en dix minutes par un éclat de rire, traîne en longueur à cause de l'entêtement du consul féminin belge (je n'insiste pas). Allons, rouages bruxellois, laissez la famille Ryckmans tranquille ! Vous avez la chance d'avoir, aux antipodes, un sinologue de premier ordre, qui est aussi un grand écrivain. Il n'y a pas qu'Amélie Nothomb, que diable ! Et ne me dites pas que vous voulez accomplir on ne sait quelle vengeance posthume de Mao !

30/09/2007

BÉBÉS

Chaque époque a ses symptômes, la nôtre tourne de plus en plus autour de l'enfant mort, voire du déni de maternité avec mise au congélateur des petits cadavres. Après la marée noire pédophile, voici l'obsession de l'infanticide. La conception *in vitro* y est-elle pour quelque chose ? D'où viennent les enfants ? Le bon docteur Freud nous manque pour analyser cette odeur de morgue. Quoi qu'il en soit, ma décision est prise : où que ce soit, si je suis invité à dîner, j'irai faire un tour rapide dans la cuisine. Ne pas se fier aux apparences : aller droit au congélateur.

30/09/2007

MAFIAS

La Camorra se porte très bien, Cosa Nostra aussi, mais la 'Ndrangheta, elle, est en pleine forme, de même que la Sacra Corona Unita. Les activités sont, pêle-mêle : héroïne, cocaïne, cannabis, ecstasy, LSD, armes, diamants, jeux de hasard, recyclage des déchets toxiques, contrefaçons, immobilier et trafic d'immigrants. Chiffre d'affaires global : cent milliards d'euros. Il suffit de regarder une carte pour voir que la mondialisation, de ce point de vue, est un succès complet. Les assassinats se succèdent dans l'indifférence générale. Vous n'allez quand même pas me dire que l'État *tolère* la Mafia ? La Mafia ? Quelle Mafia ? Je n'ai jamais vu la Mafia.

30/09/2007

BÉBÉS

Elle s'appelle Céline Lesage, c'est une femme sérieuse, dévouée, avenante, membre de la Fédération des conseils de parents d'élèves dans la Manche et militante insoupçonnable du Téléthon. L'embêtant, c'est qu'elle a eu six bébés en six ans, qu'elle les a étouffés avec la main après leur naissance pour les conserver dans sa cave dans des sacs en plastique. Elle était enceinte, personne ne voyait rien, elle accouchait seule, elle réglait la question dans l'ombre. Six enfants et six assassinats en six ans, c'est quand même un travail à plein tube, et, comme l'aurait dit Marguerite Duras autrefois, une série d'actes « sublimes, forcément sublimes ». On avait le délire dans les congélateurs, on l'a maintenant dans les caves. Une inspection générale des congélateurs et des caves me paraît quand même souhaitable, ça sent le moisi, tant pis.

28/10/2007

CYBERGUERRE

Pendant tout l'été, un certain nombre de pays, les États-Unis, l'Allemagne, la Grande-Bretagne, la France et la Nouvelle-Zélande, ont subi des cyberattaques émanant de *hackers* (pirates informatiques) chinois, se déclarant « patriotiques ». Le gouvernement chinois est-il derrière ces opérations, véritable prélude aux Jeux olympiques ? S'agit-il d'un exercice de l'Armée populaire de Libération ? On ne sait pas, ou plutôt on ne veut pas trop le savoir. Il paraît quand même que les services de renseignements chinois (avec parmi eux de nombreux ex-maoïstes) constituent une vaste nébuleuse regroupant environ deux millions d'agents permanents ou occasionnels. Dans cette nouvelle guerre secrète, la Toile est donc devenue un espace de bataille sophistiqué. La Chine comptait cinq mille internautes en 1995, cent trente-sept millions aujourd'hui. Ces sacrés Chinois entrent dans vos systèmes sous forme d'envois de fichiers corrompus attachés à des courriels, ils s'installent chez vous et vous lisent. Ils sont, bien entendu, très difficiles à détecter, car, comme le dit un expert, « il n'y a pas de signature ADN dans l'informatique ».

28/10/2007

PUBLICATION

Écrire est un vrai bonheur d'indépendance, publier un sport de combat. Mon vieil ami Lacan parlait de « poubellication », terme très exagéré, mais il y a de ça. On se fait ramasser entre des éloges et du poivre, c'est à qui parlera le premier, et si le premier est favorable, alors tous les espoirs sont permis. Cependant, il faut repasser par la réactualisation de votre dossier : vos défauts, vos erreurs, vos errances, vos qualités (pas trop), vos « provocations », etc. Vous venez d'écrire un livre clair, net, concentré, positif, plutôt drôle, mais l'un vous dit « déboussolé », un autre « en plein désarroi », un autre « narcissique et mélancolique », un autre encore vous reproche de vous « autocélébrer » tout en pleurnichant. Vous courez d'un studio à l'autre, vous décidez que c'est amusant et vous trouvez ça amusant. Vous avez, en somme, une bonne nature. De temps en temps, vous relisez rapidement une de vos pages, et, rien à faire, vous êtes content de vous. Affligeant.

28/10/2007

CÉLINE

Les Danois ont-ils sauvé Céline de la mort en 1945 et dans les années suivantes, en refusant son extradition au terme d'une bataille juridique incessante ? Mais oui, et c'est la révélation détaillée que nous apporte le livre de David Alliot, *L'Affaire Louis-Ferdinand Céline*, archives de l'ambassade de France à Copenhague 1945-1951 [188]. Céline est devenu, à ce moment-là, une affaire d'État, et il aurait certainement connu, de retour en France à cette date, après la prison danoise qui l'a physiquement exténué, un sort définitif. Sur cette période tragique de sa vie, il faut lire les lettres émouvantes qu'il envoie à son assistante Marie Canavaggia, laquelle tape ses manuscrits et les sauve [189]. Ainsi, le 4 octobre 1945 : « Je vis, au jour le jour, d'efforts et de rassemblements très pénibles de mes forces si précaires et si moroses. Vous me parlez d'un autre moi que vous imaginez complètement. Il y a sans doute dans la vie un temps pour tout. Le mien de ce que vous dites est terminé depuis déjà longtemps. J'ai quitté le train des hommes et des femmes, il m'était beaucoup trop laborieux et brutal. Je n'ai d'intimité avec personne, et je n'en aurai jamais plus, non pour des raisons romanesques, mais par simple bien banale et naturelle épargne de forces – non par égoïsme non plus – par impuissance simple et bête. Lorsque mon chat est malade, il ne joue plus, il ne saute plus. J'ai trop joué, j'ai trop sauté, j'imagine – et même cela me fatigue souvent. Revenez à un état plus simple. Tout ce que vous racontez me fait peur. Vous semblez tenir absolument à ce que je me promène dans une jungle pleine d'animaux furieux et sentimentaux. La vie toute crue n'est-elle pas assez monstrueuse ? Y ajouter encore je ne sais quelle jalousie, inhibition, sexologie, je ne sais quoi ! – vous compliquez les choses, Marie, vous êtes vicieuse. En d'autres temps, je vous aurais fait rouler dans les pires sardanapaleries, vous en seriez sortie toute simplifiée, déjalousée, guérie et non moins charmante et merveilleusement intelligente et sensible comme vous l'êtes. »

Voilà une vraie lettre d'amour. L'invention du verbe « déjalouser » mérite de passer dans l'usage courant. Les lettres de Céline sont d'ailleurs des chefs-d'œuvre, sa correspondance complète devrait être réunie un jour, magnifique volume électrique, au niveau (et ce n'est pas peu dire) de Voltaire et de Flaubert. Voilà l'homme, certes peu recommandable, que son pays voulait écraser. David Alliot, à ce sujet, conclut avec raison : « Le petit royaume scandinave a donné une exemplaire leçon de droit à la France, pays de Descartes, de Montesquieu, de Voltaire, patrie des Lumières et des Droits de l'homme. » On a eu chaud.

28/10/2007

RÊVE

Il est six heures du matin, on sonne à ma porte. Je crois d'abord qu'il s'agit d'une erreur, je ne bouge pas, mais on continue à sonner, à tambouriner, et là, je me dis qu'il doit s'agir des pompiers, et qu'il y a probablement un incendie dans l'immeuble. Je me lève, je vais ouvrir en pyjama, et quelle n'est pas ma surprise : Sarkozy, lui-même, le Président, entouré de deux gardes du corps très dissuasifs. Il a l'air très en forme, le Président, il me tape sur l'épaule, il entre, il fait comme chez lui, il me dit qu'en ce moment il a un peu de temps pour lui, pas de télé aujourd'hui, il veut se détendre, discuter avec un gré-viste intellectuel. « Alors, comme ça, vous soutenez le mouvement social ? me dit-il, vous êtes repris par vos vieux démons gauchistes ? » Je ne dis rien, je file doux, j'attends la suite. « Eh bien, me lance le Président, c'est très simple : je viens écrire votre Journal du mois à votre place. Vous ne comprenez rien à mon action, je vais vous écrire ça, ça vous changera. »

Le Président installe son ordinateur, il commence à pianoter à toute allure, on sait qu'il est rapide, qu'il circule sans cesse en avion même sans avion, mais là il m'épate. Tout y passe très vite : les marins pêcheurs, les cheminots, les syndicats, les métros, les universités, la fermeté, l'ouverture, et encore la fermeté et encore l'ouverture, les rencontres avec Bush et avec Chavez, la délicieuse mollesse responsable des socialistes, l'avenir de la France des cathédrales à Jaurès, un éblouissant éloge de l'argent qui, bien entendu, doit être à la portée de tous, une promesse de nuit au Fouquet's pour tous les travailleurs de France, et, sur la fin, une citation célèbre de Maurice Thorez : « Il faut savoir terminer une grève. » « Voilà, me dit le Président, vous pouvez vous remettre au lit, les glandeurs comme vous ont besoin de sommeil. » Là, je me réveille, et je pense qu'une fois de plus je vais être obligé de marcher une bonne partie de la journée sous la pluie.

25/11/2007

GRÈVES

Le plus curieux, dans la grande galère des rues, c'est qu'il n'y a pas que des visages renfrognés et fermés, il y a aussi des sourires. Les usagers exténués ont encore la force, parfois, de vous dire bonjour (vu à la télé). Mais comment vais-je faire pour rejoindre un studio pour une interview en direct, dans tout ce bordel ? Une seule solution, le mototaxi, un vrai sport de pointe. Mon motard m'emmitoufle, me met un casque qui sera battu par la grêle, et se lance comme un skieur à travers Paris. Le vélo c'est bien, la moto c'est mieux, et j'admire immédiatement la virtuosité de mon conducteur. Il sinue entre les voitures, rétroviseur contre rétroviseur, on joue sur des centimètres, on se faufile à toute allure, je me dis que cette fois, c'est fini, la culbute est inévitable, surtout dans le tunnel de l'Alma. Tant pis, voilà une mort ridicule, une brève en fin de journal, « Sollers se tue à moto sur les quais de Seine, mais que diable allait-il faire à moto ? ». Mort d'un écrivain médiatique : bon débarras, il finissait par nous gonfler avec son narcissisme, il vient de publier ses *Mémoires* où, c'est consternant, il parle tout le temps de lui. À quoi pensait-il pendant sa randonnée fantastique ? À un article à faire pour *L'Observateur*, un truc très difficile sur les gnostiques, un gros volume de la Pléiade qui vient de paraître [190]. Les gnostiques, c'est quoi ? Des illuminés des premiers siècles de notre ère, des fous qui vous disent tranquillement qu'ils vivent dans la Lumière et la connaissance absolue. Avouez que cogiter sur les gnostiques à moto, ça manque d'allure. « Ceux qui dorment, je les réveille, et c'est moi la vue pour ceux qui se tournent vers le sommeil. » Je vais envoyer le livre au Président, on ne sait jamais, il aura peut-être une révélation soudaine.

25/11/2007

ENFANTS

Dans le genre cafouillage effroyable, il y a, bien sûr, l'affaire de l'Arche de Zoé, trafic d'enfants à la carte, véritable obsession de notre époque, comme le prouve l'aventure d'un gynécologue réputé, accusé d'avoir abusé d'un grand nombre de ses patientes. La profession tout entière est gênée, on n'a pas l'habitude de projecteurs braqués sur cette industrie florissante. Voici la confession d'une des femmes : « J'étais allée le voir pour une FIV. Au départ, il était très correct, chaleureux. Il donnait le sentiment de vouloir tout faire pour me donner cet enfant. Vous savez, quand on se bat depuis des années contre la stérilité, on a envie de tomber sur un grand magicien, sur quelqu'un qui va aller contre la nature. [...] Au bout de deux consultations, j'ai été mise dans un protocole lourd. Et c'est là qu'il a commencé à avoir une attitude anormale. » Voici la phrase la plus terrible : « Il m'a violée la veille de me faire une ponction ovocytaire. » À vomir, donc. De même que sont à vomir ces images d'enfants tchadiens donnés ou vendus pour des adoptions problématiques. Comment ne pas constater que la plupart des adultes sont des enfants ratés qui, ensuite, se vengent sur des enfants ? Voyez le vieux Robbe-Grillet et son livre péniblement pornographique vendu sous préservatif, emballage primaire d'un membre pseudo-rétif de l'Académie française. Bien entendu, ce brave diable est pieusement soutenu par le magazine super-branché *Les Inrockuptibles*. Robbe-Grillet s'y déclare d'ailleurs supérieur à Sade, on aura tout vu. Sade a une imagination criminelle grandiose, alors que, dans ce pensum, on se traîne en province petite-bourgeoise.

Comme disait Céline : « On voudrait un peu de véritable luciférisme, on ne rencontre que de prudents rentiers de l'horreur. »

25/11/2007

DRÔLES DE TYPES

Je vous conseille de lire en même temps le tome V de la *Correspondance* générale de Flaubert [191] et les *Lettres à Marie Canavaggia* de Céline [192]. Le rapprochement est parfois saisissant, et, en tout cas, vous vous ennuierez moins qu'avec le dernier roman de Philip Roth, d'un naturalisme morbide et déprimant au possible. Flaubert n'arrête pas de parler de la « sacro-sainte Littérature », il se compare d'ailleurs souvent à un saint dans une époque étouffante où la bêtise est, selon lui, parvenue à son comble (mais non, on peut aller encore plus loin). « Deux choses me soutiennent : l'amour de la Littérature et la haine du Bourgeois – résumé, condensé maintenant dans ce qu'on appelle le Grand Parti de l'Ordre. » On est ici en 1877, mais on peut écrire 2007. « Plus je vais, plus la Sottise me blesse. » Flaubert vient d'écrire ses *Trois contes*, il se lance dans *Bouvard et Pécuchet*. « J'ai fait dire, selon ma coutume, beaucoup de bêtises. Car j'ai le don d'ahurir la critique. » Et encore : « La Sottise est naturelle au pouvoir. Je hais frénétiquement ces idiots qui veulent écraser la muse sous les talons de leurs bottes. D'un revers de ses plumes elle leur casse la gueule, et remonte au ciel. Mais ce crime-là, qui est la négation du Saint-Esprit, est le plus grand des crimes. Et peut-être le seul crime ? » Et encore : « La bêtise humaine, actuellement, m'écrase si fort que je me fais l'effet d'une mouche ayant sur le dos l'Himalaya. »

Céline, lui, est tout aussi explosif : « Amusantes, ces coupures de presse. Elles donnent bien le ton de la méchanceté envieuse, lâche, imbécile, féroce, implacable, *naturelle*, banale, fastidieuse. C'est ça l'opinion. » Il en vient à trouver les critiques « épileptiques de haine et de sottises, et de *médiocrité vexée*, surtout. C'est la pire, *l'irrémissible.* » C'est lui qui souligne, et « médiocrité vexée » est une trouvaille géniale. Et encore (très à la Flaubert) : « On ne me découragera pas facilement de révolutionner la littérature française. Je veux avant de crever rendre encore cent mille crapauds des Lettres épileptiques, tétaniques. » Et encore : « Les critiques ne disent jamais que des sottises. Ils esquivent l'effort par le cancan et le menu chantage, journalistes avant tout, ce sont des papoteurs. Vous vous habituerez vite à ne jamais rien lire que sous cet angle. Mais ce qu'ils écrivent là est encore beaucoup trop favorable. Je voudrais bien qu'un autre se décide à me couvrir de crachats, cette modération relative est banale. C'est un ton qui s'oublie trop vite, la foule est sadique et lâche et envieuse et destructrice. Il faut lui donner des sensations de sac et de pillage et d'écrabouillage, autrement elle ne marche pas. »

Flaubert parle souvent de la haine suscitée par la littérature, et même d'une « haine inconsciente du style ». En voyant la dévastation quasiment neurologique de la capacité de lecture et de mémorisation, j'ai cru bon d'inventer le verbe « oublire », qui conjugue le fait de lire et d'oublier aussitôt ce qu'on a lu. Désormais, je vais demander : « Vous m'avez oublu ? »

25/11/2007

SARKOGÉNIE

Décidément, Sarkozy m'inspire, sa vie est un roman fabuleux, la mienne aussi, mais en sens contraire. Plus il s'étend à l'extérieur, plus je plonge à l'intérieur, et c'est pourquoi je le devine mieux que personne. Tout ce que je lis sur lui me semble faux, vieilli, superficiel, à côté de la plaque, sourdement jaloux, fasciné à l'envers. Il faut le dire une bonne fois : Sarkozy est le génie de notre époque, celle du spectaculaire intégral. Parler à son sujet de « coups médiatiques », c'est ne rien comprendre au nouveau réel dans lequel nous sommes entrés. J'entends murmurer qu'il serait vulgaire : oui, sans doute, et alors ? L'ère planétaire est vulgaire, et la dominer nerveusement n'est pas à la portée de n'importe qui. Sarkozy plus fort que tous les autres guignols du spectacle ? C'est l'évidence, et tout patriote français devrait en être fier. Les pauvres Américains, à travers *Time*, se dévoilent en parlant de la mort de la culture française. Elle est pourtant là, ultravivante sous leurs yeux, et ils ne voient rien. La preuve : le même *Time* proclame le triste Poutine « homme de l'année ». Quelle misère ! Autre affirmation dérisoire : il n'y aurait pas, aujourd'hui, en France, un seul écrivain qui ait une *global significance*. Quel aveuglement ! Je suis là, pourtant, je suis global, et ma *significance* est aussi variée que profonde. D'accord, on ne le sait pas assez, mais ça viendra. Pour l'instant, imaginez seulement qu'au lieu du couple idéal Sarkozy-Bruni, nous ayons aux commandes l'attelage poussif et provincial Ségo-Bayrou ! À quoi n'avons-nous pas échappé ! Vive la France !

30/12/2007

TOUJOURS PLUS FORT

Il y a eu le voyage en Chine, et Sarko, très à l'aise au milieu de l'armée en terre cuite rassemblée pour lui ; sa mère, surtout, à qui le président chinois, ému, a offert un châle. Cette présence maternelle n'a pas été assez commentée, d'autant plus qu'une autre mère, celle de Carla Bruni, est arrivée par la suite. Les mères, les enfants, voilà qui est admirablement joué. La Chine ? Bientôt les Jeux olympiques, et n'oublions pas que l'Opéra de Pékin est de construction française. Il y a eu ensuite Sarko en Algérie, les ruines de Tipasa, et le surgissement d'Albert Camus dans le discours présidentiel. Camus, c'est du solide, suivez mon regard, vers une union méditerranéenne et humaniste future. Il y a eu l'ébouriffante mise en scène de la visite de Kadhafi à Paris, sa tente, ses amazones, sa virée au Louvre et à Versailles, sa chasse à Rambouillet, son allure de seigneur hirsute et abrupt, ses déclarations de roi du désert, les indignations programmées qu'il fallait, les affaires. Quel film ! Il y a eu, il y a toujours, l'attente fiévreuse d'Ingrid Betancourt et la sollicitude permanente du président sauveur d'otages. Il y a eu le rapt de Carla à Disneyland, nouvelle percée à gauche, sabre dans le caviar, la mode, la chanson, les réseaux d'amants, la branchitude, *Libération*, *Les Inrockuptibles*, les fantasmes poussés à bout, la fuite en Égypte, les mystères de Louxor, l'annonce d'un mariage inouï et, pourquoi pas, d'un heureux événement (les mères sont là), bref, un modèle de campagne à l'intérieur des lignes ennemies, avec, en plus, promotion sociale du côté d'une très bonne famille italienne (aucune Française n'aurait fait le poids). Franchement, avez-vous vu mieux depuis Bonaparte ? Du haut des pyramides, quarante siècles contemplent cet exploit. Le Président est là, il jouit, il médite. Carla, le soir, lui chante doucement une berceuse, et Hollywood se convulse d'envie. Vous persistez à me parler du pouvoir d'achat, de l'augmentation des salaires et des sans-domicile dans la rue ? Quelle mesquinerie ! Et le penseur mondial de la gauche radicale, Badiou, qui compare Sarko à Pétain ! Quelle ringardise ! Vous ne voyez donc pas ce soleil nouveau de la République se lever sur le Nil ?

30/12/2007

ENCORE PLUS FORT

Là, le vieil anticléricalisme français en reste baba : Sarkozy chanoine, reçu par le pape, et vantant les « racines chrétiennes » de la France. Déjà la conversion tardive de Tony Blair au catholicisme avait de quoi inquiéter. Mais avec le chanoine Sarko béni par Benoît XVI en même temps que le sans-culotte Bigard, on atteint des sommets révolutionnaires. Les vieux cathos sont épouvantés, les anticathos stupéfaits : toujours l'attaque simultanée sur deux ailes, sans doute, le génie militaire est là. Le Président cite, pêle-mêle, Pascal, Bossuet, Péguy, Claudel, Bernanos, Mauriac, Maritain, Mounier, René Girard, des théologiens comme Lubac et Congar. Il offre à Sa Sainteté son livre extraordinaire sur les religions et deux éditions originales de Bernanos, et s'attire une remarque courtoise du pape, à savoir qu'il a déjà lu cet auteur dans la Pléiade. Je vais proposer aux éditions Gallimard une publicité : « Le pape lit la Pléiade. » Pas celle de Sade, assurément, mais sait-on jamais. L'avenir nous dira si, par autorisation spéciale, le mariage de Sarko et Bruni pourra être célébré à Notre-Dame de Paris. Avouez-le : ce serait grandiose, et je ne manquerais pas de vous faire part de mes réflexions. Pour l'instant, juste un peu d'eau froide : puisque le Président s'est mêlé de citer Pascal, une pincée des *Pensées* ne lui fera pas de mal. « Qu'une chose aussi visible qu'est la vanité du monde soit si peu connue, que ce soit une chose étrange et surprenante de dire que c'est une sottise de chercher les grandeurs, cela est admirable. »

Quant à nos amis-ennemis américains qui nous voient culturellement morts, rappelons-leur tout de même qu'à ce jour, chez eux, cent vingt-quatre condamnés à mort ont été innocentés, dont quinze grâce aux tests ADN. Et soyons précis : dans plusieurs États, dont la Californie, où les prisons comptent plus de six cents détenus en attente d'être exécutés, des études ont mis en évidence le coût financier de la peine capitale (jusqu'à 70 % de plus que pour une incarcération à perpétuité).

30/12/2007

LITTÉRATURE ET POLITIQUE

Poutine est donc, pour *Time*, l'« homme de l'année », et on voit à quel point cet homme à poigne joue mieux aux échecs réels que Kasparov. Il peut truquer les élections comme bon lui semble, on le félicite, et c'est normal. Les rapports entre les pouvoirs et l'art (les échecs sont un art) n'ont jamais été aussi parlants. On ne doit évidemment pas s'attendre à ce que Carla Bruni fasse découvrir à Sarko la musique du grand Stockhausen, qui vient de mourir. Le Président, nous venons de le constater, a augmenté ses références littéraires, qui jusque-là, se limitaient bizarrement à *Voyage au bout de la nuit*, de Céline, et à *Belle du Seigneur*, d'Albert Cohen, deux livres entre lesquels, pourtant, le goût le plus élémentaire exige de choisir. Mais Ségo ? Quels sont ses auteurs préférés ? Elle les a cités : Rabelais, Flaubert, Camus, Érik Orsenna, Nina Bouraoui, Marie N'Diaye, Fred Vargas. Liste surprenante, pour ne pas dire en chute libre à partir de Camus, lequel se retrouve, *in extremis*, chez Sarkozy. Camus est donc un auteur d'union nationale. L'unanimité, en littérature, n'est jamais très bon signe (sauf si on saute un ou deux siècles), et c'est pourquoi, aujourd'hui, l'excellent Modiano devrait se méfier. Il arrive pourtant qu'un écrivain suscite un véritable accord, sorte d'hommage du vice à la vertu, sacre d'ailleurs plus moral qu'esthétique. C'était le cas de Julien Gracq, le patriarche de Saint-Florent-le-Vieil, que ses admirateurs allaient visiter en pèlerinage. Il vient de mourir, à quatre-vingt-dix-sept ans, et il serait étonnant que *Time* lui consacre une couverture. Il est l'un des quelques auteurs français à être entré de son vivant dans la Pléiade. Le Président a loué, comme de juste, son retrait et sa discrétion. C'est un très bon écrivain, que je me rappelle avoir plutôt aimé à l'âge de quatorze ou quinze ans, et j'ai été touché que, dans l'une de ses dernières interviews, il ait déclaré lire avec plaisir mon *Dictionnaire amoureux de Venise*. Grand paysagiste, grand lecteur, aussi peu spectaculaire que possible (ce que le spectacle apprécie, avec toute l'hypocrisie dont il est capable), et d'une honnêteté scrupuleuse. Professeur de géographie, membre du Parti communiste dans sa jeunesse, admirateur de Breton, Jules Verne,

Stendhal et Chateaubriand, il va rester comme un éveilleur important et mineur. Son grand fait d'armes aura été, en 1951, d'avoir refusé le prix Goncourt. Par la suite, en douce, il a eu le prix Goncourt tous les jours. Comme Sartre, en somme, qu'il détestait, et qui, refusant le prix Nobel, se le voit décerner chaque année. Sartre est le grand vaincu des temps modernes, et on ne relira jamais assez *La Nausée*. Mais place, maintenant, au centenaire de Simone de Beauvoir, dont, à juste titre, vous allez entendre beaucoup parler. Allons, allons, bonne année !

30/12/2007

FUMÉE

On ne dit pas assez de bien de Roselyne Bachelot. Ses tailleurs roses, son enveloppement chaleureux, sa voix onctueuse, tout, chez elle, m'a convaincu que j'avais tort de fumer dans les cafés et les restaurants en mettant en danger la vie de mes concitoyens. Certes, on me répétait sans arrêt que fumer tue, que les tarés de la cigarette meurent prématurément, que l'abstention dans ce domaine favorise les chances de grossesse et diminue les troubles de l'érection, mais ces slogans restaient pour moi lettre morte. Avec Bachelot, j'ai compris, j'ai craqué, j'ai pleuré, j'ai cru. Ma conversion est profonde, je suis désormais un bienfaiteur de l'humanité, ma conscience morale, jusque-là fâcheusement endormie, augmente chaque jour. Je suis en pleine rédemption intérieure, je sauve à tour de bras des myocardes, des poumons, des spermatozoïdes, des embryons, je purifie l'atmosphère, je me sens plus

humain, plus collectif, plus fraternel. Admirable Roselyne ! Étoile du gouvernement ! Les ministres rament,
s'épient, se contredisent, ont peur d'être remaniés, mais
elle, qui oserait la contester ? Elle a réussi une révolution
de velours : pas de cris, pas de protestations, la foi,
l'acceptation, la résignation, la soumission immédiate.
Santé, sécurité, salubrité : la ronde et rose Bachelot
mérite la meilleure note de la Sarkom. Tony Blair, toujours *british*, a trouvé les mots qu'il faut pour saluer le
règne sarkozyste : « Vous avez la chance d'avoir un président très énergétique. » Ici, une petite pause merveilleusement calculée, et puis « dans tous les domaines ». Un
président énergétique dans tous les domaines ? Voilà une
allusion charmante aux succès amoureux de notre
monarque, pas de tabac, pas d'alcool, jogging et action
directe. En tout cas, même si je continue à fumer à l'air
libre ou chez moi (jamais les cigarettes n'ont été
meilleures), je suis fier et heureux de ne plus empoisonner que moi-même. Je le mérite, j'expie mes péchés.

27/01/2008

DIEU

On croyait que Dieu était mort, on avait tort. Il s'inscrit
désormais, de plein droit, dans une politique de civilisation, dans une vraie renaissance. Sans doute, Dieu peut
avoir de mauvais côtés, mais raison de plus pour encourager les bons. Là encore, le Président innove. Après sa
réception de chanoine à Rome, le voici soudain en Arabie
Saoudite, pour déclarer : « Dieu n'asservit pas l'Homme
mais le libère, il est le rempart contre l'orgueil démesuré

et la folie des hommes. » Après tout, il est possible que ce soit là une prière secrète de kamikaze se faisant exploser avec sa bagnole à Bagdad ou ailleurs. Il paraît pourtant que les ultraorthodoxes français de la laïcité sont choqués de cette revitalisation divine présentée comme ferment de stabilité sociale. Un homme qui croit, dit le Président, c'est un homme qui espère. En espérant, il se lève tôt, travaille plus pour gagner plus, ne fume pas, ne boit pas, manifeste le moins possible, n'a pas une vie sexuelle agitée. Oubliez vos conflits passés avec l'Église catholique, Dieu, désormais, est d'abord américain, et le dollar le dit : « *In God we trust.* » Essayez donc, même avec un énorme budget, de vous présenter aux élections américaines en vous proclamant athée : aucune chance. Dans cette dimension, toutes les religions se valent, et tant pis si ça ne plaît pas au pape. Dieu peut s'habiller comme il veut, il reste Dieu. Une société sans dieu n'a pas lieu d'être. Sarko est tout bonnement américain, pas du tout chinois, et sa conception pragmatique de l'histoire de France passe directement des cathédrales à Jaurès ou à Blum. Il manque deux siècles, celui de Louis XIV et le dix-huitième ? Aucune importance. Et puis, soyons sérieux, on n'est plus en 1905. Dieu, vous dis-je, Dieu. Que vous soyez juif, protestant, catholique, musulman (et, pourquoi pas, scientologue), je n'en ai rien à foutre. Dieu est falsifié par des fanatiques, mais tout le monde sait qu'il est modéré, progressiste, entreprenant, sérieux, tolérant, humaniste et antiraciste. Dieu veut le Bien universel et votre épanouissement personnel, voilà tout. Les questions sexuelles ? Très secondaires. Et je vous le prouve : allez voir la splendide exposition de *L'Enfer*, à la Bibliothèque nationale, on peut maintenant tout lire et tout voir, l'expo est seulement interdite –

comme l'alcool – aux moins de seize ans. J'aurais été comblé de la voir à l'âge de dix-sept ans. Mais quoi ? D'où vient l'impression de visiter, sous la mer, une merveilleuse épave engloutie ? C'était le temps où l'érotisme avait encore un sens à travers les siècles. Décidément Dieu s'améliore, il ne craint pas d'exhiber son soufre, il sait que la question n'est plus là, et pourquoi.

27/01/2008

FEMMES

La publication d'une photo de Simone de Beauvoir, nue, de dos, en train de se recoiffer dans une salle de bains, en 1952, à Chicago, a ému l'opinion. C'est simple à comprendre : Beauvoir s'y révèle très belle, très désirable, et quand on pense à ce qu'elle était en train de vivre et d'écrire (après l'événement du *Deuxième Sexe*), l'effet est encore plus vif. On vient de fêter le centenaire de sa naissance, mais c'est l'occasion de vérifier à quel point on sous-estime ses qualités d'écrivain. Qui sait exactement ce qu'elle dit dans le surprenant *Faut-il brûler Sade ?* Un texte contre Sade ? Pas du tout, un grand éloge, au contraire (peut-être pour embêter Sartre et Genet – « Genet, dit-elle dans une lettre à Nelson Algren, est un ange pur » à côté de Sade). C'est pendant et après sa passion transatlantique que Beauvoir écrit *Le Deuxième Sexe*, *Faut-il brûler Sade ?* et *Les Mandarins*, excellent roman qu'il est très actuel de relire. La publication de la correspondance de Beauvoir la révèle et change son image. Les lettres à Nelson Algren ont paru il y a dix ans, et c'est un chef-d'œuvre [193]. Beauvoir est très amoureuse de lui, mais

570

le trouve aussi un peu « provincial ». Il devrait apprendre le français, lire Stendhal, ça le dégourdirait : « Connaissez-vous Casanova ? Voilà un type qui savait baiser, du moins l'affirme-t-il dans ses *Mémoires*, mais il ne méprisait pas les femmes pour autant. » Et aussi : « Connaissez-vous Sade, chéri ? » Et aussi : « Chéri, vous devenez trop vertueux, ça me fait honte. Faites simplement ce qui vous chante, quand ça vous chante. Vous n'avez pas à vivre comme un moine, puisque vous n'êtes pas moine, ce dont je vous félicite. » Et aussi : « Mon cœur vous bénira dans le vice comme dans la vertu. » Plus étonnant : « J'abomine la politicaillerie, je la rayerais volontiers du monde. » Tout aussi étonnant : « Tout ce que nous écrivons, tout ce que nous faisons prend une signification politique ; les amitiés impliquent toutes un arrière-plan politique, c'en devient fastidieux. » Et ceci, à propos de certaines critiques : « Ça fout en rage de toucher du doigt à quel point ces salauds ne connaissent ni ne comprennent rien à rien, et encore moins à l'amitié et à l'amour. » Charmant Castor : « La vie est froide et courte, oui, c'est pourquoi vous auriez eu tort de mépriser des sentiments comme les nôtres, chauds, intenses. »

Et charmante Sagan, comme le montre le beau livre de Marie-Dominique Lelièvre, *Sagan à toute allure* [194]. Là, c'est l'énigme du talent se vouant physiquement à l'auto-destruction. Je vois que certains lui reprochent d'avoir été conventionnelle pour ne pas avoir affiché publiquement son homosexualité. Mais, en réalité, la « sexualité » ne l'intéressait pas, d'où le reste, voitures, alcool, amitiés fiévreuses, dépenses, jeu, coke. Sagan a été une savante lectrice de Proust, qui a été pour elle « un coup de foudre fracassant, précis et définitif ». *Avec mon meilleur souvenir* et *Derrière l'épaule* sont de grands livres. L'épitaphe qu'elle s'était choisie n'est pas mal non plus : « Ci-gît, et ne s'en console pas, Françoise Sagan. » Élégance et intelligence. Tristesse en repensant à de trop rares rencontres d'autrefois.

27/01/2008

KRACH

Dieu va-t-il nous sauver du terrorisme, du réchauffement de la planète, de la montée des océans, et surtout des fausses interprétations qu'il laisse faire de lui-même ? Ce serait souhaitable. Va-t-il, surtout, nous éviter un krach financier ? Dieu entrant en récession, ce serait un comble. Pour l'instant, une pensée émue pour le petit épargnant mondial dont la crédulité, une fois de plus, aura été flouée. La valse des banques est vertigineuse, et les discours raisonnables (surtout pas de panique !) sont les plus inquiétants. Quel cléricalisme ! Relisons plutôt Beauvoir, c'est rafraîchissant : « S'il est une idée qu'à travers tout son pessimisme Sade répudie farouchement, c'est celle de subir. C'est pourquoi il hait cette hypocrisie résignée qu'on décore du nom de vertu ; elle est en fait une soumission imbécile au règne du Mal, tel que la société l'a recréé ; en elle l'Homme renonce à la fois à son authenticité et à sa liberté. […] Ce qu'on appelle l'humanité et la bienfaisance, il les attaque fanatiquement ; ce sont des mystifications qui visent à concilier ce qui est inconciliable : les appétits inassouvis du pauvre et l'égoïste cupidité du riche. » Oui, rafraîchissant.

27/01/2008

LE VRAI SARKOZY

Je l'ai déjà dit : tout le monde se trompe sur Sarkozy, par manque de pénétration psychologique. On s'en tient à des apparences trompeuses – bling-bling, Rolex, agitation amoureuse, passion des médias –, alors que c'est un homme profond, blessé, en route vers la transcendance. Son cas a été subtilement analysé à Rome, lors de sa visite au pape et de sa prise de fonction comme chanoine à Saint-Jean-de-Latran. J'ai mes renseignements, je ne dévoilerai pas mes sources. Il suffit de savoir que le Président a été exorcisé à son insu, ce que le temps, peu à peu, mettra en évidence. En deux mille ans, les papes ont acquis un sacré coup d'œil. Sarkozy, dit un rapport secret, est en réalité un enfant turbulent et glouton, ayant, en toute circonstance, un désir sincère de grandeur et d'affirmation. Avec humilité, cependant, il est à la recherche d'un amour vrai, lequel, encore profane, devrait un jour embraser son cœur. Son intérêt pour Dieu peut sembler opportuniste, mais non, il admire vraiment les religions, même s'il n'a pas encore tout à fait admis que la seule qui soit absolument vraie est la catholique. Pour l'instant, il semble pratiquer un relativisme et un syncrétisme brouillons, parfois même désinvoltes, mais aucun doute, c'est à Rome qu'il sera, italiennement, de plus en plus conduit. C'est un Sarkozy apaisé et serein qui se dévoilera dans les années qui viennent. Il ne serait même pas impossible, alors qu'on le croit fasciné par les illusions de ce monde, qu'il termine sa vie dans un ordre monastique strict. Il faut y veiller, et à cet égard, il serait bon de lui donner un autre guide spirituel que son dominicain blanc un peu voyant. Pour reprendre la grande tradition, un jésuite serait préférable, d'autant plus que le Président ne semble pas avoir encore découvert l'Asie. Cet homme est foncièrement bon, il veut bien faire, et il doit être encouragé contre les laïcards et les républicains fanatiques de tout poil. La conversion retentissante de Tony Blair au catholicisme n'est qu'un début. Celle de la reine d'Angleterre viendra en son temps. Veillons et prions.

24/02/2008

TROMPERIES

Le SMS de Nicolas à Cécilia était peut-être un faux, mais il est quand même remarquable que les deux finalistes de la présidentielle française aient eu à se plaindre de leur conjoint. « J'ai été trompée », a dit Ségolène Royal. Je dois avouer que j'ai failli lui envoyer un SMS, genre : « Ce n'est pas grave, amitiés socialistes, Casanova. » Après le mariage sensationnel de Nicolas avec Carla, surpris au soleil dans le parc de Versailles, il importe maintenant que Ségo se marie avec un artiste ou un acteur de renom. Nicolas marié, Cécilia remariée, Ségo enfin mariée, qu'on en finisse. À leur âge, il serait temps que toutes ces braves personnalités passent dans une légalité sans reproches. « J'aimerai mon mari jusqu'à la mort », a dit Carla. C'est parfait, mais insuffisant tant qu'il n'y aura pas eu le sacrement de la véritable Église. Je vais intriguer pour obtenir du Saint-Siège une dérogation avec absolution plénière. « Dérive monarchique » ? Mais bien sûr ! « Monarchie élective » ? Enfin ! Inconsciemment, les Français ne demandent que ça, désir qu'avait compris l'astucieux Mitterrand, dont je trouve scandaleuse la mise aux enchères de ses vêtements. Une écharpe par-ci, un chapeau par-là, et pourquoi pas des mouchoirs, des slips, des chaussettes ? Est-ce ainsi que l'on traite les pharaons, les empereurs, les rois ? « Je crois aux forces de l'esprit », disait Mitterrand, lui-même bon petit catholique des Charentes. Mon Dieu, quelle misère ! Être enterré à Notre-Dame et finir à Drouot ! On n'imagine pas Mme de Gaulle bradant les uniformes et les képis de son auguste mari. À la mort de Louis XIV, Mme de Maintenon, secrètement mariée avec lui (scène inoubliable), entrait aussitôt au couvent. Si Sarkozy meurt avant Carla, ce qu'à Dieu ne plaise, celle-ci en fera-t-elle autant ? Mais alors, plus de photographes ? C'est dur, je sais, mais il faut bien s'y résoudre un jour.

24/02/2008

SOCIÉTÉ GÉNÉRALE

La Société est générale, le Spectacle aussi. Le « trader » est un souverain dans son genre. Il pianote, il spécule, il vend, il revend, la banque vacille, elle se reprendra, de même que le Président comblera, à la force du poignet, son trou dans les sondages. Regardez une salle d'ordinateurs : mille romans se font et se défont là, à toute allure, mélangeant les espaces, les temps. La planète virtuelle tourne, et avouez que ces milliards d'euros partis en fumée vous laissent stupéfaits, ahuris, incrédules. Il faudrait un miracle pour qu'il en aille autrement. Qui sait ? Peut-être cet été, à Lourdes, où le Président, on l'espère, accompagnera le pape au lieu des apparitions. Inutile de dire que j'attends cette photo dans *Match* avec impatience, de même que les images de Carla avec la reine, à Londres, et celles du voyage triomphal du couple présidentiel en Israël. Sarko pense beaucoup à la Shoah avec une effervescence enfantine, et il a raison, on n'en fera jamais assez sur ce sujet capital. Il aurait quand même pu demander la permission à Simone Veil, dont le sang, dit-elle, s'est « glacé » lors de son annonce au Crif. Un confesseur jésuite aurait peut-être conseillé au Président d'être plus prudent, mais il a ses bonnes intentions fiévreuses, et c'est très louable. Je vais d'ailleurs proposer mon programme éducatif pour les enfants de huit ou neuf ans : Shoah, naturellement, mais aussi un quart d'heure obligatoire de Mozart tous les jours. *La Flûte enchantée* chaque matin, où serait le mal ?

24/02/2008

Katyn

J'attends aussi, avec curiosité, le dernier film de Wajda sur le massacre de Katyn, en Pologne, qui a fait l'objet du plus grand mensonge de l'Histoire. Staline, à l'époque, a commandé l'exécution de vingt-deux mille Polonais, dont quatre mille officiers (l'élite aristocratique), tous assassinés d'une balle dans la nuque, travail épuisant, mené à grand renfort de vodka. On a fait passer cette horreur, pendant cinquante ans, pour un crime nazi, tout cela pour ne pas avoir d'ennuis avec les Russes (ne pas oublier que Roosevelt appelait Staline « Uncle Joe »). J'ai utilisé dans un roman, *Le Secret* [195], la confession hallucinante d'un des bourreaux à des Britanniques. Il y a probablement encore des gens qui ne veulent rien savoir de ces atrocités commises dans un pays rayé de la carte par le pacte germano-soviétique, qu'il convient plutôt d'appeler stalino-nazi. Le père de Wajda a été assassiné à Katyn. Sur ce sujet, donc pendant des années, lourd silence, énorme mensonge.

24/02/2008

ROBBE-GRILLET

Robbe-Grillet, « le pape du Nouveau Roman », comme disent les journalistes de façon bébête, est mort à quatre-vingt-cinq ans. Je l'ai bien connu autrefois, quand il passait pour un révolutionnaire dérangeant, ce que prouvent certains de ses livres, notamment *Dans le labyrinthe*. Dieu sait pourquoi, il s'est mis à faire du cinéma tocard et à écrire, par la suite, des livres pseudo-érotiques de plus en plus plats. En réalité, quoique drôle et plein d'humour, il aura été très « fin de siècle », c'est-à-dire un décadent. Sa façon d'entrer à l'Académie française sans y rentrer fera date. Qu'a-t-il découvert à cette occasion ? Qu'il ne voulait pas être académicien, mais que son œuvre, au fond, était académique. Il paraît que, dans une de ses dernières interventions publiques, il m'a traité de « clown ». Grossière erreur, mais sans importance.

24/02/2008

TROP-PLEIN

Aucun journaliste, comme c'est curieux, n'a jugé bon d'interroger le citoyen que le Président, agressé verbalement par lui, a traité de « pauvre con » au Salon de l'agriculture. Il aurait pourtant été intéressant de connaître ses raisons. De qui s'agit-il ? D'un travailleur ? D'un chômeur ? D'un marin-pêcheur ? D'un intellectuel ? D'un militant fanatique ? D'un candidat à la Villa Médicis ? Ne me dites pas que cet inconnu, désormais célèbre, est un ancien soixante-huitard, ce serait trop beau. Tout de même, on aimerait connaître son profil, son caractère, ses opinions, voir son visage dans les magazines. Être le « pauvre con » du Président pourrait même devenir une carrière. « Casse-toi, pauvre con ! » est une phrase mémorable. Quoi, pas la moindre interview, pas la moindre photo dans *Match*, pas le plus petit contrat d'édition ? Un petit livre, *Le Con du Président*, aurait du succès, j'en suis sûr, et, pour une fois, je ferais même nègre.

Le trop-plein ressemble au vide comme deux gouttes d'eau, et c'est là que surgit l'ennui qui nous guette. La France, après la tornade bling-bling, doit maintenant s'habituer à vivre en routine. Le Président s'habille en président, son épouse en épouse, la reine d'Angleterre bénit nos amoureux nationaux ; tous ces mariages et ces remariages indiquent la fin de partie. Non, non, je refuse de croire que Nicolas, Carla, Cécilia, Richard ne sont pas mariés pour la vie. Qu'il faille maintenant marier, chacun de leur côté, Ségolène Royal, Fabius et Hollande est un impératif raisonnable et festif. Et surtout plus d'infidélités, de divorces, de scènes de ménage. L'ennui, donc, avec pouvoir d'achat garanti.

Vais-je maintenant m'appesantir sur les turbulences du Medef, appelé à « fluidifier les relations sociales » (admirable expression) ? Sur la question des sectes et de l'église de scientologie ? Sur les sondages ? Sur le serpent de mer du troublant SMS ? Sur la vague rose municipale ? Sur la baisse du dollar et l'envol de l'euro ? Sur l'explosion du baril de pétrole et la ruée vers l'or ? Sur les menaces de Ben Laden contre le pape ? Sur la poudrière infernale du Proche-Orient ? Sur le duel fratricide Hillary-Obama ? Sur les quatre mille morts américains en Irak, sous l'œil satisfait de Bush ? Sur la nouvelle star de la nage, Alain Bernard ? Ah, laissez-moi respirer et préparer tranquillement mes Jeux olympiques.

30/03/2008

TIBET

Mais non, impossible, les Tibétains se révoltent, le dalaï-lama se bat, et les méchants Chinois font leur travail de barbares. Mon regard ne quitte plus le Toit du monde et Lhassa. Par tempérament, je me sens bouddhiste et solidaire des robes safran. Le dalaï-lama, sportif et tout sourires, c'est quand même autre chose que ce vieux Benoît XVI provocateur, qui baptise au grand jour une Chinoise et un musulman converti (de quoi faire rugir Ben Laden). Les droits de l'homme sont notre religion, elle doit s'appliquer partout et à chaque instant, par principe. Quelle idée, aussi, de confier les Jeux à la Chine, comme si on ne savait pas que ces Chinois, en douce, veulent conquérir la planète ! Faire circuler la flamme olympique d'Olympie à Pékin en passant par le Tibet, quelle folie ! La conjonction Grèce-Chine, quel effarant symbole historique !

Le Président, sans doute embarrassé, comme tout le monde, par ses contrats, a un peu tardé à manifester sa fermeté, mais il menace maintenant de ne pas se rendre à la cérémonie d'ouverture. L'été sera passionnant. Cette menace va certainement impressionner les Chinois qui, on le sait, sont particulièrement influençables. Une cérémonie avec Bush, Gordon Brown, Angela Merkel, mais sans Sarkozy, ça aurait de la gueule. Je parie que Carla admire intensément le dalaï-lama. Suivons-la.

30/03/2008

EUTHANASIE

On se battait jadis pour le droit à l'avortement et à la procréation maîtrisée. Désormais, logiquement, c'est pour le droit à mourir dans la dignité. Le calvaire de Chantal Sébire a révélé la formidable hypocrisie locale. Quand on n'en peut plus de souffrir et de vivre, pourquoi s'acharner ? Il y a un seul mot pour désigner cette surdité de la loi, celui de sadisme. Inconscient, bien sûr. En toute bonne conscience, bien sûr.

30/03/2008

JÜNGER

Vous ne vous ennuierez pas une minute, en revanche, en lisant les *Journaux de guerre* d'Ernst Jünger [196]. Les critiques ont insisté sur ses séjours à Paris, mais ils ont censuré ce que raconte Jünger de la vie allemande en 1944-1945, bombardements, confusion, viols et débâcle. Ceci, en tout cas, sur l'arrivée au pouvoir du docteur Goebbels, ce pied-bot satanique et séducteur, en 1933 : « On voyait toutes les relations de gauche de Brunner rivaliser de servilité auprès de Goebbels. C'était d'une manière générale, une bonne occasion d'observer l'impudence que provoque un changement brutal dans le pouvoir. L'Esprit du monde travaille aux moindres frais ; pour renverser cet édifice, point n'était besoin d'un Mirabeau. »

Et ceci, prophétique, sur la nouvelle humanité qui s'avance à la suite de la technique : « Étrangers aux langues anciennes, au mythe grec, au droit romain, à la Bible et à l'éthique chrétienne, aux moralistes français, à la métaphysique allemande, à la poésie du monde entier. Nains quant à la vie véritable, Goliaths de la technique – et, pour cette raison, gigantesques dans la critique, dans la destruction, mission qui leur est impartie sans qu'ils en sachent rien. D'une clarté, d'une précision peu commune dans tous les rapports mécaniques ; déjetés, dégénérés, déconcertés sitôt qu'il s'agit de beauté et d'amour. Titans à l'œil unique, esprits des ténèbres, négateurs et ennemis de toutes les forces créatrices. […] Étrangers au poème, au vin, au rêve, aux jeux, et désespérément englués dans les doctrines fallacieuses de pédants d'école arrogants. Mais ils ont leur tâche à remplir. »

30/03/2008

Patrick Besson

Quand Patrick Besson est bon, il est très bon. Ainsi ce portrait d'un critique médiatique (jumeau littéraire d'un autre critique tibétain du Cantal) :

« Michel Polac, dans les ultimes soubresauts de sa nudité intellectuelle, a fait un bébé à la télévision d'État, c'est Éric Naulleau. Son héritier en vues artistiques piteuses et en analyses politiques fofolles. [...] Sur le plateau, il fait la pluie des clichés et le beau temps de l'ennui. On cherche en vain les raisons pour lesquelles, dans l'arrondi satisfait de sa tête creuse, il semble si content de lui. Des années qu'il déambule dans les couloirs des journaux et des radios sans qu'on comprenne qui il est et ce qu'il veut. Ce qu'il a écrit, personne ne l'a lu. Ou ceux qui l'ont lu n'ont pas l'air de s'en souvenir. Il serait éditeur. C'est une créature indéterminée, telle que les médias en présentent régulièrement à notre absence d'appétit. Sur ce qu'il a vu, entendu ou lu, il donne des avis abondants comme des flots de salive. C'est le travailleur culturel forcé de dire des bêtises, puisqu'il les pense. »

Il faut dire que certains critiques font penser à cette remarque de Céline, en 1948, recevant des coupures de presse : « Amusantes, ces coupures. Elles donnent bien le ton de la méchanceté envieuse, lâche, imbécile, féroce, implacable, naturelle, banale, fastidieuse. C'est ça, l'opinion. » Deux ans plus tard, à propos des mêmes, il parle de « médiocrité vexée ». L'expression est sublime.

30/03/2008

FLAMME

Les Jeux olympiques ont donc commencé beaucoup plus tôt que prévu, et par un nouveau sport : la guerre des images, l'empoignade publicitaire. Il faut bien reconnaître ici que les Services de renseignements chinois se sont montrés étrangement nuls, ne prévoyant rien, ne comprenant rien, ayant sous-estimé, de façon peu stratégique, les énormes moyens de leur adversaire principal, le diable dalaï-lama, ce coureur souriant, qui est bouddhiste comme moi skieur de fond. Il devrait y avoir des limogeages au plus haut niveau à Pékin, l'agitation autour de la flamme l'exige. La momie de Mao s'en retourne dans son mausolée, l'infiltration américaine a réussi un coup planétaire, car qui oserait dire qu'il n'est pas pour les droits de l'homme au Tibet comme ailleurs, qui oserait douter de la flamme intérieure des moines ? Le Bouddha plus fort que tous les contrats ? On verra. Le dalaï-lama est sexy, aucun doute, même si son représentant français en robe, Mathieu Ricard, est plus plan-plan, avec sa bonne bouille et ses bras nus qui, paraît-il, ont séduit d'emblée le président de la République. Quoi qu'il en soit, les manifestations chinoises, mal préparées, ont été particulièrement pénibles. Cette jeunesse aurait besoin d'un bon conseiller en communication, et j'aurais sûrement trouvé mieux que les pancartes « Jeanne d'Arc prostituée, Napoléon pervers, France nazie (avec croix gammées), Corse libre ! » C'est franchement idiot, et, en plus, écrit en anglais. « Jeanne d'Arx prostitute », quel slogan en faveur du bûcher consumant la sainte ! Napoléon pervers ? C'est oublier que la première chose que Mao dit à Malraux lorsque celui-ci lui rend visite, est :

« Parlez-moi de Napoléon. » Quant à « France nazie », aujourd'hui, c'est quand même très exagéré, et ne peut venir que de provocateurs à l'intérieur même des Services. Que les Chinois me lisent, bordel ! Ou alors ils ont mal entendu : il faut dire « France moisie », pas « nazie » !

Médailles d'or, d'argent et de bronze aux sportifs tibétains, jusqu'ici peu connus pour leurs performances dans les stades, qui viennent donc de faire une entrée fracassante sur les podiums. La contre-attaque chinoise, il est vrai, commence à peine. Les Chinois ont quand même trouvé leur Jeanne d'Arc : la ravissante Jin Jing « l'ange souriant en fauteuil roulant », escrimeuse célèbre et handicapée, que le monde entier a vue, héroïque, à Paris, protégeant la flamme olympique contre ses barbares agresseurs. La Chine tout entière est désormais derrière Jin Jing. Le dalaï-lama macho contre Jin Jing angélique, quel match ! Cette fois, c'est le Président qui se trompe en choisissant ses émissaires vers l'empire du Milieu. Quelle idée, en effet, d'envoyer le vieux Poncelet, du Sénat, faire la bise à Jin Jing ! J'ai vainement attendu d'être sélectionné pour cette mission de charme. Et maintenant Raffarin ! S'agit-il d'effacer la déclaration de Ségolène Royal, menaçant, depuis le radieux Poitou-Charentes, la Chine arriérée ? Peut-être. En tout cas, le Président s'est excusé auprès de l'ange en fauteuil roulant, et l'a même invitée personnellement en France. Je vois ça d'ici : Jin Jing et Carla Bruni dans le parc de Versailles ! Au Louvre ! À Rambouillet ! Mieux que pour Kadhafi ! Le Spectacle a ses lois.

27/04/2008

AMÉRIQUE

Hillary Clinton ou Obama ? Une femme ou un Noir ? Ou encore, comme chacun le pressent, le vieux républicain en embuscade de toutes les peurs et de tous les conformismes ? Des journalistes femmes demandent au romancier américain Douglas Kennedy si Hillary a des chances en tant que femme. Il répond froidement : « J'ai des doutes quand je vois où en sont les femmes américaines. Dans ma génération post-soixante-huitarde, toutes les filles qui allaient à l'université étaient féministes. Trente ans après, 60 % de celles que je connaissais sont femmes au foyer. » Il continue en évoquant le puritanisme américain, l'histoire lamentable d'Eliot Spitzer, gouverneur démocrate de l'État de New York, qui a dû démissionner parce que le *New York Times* avait révélé ses relations avec une call-girl. Le même avait fait voter une loi pour que les clients des prostituées soient considérés comme coupables. Il précise : « Je pense qu'environ la moitié des femmes vont voter pour Hillary parce que c'est une femme, mais que beaucoup, au contraire, voudront défendre leur propre image de femmes au foyer, de bonnes mères. » Et puis, il y a eu l'affaire Monica Lewinsky : « Les conservatrices ont été choquées et ont assimilé le couple Clinton au péché, et quant aux féministes, elles ont trouvé qu'Hillary passait un peu facilement l'éponge. »

Je ne sais pas si Douglas Kennedy a lu mon roman, *Femmes* (sinon, il devrait), mais il est sûrement lucide, lorsqu'il décrit le « gouffre » qui s'est creusé entre l'opinion américaine et des types comme lui, « qui viennent de la côte Est, boivent du vin blanc, voyagent à l'étranger, ont des amis homosexuels, parlent français... autant dire des "faux Américains" ». Et de conclure : « Aujourd'hui, on a de nouveau *Desperate Housewives* : c'est Mme Bovary et Flaubert, cent cinquante ans après. » Éprouvant.

27/04/2008

DEBORD

Au début des années 1990, Guy Debord sort de son héroïque clandestinité, publie ses livres chez Gallimard (où il a désormais ses *Œuvres complètes*), et, le dernier volume de sa *Correspondance* le prouve [197], s'en prend violemment à moi. Insultes diverses, comparaisons absurdes (Cocteau, Bernard Tapie), il semble me considérer alors comme un simple agent « médiatique » ou un employé d'édition. Il paraît très fâché des éloges sincères que j'ai écrits à son sujet. Mais voici le plus beau, une lettre du 30 mars 1993, envoyée, depuis Venise, à son ami Jean-Jacques Pauvert :

« On a fait un saut ici (à Venise, donc) pour voir vite par nous-mêmes si la ville avait gardé ses meilleurs charmes. La réponse est clairement oui. On vous en montrera de peu connus, si seulement vous promettez de n'en rien dire à Sollers, qui ne saura pas plus les trouver que le reste des beautés du temps. »

Quelle imprudence. Si j'étais Sollers, surtout lorsqu'une autre lettre de Debord lui apprend que ce dernier a lu, en 1991, *La Fête à Venise* [198], j'entendrais là non seulement une charmante dénégation, mais une secrète tendresse. Absolution.

27/04/2008

SIGNES OCCULTES

Un de mes vieux amis, très versé dans les sciences occultes et qui a choisi, voici longtemps, de passer non pas de Mao à Moïse, mais de Mao au dalaï-lama, m'assure que les désastres naturels de ces temps-ci, en Birmanie et surtout en Chine, sont les conséquences des mauvais traitements infligés aux moines bouddhistes. Selon lui, les maîtres fondamentaux, ceux qu'on ne voit jamais et dont le dalaï n'est que la doublure publicitaire, sont formels : les typhons, les tremblements de terre relèvent d'une économie spirituelle cachée. Vous touchez à Lhassa, la terre tremble. Vous tabassez le sacré, il vous envoie des milliers de morts. Le *Talmud* tibétain, accessible à de rares initiés, peut déclencher des cataclysmes et des catastrophes. Ce sont des Jeux olympiques d'un genre particulier, peu grecs, soit, mais profondément asiatiques. D'après mon ami, pas du tout fou et très renseigné, les vraies négociations entre Lhassa et Pékin, ultrasecrètes, portent sur un rouleau spécial que les Chinois connaissent mais ne peuvent déchiffrer qu'à moitié (Mao lui-même en a eu connaissance). Bien entendu, la funèbre et criminelle junte birmane est tenue à l'écart de ces consultations. Pour elle, comme pour les Farc en Colombie, pas de quartier. Avec les Chinois, au contraire, le jeu est infiniment plus subtil et complexe. La Chine, en effet, contrairement à ce que pensent les médias occidentaux, n'est pas une Birmanie agrandie et barbare. Quoi qu'il en soit, la partie est en cours, l'échiquier vient d'être renversé, on repart à zéro dans les coulisses. Cela me rassure puisqu'un des premiers signes de détente apparaît dans la propagande chinoise, radoucie à l'égard de la France.

Mon ami est français, rien à voir avec le bonze Ricard, il sait ce qu'il dit, il travaille à la détente, je lui fais confiance. Mais tous ces morts ? Et les fausses photos de charniers d'Hiroshima publiées par *Le Monde* ? Eh oui, c'est affreux. Y a-t-il encore plus inquiétant, plus horrible ? Oui, la mère de Michel Houellebecq, sortie des enfers pour poursuivre son fils de sa malédiction. Pas bouddhiste pour un sou, la vieille.

25/05/2008

RELIGION

La photo la plus impressionnante est quand même celle de Ségolène Royal agenouillée dans l'église du Saint-Esprit, à Florence. Aucun doute, elle est là, toujours aussi belle. Elle prie devant un autel. Dieu est-il socialiste ? On l'a dit. Va-t-il prendre la direction du parti ? Ce serait beau, mais il faut que Delanoë et Strauss-Kahn trouvent une parade. Un petit tour au Vatican, comme celui du Président, désinvolte en chanoine, ne leur ferait pas de mal. Le pape, d'ailleurs, mine de rien, a déjà voté en musique puisqu'il vient de recevoir l'Orchestre philharmonique de Chine et les chœurs de Shanghai pour un concert magnifique et plein de ferveur : le *Requiem* de Mozart. On sait que ce très étrange Benoît XVI pianote un peu de Mozart tous les matins, dans ses appartements privés, et qu'il tient à le faire savoir : ça le repose, ça l'inspire. C'est ce qui s'appelle avoir Dieu au bout des doigts. Très habilement, tout en louant l'« humanisme universel » de Mozart (n'est-ce pas ?), le pape a pris soin d'accueillir, à travers les musiciens et les chanteurs et chanteuses (deux ravissantes lui serrent vivement la main), le grand peuple chinois tout entier, qui, a-t-il dit, va organiser bientôt un événement d'une grande importance pour l'humanité : les Jeux olympiques. Et pan sur le dalaï-lama, ce Père Ubu chéri des Occidentaux crédules. Le *Requiem*, d'accord. Mais le tremblement de terre-massacre qui suit ? Mon ami occulte (ne serait-il pas jésuite ?) hoche la tête, voulant dire par là : « Je suppose que les voies du Ciel sont impénétrables. » On se souvient que le tremblement de terre de Lisbonne avait fait, à l'époque, un effet violent sur Voltaire, qui doutait, surtout après la Saint-Barthélemy, que tout soit pour le mieux dans le meilleur des mondes possibles. Dieu est-il royal, socialiste ou papiste ? Qui nous le dira ? J'essaie, une fois de plus, de joindre Victor Hugo par tables tournantes mais la ligne est très occupée (Delanoë, peut-être ?). Quant à Voltaire, surtout depuis le Festival de Cannes, il est carrément aux abonnés absents. Je me rabats sur l'extravagant pasteur d'Obama, fondateur de l'Église unie du Christ et de la Trinité (Chicago), mais le candidat démocrate a fait couper son portable. Si vous avez des nouvelles (encore que cette Église me paraisse des plus bizarres), renseignez-moi.

25/05/2008

CRIMES

Je renonce à vous parler du glissement à droite de l'Angleterre et de l'Italie, où de brillants bouffons s'illustrent chaque jour. Je renonce aussi aux poubelles de Naples, à la grève larvée des lycéens et des enseignants, à celle des marins-pêcheurs, qui pourtant me touche davantage, aux petites rafales de couacs dans la majorité, etc., etc. Le crime d'envergure l'emporte, tel celui de l'incroyable Fritzl, en Autriche : viol et inceste avec sa fille, laquelle lui a donné (comme on dit) six enfants dans un souterrain aménagé en bunker. Voilà un homme. Et le spécimen Fourniret, aidé de sa femme lui rabattant des vierges, violées puis assassinées. Voilà un couple. Cette obsession de la virginité chez ce professionnel du crime a de quoi faire rêver à Lourdes. Tout à fait entre nous, je me demande si la cause de ces folies, de plus en plus exhibées, ne vient pas de Mai 68, et surtout des anciens maos. Je lis aujourd'hui même, dans un magazine populaire, que « Philippe Sollers se fatigue dans le reniflage des moisissures de la France » (*sic*). Cela me rappelle qu'un journaliste, s'en prenant à Sartre, après la guerre, accusait le pape de l'existentialisme d'une perversion peu commune : il draguait des jeunes filles à Saint-Germain-des-Prés, les emmenait chez lui, ouvrait une armoire et leur faisait renifler un camembert pourri. C'est Simone de Beauvoir (elle-même en a vu bien d'autres) qui raconte cette anecdote inventée. Oui, l'affaire est entendue : les mecs sont coupables. D'ailleurs, les Chinois sont coupables de tout. Les Chinois et les Iraniens, bien entendu, dont on s'étonne qu'ils n'aient pas encore la bombe atomique qu'ils méritent.

25/05/2008

BRETON

J'arrête ici mes « reniflages » pervers. Je vous propose du grand air, une sortie dans les bois, une fugue de liberté, de poésie et d'amour. Vous achetez seulement trois Pléiade, et vous aurez droit (*munificent* Gallimard !) à l'album André Breton bourré de documents, de trésors. Laissez là votre pénible lecture des assommants romans qu'on vous propose, les traductions déferlantes du réalisme poussif américain. Sortez, sortez, découvrez l'inventeur du surréalisme et ses fidélités indestructibles : Lautréamont, Rimbaud, Duchamp, Picasso. Vous aurez envie de trouver ou de retrouver ses livres magiques : *Nadja*, *L'Amour fou*, *Arcane 17* et, bien sûr, les *Manifestes*, qui vous paraîtront soudain frais, actuels, prophétiques, essentiels. Après tout, il est possible qu'un jeune homme d'aujourd'hui, fatigué de la débilité ambiante, s'émeuve en lisant ces lignes : « L'homme propose et dispose. Il ne tient qu'à lui de s'appartenir tout entier, c'est-à-dire de maintenir à l'état anarchique la bande chaque jour plus redoutable de ses désirs. La poésie le lui enseigne. Elle porte en elle la compensation parfaite des misères que nous endurons. [...] Il y aura encore des assemblées sur les places publiques et des *mouvements* auxquels vous n'avez pas espéré prendre part. » Cela est écrit en 1924, c'est-à-dire aujourd'hui et demain, en somme. Et encore : « Parmi tant de disgrâces dont nous héritons, il faut bien reconnaître que *la plus grande liberté* d'esprit nous est laissée. À nous de ne pas en mésuser gravement. »

25/05/2008

HYMEN

Je ne savais pas que la virginité, chez une femme, pouvait être considérée comme une « qualité essentielle ». Je ne savais pas non plus que l'industrie hyménoplastique marchait à ce point, puisque, paraît-il, les cliniques sont pleines. Voyez mon anomalie : jamais cette question ne m'a préoccupé et, soudain, je me sens anormal, trop peu religieux, barbare. Épouser une femme non vierge serait donc un comble de perversion ? Dieu se mêlerait de ce genre de détails, jusqu'à recommander les réparations qui s'imposent ? Tout cela me plonge dans des réflexions métaphysiques troublantes. La circoncision, pourquoi pas, puisque Dieu, dans sa version stricte, l'exige (mais, jusqu'à présent, personne n'a entendu parler de rajustements de prépuces pour clients insatisfaits). L'excision ? Horreur. La Vierge Marie ? Nous reverrons ça, avec le pape, en septembre, à Lourdes. Ces régions corporelles restent très agitées, et une Union méditerranéenne, dans ces conditions, risque d'avorter assez vite.

Regardez l'Europe : un « non » irlandais, et tout s'évapore, jusqu'à ce qu'on explique aux peuples qui disent « non » qu'ils ont voulu dire « oui » sans le savoir. Quel tourbillon incessant, quel cauteleux Kadhafi, quel bizarre Syrien debout, le 14-Juillet, regardant défiler l'armée française ! Je ne sais pas si vous êtes comme moi, mais je m'y perds. Surtout quand, après l'envol du baril de pétrole, j'apprends que la corruption fait rage en Irak : vingt-trois milliards de dollars ont disparu, alors que les opérations militaires américaines coûtent déjà quatre-vingt-dix milliards de dollars par an. Obama sera-t-il un sauveur ? Ne risque-t-il pas d'être assassiné, comme l'imagine déjà le cinéma tout entier ? On le sécurise au maximum, je sais, mais justement : plus la sécurité augmente, plus l'assassin se rapproche.

29/06/2008

ISRAËL

Notre Président a été parfait : il aime sincèrement Israël, il le dit, il le redit, ce qui fait une sacrée différence avec certains de ses prédécesseurs. Un voyage sans faute, des propositions équilibrées pour la paix. Le Président a lyriquement cité des génies dont le peuple juif peut être fier : Spinoza, Freud, Einstein. C'est oublier un peu vite la violente excommunication de Spinoza, laquelle n'a toujours pas été annulée par les religieux, Freud, sans doute, mais révélations sexuelles gênantes. Einstein, c'est certain. Mais tout est relatif. On aura remarqué une grande ombre absente, celle de Karl Marx qui, décidément, n'est plus du tout à la mode. C'est sa faute : il a trop parlé d'argent, ses analyses ont produit un désastre, le capitalisme n'a jamais été aussi triomphant. Oublier Marx ? C'est ce qui nous est demandé, et me pousse à avoir envie de le relire (plus falsifié que lui, tu meurs). Mais puisque le Président a parlé de Spinoza, et en pensant à la vie trépidante et épuisante qu'il doit mener avec son épouse, je dédie à ce couple courageux cette scolie de la proposition 23 du Livre V de *L'Éthique* : « Nous sentons et nous expérimentons que nous sommes éternels. » C'est ce que je vais essayer de raconter dans un prochain livre, succès assuré, d'emblée.

29/06/2008

INGRID I

Elle était exténuée, malade, presque morte. On n'attendait plus que la restitution éventuelle de son pauvre corps supplicié par près de sept ans d'enfer dans la jungle, sans cesse humiliée, torturée, enchaînée, transbahutée pieds nus dans des marches forcées, au milieu de brutes absurdes. C'était Justine, de Sade, dans *Les Infortunes de la vertu*. Tout avait échoué pour la faire libérer, la diplomatie ouverte ou secrète, les expéditions en avion, l'argent, les manifestations émues et de grande ampleur. On ne reverrait jamais Ingrid Betancourt, cette belle image de femme affichée partout sur les murs. Sa mère priait, ses enfants suppliaient, ses admirateurs se désolaient, le malheur triomphait.

Et la voici soudain libérée par l'armée colombienne, radieuse, en pleine forme, comme sortie d'une villégiature dans un hôtel cinq étoiles au fond des forêts. Elle est en treillis militaire, elle sourit (ah, ce grain de beauté sur la joue droite !), elle débarque à Bogota, embrasse longuement et très tendrement sa mère, et les voilà toutes les deux en train de prier à genoux sur le tarmac. On croit à une sorte de raptus émotif, mais pas du tout : Ingrid se met à parler de miracle, de Dieu, de la Vierge Marie et de tout le bazar catholique. À Paris, rebelote : ses enfants l'ont rejointe, ils débarquent enlacés, c'est la famille hyperchrétienne au complet (pas d'homme, évidemment, ça ferait léger), reçue par un Président sur un nuage et dont on se demande même, à un moment, s'il ne va pas partir avec cette superbe star, plantant là son épouse, pourtant très amoureuse, avec son album.

Et Ingrid insiste : elle prend rendez-vous avec le pape (on devrait les revoir ensemble bientôt à Lourdes), elle visite la chapelle de la Médaille miraculeuse, rue du Bac, elle est à la messe à Saint-Sulpice puis au Sacré-Cœur, au point que ses enfants et son premier mari, conscients de l'énormité de sa conduite, lui demandent d'arrêter de parler de religion parce qu'on va la prendre pour une grenouille de bénitier. Rien à faire, elle continue, elle lévite, elle est aux anges, et le Spectacle, qui a horreur d'être dérangé, commence à faire la tête et à murmurer en coulisses. Lazare, ressuscité aujourd'hui, ferait bien trois semaines de magazines et de télé, serait décoré de la Légion d'honneur, après quoi on lui demanderait de rentrer tranquillement dans sa tombe. Un miracle ? D'accord, mais pas trop.

27/07/2008

INGRID

Ingrid, cependant, tient à parler : « J'avais la foi avant, mais c'était une foi de rituel. On y croit, mais on peut s'en passer. Ça a été ma force, puis c'est devenu une présence absolue. Pour moi, c'est une réalité plus que réelle, comme je vois cette table et que je la touche. » Pas d'état mystique, dit-elle encore, pas de voix, pas d'images. La présence plus que réelle de l'amour.

Elle pardonne tout à ses bourreaux, elle voit qu'il y a chez eux (même quand ils lui serrent le cou avec une chaîne) un côté démon et un côté ange, comme chez chacun d'entre nous. Elle insiste : « Les hommes sont les animaux les plus dangereux de la forêt. » Et encore, en parlant de son « cercueil végétal » : « Tout est ennemi, tout est contre vous. Il n'y a plus que Dieu. » Elle pense chaque jour au suicide, elle précise pourtant qu'elle n'est pas devenue bouddhiste. Pas de dalaï-lama dans la jungle ? Non. Elle veut peut-être dire que le dalaï-lama est trop douillet ? C'est vrai qu'il n'a pas l'air précisément crucifié.

27/07/2008

CHINE

Les Jeux olympiques de Pékin ne devaient pas avoir lieu. Il y aurait des attentats, une pollution asphyxiante, une désorganisation monstre, des manifestants tibétains ou musulmans, mais la menace la plus sérieuse était l'absence du président français pour la cérémonie d'ouverture. Sans la présence de Nicolas Sarkozy, les Chinois peuvent-ils exister ? Grave question, qui a ému la planète entière. La France des droits de l'homme pouvait-elle accepter de reconnaître ce pays hitlérien ? Berlin 1936, Pékin 2008, même chose. On attendait au moins une révolte des sportifs au grand cœur. Là-dessus, les Chinois nous offrent un spectacle monstre (ils savent faire), célébrant leur culture millénaire avec une arrogance infernale. Où était la France il y a deux mille ans ? On se le demande. Et aujourd'hui ? On ne sait plus très bien. Laure Manaudou fait naufrage, Alain Bernard sauve un peu l'honneur, seuls les sabreurs français m'ont arraché des larmes. C'est quand même bien peu face aux huit médailles d'or du phénomène Michael Phelps, et à la performance éblouissante des Jamaïquains, Usain Bolt au cent mètres, et le triplé féminin, un vrai rêve. Les Jamaïquaines, voilà l'avenir. Au passage, il me semble nécessaire de rappeler que la Chine, aujourd'hui, compte deux cent cinquante-trois millions d'internautes. Ce n'est qu'un début, j'en ai peur. Une petite satisfaction quand

596

même : le siège du Front national a été racheté par une université de Shanghai.

24/08/2008

DALAÏ-LAMA

Vais-je me convertir au bouddhisme tibétain ? J'y pense. Paix intérieure, paix extérieure, écharpe blanche, bonne humeur, art de la communication impressionnant, quand on pense que le cœur de cette expérience de calme néantisant est le vide. Le dalaï-lama, en toute modestie humoristique, accepte sans broncher qu'on l'appelle « Océan de sagesse », « Sa Sainteté » et même « Joyau accompli ». Ces termes, d'après moi, pourraient m'être aussi décernés s'il y avait une justice en ce monde. Mais enfin, la place est prise, il y a de plus en plus d'adeptes en France, de belles jeunes femmes prient en silence, on entend des clochettes, et voici Carla Bruni, pour l'inauguration d'un temple, qui montre la voie à la résignation par rapport au pouvoir d'achat. Ségolène Royal, qui estimait scandaleux d'avoir été photographiée agenouillée dans une église de Rome, éclate de joie et de sérénité quand le dalaï-lama la prend en écharpe. Manuel Valls, lui, saute en l'air. La gauche est donc au rendez-vous spirituel du siècle. Voilà ce que nous avons à dire, nous, aux méchants Chinois. Le dalaï-lama, désormais, écoute sans arrêt l'album de Carla. Il sera rendu obligatoire dans la formation monastique. Comment, espèce de libre-penseur, vous préférez entendre une messe de Mozart ? Vous penchez pour le pape, malgré ses odieuses considérations sur la sexualité ? Vous iriez plutôt à Notre-Dame de Paris que dans un temple tibétain de province ? Plutôt Michel-Ange que les gros bouddhas peinturlurés assis dans leur éternel et souriant sommeil ? Vous me décevez beaucoup, vous n'avez pas d'âme.

24/08/2008

RUSSES

Parmi les obscénités de l'époque, on aura donc vu Poutine s'incliner avec des fleurs, devant le cercueil de Soljenitsyne. On préfère oublier la gêne extrême produite par l'arrivée de Soljenitsyne en France avec son *Archipel du Goulag*, lequel a été décisif pour toute une génération. Enfin, bon, cet homme exemplaire s'est voulu russe jusqu'au bout, c'était sa religion, là encore nous ne sommes pas à Rome. Après le cercueil de Soljenitsyne, Poutine, fou de jalousie par rapport aux Jeux olympiques chinois, a voulu rappeler son existence à poigne. Et hop, un tour de tanks en Géorgie, avec bras d'honneur aux États-Unis comme à l'Europe. Oléoducs, que de crimes sont commis en votre nom ! Ce qui serait beau, c'est une visite éclair du dalaï-lama à Moscou pour prêcher la paix au Kremlin. L'écharpe blanche irait très bien à Poutine. À qui ira-t-elle le mieux ? À Obama, champion du spectacle, ou au vieux McCain, sauveur des petits Blancs apeurés ? La France combat pour la paix contre le terrorisme : dix morts en Afghanistan, c'est quand même beaucoup.

Océan de sagesse ou océan d'argent ? Mon cœur balance. Quant à faire, mieux vaut être un oligarque comme Mikhaïl Prokhorov, quarante-trois ans, qui vient d'acheter, pour quatre cent quatre-vingt-seize millions d'euros, la célèbre villa Leopolda à Villefranche-sur-Mer (un temple bouddhiste ne ferait pas mal dans les environs). Ce sympathique individu aura cinquante jardiniers pour s'occuper de ses massifs, et voilà comment on fait fortune à l'ère de la flambée des matières premières. La Côte d'Azur est russe, le prochain Eldorado pour les tanks financiers devrait être le Maroc, et surtout Marrakech. Ah, la belle vie ! Et comment oublier que ce Prokhorov s'est vu inquiété, puis blanchi, après une fête à Courchevel à laquelle ont participé vingt-cinq prostituées… ? Le grand style.

24/08/2008

ANTISÉMITISME

Sur l'antisémitisme qui, paraît-il, agite encore quelques crétins, Nietzsche a tout dit dans une lettre à sa sœur : « Je me fais un point d'honneur de me sentir absolument propre et sans ambiguïté par rapport à l'antisémitisme, c'est-à-dire *opposé* à lui, ainsi que je le suis dans mes écrits. J'ai récemment été persécuté par des lettres et des feuillets de *Correspondance antisémite* : pour parler aussi *franchement* que possible, ce parti (qui n'aimerait que trop utiliser mon nom !) m'inspire du dégoût… et le fait que je sois incapable de faire quoi que ce soit pour lutter contre, et que dans tout feuillet de correspondance antisémite on utilise le nom de Zarathoustra, m'a déjà rendu malade à plusieurs reprises. »

Nietzsche, en son temps, n'a eu aucun mal à diagnostiquer, dans le bouddhisme, une forme achevée de nihilisme. Au fait, y a-t-il un libre-penseur tibétain ? Il faut que je pose la question à la sœur du dalaï-lama, qui, humblement, se fait appeler « vénérable ». On m'assure pourtant que le dalaï-lama s'est mis à lire la Bible, mais je n'en crois rien.

24/08/2008

PAPE I

L'Immaculée Conception n'est plus un dogme catholique obscurantiste, mais une possibilité de la technique. Les papes en ont eu la vision, et le phénomène Lourdes attend son interprétation essentielle. En tout cas, Benoît XVI a réussi, au-delà de toute espérance, son voyage en France. Les laïcards ont été submergés et révulsés, les caricaturistes débordés, *Charlie Hebdo* et *Siné Hebdo* fraternisent sur ce sujet, et vont encore plus loin que *Le Canard enchaîné*. Le plus amusant est cette frénésie, très hexagonale, à propos de la sexualité des papes. C'est tenace, insistant, fasciné, touchant, enfantin, assommant de répétition, mais justement. Plus l'obsession persiste, mieux les papes se portent. Je ne sais pas ce qu'est la laïcité « positive » (la laïcité tout court me convient très bien), mais la laïcité négative m'intéresse, et ses racines inconscientes aussi. Si j'étais scientologue, ce qu'à Dieu ne plaise, j'encouragerais à la fois le positif et le négatif, seule l'indifférence me paraîtrait insupportable. L'anticléricalisme tocard a donc de beaux jours devant lui, et le pape aussi, comme l'a prouvé son triomphe sur l'esplanade des Invalides, déferlement de jeunesse et de drapeaux jaune et blanc, mystère de la foi. Paris vaut bien une messe.

21/09/2008

PAPE II

Le collège des Bernardins, superbement rénové, est une merveille architecturale, au même titre que Notre-Dame, ce joyau de l'increvable croyance. Là, le pape a fait un tabac devant un parterre culturel de sourds. J'ai tendu l'oreille de loin, et je l'ai entendu dire des choses qui m'ont réellement ému. Exemple : « Le désir de Dieu comprend l'amour des lettres, l'amour de la parole, son exploration dans toutes ses dimensions. » Parfait, c'est ce dont je m'occupe jour et nuit avec persévérance. Et puis ceci, message codé : « Il en est réellement ainsi, en réalité, à présent, le *logos* est là, le *logos* est présent au milieu de nous. » Ça, croyez-moi, c'est très fort, mais comme l'a dit le personnage principal de toute la pièce, « il n'est pires sourds que ceux qui ne veulent pas entendre ». Je sais de source sûre, moi, ce que le pape pensait durant son travail épuisant : retrouver ses appartements, son piano, ses partitions de Mozart. Faire constamment de la géopolitique et guérir les malades, c'est bien, mais Mozart, c'est-à-dire Dieu lui-même, c'est mieux.

21/09/2008

ARGENT

Je décide de me mettre dans la tête d'un banquier d'aujourd'hui en pleine crise, c'est-à-dire dans le système nerveux d'un trader mondial. C'est lui qui parle :

« Ma force est celle de l'argent. Les qualités de l'argent sont mes qualités et mes forces essentielles. Ce que je suis et ce que je peux n'est donc nullement déterminé par mon individualité. Je suis laid, mais je peux m'acheter la plus belle femme. Donc je ne suis pas laid, puisque l'effet de la laideur, sa force repoussante, est annulé par l'argent. [...] Je suis méchant, malhonnête, sans conscience, sans esprit, mais l'argent est vénéré, donc aussi son possesseur. L'argent est le bien suprême, donc son possesseur est bon ; l'argent m'évite en outre d'être malhonnête et l'on me présume honnête. Je n'ai pas d'esprit, mais l'argent est l'esprit réel de toute chose ; comment son possesseur pourrait-il ne pas avoir d'esprit ? »

Comme c'est bien dit. Mais je dois à la vérité de préciser que ces lignes ont été écrites en 1844, et proviennent des manuscrits d'un certain Karl Marx. N'allez surtout pas me dénoncer pour avoir cité ce nom maudit. Comme chacun sait, il est temps de refonder le capitalisme. Ces milliards qui partent en fumée ont fait long feu. Le capitalisme financier était une simple perversion du système, et les parachutes dorés, les paradis fiscaux, doivent être repeints dans l'urgence. Tout doit changer au plus vite pour que tout continue d'une autre façon. Vous êtes comme moi : vous étiez parti pour gagner plus en travaillant plus, mais il faut maintenant sauver les banques, donc vous travaillerez plus pour renflouer plus. Et ne me parlez pas d'abattre le capitalisme, il est indestructible par définition. Ça n'empêchera pas (mais ils sont prévus au programme) quelques illuminés de prétendre qu'il faut réinventer et purifier le communisme, ce précieux allié du capitalisme d'autrefois. Allez, la musique.

26/10/2008

VERTU

Remarquez, j'aurais pu aussi bien citer La Bruyère (auteur très actuel) : « Il y a des âmes sales, pétries de boue et d'ordure, qui ne sont ni parents, ni amis, ni citoyens, ni chrétiens, ni peut-être des hommes : ils ont de l'argent. » Heureusement, nous avons, en France, des saints et des saintes. L'abbé Pierre, au ciel, prie pour nous. Sœur Emmanuelle, dans l'autre monde, prend soin de notre immortalité, pauvres chiffonniers que nous sommes. Le vice adore rendre hommage à la vertu. La preuve : ce prix Nobel de littérature décerné à l'excellent Jean Marie Gustave Le Clézio.

Je salue ce choix, je me réjouis de la leçon cinglante qu'il donne à la folie américaine prétendant que la culture française est morte. Le Clézio, Modiano sont en pleine forme. Kundera, écrivain français d'origine tchèque, survivra aux obscures manœuvres des officines policières. Je félicite en tout cas Dominique Strauss-Kahn de porter bien haut la fierté libidinale française au sein du FMI, prouvant ainsi que l'argent n'est pas tout, que la fraîcheur du désir est intacte. Quant à moi, si je peux me permettre, j'attends la création imminente du prix Nobel posthume qui sera le plus convoité. Je pose déjà ma candidature pour 2058, si le prix Nobel existe encore. En attendant, et pour une somme modique dans le chaos actuel, je veux bien être le nègre stagiaire de Strauss-Kahn pour ses Mémoires : *Journal d'un séducteur*, le titre a déjà été employé, mais on peut sûrement aller plus loin dans l'étrange.

26/10/2008

Paris

Comment nier l'effervescence intellectuelle qui règne à Paris ? Nous sommes en pleine Renaissance. Les bons livres succèdent aux bons livres, le Ségo-show a laissé loin derrière lui les pénibles contorsions des élections américaines, les romans anglo-saxons sont de plus en plus ennuyeux et lourds (plutôt n'importe quel film), Mesrine est de retour, Picasso enflamme la capitale. Le duel épistolaire BHL-Houellebecq a éclaté comme un coup de tonnerre et s'impose avec maestria. À ma grande surprise, je constate que j'apparais de-ci de-là dans les échanges entre ces deux grands professionnels. Par exemple, dans ce propos de Houellebecq : « Philippe Sollers a réussi à occuper de manière à peu près constante les médias, depuis un peu plus de quarante ans, sans que l'on apprenne rien, ou à peu près rien, sur sa vie privée. C'est là un succès admirable ; bien sûr il a commencé à une époque infiniment moins brutale que la nôtre, et les gens conservent certaines habitudes ; il n'empêche que cela laisse pantois. » À mon tour, je reste pantois.

26/10/2008

Fondamentaux

Soyons sérieux : jamais le fondamental, en pensée, en art, en littérature n'a eu plus de prix. Les milliards fument, les fonds remontent. Pierre Bergé a eu l'excellente idée de rassembler des préfaces d'auteurs français consacrées à des auteurs du passé [199]. Là, vous allez de merveilles en merveilles : Claudel et Giono sur Homère,

Tzara sur Villon, Gide sur Montaigne, Jouhandeau sur La Bruyère, Morand sur le cardinal de Retz, Camus sur Chamfort, Gracq sur Chateaubriand, Valéry sur Stendhal, Malraux sur Gide, Proust sur Morand...

Voyez Valéry : « Stendhal avait remarqué que les hommes importants, si nécessairement associés à la bonne marche des affaires, sont nuls et muets devant l'imprévu. Un État qui n'a pas quelques improvisateurs en réserve est un État sans nerfs. Tout ce qui marche vite le menace. Ce qui tombe des nues l'anéantit. » Et Morand sur Retz dans la Fronde : « Sa plume est sublime quand il peint la rue en émoi. Nous n'oublierons jamais : "Le mal s'aigrit ; la tête s'éveilla ; Paris se sentit... L'on chercha, comme en s'éveillant à tâtons, les lois." »

26/10/2008

TROBAMA

J'aime bien le réflexe de l'Amérique au bord du gouffre : le krach est énorme, il faut un messie imprévu, une espérance nouvelle, une superproduction globale, c'est donc Obama. On n'oubliera pas de sitôt cette grand-mère kényane, très allumée et pleine de joie, en train de danser dans son village à l'annonce que son petit-fils est devenu président des États-Unis. Magie noire ! Nouveau totem ! Levée du tabou ! Que Barack Obama ne soit pas l'héritier de la grande tradition noire américaine, celle issue de l'esclavage, celle qui a gémi si longtemps en accumulant tous les chefs-d'œuvre du jazz, ne doit pas nous cacher la profondeur de l'événement. Et maintenant, quoi ? Pendant des semaines, l'obamania a débordé partout, le sourire de mâchoire de Nice Brother a fait le tour de la planète, sa femme a la même dentition éclatante, ses filles sont adorables, l'Amérique est sauvée, donc le monde entier. Le trauma boursier va être surmonté, le capitalisme refondé (comme si c'était possible) et, bientôt, ce sera la désillusion, la pesanteur, l'ennui.

Trop d'Obama est en train de tuer Obama. Certes, il est beau, mince, propre, sérieux, sympathique, charismatique, pratique, diplômé, moral (il est pour la peine de mort), bon mari, bon père, mais que peut un homme confronté à une immense machine à broyer ? La loi du spectacle est de faire croire que le personnel humain compte encore pour quelque chose dans le Niagara des milliards. Nous devons le penser, l'espérer et le répéter. Barack ! Obama ! Coca ! Cola ! Évidemment, tout le monde ne peut pas, comme sœur Emmanuelle, partir vers Dieu « comme une fusée » (*sic*). Il reste beaucoup de sceptiques, à commencer par Strauss-Kahn, heureusement blanchi, au sein du FMI, de son aventure extraconjugale (merveilleuse expression). Il a, dit-il, « commis une erreur de jugement ». Tout acte sexuel n'en est-il pas une ? Ne me dites pas qu'Obama serait susceptible d'en commettre une semblable : Clinton a déjà donné, mais, dans son cas, c'était plutôt une erreur de tir.

30/11/2008

SÉGOMAR

Quel mois de novembre ! Refonder le capitalisme, c'est bien, refonder le socialisme, c'est mieux. Mais qui aurait pu imaginer que les socialistes français en arriveraient à un tel cirque ? Suis-je pour Martine ou pour Ségo ? En tant que spectateur intermittent, je suis intrigué par les deux. Bien entendu, si j'étais socialiste, je serais effondré, et si j'étais « de droite », je me réjouirais. Spectateur, sans doute, mais, là encore, le film me semble trop long, les actrices ont tort de s'éterniser en province, les militants sont fatigués de voter, et je dois avouer que j'ai tendance à m'endormir. Quel est le sinistre auteur qui, il y a dix ans, parlait de « la France moisie » ? Encore un terroriste d'ultragauche, sans doute. Ah, la SNCF a tout à redouter des lecteurs superficiels de Guy Debord !

Quoi qu'il en soit, j'ai trouvé Ségo en bonne forme, avec un nouveau feu intérieur, peut-être sentimental, et Martine dans une sorte de plénitude un peu fatiguée (elle semblait parfois n'avoir pas dormi depuis trente-cinq heures), mais bien touchante après sa courte victoire, avec son bouquet de roses rouges à la main. Ces deux rosières devraient s'entendre, ce serait illuminant et beau. Oui, c'est ça : qu'on les retrouve bientôt ensemble dans un grand concert, rieuses, déchaînées, mutines dans une mise en scène fracassante de socialisme à visage féminin ! Elles peuvent le faire, elles doivent le faire. Un frisson érotique parcourrait ce pays morose, les machos seraient enfoncés, Sarko et Carla épatés. Une colombe à deux têtes, pourquoi pas ?

L'année prochaine sera particulièrement rude, avec récession, déflation, chômage, dépression. L'amour entre femmes est-il donc impossible ? Quel plaisir ce serait, pour un amateur éclairé, d'aller de l'une à l'autre, de les écouter, de les confesser ! Le cardinal de Retz faisait ça très bien, autrefois, dans la grande France de la Fronde. Allez, ça suffit, il y en a marre de vos disputes, aimez-vous maintenant l'une l'autre. Quel roman ce serait ! Quelle bénédiction pour les masses, quel rebondissement pour l'observateur avisé ! Ici, je dois reconnaître un regret : la disparition de l'extravagante Sarah Palin ne fait pas mon affaire. Avec elle comme vice-présidente des États-Unis, mon journal se serait écrit tout seul dans un fou rire permanent. Tant pis.

30/11/2008

LECTURES

Faire un peu d'histoire ne vous fera pas de mal, c'est pourquoi vous devez absolument avoir entre les mains le volume de la collection *Bouquins* consacré à François Mauriac, qui réunit son *Journal* et ses *Mémoires politiques*[200]. Mauriac, on le sait, a été un journaliste exceptionnel, tout simplement parce qu'il était un excellent écrivain. Sa lucidité est sans défaut, et je vous recommande le grand chapitre *France et Communisme*. Voici, par exemple, ce qu'il écrit, en 1946, dans *Le Crépuscule du socialisme* : « Vous pouvez à Nuremberg pendre haut et court les derniers survivants nazis. Mais qu'est-ce que cela signifie si, après eux, les petites nations continuent d'être asservies, si la transhumance des troupeaux humains ne s'interrompt pas, si là où les communistes sont les maîtres, le travail forcé, camouflé sous des vocables édifiants, résout le problème de la production et du rendement par des procédés que connaissait déjà ce Chéops dont la manie était de construire des pyramides ? »

Qui est Alessandro Mercuri ? Je ne sais pas. En tout cas, il vient d'écrire un petit livre étincelant. *Kafka*

Cola[201], variations inspirées par la fameuse phrase de l'ancien patron de TF1 : « Ce que nous vendons à Coca-Cola, c'est du temps de cerveau humain disponible. » Qu'est-ce que cette nouvelle substance de cerveau et où nous entraîne-t-elle ? Vous verrez.

Enfin, pour mieux lire mon prochain roman, *Les Voyageurs du Temps*[202], où il joue un rôle important, ne manquez pas l'extraordinaire enquête de Jean-Jacques Lefrère sur Lautréamont[203], avec une masse de documents inédits. C'est impressionnant.

30/11/2008

NOBEL

Eh bien, il faut féliciter le jury Nobel d'avoir couronné Le Clézio, c'est-à-dire la littérature française. Voilà une bonne chaussure lancée contre la propagande américaine qui n'en finit pas de décréter notre mort. Je le vois très vivant, au contraire, notre petit pays. Espérons qu'Obama va renverser la tendance, il est déjà écologiste, il va découvrir l'Europe, ce sera parfait. Le Clézio, lui, avec un humour impeccable, a fait résonner, devant un parterre hyperconvenable et blanc, un hommage aux Amérindiens, à leur mode de vie libre, à leurs mythes. Lévi-Strauss a cent ans, Le Clézio soixante, la relève est assurée, nous sommes loin du mensonge américain représenté par l'extraordinaire arnaque financière de Bernard Madoff, cinquante milliards de dollars.

Écoutez un peu de prose nobélisée française. Le Clézio parle d'une chanteuse nommée Elvira : « Le timbre de sa voix, le rythme de ses mains frappant ses lourds colliers

609

de pièces d'argent sur sa poitrine, et, par-dessus tout, cet air de possession qui illuminait son visage et son regard, cette sorte d'emportement mesuré et cadencé, avaient un pouvoir sur tous ceux qui étaient présents. À la trame simple des mythes – l'invention du tabac, le couple des jumeaux originels, histoires de dieux et d'humains venues du fond des temps –, elle ajoutait sa propre histoire, celle de sa vie errante, ses amours, les trahisons et les souffrances, le bonheur intense de l'amour charnel, l'acide de la jalousie, la peur de vieillir et de mourir. Elle était la poésie en action, le théâtre antique, en même temps que le roman le plus contemporain. Elle était tout cela avec feu, avec violence, elle inventait, dans la noirceur de la forêt, parmi le bruit environnant des insectes et des crapauds, le tourbillon des chauves-souris, cette sensation qui n'a pas d'autre nom que la beauté. »

Grand silence à Stockholm, parmi les smokings et les robes du soir, sans parler des bijoux, des diadèmes, des étoles, des produits de beauté, des fourrures. Sacré Le Clézio : bien joué ! Là-dessus, on entend parler de fraude pour le prix Nobel de médecine, une enquête est ouverte, l'industrie pharmaceutique serait dans le coup. Mes renseignements sont formels : les éditions Gallimard n'ont pas versé un euro aux jurés du prix Nobel de littérature.

28/12/2008

LYCÉENS

La crise financière et son délire spéculatif font surgir de façon bizarre le mot « épargnant ». Ah, ils ne sont pas épargnés, les épargnants, et l'ère Bush se termine d'une drôle de façon, avec, à Bagdad, le lancer de chaussures d'un nouveau héros médiatique Mountazer al-Zaïdi. « C'est le baiser de l'adieu, espèce de chien ! » a lancé à Bush ce champion olympique. Une photo, un plan vidéo, et le tour est joué. Qu'est-ce qui est le plus efficace ? Ça ou les manifestations de grande ampleur des lycéens de Grèce ? J'ai entendu un reporter, depuis Athènes en feu, prononcer cette phrase étonnante : « Les anarchistes n'étaient pas prévus au programme. » L'anarchiste prévu au programme est, en effet, un concept policier.

Ce qui s'est passé en Grèce peut-il avoir lieu en France ? C'est la grande peur du programme, attention aux chaussures qui pourraient voler. Cela dit, je n'ai pas été entendu : la réconciliation amoureuse entre Martine Aubry et Ségolène Royal ne semble pas fonctionner. Les socialistes, décidément, ne sont pas à l'heure, malgré la passion étrange de Julien Dray pour les montres de luxe. Pendant ce temps-là, Nicolas Sarkozy se fait applaudir par le Parlement européen (socialistes compris), bouscule ses ministres et ses députés, file au Brésil où Carla Bruni fascine les médias. Carla déclare : « Je ne suis plus une croqueuse d'hommes. » Elle a trouvé l'amour, le mariage est une très ancienne solution d'avenir, mais le lycéen à six cents euros, privé de futur, entendra-t-il cette leçon de bonheur terrestre ?

28/12/2008

ÉNERGIE NOIRE

Non, il ne s'agit pas encore d'Obama, mais de la structure, en cours de vérification, de l'univers où nous sommes.

La matière noire, par définition invisible, constitue 70 % de ce qui s'offre à notre observation. Vous ne me connaissez qu'à 30 %, et encore. Regardez cette énorme hémorragie d'argent : c'est un trou noir, caisses noires, allez-y voir vous-mêmes si vous ne voulez pas me croire, tout est opaque, verrouillé, fermé, déguisé. Votre banquier a de grands soucis, et il n'est pas le seul, des ruines s'annoncent. Sauf accident dans leurs relations, les escrocs, eux, s'en tirent toujours.

28/12/2008

LECTURES

Ne croyez pas ce qu'on vous raconte déjà sur la production littéraire de janvier. Romans comme ci, romans comme ça, vous êtes pressés de trouver enfin un livre qui dure, c'est-à-dire autre chose qu'un film à vite oublier. Vous voulez du sûr, du solide, votre pouvoir d'achat l'exige. Donc : *Éclairs de pensée, écrits et entretiens sur l'art* du grand Auguste Rodin, textes réunis et présentés par Augustin de Butler, aux éditions du Sandre.

Picasso doit beaucoup à Rodin, et le succès de son exposition actuelle à Paris prouve que le public a soif de beauté, de maîtrise et, précisément, de « pensée ». Tout ce que dit Rodin de son art de sculpteur, mais aussi de l'art antique ou des cathédrales, est admirable. Il y revient sans cesse : la Nature, et encore la Nature, le corps humain dans ses profils et ses modelés. « En art, qu'appelez-vous la vie ? Une chose qui vous pénètre en tous sens. » À propos d'un torse grec : « Tout tremble de joie, rien ne se précise, et tout est ferme. »

28/12/2008

GODORAMA

Ce qu'il y a de beau et de terrible, désormais, dans le Spectacle généralisé, c'est sa plasticité immédiate. Vous n'êtes jamais sûr d'avoir vu ce que vous avez vu, ni entendu ce que vous avez entendu. Le Spectacle est à la fois puissamment réel, permanent, passé, irréel, de plus en plus virtuel, et malgré tout réel. Hier est déjà très loin, demain a déjà eu lieu, tout se remplace et s'efface. Exemple : vous dites « Gaza », mais s'est-il vraiment passé quelque chose à Gaza ? Vous dites « Fatah », « Hamas », « Hezbollah », mais que recouvrent ces noms, quelle est leur signification profonde ? Vous dites : j'ai vu des ruines, des cadavres, des linceuls à répétition, des visages égarés de souffrance, et puis j'ai entendu des hurlements, des cris, des sirènes, des bombardements, mais ces morts existent-ils, ces bombardements ont-ils eu lieu ? Oui, aucun doute, mais tout disparaît aussitôt pour recommencer. Le film vous est diffusé en boucle, vous l'avez déjà vu, mais ça continue.

Or voici le nouveau grand film qui annule tous les autres : « Godorama ». Le personnage principal, ne vous y trompez pas, c'est lui, « God », que le trop pessimiste Samuel Beckett appelait Godot. On l'attend toujours, il ne vient jamais, c'est à désespérer les acteurs. Eh bien, si, il est enfin arrivé. Ne traduisez pas « God » par « Dieu », ça n'a rien à voir. God n'est ni Dieu, ni Yahvé, et encore moins Allah. God plane au-dessus de vous comme une entité supérieure à toute réalité naturelle ou humaine. Vous ne croyez pas en God ? Aucune importance, le dollar, lui, y croit, et c'est bien là l'essentiel. Vous dites que le dollar est en difficulté, qu'il s'évapore en fumée à travers des escroqueries gigantesques ? Allons donc ! Le nouveau Messie est là, il s'appelle Obama, il blanchit tout d'un seul coup, il sauve l'Amérique, donc le monde. C'est Nice Brother en personne, sécurité, honnêteté, sobriété. Je lui fais entièrement confiance pour animer le nouvel épisode de « Godorama ».

25/01/2009

OBAMAMA

Quand je l'ai vu s'avancer, à Washington, pour la grande cérémonie à deux millions, ou plus, de figurants enthousiastes (sans compter la présence de toutes les télés mondiales), j'ai eu peur un instant pour lui. Cet élégant garçon, croyez-moi, est fragile. Il avait l'air perdu, sonné, sous tranquillisants, comme écrasé par l'amoncellement des emmerdements qui l'attendent. Il s'est repris par la suite, il s'est forcé à son rôle viril, il a un peu trébuché, comme à l'école, en prêtant serment, mais enfin c'est un bon professionnel, il est vite redevenu sérieux, appliqué, authentique. Il n'y croit pas beaucoup, mais il récite bien.

Et puis, Dieu merci, il y a God. « *God bless America* » : tout ce que fait l'Amérique est béni par God, quoi qu'il arrive. Et pour bien servir God, vous avez le gros et ahurissant pasteur Rick Warren, un vrai cinglé celui-là, qui vous met interminablement God à toutes les sauces, pureté, responsabilité, liberté, égalité, fraternité. Il prie en public, il parle très fort, il me donne immédiatement envie d'aller me réfugier chez le pape. Mais entre son gros pasteur et sa femme, Michelle, qui le regarde d'ailleurs avec indulgence comme un débutant à encourager, Obama ne va pas s'amuser tous les jours. God le surveille, et Godo-mama aussi. Comme on est loin du désinvolte Bill Clinton, le seul président des États-Unis qui a su jouer du cigare à la Maison-Blanche avec la fabuleuse Monica Lewinsky ! God fermait les yeux (pas longtemps) à l'époque ! Le voici revenu en pleine forme, car la question est sérieuse, c'est-à-dire l'économie elle-même. Si cette affaire vous intéresse, vous en avez pour un certain temps, le grand bavardage des experts vous attend dans *Godorama*, la plus grande superproduction du début du XXIe siècle.

25/01/2009

FAUTE DE GOÛT

J'en vois deux, mais énormes : l'incroyable mélasse de musique de patronage pseudo-classique interrompant la sacralisation du serment (pourquoi ne pas avoir célébré la grande musique de jazz noire par un concert endiablé, mieux qu'avec l'ancêtre fatiguée Aretha Franklin), et la pénible grosse poétesse, dont je n'ai pas pu entendre la prestation, puisque toutes les télés l'ont coupée. Zéro en musique, zéro en poésie. Quelle tristesse ! Quel manque d'oreille et d'espoir ! Quelle bible fermée ! Quel plomb durci !

25/01/2009

POUBELLICATION

Le mot « poubellication » a été inventé par Lacan qui pensait que seule la transmission orale avait un sens véritable, et que les livres ni faits ni à faire couraient les rues en empêchant les plus pensés d'être lus. Pour moi, écrire est une joie, publier me fatigue, mais on a, de temps en temps, l'occasion de rire. Je lis ainsi, dans *L'Express*, magazine qui, je ne sais pourquoi, me poursuit d'une animosité tenace, un article d'une pigiste sur mon dernier roman *Les Voyageurs du Temps*. Sa conclusion est la suivante : « L'élixir du Révérend Père Sollers n'a rien de corrosif. » Je suis obligé de me demander si cette charmante pigiste sait ce qu'est un élixir, et si elle a déjà fait l'expérience, dans sa vie amoureuse, de ce genre de philtre magique. Mais là où je m'inquiète, c'est de la voir imaginer un élixir « corrosif ». Un tord-boyaux alors ? Je dois l'avouer : j'écris au margaux, pas au picrate.

Un reproche lancinant m'est fait : je n'écrirais pas de « vrais romans ». Le vrai roman, pour la critique littéraire française, est visiblement un livre qu'on doit lire comme on voit un film, le modèle étant anglo-saxon une fois pour toutes. D'ailleurs, dès que la critique chronique un « vrai roman », il s'agit, en réalité, de raconter un film (c'est-à-dire, le plus souvent, un roman familial). Hors du roman psychologique à embarras sexuel ou parental, pas de salut. Or rien n'est plus romanesque, aujourd'hui, que de se poser la question de la vraie lecture, puisqu'on peut en constater partout la consternante dévastation. Le roman vrai, c'est l'existence plus ou moins intensément poétique et par conséquent très interdite, c'est tout.

25/01/2009

CRITIQUES

Un écrivain sait, en général, pourquoi certains l'aiment, pourquoi d'autres le détestent, pourquoi, enfin, le plus grand nombre reste indifférent. Le lourd silence de tel ou tel support ne l'étonne pas, la violence d'autres régions non plus, surtout chez les agités de la branchitude, où l'ignorance crasse atteint parfois des sommets. Les bonnes critiques sont encourageantes, même si elles auraient pu être meilleures. Il y a d'admirables surprises, par exemple dans *Le Figaro Madame* : « Sollers bande encore. On est content. » C'est une jeune femme qui parle, on lui fait confiance.

Mais il y a mieux : la critique moralisante qui fait réfléchir. Ainsi celle de cette mère de famille de province, étrangement relayée par *Le Monde*. Elle me trouve éblouissant mais exaspérant, doué mais procédant trop par « fanfaronnades », « postures avantageuses » et « rodomontades » (mot charmant). J'ai du talent, mais je suis « fielleux ». Je sais écrire et lire, mais je circule malheureusement dans un « climat mystico-religieux ». Là, je sens que je dois faire attention : *Le Monde*, c'est du sérieux, les mères de famille de province aussi.

Je vais donc m'appliquer, devenir égalitaire et modeste, insister sur mon humanisme, ne pas me vanter de conquêtes qui ne peuvent être qu'imaginaires, filer doux, me tenir à carreau, aimer mes semblables, mes frères, adhérer, pourquoi pas, au Parti socialiste, respecter les femmes et surtout les mères de famille, écrire pour elles de vrais romans, dire du bien de la vaste humanité profonde et de ses vraies gens. Qu'importe que Gide ait dit un jour : « C'est avec les bons sentiments qu'on fait la mauvaise littérature ». Gide s'est trompé, voilà tout.

22/02/2009

La NRF

La Nouvelle Revue française a cent ans, les éditions Gallimard auront cent ans dans deux ans. Sous ces titres, que de figures de premier plan, combien de morts plus vivants que la plupart des vivants ! En arrivant à Paris, l'armée allemande avait des ordres stricts : prendre la Banque de France et *La NRF*. Après la Seconde Guerre mondiale, à la fin des années 1950, *La NRF* avait encore une grande influence, je la lisais de près dans ma jeunesse, et puis il y avait les rendez-vous avec le subtil et sinueux Jean Paulhan, qui m'invitait chez lui, rue des Arènes. Il me prêtait des livres introuvables, chinois la plupart du temps. C'est dans son bureau que j'ai lu *Orthodoxie*, de Chesterton. Il me reprochait de préférer Ezra Pound à Saint-John Perse, je maintiens mon jugement. Amusant Paulhan, doux, brusque, auréolé par *Histoire d'O* et Sade, démonteur d'illusions, ironie en action, courtois, un peu fou, en alerte, jamais de clichés, jamais de bons sentiments. Ah *La NRF* ! Je relis cette lettre de Jacques Rivière à Marcel Proust : « N'oubliez pas la force dont votre œuvre est pleine. Vous aurez beau faire, vous êtes trop dru, trop positif, trop vrai pour ces gens-là. Dans l'ensemble, ils ne peuvent pas vous comprendre, leur sommeil est trop profond. »

On sait que Baudelaire (peu aimé de la mère de Proust, et pour cause) a multiplié en son temps les fanfaronnades et les rodomontades, les postures avantageuses et exaspérantes, dans un climat mystico-religieux. Il l'a payé cher. Il en rajoute d'ailleurs dans un projet de préface aux *Fleurs du mal* : « J'ai un de ces heureux caractères qui tirent une jouissance de la haine, et qui se glorifient dans le mépris. Mon goût diaboliquement passionné de la bêtise me fait trouver des plaisirs particuliers dans les travestissements de la calomnie. »

N'oublions quand même pas les deux erreurs initiales et sensationnelles de *La NRF* au temps de sa gloire : le refus de Proust, et, plus tard, celui de Céline. Ça s'est arrangé. *La NRF* s'arrange toujours.

22/02/2009

ESPÉRANCE

Qu'est-il permis d'espérer en ces temps de crise mondiale ? Plusieurs symptômes ouvrent la voie : les sept cent cinquante mille visiteurs de l'exposition Picasso, files de deux ou trois heures d'attente, la nuit, par un froid sibérien jusqu'à quatre heures du matin (souffrir pour voir Picasso, expiation nécessaire) ; l'incroyable passion pour Bach manifestée à Nantes ; l'entrée triomphale des manuscrits de Guy Debord à la Bibliothèque nationale (avec ce commentaire cocasse : « L'État reçoit son enfant terrible »). Mais si vous voulez savoir ce qui se trame en profondeur aujourd'hui, c'est-à-dire demain et après-demain, prenez dès maintenant une option sur deux nouveaux « enfants terribles » : Yannick Haenel et François Meyronnis. Leur livre commun, *Prélude à la délivrance*[204], vous frappera par son intensité et sa radicale beauté. Jamais on n'a lu *Moby Dick*, de Melville, avec une telle passion précise. Et puis cent autres choses qui surgissent, toutes neuves, au cœur de la catastrophe actuelle. Mais j'ai déjà peur que ce volume soit taxé, par les obscurantistes et les petits-bourgeois locaux, de fanfaronnade et de rodomontade, voire de délire mystico-religieux. Rien de plus faux : c'est simple, évident, prodigieusement cultivé, lumière sûre dans les ténèbres. Allez-y voir vous-même, si vous ne voulez pas me croire.

22/02/2009

LANZMANN

Claude Lanzmann publie, début mars, ses Mémoires sous un titre mystérieux : *Le Lièvre de Patagonie* [205]. Ce qu'on y apprend est fabuleux, depuis l'adolescence résistante d'un juif français dans la sombre époque, jusqu'à la réalisation de ce grand chef-d'œuvre, *Shoah* (douze ans de travail, dans les pires difficultés). Cent portraits vibrants, avec, évidemment, Sartre et Beauvoir. Le livre ne se lâche pas, c'est un roman foisonnant. Lanzmann est l'homme qui a réellement regardé la mort en face, la plus atroce des morts, celle des chambres à gaz. Il paraît qu'un sinistre évêque intégriste nie encore leur existence. On fêtera sa disparition.

22/02/2009

PAPE

C'est décidé, il le faut, je prends en main, en secret, la communication du pape. Assez de criailleries, de pleurnicheries, un peu d'autorité que diable ! D'abord, un coup de balai : les renseignements sont nuls, le service de presse somnole, on a eu tort de freiner les jésuites, à moins qu'eux-mêmes se soient endormis à l'ombre de l'Opus Dei. Et voici mes premières mesures.

D'abord, nouvelle excommunication du sinistre négationniste Williamson, avec excommunication automatique des évêques qui ne ratifieraient pas cette sanction. Ensuite, messe solennelle à Rome, en l'honneur de la fillette brésilienne violée et enceinte de jumeaux par son beau-père, accompagnée par sa mère avorteuse réhabilitée. De là, je passe à une distribution massive et gratuite de préservatifs préalablement exorcisés. Je continue avec la nomination d'une douzaine d'évêques gays (mais pas pédophiles), avec autorisation de prêcher l'amour sous toutes ses formes dans les cathédrales du monde entier. Un clin d'œil aux orthodoxes, un autre aux bouddhistes, un éloge furtif de Mahomet, un voyage triomphal en Israël, avec repentance renouvelée, et un bémol sur Jésus-Christ, lequel a peut-être trop forcé son opposition au rabbinat de l'époque. Pour finir, je ramasse l'adhésion des protestants en annonçant un concile Vatican III, avec élection démocratique d'un nouveau pape moderne, après des primaires rassemblant plus d'un milliard de votants.

Benoît XVI n'a qu'à dire qu'il a eu une révélation, et que son nouveau programme, un peu surprenant au premier abord, lui vient directement de Dieu. Si, après toutes ces mesures immédiatement célébrées par les médias, je n'obtiens pas un renversement des sondages et 80 % d'opinions favorables, je démissionne. Mais là, coup de théâtre miraculeux : la Vierge Marie apparaît à Lourdes à une fillette illettrée, violée par son père et son beau-père, et se prononce, au nom de l'Immaculée

Conception, pour la contraception, l'avortement, le remariage religieux des divorcés, l'homosexualité, l'homoparentalité, le préservatif exorcisé, et même pour ma béatification future. Je rédige rapidement le récit de la petite paysanne, le livre fait un tabac, et je verse intégralement les droits à l'Église catholique clandestine de Chine, qui a des difficultés majeures, loin du règne obsédé de la sexualité.

29/03/2009

MAURIAC

Certains titres du journal *Le Monde* m'intriguent. Un jour, c'est « fanfaronnades » à propos d'un livre très sérieux de moi ; un autre jour, c'est « torpeur » au sujet d'un essai magnifiquement réveillé par mes deux camarades Haenel et Meyronnis [206]. Mais cette fois, en gros caractères, je lis : « Mauriac, homosexuel torturé ». Sous-titre :« Une vie que l'on croyait édifiante ». Tout à fait entre nous, cette formule me paraît très exagérée, et même peu convaincante. En réalité, la splendide névrose créatrice de Mauriac ne pouvait que le tenir à l'écart de la sexualité qui le dégoûtait profondément. C'est grâce à ce dégoût qu'il est un bien meilleur romancier que Gide, et que les plus réussis de ses romans dévoilent l'obscurantisme des bourgeois et des mères de famille de province. Sans *Le Nœud de vipères* ou *Génitrix*, nous ne saurions pas grand-chose de cet enfer. Mais c'est sans doute ici le Mauriac catholique et politique ultralucide qui est visé par ce titre racoleur, le Mauriac décapant et très gai, pas du tout torturé, avec qui dîner, autrefois, était une fête.

J'ai vu Mauriac dans son agonie : sa foi religieuse était profonde, il était d'une grande sérénité. Ici, un peu de Baudelaire en hommage à Mauriac : « Ce monde a acquis une épaisseur de vulgarité qui donne au mépris de l'homme spirituel la violence d'une passion. Mais il est des carapaces heureuses que le poison lui-même n'entamerait pas. »

29/03/2009

HUGO

La vente des deux bronzes chinois volés, en 1860, lors du sac du palais d'Été, à Pékin, par l'armée anglaise de la reine Victoria et la française de Napoléon III, a fait couler beaucoup d'encre. Doit-on restituer ces œuvres à Pékin ? Ce serait bien. En tout cas, dès 1861, le grand Victor Hugo a dit ce qu'il fallait dire sur le vandalisme occidental face à une merveille du monde construite par un « peuple presque extra-humain », « une éblouissante caverne de la fantaisie », qu'il compare au Parthénon d'Athènes, aux Pyramides d'Égypte, au Colisée de Rome et à Notre-Dame de Paris. Hugo enfonce le clou : « Nous, Européens, nous sommes les civilisés, et pour nous les Chinois sont les barbares. Voilà ce que la civilisation a fait à la barbarie. »

29/03/2009

BAUDELAIRE

Dans *Mon cœur mis à nu*, relu sans cesse, Baudelaire note : « Tout journal, de la première ligne à la dernière, n'est qu'un tissu d'horreurs, guerres, crimes, vols, impudicités, tortures, crimes des princes, crimes des nations, crimes des particuliers, une ivresse d'atrocité universelle. Et c'est de ce dégoûtant apéritif que l'homme civilisé accompagne son repas de chaque matin. Tout en ce monde sue le crime : le journal, la muraille et le visage de l'homme. »

Baudelaire exagère, bien sûr, mais il y a des moments où l'exagération est nécessaire. Ceci encore à propos de Napoléon III : « En somme, devant l'histoire et devant le peuple français, la grande gloire de Napoléon III aura été de prouver que le premier venu peut, en s'emparant du télégraphe et de l'imprimerie nationale, gouverner une grande nation. Imbéciles sont ceux qui croient que de pareilles choses peuvent s'accomplir sans la permission du peuple, et ceux qui croient que la gloire ne peut être appuyée que sur la vertu. »

29/03/2009

« CHOUCHOU »

Si j'étais Sarkozy, je commencerais à m'inquiéter de mon ouverture. Une séquence comme celle de son apparition au milieu des rédactrices de *Femme actuelle*, ponctuée du mot maternel de Carla à son égard, « courage Chouchou ! », me paraît profondément dangereuse. Joséphine avait l'habitude de faire ce genre de blague à Bonaparte devant ses généraux, il avait l'air de le prendre bien, mais au fond, devenu Napoléon, il a fini par en avoir marre.

Le spectacle, c'est bien, mais trop, c'est trop. Regardez le sinistre Festival de Cannes, la mine renfrognée et désenchantée d'Isabelle Huppert dans sa robe blanche de mal mariée, la pénible obésité d'Isabelle Adjani, les contorsions inutiles de l'innocente Charlotte Gainsbourg dans *Antichrist*, le flop de Johnny, bref le festival de trop avec des stars de moins en moins actuelles, le tout sur fond de mécontentement et de désespoir social, d'université décomposée et de gauche tétanisée et vous comprendrez ce que je veux dire.

« Courage Chouchou ! » c'est trop, c'est beaucoup trop. Malgré ses prestations constantes d'un bout à l'autre de la planète, on souffre ici pour la virilité bafouée du chef de l'État. Vous me direz que Nice Brother Obama, avec sa bonne volonté évidente, incarne lui aussi le fils convenable de son épouse. Mais enfin, même si ce « chouchou » attendrit toutes les mères de famille, il serait étonnant qu'il déclenche un vote massif aux prochaines élections européennes, dont, d'ailleurs, tout le monde se fout.

31/05/2009

« PAPOUNET »

Et voilà Berlusconi, réélu trois fois (comme le souligne Sarkozy avec admiration), empêtré dans une histoire bizarre avec une jeune fille blonde, une mineure, ce qui provoque la demande de divorce de sa femme, et une campagne de presse dévote, toutes tendances confondues. La mineure en question a l'air plutôt débile, mais chacun ses goûts. En tout cas, elle n'appelle pas son beau président « Chouchou » mais, paraît-il, « Papounet ».

Les Italiens vont-ils s'énerver et trouver qu'il s'agit là d'un événement politique ? C'est peu probable, et ce complot moral contre le pauvre Papounet le rendrait plutôt sympathique malgré sa vulgarité ébouriffante, parfaitement synchrone de la basse époque qu'on nous oblige à respirer. Sarkozy a encore un peu de temps avant de passer de « Chouchou » à « Papounet », mais sait-on jamais.

En tout cas ces sobriquets sont préférables à « petit père des peuples » dont on a abusé du temps des sanglants abus de pouvoir. Il y a eu « Tonton », remarquez, et il avait ses frasques. « Chouchou », « Papounet », « Tonton », c'est familial, condescendant, rassurant, vaguement gâteux, beaucoup mieux que « Sa Sainteté », par exemple.

À propos du pape (que je trouve intellectuellement très supérieur à Berlusconi), mes conseils pour la visite en Israël n'ont pas été écoutés. J'avais préconisé de l'émotion, encore de l'émotion, toujours plus d'émotion, et même, pourquoi pas, une crise de larmes. Rien à faire, Benoît XVI ne sait pas surjouer.

31/05/2009

LE MONDE

Vous avez échappé à la grippe A, vous avez eu, j'espère, une pensée compassionnelle pour l'abattage massif des porcs en Égypte, vous vous êtes demandé pourquoi l'Université tenait tant à mourir, vous avez été intrigués par la décision d'État nommant Guy Debord, quinze ans après sa mort, « trésor national » (comme quoi la radicalité mène à tout), vous avez eu raison de continuer à lire la vieille presse écrite, et votre quotidien de référence, *Le Monde*. Certains articles de critiques littéraires vous ont comblés.

Voici, par exemple, la présentation, sous une plume féminine, d'un roman féminin anglo-saxon : « Ce roman déconcertant se place sous le signe du pénis. Le pénis instrument de plaisir ? Pas du tout. De triomphe ? Encore moins. Il s'agit d'un motif incongru et plutôt répugnant. » Conclusion : « Le sexe ne mène nulle part, et la mort est la sœur aînée du sexe. » Comme quoi, message peu réconfortant, chagrin de sexe dure toute la vie.

Vous avez quand même repris espoir en lisant les *Lettres à Albert Paraz*, de Céline[207], écrivain génial qui n'a rien à voir avec les assis ou les assises du roman. « La magie n'est pas dans les mots, elle est dans leur juste touche. » Et voilà le chant et la danse intimes, le contraire de « la prose-prose des arriérés naturalistes américains ou français », bref la langue vraiment vivante.

31/05/2009

JULIEN COUPAT

Mais c'est bel et bien dans *Le Monde*[208] que vous avez appris qu'un écrivain de premier ordre était détenu à la Santé sous prétexte de « terrorisme ». On le salue ici en le faisant entendre :

« Heureusement, le ramassis d'escrocs, d'imposteurs, d'industriels, de financiers et de filles, toute cette cour de Mazarin sous neuroleptiques, de Louis Napoléon en version Disney, de Fouché du dimanche qui pour l'heure tient le pays, manque du plus élémentaire sens dialectique. Chaque pas qu'ils font vers le contrôle de tout les rapproche de leur perte. Chaque nouvelle "victoire" dont ils se flattent répand un peu plus vastement le désir de les voir à leur tour vaincus. Chaque manœuvre par quoi ils se figurent conforter leur pouvoir achève de le rendre haïssable. En d'autres termes : la situation est excellente. Ce n'est pas le moment de perdre courage. »

Comme on voit, ce détenu très libre est très cultivé. Il se donne même les gants de citer Hegel, et on aura reconnu, dans sa rhétorique, à la fois Lautréamont et Debord, textes peu lus par la police. Un peu de Céline pour finir (même si celui-ci prend la précaution de préciser que les anarchistes sont « terriblement noyautés par les flics depuis toujours ») : « Vive l'Anarchie, nom de Dieu. Pour être sûr d'être un bon anarchiste, il faut avoir tenu bon en tôle, impeccablement, avec une boussole personnelle, indéréglable. » Autre chose qu'une Rolex !

31/05/2009

CASINO ROYAL

Pas de doute : nous vivons désormais dans un grand film accéléré où une image chasse l'autre. À peine ai-je eu le temps de voir Obama se recueillir à Buchenwald que le crash de l'avion Rio-Paris me précipite dans une macabre pêche aux cadavres dans l'océan. J'ai juste le temps de considérer les résultats des élections européennes et la réjouissante percée de Cohn-Bendit que j'ai droit à une avalanche de nymphettes dans la vie de Berlusconi. J'assiste à un grand dîner à la Bibliothèque nationale de France en l'honneur de Guy Debord promu « trésor national », mais me voici aussitôt projeté en Iran sous des matraquages. Enfin j'arrive à Versailles dans une longue séquence de Casino royal. Ici, le triomphe de Sarkozy est total, et nous sommes déjà en 2017.

L'opposition ? Quelle opposition ? Les socialistes ? Quels socialistes ? Ah, si François Bayrou, au lieu de la laisser piétiner sur le trottoir, avait fait monter chez lui Ségolène Royal ! Elle serait aujourd'hui présidente, et lui Premier ministre. Un tout autre film, sans doute plus comique mais moins énergique. Avec Sarkozy en vibrionnant 007, au moins, on ne s'ennuie pas, et Carla Bruni, dans le casting, monte indubitablement en puissance. Elle cultive son chouchou, sa dimension culturelle augmente, il lit maintenant Houellebecq, c'est tout dire. Enfin, un morceau de roi : la nomination du charmant Frédéric Mitterrand au ministère de la Culture. Il était à la Villa Médicis, à Rome, il se retrouve à Versailles, ou plutôt (mais c'est pareil) rue de Valois. Tout le monde en reste baba. Ça, enfin, c'est une superproduction française !

Partout ailleurs le cinéma languit, Obama s'appellera bientôt « Obamarre », et nous pouvons, nous Français, malgré la crise, être légitimement fiers de nos studios rénovés, de nos acteurs et de nos actrices, de notre film ininterrompu, miracle de renaissance. J'attends avec impatience le prochain rebondissement, d'autres divines surprises. Pourquoi pas, demain, Cohn-Bendit au gouvernement ? Il tutoie le président, il est incontournable, et qui dira que Mai 68 n'a pas réussi ? Allons, encore un effort vers cette révolution souterraine.

28/06/2009

STERN

Dans les périodes de vide politique, il est bon d'en revenir aux faits divers, c'est-à-dire aux vraies passions criminelles. Prenez l'affaire Stern, par exemple, avec sa mise en scène particulièrement réussie. Un banquier plus qu'aventureux, une pauvre fille attendant le mariage ou, à défaut, un million de dollars, des séances sado-masochistes, le type attaché et enfermé dans une combinaison de latex, l'explosion de haine noire de la pauvre fille et quatre balles à bout portant sur la banque elle-même. Au passage, je remarque que personne n'a mis en doute la phrase qu'aurait prononcée le banquier : « Un million de dollars, c'est cher payé pour une pute. » Mais j'ai bien aimé la déclaration de l'avocat de la famille Stern : « Si chaque fois qu'un homme, au lieu de lui réciter un poème, traite une femme de pute et prend quatre balles, Genève serait jonchée de cadavres. »

À vrai dire, je n'imaginais pas que les mœurs, à Genève, en étaient arrivées à une telle décomposition morale, de quoi faire se retourner Calvin dans sa tombe. Comme quoi, le temps nous apprend toujours quelque chose de nouveau. Cet avocat récite-t-il des poèmes lorsqu'il se trouve dans une situation érotique ? On voudrait savoir lesquels. Quant à la pauvre Cécile Brossard, on ne doit pas oublier qu'elle était elle-même artiste, comme le prouve une hideuse sculpture réalisée par ses soins. Là, c'est Stendhal qui a définitivement raison : « Le mauvais goût conduit au crime. » Mauvais goût exorbitant du banquier, mauvais goût sinistre de la pute, mauvais goût généralisé un peu partout, y compris dans l'installation Pinault à Venise, à la pointe de la Dogana.

En contrepoint, on a de la sympathie pour le voleur, au musée Picasso, d'un carnet de dessins du grand Minotaure estimé entre sept et huit millions d'euros. Autre preuve de mauvais goût ahurissant ? Le sondage qui révèle que 73 % des catholiques pratiquants sont pour le mariage des prêtres. La belle affaire ! Mais que deviendra un prêtre ayant divorcé lorsqu'il voudra se remarier ? Ce genre de question me tourmente.

28/06/2009

COURJAULT

Avouez que l'histoire des bébés tués par Véronique Courjault et placés dans un congélateur n'est pas mal non plus comme symptôme d'époque. Sa femme était enceinte, le mari n'a rien vu, elle accouchait en douce, étouffait sa progéniture et la mettait au frigo fort. Cet étrange mari, d'ailleurs, aime toujours sa femme et témoigne en sa faveur. Il n'a jamais dû se rendre compte, au fil des ans, qu'il lançait sa semence dans un con gelé. Beaucoup d'hommes sont dans ce cas, et ce n'est pas la burqa qui pourra arranger les choses. Par la même occasion, le débat s'est immédiatement porté sur le déni de grossesse, beaucoup plus répandu que prévu. Cette région étrange et peu raisonnable a été elle-même éclipsée par l'actualité brûlante des mères porteuses. Je l'avoue : tous ces sujets de société ont tendance à augmenter ma migraine.

28/06/2009

631

MALAISE

Soyons sérieux : Nicolas Sarkozy m'inquiète. Ce « malaise vagal » au cœur de l'été, ce Président sportif qui s'effondre brusquement en plein footing, ce bref séjour au Val-de-Grâce, cette retraite discrète au cap Nègre, tout cela m'obsède. Que ferait la France, grands dieux, sans Sarkozy ? Est-il au moins bien soigné ? Son alimentation est-elle suffisante ? Son programme de rattrapage culturel, accéléré par Carla, ne le fatigue-t-il pas trop ? Lire Sartre, c'est bien, mais un hebdomadaire vient d'annoncer le retour de Marx, et le Président qui, ne l'oublions pas, est « de gauche », a décidé, paraît-il, de lire enfin, en profondeur, *Le Capital*. Je jette un coup d'œil sur l'agenda présidentiel : c'est un emploi du temps infernal, une usure de tous les moments, un stress qui peut conduire tout droit à un nouveau malaise. Il serait alors une proie pour le virus de la grippe qui se rapproche inéluctablement de nous. Je tremble.

Quelle injustice, aussi, quand on voit la forme insolente de Berlusconi entouré de ses *escort-girls* ! Il pète de santé, ce brave homme, il vient d'être pourtant grand-père pour la cinquième fois, mais rien ne l'arrête, et la cabale des dévots contre lui, qu'ils soient de gauche ou de tradition catholique, n'a l'air de lui faire ni chaud ni froid. C'est le moins hypocrite des leaders politiques, et un homme attaqué par sa femme, et une de ses filles qui vient d'accoucher, ne peut pas être foncièrement mauvais. Il a d'ailleurs eu cette formule sublime : « Je ne suis pas un saint. » Le peuple italien apprécie cette modestie bonhomme et ronde qui fait merveille dans les photos où il est entouré de chefs d'État. Il est le seul ayant l'air de s'amuser, peu importent les catastrophes.

Mais que va devenir Obama dans sa zone de turbulences ? Son programme de santé publique soulève des injures caricaturales, on le voit sur des affiches représenté en Hitler et accusé de vouloir instaurer le socialisme aux États-Unis. Les Américains ont de grandes dispositions pour la folie, comme le prouve le deuil très agité autour de Michael Jackson. Et puis ce président noir qui veut s'en prendre aux tortures perpétrées par la CIA, n'est-ce pas imprudent ? Le sénateur Ted Kennedy vient de mourir, et il faut fermement déconseiller à Obama d'aller faire un tour à Dallas. Un cinglé manipulé pourrait s'imaginer qu'en tirant sur lui il élimine Hitler.

30/08/2009

SOCIALISTES

Le Parti socialiste est-il mort ? En réanimation ? En décomposition lente et tragique ? Doit-il changer de nom ? BHL l'a dit dans un article qui lui a valu, de la part de Marylise Lebranchu, l'épithète de « nietzschéen mortifère ». Pour un fervent admirateur d'Emmanuel Levinas, le coup est rude. Comme on voit, si Marx revient, Nietzsche est toujours dans la course. Le mot « socialiste », il est vrai, n'est plus très clair, et un autre concept vient d'apparaître : tout ce qui est social doit être défini comme « sociétal ». Pourquoi pas, alors, « Parti sociétaliste » ? Pourquoi pas un vaste regroupement sociétal de Lille à Biarritz, de Marseille à Brest ? C'est là où des primaires démocratiques sont nécessaires. Qui sera nominé ? DSK, sans doute, il a le profil. Mais n'oublions pas trop vite Ségolène Royal, dont un reportage, dans *Paris Match*, nous montre la radieuse silhouette sur un quai de gare, à Saintes, en train de raccompagner son compagnon d'amour. Mutine, souriante, complice, enfin heureuse, elle lui pointe un doigt sur le nombril, tendresse sociétale du geste, air vaguement inquiet de son partenaire, mais émotion garantie chez tous les votants sociétalistes de cœur.

30/08/2009

GRIPPE

La montée en puissance de Roselyne Bachelot me paraît fatale. Voilà une femme qui n'a rien à voir avec un nietzschéisme quelconque, et surtout pas mortifère. Elle vous soigne déjà, pauvres grippés du futur, c'est votre infirmière tenace et maternelle, elle n'a pas d'homme visible auprès d'elle, sa carrière tout en douceur ne fait que commencer, c'est elle la star sociétale de base. Écoutez ses conseils : lavez-vous les mains, portez votre masque, évitez d'éternuer sur vos voisins, n'embrassez plus personne, surtout pas dans les bureaux, dans les rues, et même chez vous. Le mois de septembre s'annonce terrible. Soyez soupçonneux, disciplinés, craintifs, allez aux toilettes toutes les dix minutes, sachez discerner les infectés potentiels, le virus tourbillonne déjà dans l'air, vorace, invisible, sans aucune pitié. Mais rassurez-vous : Bachelot veille, elle voit la vie du bon côté, en rose, vous lui devrez peut-être la vie ou celle de vos enfants. À partir de là, pourquoi pas Bachelot Présidente ? Ce serait la surprise des prochaines années sociétales, écologiques, centristes, centrales, portées par un

634

vaste mouvement de prophylaxie morale. Le préservatif, c'était bien, le masque, c'est mieux.

30/08/2009

BONUS

Les banquiers vous racontent n'importe quoi, comme d'habitude : la crise existe, soit, mais elle est déjà surmontée, puisque toutes les vieilles pratiques du capitalisme financier sont plus fortes que la fumée dont elles s'entourent. J'apprends que l'escroc mondial Madoff, aujourd'hui en prison, aurait un cancer. Est-ce la preuve que Dieu existe (il revient très fort aussi, celui-là) ? C'est possible, mais, là, le vertige me reprend, les talibans m'assiègent, l'Iran me perturbe, la pauvre Clotilde Reiss demande pardon pour avoir pris des photos de manifestations, le Proche-Orient est au point mort, une jeune Soudanaise risque quarante coups de fouet pour avoir osé porter un pantalon, la belle Birmane démocrate est toujours en résidence surveillée, Johnny Hallyday, heureusement, se porte comme un charme. Enfin, espérons que Sarkozy (toujours lui) convaincra les banquiers d'être moins voyants dans la paupérisation montante. Nietzsche a écrit *Par-delà le bien et le mal*, mais plus personne ne le lit. Une version contraire s'impose, sous un nouveau titre : *Par-delà le bonus et le malus*, préface et notes sociétales des traders de la Société générale.

30/08/2009

« DARKSTREAM »

Je ne sais pas si vous êtes comme moi, mais cette affaire Clearstream me paraît de plus en plus obscure. Ce n'est plus Clearstream mais « Darkstream », autrement dit un combat confus d'éléphants dans un long tunnel ténébreux sous la Manche. On sent que tout le monde finit par être gêné d'avoir monté en épingle judiciaire une bagatelle pareille. Des faux listings ? Et alors ? Pendre un responsable à un croc de boucher pour si peu, alors qu'une corruption énorme arrose la planète ? Autant s'alarmer des élections truquées un peu partout, du bourrage des urnes et des crânes, que l'on soit socialiste, afghan ou gabonais. L'obstination de Sarkozy dans cette voie sans issue est aussi pénible que la grandiloquence de Villepin.

Une seule façon d'y voir clair : un bon vieux duel à l'ancienne, à l'arme blanche, dans le parc de Versailles, par exemple, séquence étourdissante relayée, à une heure de grande écoute, par TF1 et les télévisions mondiales. Dieu se prononcera, c'est lui qui rendra la justice. Nos deux héros se surpasseront, l'un pensant à Napoléon, l'autre à Bonaparte. Avant ce grand show (tellement mieux qu'un misérable procès), je me permets de donner un conseil au président de la République française : qu'il cesse de lire, comme je viens de l'apprendre, *À la recherche du temps perdu*, de Proust. Les conseils de Carla, là, sont pernicieux. Ce livre est profondément délétère, malsain, peu viril. Pour se battre à mort, il faut autre chose.

Pendant qu'on y est, pourquoi pas un match de catch, dans la boue, entre Martine Aubry et Ségolène Royal ? Je sais qu'on va trouver cette proposition dégoûtante et primaire, mais enfin, il faut ce qu'il faut, et l'idéal socialiste le veut. Le spectacle a de temps en temps besoin de ces coups de fouet, sinon il stagne.

27/09/2009

GISCARD

Voilà un président qui, au moins, ne s'est pas ennuyé, comme le prouve son dernier roman racontant sa liaison secrète et torride avec Lady Di. C'est l'histoire d'amour de la rentrée, et au diable les listings, les liftings, la colorisation de la Seconde Guerre mondiale à la télévision (quoique tout jeune spectateur, profondément ignorant, ait été content de voir Staline et Hitler « en vrai », c'est-à-dire en pleine forme). La « masterisation » des Beatles ? Très bien. La colorisation intensive de l'Histoire ? Encore mieux. Pour la vraie couleur, à Paris, en ce moment, vous avez Titien, Tintoret, Véronèse et Renoir, ces voluptueux hors-concours.

Mais revenons à Giscard et à son style inimitable : « J'ai monté les marches du perron, la tête en feu, le cœur étincelant de bonheur. » C'est un membre de l'Académie française qui vous parle d'une princesse, laquelle sera bientôt dans ses bras (je vais me précipiter sur les passages érotiques). Une chose, en tout cas, est sûre : Giscard, sauf injustice grave, doit, cette année, obtenir le Goncourt.

27/09/2009

LAUTRÉAMONT

Je sais ce qui vient de me mettre de si bonne humeur : la nouvelle Pléiade consacrée aux *Œuvres complètes* de Lautréamont[209], ce génie plus que jamais flamboyant, avec des textes passionnants écrits au cours du temps sur cet auteur capital (on trouve là Léon Bloy, Breton, Aragon, Gracq, Blanchot et bien d'autres). Voyez, dans *Les Chants de Maldoror*, la lutte acharnée entre l'aigle et le dragon (Chant troisième, strophe 3). C'est ce passage que le Président doit lire avant son duel : « Le dragon a beau user de la ruse et de la force, je m'aperçois que l'aigle, collé à lui par tous ses membres, comme une sangsue, enfonce de plus en plus son bec, malgré de nouvelles blessures qu'il reçoit, jusqu'à la racine du cou, dans le ventre du dragon. On ne lui voit que le corps. Il paraît être à l'aise, il ne se presse pas d'en sortir. Il cherche sans doute quelque chose, tandis que le dragon, à la tête de tigre, pousse des beuglements qui réveillent les forêts. » Voilà qui est quand même plus tonique que les langueurs narcissiques de *À l'ombre des jeunes filles en fleurs* ou que *La Princesse de Clèves* ! Attention ! Villepin, lui, relit déjà ce morceau ! N'oublions pas qu'il a été voleur de feu dans une autre vie ! Que l'aigle se déploie ! Que le dragon rugisse ! Nous avons besoin de ces cris, pas de plaidoiries.

27/09/2009

PHILIP ROTH

Cet écrivain américain est, de loin, le meilleur de son pays. Son dernier roman, *Exit le fantôme*, est l'un des plus réussis [210]. Roth, tout en racontant ses histoires, toujours dérangeantes et subtiles, a l'art de glisser, ici et là, son diagnostic sur la décadence de son temps. Ainsi cette lettre, envoyée par un de ses personnages au *Times* : « Il fut un temps où les gens intelligents se servaient de la littérature pour réfléchir. Ce temps ne sera bientôt plus. Pendant les années de la guerre froide, en Union soviétique et dans ses satellites d'Europe de l'Est, ce furent les écrivains dignes de ce nom qui furent proscrits : aujourd'hui en Amérique, c'est la littérature qui est proscrite, comme capable d'exercer une influence effective sur la façon qu'on a d'appréhender la vie. L'utilisation qu'on fait couramment de nos jours dans les pages culturelles des journaux éclairés et dans les facultés des lettres est tellement en contradiction avec les objectifs de la création littéraire, aussi bien qu'avec les bienfaits que peut offrir la littérature à un lecteur dépourvu de préjugés, que mieux vaudrait que la littérature cesse désormais de jouer le moindre rôle dans la société. »

Suit une critique implacable des pages culturelles du *Times* et de leur « charabia » réducteur. Le personnage de Roth va jusqu'à préconiser d'interdire toute discussion publique sur la littérature dans les journaux, les magazines et les revues spécialisées, ainsi que son enseignement. « Je mettrais sous surveillance les libraires pour vérifier qu'aucun vendeur ne parle de livres, et que les clients n'osent pas se parler entre eux. Je laisserais les lecteurs seuls avec les livres, pour qu'ils puissent en faire ce qu'ils veulent en toute liberté. » Tout en ayant beaucoup de succès, Roth sait de quoi il parle.

27/09/2009

639

INQUISITION

À quoi pense Roman Polanski, dans sa cellule de prison en Suisse ? Au ciel, par-dessus le toit, si bleu, si calme. Il a soixante-seize ans, il est très fatigué, il doit faire effort chaque matin, pour se souvenir des raisons de son enfermement, cette sombre histoire d'il y a plus de trente ans avec une jeune fille de treize ans qui, aujourd'hui, à quarante-cinq ans et mère de famille, prie qu'on la laisse tranquille et qu'on abandonne les poursuites contre son séducteur.

Lui, Polanski, a du mal à évoquer la confusion de ce vieil épisode de dérèglement. Avait-il bu ? Était-il drogué ? Sans doute, mais enfin il a commis un crime abominable pour lequel ni les États-Unis ni la Suisse ne connaissent de prescription. Était-il le jouet de pulsions démoniaques ? C'est possible, comme le prouve son chef-d'œuvre diabolique *Rosemary's Baby*. Il s'est moqué du Diable, la vengeance de toutes les sectes sataniques le poursuit.

Ce qui l'étonne le plus (ou pas vraiment), ce sont les flots de condamnations qui l'accablent, sur le Net ou à travers les blogs. Des légions de procureurs indignés ou de mères de famille de province lui font savoir l'horreur qu'il inspire à l'humanité. La Suisse, surtout, se démène au nom de sa pureté sexuelle et bancaire. Va-t-il être extradé ? Être encore en prison jusqu'à soixante-dix-huit ans, ou plus ? Un juge américain l'exige, soulignant que la loi doit être la même pour tous.

Pourtant, ce juge vertueux (comme Ernest Pinard faisant condamner, autrefois, *Les Fleurs du mal* de Baudelaire) ne peut pas s'empêcher de penser sans cesse au forfait monstrueux de Polanski. Il en rêve, il veut avoir sous la main, pour mieux l'observer, ce pervers européen, genre Nabokov avec sa Lolita légendaire. Qu'on boucle enfin ce juif polonais qui a échappé aux nazis ! Il a osé réaliser ce dont tout magistrat voudrait, en douce, être capable de faire.

À quoi pense le gentil Frédéric Mitterrand dans la nuit de son ministère de la Culture ? Probablement à l'abîme qui sépare les religieux pèlerinages de son oncle à la roche de Solutré et ses propres embardées dans les bordels de Thaïlande. Il s'est ému que l'on fasse soudain payer sa mauvaise vie à un grand cinéaste, il a été imprudent, il n'a pas évalué que l'époque, de droite à gauche, était devenue rigoureusement morale et inquisitoriale. Mais quoi, le président Sarkozy le sauve, pendant que François Mitterrand, dans l'au-delà, fait la moue.

01/11/2009

EXÉCUTION

Comment ne pas se réjouir du prix Nobel de la paix décerné au souriant Obama ? Tout à coup, plus d'attentats à Bagdad, plus de talibans, calme et sérénité au Proche-Orient, ne vous inquiétez pas, c'est en cours. L'ennuyeux, c'est plutôt ce qui se passe dans les prisons américaines, par exemple dans l'Ohio pour l'exécution ratée d'un condamné à mort. Vous savez comment ça se trafique là-bas, après la grandiose chaise électrique. On pique le condamné avec une substance spéciale, il passe ainsi de vie à trépas sous le regard satisfait des autorités et des familles des victimes. Mais ce que raconte aujourd'hui

Romell Broom, un Afro-Américain de cinquante-trois ans, condamné à mort en 1984 pour l'enlèvement, le viol et le meurtre d'une adolescente, est hallucinant (voir *Le Monde* du 2 octobre).

Pendant deux heures, les exécuteurs tâtonnent et n'arrivent pas à trouver la veine qu'il faut. « Les infirmiers essayaient simultanément de trouver des veines dans mes bras. La femme essaya trois fois dans mon bras gauche, l'homme trois fois au milieu de mon bras droit. » Drôle de crucifixion traînante. Romell hurle, le sang coule, mais ça continue dans les bras et les jambes. « Le maton posa sa main sur mon épaule droite et me conseilla de me relaxer. » Il est plein de bonne volonté, Romell, il ne demande qu'à en finir le plus vite possible, il se « relaxe », mais rien à faire, le supplice s'éternise. Finalement, le directeur de la prison, au milieu des hurlements, interrompt le spectacle qui doit reprendre bientôt. Romell conclut son récit sobrement : « Attendre d'être encore exécuté est angoissant. »

Moi, je trouve qu'on devrait lui donner le prix Nobel du condamné le plus coopératif, la paix soit avec lui, en somme. Cela dit, la France se grandirait en livrant aux États-Unis ses vieilles guillotines remises en état de marche. C'est simple, clair, net, cartésien, profondément humain, sans bavures. Très peu de bruit, pas besoin de se répéter. Vous me direz que les spectateurs auraient l'impression que ça va trop vite. Ah, ces Américains !

01/11/2009

CASTRATION

Aurait-on dû, à l'époque, castrer chimiquement Roman Polanski et Frédéric Mitterrand ? Non, bien sûr, mais pour les violeurs d'enfants récidivistes, la question se pose. Et pourquoi ne pas prévenir au lieu de guérir ? On pourrait procéder, en amont, au repérage des petits garçons à l'air bizarre. Ce serait une vaccination préventive, une pour la grippe, une autre pour les écarts sexuels. On arrivera bien, un jour ou l'autre, à une normalité régulatrice. Un pédophile, castré chimiquement et rééduqué, ferait sans doute un bon enquêteur sur le terrain. Il discernerait les déviants virtuels, les futurs éducateurs tordus, les prêtres au devenir douteux. Préservons ainsi notre belle identité nationale.

01/11/2009

IDENTITÉ NATIONALE

Aimez-vous le mot « nation » et l'adjectif « national » ? Ça dépend des moments. Le mot « front » vous laisse froid, sans parler de « front national ». Quant à l'identité, j'espère pour vous qu'elle ne se réduit pas aux papiers du même nom, et que vous avez une vie privée et intérieure pleine de complexité, de soucis, mais aussi de charmes. Vous aimez la France, c'est entendu, même celle qui s'est appelée « royaume », puisque vous êtes, à juste titre, fier de Versailles, de Descartes, de Molière, de Voltaire et même de Mme de Pompadour. Vous trouvez parfois que la République exagère en faisant commencer l'Histoire avec elle, car vous ne crachez pas sur Montaigne, Pascal,

Bossuet, Mme de Sévigné, Saint-Simon, Laclos ou Chateaubriand. La France, ne cherchez pas une meilleure définition, c'est d'abord sa littérature, la plus riche et la plus variée du monde. Qu'importe si votre pays s'impose au football en trichant un peu ! Vous fermez les yeux, en bon patriote, sur cet incident mineur, vous n'êtes quand même pas quelqu'un pour qui le sport et la télévision occupent l'essentiel des rêves. Vous êtes indulgent pour les jeunes gens qui pensent que la guerre de 1914-1918 est aussi vieille que la guerre de Cent Ans, et qui assistent aux commémorations de la chute du mur de Berlin comme à une cérémonie du Moyen Âge. Si vous êtes progressiste, vous êtes pour les droits de l'homme, la fonction sacrée de l'école, la laïcité stricte, la régularisation des sans-papiers, le mariage homosexuel et les adoptions qui s'ensuivent. Tout en trouvant que l'adjectif « monstrueux » est exagéré pour parler du président actuel, vous pensez qu'un écrivain, surtout s'il a obtenu ce grand prix national qu'est le Goncourt, a le droit de s'exprimer librement sans devoir de réserve (lequel doit s'appliquer aux fonctionnaires d'État).

Obtenez-vous ainsi une bonne note à votre examen d'identité obligatoire ? J'espère.

29/11/2009

PANTHÉON

La religion républicaine a une manie : déplacer les cercueils ou les cendres des morts, pour les mettre, si l'on peut dire, *en perspective*. De ce point de vue, le choix opportun de Camus était justifié, et je regretterais que

644

cette apothéose grandiose n'ait pas lieu. Camus était un grand homme de Bien, la Nation se devait de le célébrer comme modèle. Cela dit, la République serait plus claire en établissant aussi un Enfer officiel, une liste d'auteurs non panthéonisables. Dans cette cohorte de noms réprouvés par l'identité nationale, on trouverait pêle-mêle Sade, Baudelaire, Lautréamont, Breton, Bataille, Genet, Céline. Vous imaginez Céline au Panthéon ? Question absurde. À l'extrême limite, Sartre et Beauvoir, mais non, impossible. Alors qui ? Balzac, Stendhal, Proust seraient les bienvenus d'une grande identité nationale, mais, de façon plus modeste, j'aperçois deux candidats qui seraient très « tendance » : Gide et Colette, Colette sur-tout. L'auteur de *Chéri* au Panthéon, oui ! Et avec de splendides discours de Roselyne Bachelot et de Carla Bruni !

29/11/2009

CÉLINE

Les éditions Gallimard poursuivent leurs mauvaises actions : après Lautréamont en Pléiade, un volume massif de *Lettres* de l'épouvantable Céline panthéonisé sur papier bible, à côté de Camus[211].

L'ennuyeux, si vous ouvrez ce volume, c'est que vous êtes immédiatement pris par un talent électrisant. Voyez cette lettre de 1933 à Benjamin Fondane : « Je ne sais au juste qui me pendra. Les militaires ? Les bourgeois ? Les communistes ? Les confrères ? Qui ? L'accord n'est pas fait. Je suis prêt à renier n'importe quoi. Chez les aveugles, pourquoi se faire supplicier pour telle ou telle couleur ? Le bleu plutôt que le vert ? En verront-ils davantage ? Mon mépris pour ces brutes est total, absolu. Je les aime bien comme on aime les chiens, mais je ne parle pas leur langue de haine. Ils me dégoûtent totalement dès qu'ils aboient. Et ils n'arrêtent pas. Qu'ils aillent se faire dresser s'il se peut encore ! Mais je crois qu'ils sont enragés. Et ils minaudent ! » Et encore, en 1934, à Élie Faure : « Je suis anarchiste jusqu'aux poils. Je l'ai toujours été, je ne serai jamais rien d'autre. […] Tout système politique est une entreprise de narcissisme hypocrite qui consiste à rejeter l'ignominie personnelle de ses adhérents sur un système ou sur les "autres". »

« Narcissisme hypocrite » me semble bien vu.

29/11/2009

RIMBAUD

Même s'il est peu probable qu'il entre jamais au Panthéon, Rimbaud n'en finit pas de surprendre. Grâce à Éric Marty, vous pouvez ainsi lire un livre introuvable depuis 1921, *Rimbaud mourant*, par Isabelle Rimbaud, sa sœur, qui a accompagné son frère jusqu'à la fin [212]. Lecture bouleversante. Ainsi, après l'amputation de sa jambe, le séjour de Rimbaud chez sa famille. Il souffre beaucoup : « Il but des tisanes de pavot et vécut plusieurs jours dans un rêve réel très étrange. La sensibilité cérébrale ou nerveuse étant surexcitée, en l'état de veille les effets opiacés du remède se continuèrent, procurant au malade des sensations atténuées presque agréables extra-lucidant sa mémoire, provoquant chez lui l'impérieux besoin de confidence. » Isabelle Rimbaud, qui a été si

critiquée de façon injuste, est ici un témoin capital :
« Une nuit, se figurant ingambe et cherchant à saisir
quelque vision imaginaire apparue, puis enfuie, réfugiée
peut-être dans un angle de la chambre, il voulut descendre seul de son lit et poursuivre l'illusion. On accou-
rut au bruit de la chute lourde de son grand corps : il
était étendu complètement nu sur le tapis. »

Lisez ce témoignage ultrasensible, et demandez-vous
pourquoi il a fallu si longtemps pour le rééditer. C'est du
corps même de Rimbaud qu'il s'agit, pas de son image.

29/11/2009

CLIMAT

Vous rêvez, Dieu sait pourquoi, que vous êtes un ours
blanc en perdition sur une banquise fondante. Une voix
énervée vous demande soudain votre identité nationale.
Vous avez beau faire des efforts, vous l'avez oubliée. Vous
vous sentez mondial, planétaire, terrien, océanique, l'échec
de Copenhague vous a fortement ébranlé, votre vaccination attend toujours, l'époque vous semble de plus en plus
hostile et confuse. Ce cauchemar s'accentue : vous avez
perdu vos papiers, vous irez dormir dans la rue, vous ne
savez plus de quel emploi vous êtes capable. Par bonheur,
vous vous réveillez, la mémoire vous revient, vous êtes
ébloui d'être français. La France, aucun doute, est une
région de la mappemonde dont tout indique qu'elle est en
voie de réorganisation globale. Serez-vous intéressé par les
élections régionales ? Pas sûr. La désignation de Strauss-
Kahn comme sauveur en « imam caché » vous fait-elle
rire ? Un peu. Avez-vous confiance dans les socialistes ?

De temps en temps, vous avez toujours eu un faible pour Martine Aubry, son air épanoui, son courage trente-cinq heures sur trente-cinq. Avez-vous suivi avec passion les ennuis de santé de Johnny Hallyday ? Un moment. L'effondrement de Dubaï vous concerne-t-il ? À peine. L'envoi des nouvelles troupes en Afghanistan pour fêter le prix Nobel de la paix à Obama vous paraît-il nécessaire ? On le dit. Le règne de Sarkozy est-il en danger ? Oui, si Carla Bruni devient franchement démodée. Avez-vous été bloqué dans l'Eurostar ? Au dernier moment, bien joué, vous avez renoncé à aller à Londres. Approuvez-vous la béatification de Pie XII ? Non, bien sûr, votre banquier y est très opposé. Ce n'est pourtant pas lui qui a commandité la passionnée qui s'est jetée sur Benoît XVI à la messe de minuit à Rome.

27/12/2009

MINARETS

Seriez-vous vraiment gêné par l'éclosion de centaines de minarets en France ? Vous pesez le pour et le contre. Vous vous méfiez des Suisses, et on ne peut pas vous en vouloir, vous ne pouvez pas vous empêcher de vous interroger sur ce que la Suisse cache. Vous n'allez tout de même pas me dire que vous préférez Mahomet à Calvin ? Non, mais les minarets peuvent être décoratifs et même élégants, alors que vous constatez chaque jour la laide lourdeur de tas de tours accablantes. Et la burqa ? L'enfermement des femmes ? Cet obscurantisme rampant ? Là, vous prendrez position, j'espère ? Pas de problème : laïcité stricte, ce miracle français. Noël, à la rigueur, le Père Noël, les enfants, les sapins, les cadeaux, les fêtes, les messes tolérées, et d'ailleurs utiles pour accroître en douceur le taux de fécondité. On ne va quand même pas demander à quelle identité nationale appartiennent les crèches ! Clochers, minarets, synagogues, temples bouddhiques, tout cela est un petit problème d'urbanisme à gérer. Les Suisses ont peur, ils ont tort, ils ont quelque chose à dissimuler. Dernière question : êtes-vous pour ou contre l'enseignement de l'histoire dans les terminales scientifiques ? Oh, écoutez, l'histoire, c'est peut-être intéressant, mais ça crée sans cesse des histoires. Pourquoi s'encombrer de toutes ces vieilleries ? Le passé est culpabilisant, l'avenir incertain, seul le présent est sûr.

27/12/2009

COGNAC

Comme on pouvait s'y attendre, les surprises viennent de plus en plus de Chine. Ce continent en pleine ébullition est, certes, peu regardant sur les droits de l'homme, mais la crise du Tibet semble loin, les contrats sont les contrats, au diable les écharpes blanches du dalaï-lama. Mieux : les milliardaires chinois, désormais, pullulent, il y en a autant qu'aux États-Unis, cent vingt-cinq millions de consommateurs devraient être assez riches pour s'offrir des produits de luxe en 2010. Et voici la grande vedette inattendue : le cognac français le plus raffiné, le plus cher, le plus historique : le Louis XIII ! Oui, vous avez bien lu : le Louis XIII, et vive, donc, Alexandre Dumas. La carafe Baccarat de cognac Louis XIII se vend, dans les restaurants de luxe, en Chine, entre mille cinq cents et deux mille euros. Vous imaginez ici une scène rétrospective : Mao, en train de lever son verre de Louis XIII à la santé du peuple français et l'un de ses rois les plus populaires ! Le père de Louis XIV ! Les mousquetaires ! Le Louvre ! Versailles ! Le Sud-Ouest ! Soyons réalistes : sur cent vingt-cinq millions de Chinois élevés au Cognac, il y en aura bien un million pour s'intéresser à la littérature française. Céline imaginait les Chinois à Cognac : c'est fait, mais en sens inverse. Le Louis XIII envahit les palais chinois. Je préfère le vin de Bordeaux au cognac, mais j'ai confiance, mes lecteurs et mes lectrices futurs sont déjà là, impatients de me découvrir.

27/12/2009

CECILIA BARTOLI

Offrez-vous, pour l'année nouvelle, un étourdissant cognac musical : l'album de Cecilia Bartoli *Sacrificium*. Elle a enregistré des pièces composées pour les castrats du XVIIIᵉ siècle, et c'est tout simplement bouleversant de virtuosité et de sensibilité.

Vive, angélique, inspirée, profonde, éblouissante aussi bien dans la vitesse que dans la lenteur, Cecilia est un génie. Voici ce qu'elle dit : « Je voulais faire comprendre que le monde des castrats est constitué de vélocité et d'expression. Ils n'étaient pas seulement ceux qui provoquaient des feux d'artifice avec leur voix, mais aussi ceux qui parvenaient à faire pleurer leur public. C'est l'essence même de l'art baroque : la profondeur dans l'artifice. Et c'est aujourd'hui ce que je recherche avec ma voix. Je travaille moins la technique pour me concentrer sur les émotions. »

Une femme de génie, simple, enjouée, merveilleusement douée pour la vie, c'est rare. Elle est aussi extraordinaire dans Vivaldi que dans Haendel, Haydn ou Mozart. Elle reconnaît elle-même qu'elle n'aurait jamais pu ni voulu chanter du Wagner. De là où il est, Nietzsche, cet antiwagnérien farouche, la bénit, lui qui est allé jusqu'à dire : « Sans la musique, la vie serait une erreur. »

27/12/2009

LISBONNE ET HAÏTI

Contre les religieux et les philosophes ayant tendance à trouver que « tout est bien », ou que « tout est pour le mieux dans le meilleur des mondes possibles », Voltaire, en 1756, écrit son grand poème *Le Désastre de Lisbonne*. Devant la catastrophe du tremblement de terre d'Haïti, il est saisissant de le relire aujourd'hui. Lisbonne, ville engloutie en 1755, Port-au-Prince ces temps-ci : même horreur, même souffrance. Certes, les secours et les dons affluent, mais il y a, et il y aura toujours, puisque l'ancien Dieu est devenu entièrement Société, des fonctionnaires de l'optimisme pour tourner la page et revenir vite à la Bourse. Que dit Voltaire ? Ce ne sont que « ruines affreuses, débris et lambeaux de cadavres, membres dispersés, cendres, femmes et enfants entassés l'un sur l'autre, cent mille infortunés que la terre dévore. » Dieu voit-il tout cela d'un œil indifférent ? C'est probable. Vous dites que Dieu n'existe pas ? Sans doute, mais son remplaçant numérique fonctionne à plein régime, et les banques ne se sont jamais si bien portées. Reste ce cri mémorable, qui conduira Voltaire, plus tard, à l'ironie supérieure de *Candide*, ce petit roman étincelant toujours actuel.

31/01/2010

CAMUS

À force de commémorer Camus, de le panthéoniser, de le transformer en fantôme abstrait, on a réussi à le rendre ennuyeux. Comme toutes ces histoires avec Sartre, le communisme et *Les Temps modernes* sont poussiéreuses ! C'était il y a longtemps, dans l'obscur XXe siècle. Le Camus vivant (par pitié, qu'on le laisse dormir tranquillement au soleil de Lourmarin !) est, pour moi, celui de *Noces* et de *L'Été*. Camus ne dit pas que « tout est bien » puisqu'il y a la misère et l'absurde. Mais il fait confiance, sur fond de tragique, à ce qu'il sent de plus physique et de plus animal en lui, ce qu'il nomme l'« orgueil de vivre ». « Aujourd'hui l'imbécile est roi, et j'appelle imbécile celui qui a peur de jouir. » Il insiste, Camus, il veut de toutes ses forces « rejoindre les Grecs ». « Le sens de l'histoire de demain n'est pas celui qu'on croit. Il est dans la lutte entre la création et l'inquisition. Malgré le prix que coûteront aux artistes leurs mains vides, on peut espérer leur victoire. Une fois de plus, la philosophie des ténèbres se dissipera au-dessus de la mer éclatante. »

Ces lignes sont écrites en 1948. En 2010, la lutte entre la création et l'inquisition reste la même. En 1950, Camus écrit encore : « Je ne hais que les cruels. Au plus noir de notre nihilisme, j'ai cherché seulement des raisons de dépasser ce nihilisme. [...] Eschyle est souvent désespérant ; pourtant, il rayonne et réchauffe. Au centre de son univers, ce n'est pas le maigre non-sens que nous trouvons, mais l'énigme, c'est-à-dire un sens qu'on déchiffre mal parce qu'il éblouit. » En 1952, voici une récusation des « tombeaux criards » (et qu'est-ce que le Panthéon, sinon un trafic bruyant de cercueils ?) : « Un jour, quand nous seront prêts à mourir d'épuisement et d'ignorance, je pourrai renoncer à nos tombeaux criards, pour aller m'étendre dans la vallée, sous la même lumière, et apprendre, une dernière fois, ce que je sais. »

Énigmatique et silencieux Camus, qu'on veut à tout prix simplifier et réduire. En 1953, quatre ans avant son Nobel, sept ans avant son accident mortel, il écrit : « Un brusque amour, une grande œuvre, un acte décisif, une pensée qui transfigure, donnent à certains moments la même intolérable anxiété, doublée d'un attrait irrésistible. [...] J'ai toujours eu l'impression de vivre en haute mer, menacé, au cœur d'un bonheur royal. » C'est beau.

31/01/2010

CASANOVA

Le 18 février, entre onze heures et midi, une étrange cérémonie se déroule à Paris, au ministère de la Culture. On signe un contrat de sept millions cinq cent mille euros pour un manuscrit français du XVIIIe siècle, qui va ainsi rejoindre la Bibliothèque nationale. Quel est ce prodigieux écrivain ? Casanova, *Histoire de ma vie*. On peut voir, sous vitrine, des feuillets d'une vibrante fraîcheur, couverts d'une fine écriture noire, et l'encre, après deux cent douze ans, a l'air à peine sèche. Le vendeur est allemand, l'acheteur est français, le payeur veut rester anonyme. Par les fenêtres, dans les jardins du Palais-Royal, j'aperçois le fantôme de Diderot, rêveur. Les photographes et les cameramen mitraillent le manuscrit exposé. Il a été écrit en Bohême, où ce Vénitien aventureux était réfugié. Douze à treize heures de rédaction par jour pour raconter une existence de plaisir ininterrompu, un scandale. Le plus étonnant est que cet énorme récit soit parvenu jusqu'à nous après des péripéties aussi extravagantes que ce qu'il raconte. Casanova écrivain français ? Mais oui, et l'un des plus grands à classer parmi Voltaire, Laclos, Stendhal, et bien d'autres. Vous dites qu'il a réellement existé, respiré ? Qu'il n'est pas une légende ou un personnage de film (par exemple, la marionnette mécanique que, par une jalouse vengeance, Fellini a imaginée) ? Oubliez le cinéma et l'argent, prenez et lisez. « Rien ne pourra faire que je ne me sois amusé. » « En me rappelant les plaisirs que j'ai eus, je les renouvelle, j'en jouis une seconde fois, et je ris des peines que j'ai endurées et que je ne sens plus. Membre de l'univers, je parle à l'air, et je me figure rendre compte de ma gestion, comme un maître d'hôtel le rend à son maître avant de disparaître. »

J'ai rarement eu autant de joie, autrefois, qu'en écrivant un livre sur Casanova[213]. Tout est passionnant, chez lui, et pas seulement sa célèbre évasion de la prison de Venise. Ses amours sont électriques, vives, précises. Toutes les femmes qu'il a connues sont là comme une réfutation endiablée de la pruderie et du conformisme de toutes les époques, y compris, et peut-être surtout, la nôtre. La liberté a donc été une idée neuve en Europe, et elle a parlé cette langue-là.

28/02/2010

654

LETTRES D'AMOUR

Voyons maintenant ce qui se passait clandestinement dans le sud-ouest de la France, entre 1783 et 1786. On vient de retrouver aux Archives nationales un tas de lettres d'amour adressées à son cousin par une jeune femme noble de vingt-cinq ans, Rose[214]. La plupart sont codées pour échapper à la surveillance locale, et elles dorment là, en vrac, avec une mèche de cheveux blonds tressée à un ruban bleu. Vous lisez bien : « Je t'aime depuis que je respire et pour la vie. » Et encore : « Plus l'amour est mystérieux, plus il a de charmes. S'il était su, mon bonheur s'affaiblirait. » Et encore : « Il suffit que deux cœurs s'entendent, ils ont mille moyens de communiquer sans le secours de la parole. » Et encore : « Je n'aime pas les gens mélancoliques, je dois aller te voir demain, prépare-toi dès aujourd'hui à me faire gracieuse mine, je veux te voir un visage riant, je te jugerai en entrant et si je n'en suis pas contente, je m'en retournerai aussitôt. » Casanova, dans une lettre à une de ses amies, a le même ton décisif : « Sois gaie, la tristesse me tue. »

28/02/2010

TEMPÊTE

C'est une chose d'apprendre de loin des tremblements de terre ou des raz de marée sur différents points de la planète, c'en est une autre d'être directement visé par une dévastation imprévue. J'ai donc passé une nuit blanche en pensant à ma maison de l'île de Ré, qui, en principe, aurait dû être ravagée et inondée lors de la récente catastrophe. Petit miracle : presque rien, alors que l'endroit est très exposé et avait été sinistré il y a dix ans. La violence du vent et de la marée a surpris tout le monde, et rien de plus atroce que les pauvres gens des zones inondables noyés, à trois heures du matin, pendant leur sommeil. On leur avait annoncé une alerte rouge, ils se sont enfermés chez eux, et seuls quelques-uns ont pu sortir par les toits et être sauvés par des hélicoptères. Personne n'a pu m'expliquer pourquoi cette tempête très étrange (ville de La Rochelle inondée) avait reçu le nom de Xynthia, prénom aussi barbare qu'obscène. Ma nuit blanche n'est pas grand-chose (communications coupées, pas moyen d'avoir le moindre renseignement) si l'on considère le nombre de morts, les digues explosées, la honte et la misère des constructions dans des zones dangereuses. Pendant des heures, on devient pure violence, vent déchaîné, vagues déferlantes, terreur enfantine. Durant quelques jours, l'île a été coupée en trois, ce qui l'a ramenée à ce qu'elle était au XIIe siècle. La Nature a-t-elle des raisons d'être aussi mécontente ? Il faut croire. En tout cas, on peut souffrir pour un paysage comme pour un deuil injuste et brutal.

28/03/2010

PULSIONS

Le Jeu de la Mort, à la télévision, a été inspiré par l'expérience éblouissante de Milgram, au début des années 1960. Il s'agit de savoir comment des participants abusés par une autorité indiscutable peuvent pousser quelqu'un vers la mort à coups de chocs électriques. Un acteur invisible hurle à chaque décharge, il a tous les défauts du monde, et le joueur ou la joueuse qui appuie sur un bouton fait le bien, se distingue par son obéissance, gagne en considération sociale. Ce n'est plus la servitude volontaire, mais la servilité spectaculaire. Milgram avait fait observer (cruelle démonstration pour le discours humaniste) que seule une petite minorité de « joueurs » hésitaient à aller jusqu'au bout. Ces réfractaires au meurtre en faveur du bien étaient très différents les uns des autres, et ne pouvaient former aucune communauté. Leurs motifs étaient divers : malaise physique, croyance religieuse, tympans fragiles, sadisme plus raffiné. La pulsion de mort, en revanche, circulait parfaitement chez les autres par manque d'imagination.

L'expression « prêtre pédophile » est en passe de devenir courante, et l'Église catholique en paie les frais. Cette vieille et vénérable institution est soudain ravagée par des révélations en cascades, aux États-Unis, en Irlande, en Bavière, en Italie, en France. « Crime atroce », dit le pape, visiblement accablé par tout ce tam-tam. Mais les faits sont là : les séminaires sont des camps d'entraînement à la perversion sexuelle la plus idiote, ce qui demanderait une analyse en profondeur. Sur l'atmosphère confinée des séminaires catholiques, la meilleure description reste, de loin, *Le Rouge et le Noir* de Stendhal. « Prêtre pédophile », en un sens, c'est presque aussi surréaliste que « magistrat assassin », « policier gangster », « financier fou », « militaire terroriste » ou « homme politique vertueux ». Je l'avoue : bien qu'ayant, comme romancier, beaucoup d'imagination, je n'arrive pas à me mettre dans la tête d'un prêtre pédophile. Je reconnais mes limites, et je dois dire aussi que je n'aurais jamais joué au *Jeu de la mort*.

28/03/2010

CHINE

Si vous ne devez voir qu'une exposition, ne ratez pas celle consacrée au taoïsme, au Grand Palais. C'est un événement dévoilant la Chine la plus profonde, une démonstration de liberté radicale. Rien à voir avec une religion, et surtout pas avec le bouddhisme. Le catalogue est somptueux, et vous pourrez rêver longtemps sur ces images. Une formule ramassée de cette pensée en acte ? Celle-ci : « L'infini harmonique. » Et puis : « Avoir des os immortels, monter au ciel en plein jour. » Comme ça. Si vous voulez pousser plus loin votre connaissance de la pensée chinoise, prenez la traduction des *Maîtres mots* de Yang Xiong, qui vient de paraître[215]. Ce portrait d'un certain Dongfang Shuo m'enchante :

« Pourquoi le renom de Dongfang Shuo dépasse-t-il ainsi la réalité ?

— Son art de la repartie, sa ressource, son franc-parler, sa vertu contournée. Sa repartie ressemble à de l'excellence, ses ressources jamais à court ressemblent à de la sagesse, son franc-parler ressemble à de la droiture, sa vertu contournée ressemble à du retrait.

— À quoi tient son renom ?

— À une parfaite maîtrise de la plaisanterie. »

Ou encore : « Le renom suprême est le renom auquel on n'a pas travaillé. Le renom auquel on a travaillé vient après. »

28/03/2010

VOLCAN

Décidément, la nature est très mécontente, et elle doit avoir ses raisons. Mis à part les ravages et les convulsions classiques, tremblements de terre, tempêtes, tsunamis, inondations et épidémies, elle franchit maintenant de nouvelles frontières. Personne n'attendait le désastre des « zones noires » de la côte atlantique, avec ses noyés à trois heures du matin surpris par l'eau dans leur lit. Le chagrin et la colère des survivants des maisons destructibles font peine à voir. Ces constructions dans des lieux que l'on savait inondables sont un vrai scandale. On aimerait savoir à qui cette escroquerie mortelle a profité, mystères sous-marins administratifs. Je suis voisin, ici, dans l'île de Ré, d'une digue qui a explosé sous la violence du vent et de la marée furieuse. Du jamais-vu, avertissement brutal.

Personne ne s'attendait non plus au nuage de cendres propulsé par ce volcan islandais qu'on croyait endormi sous la glace, ni à la fermeture des aéroports, pénalisant, loin de chez eux, cent cinquante mille voyageurs français. L'Islande paraissait très éloignée, mais attention aux particules bloquant les moteurs d'avion et pouvant se glisser, invisibles, jusque dans les alvéoles de vos poumons. Affaire à suivre.

25/04/2010

KATYN

J'ai fait mon enquête : presque personne ne savait jusqu'à ces derniers jours ce que signifiait exactement le nom de Katyn. C'est un des plus gros mensonges de l'Histoire, qui, pourtant, en compte beaucoup. C'est à Katyn que Staline a fait exécuter vingt-deux mille prisonniers polonais d'une balle dans la nuque, en 1940. Ce crime, attribué par les Russes aux Allemands, a été couvert par les Alliés, comme dans un placard morbide. Staline, que Roosevelt appelait familièrement « Uncle Joe », avait soigneusement choisi ses victimes : toute l'élite polonaise décapitée, sept mille corps encore non identifiés aujourd'hui. De même que les nazis ont perpétré un génocide de race, de même les Russes se sont employés à fabriquer un génocide de classe. Ajoutez à cela, en 1944, l'armée Rouge restant bras croisés au bord de la Vistule, pendant que les nazis réprimaient l'insurrection polonaise de Varsovie (deux cent mille morts) et vous comprendrez mieux, après le crash de l'avion du président polonais, le choc et l'émotion d'une nation entière.

25/04/2010

RUMEUR

Rien ne fait plus parler que les scandales sexuels, surtout s'il s'agit de personnes *a priori* insoupçonnables. Que faire de tous ces prêtres pédophiles ? Le pauvre Benoît XVI a bien commencé à faire le ménage, mais il n'en fera jamais assez, il faut qu'il expie, qu'il s'excuse à n'en plus finir, qu'il continue sa repentance en chemin de croix. La vertu juridique et puritaine anglo-saxonne tient enfin son grand coupable pervers : l'Église catholique et son bordel silencieux infect. Une arrestation et un procès télévisé du pape comme criminel sexuel seraient un événement énorme. Par compassion pour ce vieil homme très fatigué, j'irais lui porter des oranges en taule. On ne parlerait que de Mozart, son musicien préféré.

Dans un genre plus mondain, voire carrément *people*, Carla Bruni et Nicolas Sarkozy devraient être flattés de la rumeur sur leur vie sexuelle, dont rien n'indique, pourtant, qu'elle soit contre nature. Le spectacle, tout en les critiquant, les trouve donc jeunes, beaux, séduisants, ce qui n'est pas du tout mon avis, mais qu'importe. Un conseil de communication quand même : le mieux qu'on puisse faire avec une rumeur, c'est de ne pas la transformer en tumeur.

25/04/2010

Rimbaud

C'est une photo extraordinaire. Nous sommes à Aden, vers 1886, sur le perron de l'hôtel de l'Univers. Sept personnages posent : six hommes et une jeune femme. Les hommes se présentent de façon avantageuse, coloniale, très XIXe siècle. La jeune femme, plutôt jolie, a l'air détendue. Assis et accoudé à sa droite, un homme plus jeune et très différent des autres, cheveux courts, vêtu très simplement, penché en avant et fixant l'objectif de façon à la fois concentrée et froide, très *moderne*. C'est Arthur Rimbaud à trente-deux ans. Il est là, oui, et il est ailleurs. L'univers est son hôtel.

On doit beaucoup à l'étrange Jean-Jacques Lefrère, qui publie cette photo, trouvée par des libraires au fond d'une caisse[216]. Lefrère est un découvreur, le contraire d'un assis universitaire, un enquêteur précis et inspiré, notamment sur les existences fulgurantes et secrètes de Lautréamont et de Rimbaud. Avec lui, pas d'idéalisation romantique : les faits qui font vivre ces œuvres dans un temps vivant. Vous regardez cette image inconnue de Rimbaud, devenu commerçant et trafiquant d'armes, loin de l'Europe, « continent où la folie rôde » (n'est-ce pas ?) et vous vous souvenez que c'est lui qui écrit, au commencement d'*Une saison en enfer* : « Jadis, si je me souviens bien, ma vie était un festin où s'ouvraient tous les cœurs, où tous les vins coulaient. » Ou bien, dans *Illuminations* : « Je suis un inventeur bien autrement méritant que tous ceux qui m'ont précédé ; un musicien même, qui ai trouvé quelque chose comme la clef de l'amour. » Il ne pense plus à ces phrases. Les a-t-il oubliées ? Sûrement pas, mais il s'agit maintenant d'une tout autre et dure aventure. Tenez, le voici, ces jours-ci, poursuivant sa vie fantomatique, assis dans un coin du Café de Flore, à Paris. Il est en train de lire, avec un imperceptible sourire un peu égaré, le journal *Le Monde*. Il passe complètement inaperçu.

25/04/2010

EURO

Vous êtes inquiets, et je vous comprends. Où va l'euro, qui contrôle l'euro, comment allez-vous rembourser sept cent cinquante milliards de dettes ? Vous voyez arriver partout des plans de rigueur, en Grèce, au Portugal, en Allemagne, en Italie, en Espagne. Vous attendez un miracle, un homme providentiel, un sauveur, un messie de gauche, bien sûr. Eh bien le voici : DSK lui-même, qui devrait bientôt être nommé gouverneur des finances mondiales. Assez de tergiversations, de conflits personnels, de plans sur la comète : le Gouverneur vous parle depuis Washington. Il est lumineux, prolixe, intarissable, il parle d'argent comme personne, on voit défiler sous ses yeux des millions de milliards virtuels qui s'évanouissent (mais pour votre bien) dans la nuit. Être un jour président de la République est une ambition bien trop locale et modeste pour un gouverneur-né. Une fois élu, le sauveur pourra regarder en face la Chine accélérée, le Brésil ascendant, l'Inde en hausse constante. DSK, c'est Obama sans les inconvénients de la marée noire en Louisiane, et Sarkozy sans les embarras des sondages. C'est un destin séducteur en marche, et les populations n'ont qu'à suivre comme elles peuvent en s'occupant de leurs retraites. La Bourse a voté.

30/05/2010

FREUD

De là où il est, Freud, qui a maintenant une énorme clientèle internationale de banquiers maniaco-dépressifs et de traders paranoïaques, m'a fait savoir qu'il prendrait volontiers Michel Onfray en analyse, à la suite de son étourdissante déclaration d'amour. Compte tenu du succès massif et populaire de son livre[217], les séances, brèves ou longues, pourraient être fixées à mille euros par minute. Par les temps qui courent, c'est un prix d'ami. Autre possibilité : DSK, en cas de panne érotique, pourrait suivre une cure de choc. Là, évidemment, ce serait cent mille euros par séance, de quoi doper le moindre fléchissement de la libido.

Freud, toujours très lucide, donnait ce conseil, en 1933, à une de ses patientes préférées, Hilda Doolittle : « Je vous en prie, jamais – je veux dire jamais, à aucun moment, en aucune circonstance –, n'essayez jamais de me défendre si et quand vous entendez des remarques injurieuses sur moi et mon travail. [...] Vous ne ferez pas de bien au détracteur en commettant la faute d'entreprendre une défense logique. Vous approfondirez seulement sa haine, ou sa peur et ses préjugés. »

30/05/2010

PICASSO

Il y a quand même des signaux d'espoir, à commencer par le fait que le vin français a son avenir en Chine. Depuis deux ans, l'Asie est devenue le premier marché pour le vin de Bordeaux devant les États-Unis, et Hong-kong en est la plaque tournante. Le Japon devrait être supplanté par la Chine d'ici à 2013 comme premier importateur de la région. Comme le déclare un officiel bordelais : « Il y a en Chine une population de cent à cent cinquante millions de personnes dont les revenus leur permettent de boire du vin. C'est cette clientèle, et pas seulement celle des millionnaires, que nous devons toucher. » Bravo : les millions de jeunes et jolies Chinoises, évidemment sans burqa, en train de boire du vin de Bordeaux, voilà l'avenir.

Et puis, Picasso est venu, il a vu, il a vaincu. Un récent sondage l'a mis à égalité avec Céline, comme le plus grand créateur du XXe siècle. Il vient d'atteindre un record mondial avec un *Nu au plateau de sculpteur* de 1932, adjugé pour cent six millions cinq cent mille dollars (quatre-vingt-deux millions d'euros) chez Christie's à New York. La voluptueuse jeune femme qui s'arrondit dans la toile n'est autre que Marie-Thérèse Walter, rencontrée lorsqu'elle avait dix-sept ans, qui illumine souvent les tableaux de Picasso. Énergie, sauvagerie, douceur, élégance : un défi à toutes les atrocités ambiantes.

30/05/2010

JOYCE

On a bien raison de célébrer le formidable Kerouac, mais on a peine à imaginer la solitude du plus grand écrivain de la langue anglaise avant la guerre. *Ulysse* est aussitôt interdit pour pornographie aux États-Unis. En France, Joyce doit faire face à l'hostilité de la NRF (Gide traite *Ulysse* de « faux chef-d'œuvre », après avoir qualifié Freud d'« imbécile de génie »), mais aussi à celle des surréalistes. C'est pourquoi on relit avec joie les propos d'un défenseur imprévu, Louis Gillet, esprit singulier bien que membre de l'Académie française [218]. Ses souvenirs de son amitié avec Joyce sont justes et émouvants. Gillet, mort en 1943, a beaucoup d'avance sur son temps.

Voici le plus étonnant : « Plus Joyce allait, plus il se montrait attentif aux sentiments des gens d'Église. Leur opinion avait changé lentement à son égard. Rome n'est jamais pressée. Qu'est-ce que vingt ans pour elle ? J'imagine que Joyce était content de compter enfin dans l'estime de personnes graves : Voltaire attachait de l'importance aux louanges de son ancien maître de rhétorique jésuite, le Père Porée.

Au fond, les ecclésiastiques étaient des personnages, une sorte de tribunal dont le suffrage en valait la peine : ils formaient un public sérieux. Leur considération retirait l'auteur d'*Ulysse* de la tourbe des romanciers. Ces juges sévères avaient bien fini par reconnaître en Joyce un homme de leur espèce, rompu à la dialectique, un psychologue sans illusions, un poète désenchanté de toutes les vanités et soucieux uniquement des problèmes éternels. C'étaient des connaisseurs. Joyce me faisait lire, non sans satisfaction, tel extrait des *Études*, telle coupure de l'*Osservatore romano*, où il était traité avec des ménagements et une déférence visibles. Quel changement depuis les bûchers où on avait rôti ses livres, et depuis le jour où il n'était qu'un polisson qui sentait le fagot ! Le poète voyait-il dans ces avances évidentes l'annonce du moment où il lui serait permis de faire en Irlande un retour honorable ? Mais Joyce est mort inflexible, sans se réconcilier, fût-ce des lèvres, avec l'Église, et sans même disposer pour ses cendres un retour définitif dans la terre de ses morts. »

Inflexible Freud, inflexible Picasso, inflexible Joyce.

30/05/2010

FRANCE BLEUE

Tout à coup, à cause du foot, la France a des bleus partout. C'est tragique, ahurissant, pathétique, et surtout comique. Le moment est quand même venu de considérer que, désormais, cette équipe nationale n'était que de l'argent déguisé en foot, au point que les autres équipes, plus dissimulées ou professionnelles, ont l'air anormales puisqu'elles semblent prendre le jeu au sérieux. La pénible guignolade fait vendre de l'information spectaculaire, c'est l'essentiel. Oubliés, les inondations, les morts, la marée noire en Louisiane, le problème des retraites, les évasions fiscales de milliardaires, les sommets internationaux, les plans de rigueur. Ce festival de vulgarité et d'injures, ces disputes de petits chefs rapaces occupent tout avant de disparaître dans un néant protecteur.

On peut rappeler, au passage, qu'un jeune Birman de douze ans, commis à poser des pierres sur les routes, gagne au maximum un dollar cinquante par jour. Surabondance cynique d'un côté, effrayante misère de l'autre. La planète tourne ainsi. On aura parlé de l'argent roi, la nouvelle ère est celle de l'argent fou. Regardez ces visages crispés de sportifs nantis, écoutez leurs bafouillages hypocrites. Il paraît qu'ils ont pleuré en écoutant la semonce de la ministre des Sports, la rose et plantureuse Bachelot qui, sur une autre chaîne, très allumée, déclarait sa flamme à *La Traviata* de Verdi. Le Président, conscient d'être devant une affaire d'État, lui téléphonait, paraît-il, toutes les cinq minutes. L'orage populaire va-t-il se lever ? La révolte tonne-t-elle en son cratère ? Allons-nous assister à une éruption de la fin ? Après tout, au début de mai 1968, personne n'attendait, sauf quelques signes avant-coureurs, une explosion dans l'Université. Cette fois, ça pourrait venir du bas, du terrain, de l'humiliation physique quotidienne. Mai 68 a-t-il été assez *éradiqué* ? La France, rouge de honte, peut-elle se bouger encore ?

27/06/2010

667

18 JUIN

Qui a entendu le discours d'un obscur général transmis, le 18 juin 1940, à travers les ondes de la BBC ? Presque personne. Pourquoi, soixante-dix ans après, vrai retour du refoulé, n'est-il question que de De Gaulle ?

Voyons les dates : si de Gaulle meurt en 1940, il passe à la trappe ; en 1950, il est placardisé ; en 1960, la guerre d'Algérie risque de lui coûter la vie ; en 1970, on l'enterre ; en 1980, Mitterrand est bien décidé à le rayer de la carte ; en 1990, même topo ; en 2000, il est trop lourd à porter pour Chirac ; en 2010, le revoilà, mais comme un spectre, puisqu'on n'interroge que de vieux revenants, d'ailleurs sympathiques.

Personne ne m'a demandé mon avis sur mon expérience d'écouteur de Radio Londres, à six ans, dans des greniers calfeutrés de Bordeaux. C'est pourtant, pour moi, une expérience inoubliable, surtout à cause de l'intense poésie surréaliste qui se dégageait des messages codés sur fond de brouillage. En voici quelques-uns, parmi les plus énigmatiques et les plus beaux : « Je cherche des trèfles à quatre feuilles », « Les colimaçons cabriolent », « Nous nous roulerons sur le gazon », « Les grandes banques ont des succursales partout », « Le cardinal a bon appétit », « J'aime les femmes en bleu », « Elle fait de l'œil avec le pied », « La brigade du déluge fera son travail », « Ne vous laissez pas tenter par Vénus », « Saint Pierre en a marre ».

Que déclenchaient ces messages « personnels » ? Des attentats ? Une destruction de ponts ? Une fuite précipitée ? Un assassinat ciblé ? Je n'ai jamais été gaulliste, on s'en doute. Mais ce général réfractaire m'a ému, et j'aimerais l'entendre aujourd'hui, sur une radio clandestine, dire ce qu'il pense des marchés financiers. Quoi qu'il en soit, j'ai beaucoup rêvé, dans mon enfance, de me rouler un jour sur le gazon avec des femmes en bleu. Je l'ai d'ailleurs fait, mais ne le dites à personne.

27/06/2010

SHANGHAI

Prenez ce livre passionnant pour l'été : *Shanghai : histoire, promenades, anthologie et dictionnaire*, sous la direction de Nicolas Idier[219]. Nicolas Idier, dans sa présentation, évoque cette ville géante, devenue, en quelques années, la capitale de l'économie mondiale : « Shanghai est une boule de cristal où l'on peut lire l'avenir qui nous attend : les chantiers, la verticalité, l'agression du visuel et du bruit permanent. La menace de la chute, aussi. Shanghai offre la vision d'une ville traquée, pourchassée par elle-même, par ses réussites, par le risque permanent. Elle semble se répéter la phrase de la sorcière Hécate dans *Macbeth*, de Shakespeare : "Il insultera le destin, narguera la mort, et mettra ses espérances au-dessus de la sagesse, de la religion et de la crainte. Et, vous le savez, la sécurité est la plus grande ennemie des mortels." »

27/06/2010

DIDEROT

Diderot est, avec Voltaire, l'un des meilleurs joueurs de l'équipe de France, et on aurait avantage à les réintégrer d'urgence dans le grand match symbolique en cours. Voici donc votre deuxième livre pour l'été : Diderot, *Lettres à Sophie Volland*[220]. Écoutez ça, nous sommes à Paris le 11 mai 1759, l'homme de l'*Encyclopédie* (vingt ans de travail) raconte une de ses soirées à son amoureuse : « Nous nous entretînmes d'arts, de poésie, de philosophie et d'amour ; de la grandeur et de la vanité de nos entreprises ; du sentiment ou du ver de l'immortalité ; des hommes, des dieux et des rois ; de l'espace et du temps ; de la mort et de la vie. C'était un concert... »

Merveilleux Diderot, qui donnait rendez-vous à sa Sophie dans les jardins du Palais-Royal, sur « le banc d'Argenson ». Un jour, il écrit dans le noir : « Je continue à vous parler, sans savoir si je forme des caractères. Partout où il n'y aura rien, lisez que je vous aime. » Une autre fois : « Je sens à chaque instant qu'il me manque quelque chose, et quand j'appuie là-dessus, je trouve que c'est vous. » Et encore : « On me trouve sérieux, fatigué, rêveur, inattentif, distrait, pas un être qui m'arrête, jamais un mot qui m'intéresse. C'est une indifférence, un dédain qui n'excepte rien. Cependant on a des prétentions ici comme ailleurs, et je m'aperçois que je laisse partout une offense secrète. »

On ne sait rien de Louise-Henriette Volland, dite Sophie (1716-1784), sauf qu'elle est restée célibataire. Rien, aucun document, aucune lettre, excepté son testament autographe léguant à sa mort, à Diderot, « sept petits volumes des *Essais* de Montaigne, reliés en maroquin rouge, plus une bague que j'appelle mapauline. » Comme quoi la vraie philosophie est amour.

27/06/2010

L'Oréal

Comment ne pas être fier d'être français quand nous avons L'Oréal, cette fabuleuse entreprise mondiale de cosmétique ? Tout est passionnant dans L'Oréal : ses origines troubles, sa vieille milliardaire inspirée, son artiste contemporain fastueusement traité, ses évasions fiscales, son île des Seychelles, ses enveloppes discrètes, son ministre préféré, ses intrigues domestiques, son drame familial digne d'un super-Balzac. Cela a été le grand feuilleton de l'été, et j'espère qu'il recommencera à l'automne, débordant, et de loin, la rentrée littéraire. Certes, vous avez eu la Russie en feu, Moscou enfumé, la marée noire mal colmatée en Louisiane, les inondations au Pakistan et en Chine, les morts de la Love Parade en Allemagne, l'Iranienne menacée de lapidation (heureusement, Carla Bruni va arrêter ça), les remous provoqués par le projet de mosquée sur le site de Ground Zero à New York, mais l'affaire L'Oréal, c'est mieux, plus tordu, plus vicieux, une vraie coupe verticale géologique de la société française, avec même des moments charmants : les bibis de Mme Woerth, par exemple, sur les champs de courses. On vous a promené en Suisse, dans l'océan Indien, dans des hôtels particuliers, ou encore au Luxembourg et à Singapour. Les milliards tourbillonnent, s'évaporent, reviennent dix fois plus forts, se cachent dans des niches que les futurs retraités ne sauraient même pas imaginer. Qu'ils manifestent, ceux-là, qu'ils défilent, les banques et le gouvernement ne se laisseront pas intimider. L'Oréal ! L'Oréal ! De l'or ! Du suspense ! Des enregistrements secrets ! Des majordomes ou des comptables indiscrets ! Du sexe pas encore révélé ! Des médecins insoupçonnables ! Des avocats déchaînés ! Des photos inédites ! La suite, vite !

29/08/2010

SÉCURITÉ

La parade du pouvoir n'a pas été longue à venir. Oubliez L'Oréal, la situation est grave. Vous voyez bien que la délinquance s'aggrave partout, et que c'est la faute aux socialistes, aux Roms, aux gens du voyage. Des milliardaires de gauche vous trompent, et, une fois de plus, le puissant lobby de Saint-Germain-des-Prés vous intoxique, vous, vrais Français d'origine française. Regardez ces laxistes irresponsables et d'un angélisme coupable, ils favorisent en réalité le trafic de drogue. Ils seraient de mèche avec les talibans qui tuent nos soldats que ça ne m'étonnerait pas. La gauche hypocrite feint de s'opposer aux réformes mais elle s'y pliera puisqu'elle n'a rien à proposer sur le plan sécuritaire. Ayez confiance, votre grand frère président vous protégera et son épouse people vous chantera, le moment venu, une douce berceuse. La planète est devenue épuisante, vous avez besoin de repos. Que les Roms aillent au diable ! Que les gens du voyage transportent leurs caravanes ailleurs ! Quoi, le pape n'est pas content, l'Église catholique fait la grimace ? Que ces braves gens s'occupent donc de leurs prêtres pédophiles ! Comme l'a dit jadis un grand professionnel de la poigne, le pape c'est combien de divisions ?

29/08/2010

NOUVEAU-NÉS

Malgré l'horreur physiologique qu'elles m'inspirent, j'ai tendance à admirer le sang-froid des mères criminelles françaises. La regrettée Marguerite Duras les aurait trouvées « sublimes, forcément sublimes ». Voyons : ces femmes très enveloppées n'ont l'air de rien, mais multiplient à l'insu de tous des grossesses, accouchent toutes seules, et éliminent aussitôt leur progéniture. On a eu ainsi les bébés dans un congélateur, on en est maintenant aux sacs en plastique. La presse nous prévient : le couple pris dans ce genre d'histoire est « avenant, serviable, poli, courtois ». La femme est aide-soignante, le mari est charpentier et membre du conseil municipal. Le curé du lieu, nous dit-on, est resté « hébété ». Un concept nouveau a pris corps, celui de « néonaticide ». Le plus étonnant est quand même l'extrême aveuglement des maris, au courant de rien, disent-ils, et l'éclairage brutal sur les coïts approximatifs de province.

29/08/2010

SATURATION

Supposons que le Président, peut-être poussé en douce par son épouse, en ait marre et annonce, après un remaniement gouvernemental forcément raté, qu'il ne se représentera pas en 2012. Quelle crise, quel vide immédiat ! Comment, pas de Sarkozy aujourd'hui, ni demain, ni après-demain, sauf quelques reportages sur sa nouvelle vie luxueuse dans les Émirats ou en Amérique ? Plus personne à attaquer, à contester, à déstabiliser ? L'anti-sarkozysme étant une activité à plein temps, que vont devenir les médias ? Reste avec nous, ennemi adoré ! Ne fais pas baisser nos tirages ! Continue à remplir nos colonnes, à illustrer nos couvertures de magazines, à vampiriser la télé ! On te pardonne tout : l'affaire Woerth-Bettencourt, les Roms, les boucliers fiscaux, la réforme précipitée des retraites, la mauvaise image de la France dans le monde entier. Continue, continue, car comment s'intéresser sans toi à la triste vie politique ? N'abandonne pas les éditorialistes, les chroniqueurs, les caricaturistes, la droite et la gauche, qui ne pensent qu'à toi ! Tiens bon, Président ! Touche la nation ! Oublie les Européens craintifs, Angela jalouse, Obama envieux, tes ministres déboussolés, les intellectuels frustrés ! La France sans Sarkozy serait une triste plaine. Le peuple l'a élu et devrait le réélire maintenant. D'ailleurs, tout le monde l'a compris : le véritable horizon est 2017, 2022 ou 2027. Je vois d'ici les futurs prétendants. Auront-ils la force et l'énergie nécessaire pour ce boulot épuisant ? On l'espère.

26/09/2010

RELIGION

La religion rend souvent fou, c'est une vieille histoire. La palme d'or de l'illumination revient quand même, ces temps-ci, au pasteur protestant menaçant de brûler en public quelques centaines de corans. Obama le supplie de n'en rien faire, l'armée américaine aussi. Il est têtu, il insiste, il a pris goût à sa dimension soudaine de star. Les

Américains éclairés (ça existe) soutiennent, par ailleurs, le projet de mosquée près de Ground Zero. En effet, si toutes les religions se valent, pourquoi l'islam n'aurait-il pas droit de cité sur des ruines provoquées par des fanatiques ? L'islam modéré est en marche (voyez la Turquie, il n'y a pas que l'Iran) et au nom de quel Dieu faudrait-il freiner ses progrès ?

La mauvaise religion perverse, vous le savez bien, est la catholique et ses légions de prêtres pédophiles encore sur le terrain. Le pape n'en fait pas assez dans le repentir, et l'Angleterre vient de le lui rappeler avec fermeté. Le Vatican, un État ? Vous rigolez, un repaire de fantasmes. Le mariage des prêtres résoudrait-il le problème ? On le dit, mais rien n'est moins sûr. L'indignation gay est compréhensible : Benoît XVI ferait mieux de démissionner.

26/09/2010

OPÉRATION

Il y a peut-être une solution radicale. Un jeune professeur de physique, dans un collège catholique français, décide de se faire opérer et de devenir une femme. Honnête, il prévient sa hiérarchie pour éviter un scandale. Celle-ci accueille sa décision avec compréhension et respect, les parents aussi, les enfants de même. Notre professeur s'appelait Vincent, il s'appellera désormais Martine. C'est mieux que s'il avait choisi comme prénom Ségolène, Cécilia, Carla ou Eva. Prendra-t-il, pardon, prendra-t-elle sa carte du Parti socialiste ? Pourquoi pas ? Son acte courageux pose quand même une question. Qui sait si le désir secret et profond des prêtres, surtout pédophiles, n'est pas d'être transformés en femmes ? Une fois arrivés là, ils pourraient se marier et surveiller de près les petits garçons qui manifesteraient de dégoûtantes propensions à l'hétérosexualité. Soyons prudents, c'est juste une piste à suivre. Il faut faire avancer le débat.

26/09/2010

Monet, Manet, Picasso

Qu'est-ce qui rapproche le merveilleux Claude Monet d'un artiste contemporain grotesque comme Murakami envahissant le château de Versailles ? Le directeur de Versailles vous l'expliquera. On n'a pas osé lui demander le montant exact de la transaction ayant conduit à donner un tel éclairage mondial de publicité à un entrepreneur japonais de dessins animés. Personne, dans un premier temps, ne voulait de Monet et personne ne voulait non plus de Manet, qui sera célébré en avril au musée d'Orsay. Mieux : la foule se rassemblait pour rire de *L'Olympia* ou du *Déjeuner sur l'herbe*. Il fallait monter la garde devant les tableaux pour les protéger. À la fin de sa vie très brève (il est mort à cinquante et un ans), le splendide Manet disait : « Les attaques dont j'ai été l'objet ont brisé en moi le ressort de la vie. On ne sait pas ce que c'est que d'être constamment injurié. Cela vous écœure et vous anéantit. »

J'ouvre la radio, et j'entends Michel Houellebecq réitérer ses étranges attaques contre Picasso : « Picasso, c'est juste un très mauvais peintre, un des plus mauvais de sa génération, il est très inférieur à Kandinsky, très inférieur

676

à presque tous, Klee, Mondrian ; presque tout le monde est supérieur à Picasso, même Dalí. Non, c'est vraiment pas bon, ça, c'est clair que c'est pas bon. Ce que pense Philippe Sollers est intéressant, ç'aurait été aussi intéressant une polémique avec Muray, que j'ai eue d'ailleurs brièvement quand on se voyait, j'ai toujours dit que Picasso, ça n'allait pas. Y a pas de lumière, sa manière de voir le monde est stupide, il prend un des mouvements les plus stupides déjà, le cubisme, il est le pire des cubistes. [...] Il est mauvais. »

Bien entendu, l'obsession du charmant Houellebecq contre Picasso n'a rien à voir avec la peinture. Les réactionnaires puritains de tout poil ont toujours eu des problèmes avec l'incroyable liberté sexuelle de l'auteur des *Demoiselles d'Avignon*. Notre romancier réaliste social, futur prix Goncourt, ne fait là que relayer une longue série d'invectives, dont les plus spectaculaires ont eu lieu à la fin de la vie de Picasso, lorsque le public anglo-saxon, épouvanté, a eu connaissance des éclatantes « Étreintes » du Minotaure. Un critique d'art anglais, officiellement homosexuel, écrivait alors : « Ces tableaux sont des gribouillages incohérents exécutés par un vieillard frénétique dans l'antichambre de la mort. » Passons.

26/09/2010

MANIFS

Tout le monde le sent : la vague populaire a moins à voir avec une réforme des retraites jugée injuste qu'avec un appel au secours. Le temps est coincé, le passé détruit, l'avenir sans forme. Je vois des visages de lycéens criant qu'ils voudraient vivre plutôt que survivre, ce qui n'est pas précisément un appel à la révolution. Il n'y a que la presse étrangère qui évoque le spectre de Mai 68, en s'étonnant, encore une fois, de ces étranges Français qui font grève, perturbent les transports, bloquent la distribution d'essence, tout cela pendant longtemps avec, malgré les casseurs, le soutien de l'opinion. Qu'est-ce qui leur prend ? Il va falloir les calmer, les anesthésier, leur demander d'attendre l'élection présidentielle, leur faire accepter la lourde routine de la survie. Il y a eu un temps où la France s'ennuyait et, donc, voulait s'amuser. Cette fois, elle est déprimée, et en colère, sans issue contre la misère.

31/10/2010

DIEU

Jamais un candidat à la présidence des États-Unis ne pourrait être élu sans croire en Dieu. Obama croit-il en Dieu ? Ce n'est pas sûr. La vague populiste réactionnaire qui monte contre lui (celle des « Tea Parties ») s'incarne dans de drôles de prophétesses. Billy Tucker, par exemple, une blonde de choc, qui, à quatre heures du matin, a entendu Dieu lui parler. Elle lui répond qu'elle n'est qu'une « maman ». Mais Dieu insiste, et elle se met à faire de la politique. Même histoire avec Katy Abram, qui, elle aussi, a des insomnies et entend Dieu lui chuchoter des choses. Les nombreux participants de cette comédie très sérieuse se mettent à scander « Dieu est de retour, Dieu est de retour ! ». Une autre illuminée locale, une des plus dangereuses, déclare devant les caméras : « Obama a abaissé les chrétiens et élevé l'islam. Il veut la mort de l'Amérique. »

Une seule certitude : ce président est noir, et Dieu, par définition, est blanc. Le grand romancier américain Philip Roth nous donne une explication : « Les gens n'ont plus cette "antenne" qui était consacrée à la littérature, elle a été remplacée par une antenne électronique. Ils sont face à des écrans, à des pages qu'ils regardent une par une. Ils ont perdu la faculté de se concentrer sur un livre. Les gens qui lisent vont devenir une secte très réduite. » Conclusion : quand plus personne ne lit, Dieu a tendance à parler de plus en plus fort.

Sarkozy a bien capté ce message subliminal, d'où sa visite précipitée au pape, avec un programme dûment orchestré : signes de croix ostensibles, prière murmurée, écoute de conseils donnés par un cardinal français ; pas question, comme la dernière fois, de consulter des SMS devant Sa Sainteté. Patatras ! Benoît XVI lui offre gentiment, pour finir, un chapelet bénit, et que fait le Président ? Il lui en demande un autre pour son petit-fils. Qu'à cela ne tienne, le Vatican en a des tonnes en réserve. Voilà, en tout cas, une anecdote qui me rassure : le Président, comme le premier Rom venu, croit en Dieu, et récite maintenant son chapelet pendant le Conseil des ministres. Dieu veille : il sera réélu.

31/10/2010

CHINE

Une qui ne s'est pas ennuyée dans la vie, tout en flottant sur ses tapis de milliards, c'est la très romanesque

Liliane Bettencourt. *Match* lui demande quel est le chef d'État ou de gouvernement qui l'a le plus marquée. Elle répond aussitôt : « Mao ! Il m'aimait bien. Peut-être trop. Ça n'allait jamais bien loin mais c'était une merveilleuse blague. C'est énorme pour une femme ! Je l'ai vu souvent, là-bas, en Chine. » Le journaliste, épaté, lui pose alors une question idiote : « Racontez cela ! Est-il venu vous voir ? » Et Liliane : « Venir ici ? À Neuilly ? Non ! Cela aurait été fou ! Raconter ? Je ne crois pas qu'il faille raconter. C'est du non-dit. De la mémoire. Et puis, vous savez, tous ces voyages... Je ne sais pas si j'étais vraiment satisfaite. Est-ce satisfaisant ? Peut-être un moment, mais si rapide. Peut-être un instant... » A-t-elle quand même eu la possibilité de parler de L'Oréal avec Mao ? Non, pas de mélange des genres. Mao l'a aimée pour elle-même, pas question qu'il devienne Maoréal !

Je peux révéler maintenant que, dans ma folle jeunesse « maoïste », j'étais parfois chargé, à Pékin, d'introduire de riches et belles étrangères auprès de Mao, la nuit, dans le pavillon des Chrysanthèmes de la Cité interdite. Mao voulait varier ses plaisirs, et ne se contentait pas des dix ou douze jeunes Chinoises, triées sur le volet, qui venaient remplir sa piscine, le samedi soir, avant de passer sur son vaste lit pour des séances taoïstes d'immortalité (ce que le dalaï-lama n'a jamais pu supporter).

Voyez la scène : Liliane, un foulard sur la tête, introduite auprès du monstre amoureux, pour un moment d'ivresse sans paroles, puisque, là, il n'y avait plus d'interprète et que Mao ne parlait pas un mot de français. Mao venant plus tard à Neuilly ? Des photos dans *Match* ? Allons donc ! Nuits de Chine, nuits câlines...

Ces Chinois exagèrent. « Ils n'en font qu'à leur tête », me dit l'excellent observateur Marcel Gauchet. La preuve :

à la surprise générale, la Banque centrale chinoise relève, contre l'inflation, ses taux directeurs. Comme le dit un journaliste du *Monde* : « Cette annonce illustre une confiance insolente de la Chine en son économie. » Le prix Nobel de la paix à un Chinois contestataire ? Très bien. Mais je crains que ces Chinois ne demeurent « insolents ». Ah, les ombres de Mao et de Liliane dans les nuits de Pékin ! Je note que Liliane déclare par ailleurs ne rien avoir éprouvé pour François Mitterrand, ce qui est une indication érotique.

31/10/2010

HOMÈRE

Je reçois la merveilleuse traduction de *L'Iliade* par Philippe Brunet[221] et me voici saisi par les dieux et les déesses grecs. Oh oui, du rythme, des surgissements, de la beauté enfin ! Vers quatre heures du matin, mais ne le dites à personne, je reçois ainsi la vérité d'Iris, messagère des dieux, notamment de Zeus « aux prunelles splendides ». Écoutez ça : « Alors Iris bondit, messagère pieds-de-tempête, perçant le sombre flot. Un bruit retentit dans les ondes, tout semblable à un plomb, elle plongeait au fond de l'abîme. » Quelle joie ! Quelle fraîcheur !

31/10/2010

REMANIEMENT

Je suppose que vous êtes comme moi ; à force de gesticulations, vous n'arrivez plus à prendre au sérieux le spectacle politique. Se prend-il lui-même au sérieux dans sa fuite en avant ? C'est probable, sur fond de vertige. Le plus troublant, dans cette roue permanente de la fortune, c'est l'impression d'immobilité lourde, contraire à son mouvement. Que certains acteurs partent, que d'autres arrivent ou fassent semblant d'arriver, vous êtes priés d'attendre la suite, laquelle, d'ailleurs, ne saurait tarder. À quoi bon citer les noms ? Le tourbillon les emporte, les bouscule, les aspire, les dévore. À part les banques, quelle fonction résiste à ce tsunami ? Je n'en vois qu'une : le FMI, le Fonds de Manipulation International. Le gouverneur souriant, DSK, est plus que jamais le souverain caché de la réalité qui vous hante. Et, là, surprise : DSK vient de rappeler qu'il était « de gauche », et que, par conséquent, au cas où vous auriez de nouveaux sacrifices à faire, mieux vaudrait les lui confier pour l'avenir. Si vous devez renoncer, un jour, pour le bien général, à un ou deux mois de salaire, sachez qu'une vision socialiste mondiale saura vous remercier de votre compréhension. Ne vous crispez pas, vous êtes mondialisés par décret. Le bon vieux temps, celui où la France « s'ennuyait », est loin, très loin, et disons-le carrément sans exagérer : la France, désormais, s'emmerde. Les médias ont beau tourner à plein régime, un seul candidat émerge de cette bouillie : Mediator. Je le prends comme tranquillisant, tant pis pour les effets secondaires.

28/11/2010

PRÉSERVATIF

Pauvre pape ! Il va à Barcelone pour consacrer l'impressionnante basilique du génial Gaudí (mort en

1926), mais, sur son chemin, sa papamobile est obligée de passer à travers des couples d'homosexuels et de lesbiennes s'embrassant à pleine bouche pour défier Sa Sainteté. Le contraste est d'un surréalisme parfait, et on peut ainsi constater que l'Église catholique, avec ses prêtres pédophiles et ses multiples secrets, aimante encore tous les fantasmes érotiques. Par ailleurs, le chrétien est devenu une cible privilégiée pour les tueurs d'Al-Qaida, lesquels ne semblent pas avoir de problèmes sexuels.

Enfin, bon, voici la grande nouvelle : le pape autorise le préservatif en cas de transmission mortelle du sida, notamment en Afrique. On se souvient peut-être qu'ici même j'avais préconisé la distribution par le Vatican de préservatifs préalablement exorcisés. Ce sont les plus sûrs, les plus résistants, les plus performants. Ai-je été écouté ? Je le pense. Tout cela n'est qu'un mince début (le pape n'en fera jamais assez), mais il est quand même extraordinaire d'attendre du clergé ou du pape des prescriptions ou des conseils sur l'usage libidinal de son propre corps.

Mieux vaut relire, malgré Michel Onfray, quelques textes de Freud, par exemple *La Morale sexuelle civilisée et la Maladie nerveuse des temps modernes*, datant de 1908. Exemple : « Un artiste abstinent ce n'est guère possible ; un jeune savant abstinent ce n'est certainement pas rare. Le dernier peut par sa continence libérer des forces pour ses études, le premier verra probablement son efficience créatrice fortement stimulée par son expérience sexuelle. D'une façon générale, je n'ai pas acquis l'impression que l'abstinence sexuelle aide à former des hommes d'action énergiques et indépendants ou des penseurs originaux ou des libérateurs ou des réformateurs avisés… » Sacré Freud : on dirait qu'il annonce Picasso et sa liberté débordante.

28/11/2010

BONNE ANNÉE !

L'année 2010 vous a paru longue et confuse. En 2011, vous ne devriez pas être déçus en longueur et en confusion. Vous serez sans cesse priés d'attendre 2012, d'être spectateurs de cette attente interminable, vous aurez l'impression d'être pris en otages, avant que les vedettes politiques aient pris leur décision pour la présidentielle. Sur le mode de l'anesthésie, vous constaterez que la France, en moins tragi-comique, ressemble à la Côte d'Ivoire, avec deux présidents : l'un, élu, Sarkozy ; l'autre, virtuel, DSK. Entre l'agitation de l'un et la réserve mystérieuse de l'autre, vous aurez tout le temps d'apprécier le film qui vous plonge déjà dans un ennui profond. Attendez, attendez, on finira par vous dire. Après tout, vous êtes de grands enfants, et vous pouvez savourer les fêtes. Circulez, circulez, attendez : les déclarations parentales viendront, les parents savent ce qu'il vous faut, ils sont d'un cynisme inébranlable.

02/01/2011

TRANSPARENCE

Saluons le héros d'une vraie nouveauté : le génie du piratage informatique, Julien Assange. WikiLeaks, voilà l'avenir. J'aime apprendre ces secrets d'État, ces commentaires américains des coulisses, et je trouve stupéfiant que des intellectuels aient protesté contre des révélations si peu diplomatiques. Il paraît, en écoutant certains, que tout se savait déjà, qu'il y aurait danger de balancer, même avec filtre, des confidences d'ambassades. Je suis désolé, mais ces messages de l'ombre m'amusent. Berlusconi ? « Il est incapable et vaniteux, épuisé par de trop fréquentes fêtes. » L'Afghanistan de Karzai ? Une corruption à tous les étages, un trafic de drogue permanent. Sarko l'Américain ? « Il est venu se confesser aux Américains, avant de le dire aux Français, sur son plan d'occuper le trône de la République pendant dix ans. » C'était en 2005, et voilà donc les Américains tranquilles jusqu'en 2017. L'horizon, c'est 2017. Faut-il sortir de l'euro ? Impossible. Faut-il avoir peur de Marine Le Pen ? Attendons les nouvelles fuites de l'ordinateur central. Pourra-t-il nous renseigner sur les relations idylliques entre Berlusconi et Poutine, c'est-à-dire sur un pan non négligeable de la mafia planétaire ? Le mot mafia n'apparaît jamais dans les rapports, et c'est très étrange. Quand il est entré en prison, avant d'en ressortir avec un bracelet électronique, le sympathique Julien Assange a déclaré : « L'avantage, en prison, c'est que je pourrai enfin lire un livre. » Un pirate de cette nature ne peut pas être foncièrement mauvais.

02/01/2011

PICASSO

Un vieil électricien qui a travaillé il y a longtemps chez Picasso se retrouve avec des cartons pleins d'œuvres exceptionnelles (estimation : quatre-vingts millions d'euros). Naïvement, puisque les œuvres ne sont pas signées, il demande aux héritiers de Picasso de les authentifier, en prétendant qu'elles lui ont été données par Picasso lui-même ou sa veuve. Il est aussitôt accusé de vol ou de recel. Les tableaux et les dessins sont authentiques, Picasso déménageait souvent et aurait laissé derrière lui ces réserves, notamment un splendide papier collé capable de désespérer Houellebecq. On n'insistera jamais assez sur l'inventivité des papiers collés de Picasso : science, élégance, découverte d'un nouvel espace musical, jeu subtil sur les mots, « jour » pour « journal », appel aux cinq sens, « vin », « tabac », « vieux marc »… J'ai devant moi une reproduction d'un *Violon et feuille de musique*, daté de 1912, papiers de couleur et partition musicale collés sur carton, gouache, qui, si je lève les yeux, fait immédiatement mon bonheur. Grande liberté de Picasso, grand bonheur.

02/01/2011

STENDHAL

Julien Assange nous renseigne sur ses lectures : le poète latin Horace, Mark Twain, Soljenitsyne. Voilà, en tout cas, un virtuose de l'informatique qui croit encore au livre. Malgré les prophéties sur sa disparition remplacée par le numérique et Google, le livre papier résiste et résistera. Un conseil au pirate : il serait temps, en prison ou pas, qu'il se mette à Stendhal, dont on vient de rééditer le *Journal* en livre de poche[222].

Le voici en juillet 1801 (il a dix-huit ans) : « Hâtons-nous de jouir, nos moments nous sont comptés, l'heure que j'ai passée à m'affliger ne m'en a pas moins rapproché de la mort. Travaillons, car le travail est le père du plaisir, mais ne nous affligeons jamais. Réfléchissons sainement avant de prendre un parti ; une fois décidé, ne changeons jamais. Avec l'opiniâtreté, on vient à bout de tout. Donnons-nous des talents ; un jour je regretterais le temps perdu. »

En 1811, le voilà à Milan, avec Angela, une des femmes qu'il a le plus aimées : « Sans doute la femme la plus belle que j'ai eue, et peut-être que j'ai vue, c'est Angela telle qu'elle me paraissait ce soir en me promenant avec elle dans les rues, à la lueur des lumières des boutiques. [...] Elle venait de prendre un café avec moi dans une arrière-boutique solitaire ; ses yeux étaient brillants ; sa figure demi-éclairée avait une harmonie suave, et cependant était terrible de beauté surnaturelle. On eût dit un être supérieur qui avait pris la beauté parce que ce déguisement lui convenait mieux qu'un autre, et qui, avec ses yeux pénétrants, lisait au fond de votre âme. Cette figure aurait fait une sibylle sublime. »

Stendhal, qui était amoureux de l'amour, a écrit ceci : « L'amour a toujours été pour moi la plus grande des affaires, ou plutôt la seule. » D'où les personnages féminins de ses romans inoubliables, dans *Le Rouge et le Noir* et *La Chartreuse de Parme*. Un de ses amis lui dit que le caractère des femmes est « un désir insatiable de plaire, et que, par conséquent, on ne saurait trop les louer ». Cet ami (peut-être Stendhal lui-même) « a vu la louange produire des miracles ». Ainsi « une femme disait d'un homme dont la figure était presque hideuse, "Quel monstre ! Il me fait mal aux yeux." Le monstre la loua, parvint à lui plaire et enfin à coucher avec elle. »

En juillet 1815, Stendhal est à Venise : « Mon bonheur consiste à être solitaire au milieu d'une grande ville, et à passer toutes les soirées avec une maîtresse. Venise remplit parfaitement les conditions. » C'est précisément, deux siècles après, le sujet de mon nouveau roman qui paraît ces jours-ci [223] : je vais l'envoyer au pirate.

02/01/2011

PROTECTORAT

Ne vous plaignez pas : vous avez désormais plus qu'un Président, un Protecteur. La stature de Sarkozy augmente, voyez-le au G20, appréciez sa mobilité, ses connaissances, sa vision mondiale, sa lucidité dans la crise. On parlait autrefois de « protectorat » pour la Tunisie et le Maroc, mais le Protectorat, maintenant, c'est la France. Peut-être aurez-vous le choix entre un protectorat de droite ou un protectorat de gauche. Sarko ou DSK ? Les deux, bien sûr, la situation est trop grave pour se passer de toutes les dimensions possibles. Allons, récriminez tant que vous voulez, l'important c'est que vous serez protégés.

Depuis les palais de Marrakech, où il fait si bon vivre, et qui ne semblent pas être touchés pour l'instant par la révolution tunisienne, la France comme Protectorat s'offre à vos yeux enchantés. Pourvu que le Maroc tienne ! Que l'Algérie ne déborde pas ! Que l'Égypte reste stable ! Pourvu que Ben Laden ne se mêle pas de tout ça ! Mme Alliot-Marie n'a pas agi assez vite : il fallait envoyer des forces de police françaises à Tunis, la proposition est venue trop tard. Ce petit Mai 68 aurait vite été étouffé dans l'œuf, et Ben Ali serait encore là, flanqué de sa grosse épouse qui est quand même partie en emportant une tonne cinq cents kilogrammes d'or en Arabie Saoudite. Ne me dites pas qu'il pourrait y avoir un jour des émeutes à Marrakech. Je tremble à cette seule idée, on abîme mon luxe.

Prenez maintenant l'avion, ou un hélicoptère, et rendez-vous à Jarnac, dans un cimetière. Là, en famille, vous vous recueillez devant les restes d'un ancien grand Protecteur, François Mitterrand. Cette lourde cérémonie funèbre pose quand même un problème de fond. Qui hérite aujourd'hui de cet imposant monarque ? Un Protecteur ou une Protectrice ? Martine ou Ségolène ? Ou les deux ? Vous laissez tomber les autres candidats, trop flous, inexpérimentés, déjà usés. Vous vous rappelez le mot mystique de l'ancien Protecteur : « Je crois aux forces de l'esprit, je ne vous quitterai pas. »

Le soleil brille à Marrakech, l'esprit souffle à Jarnac. Mais Jarnac, qui rime malencontreusement avec arnaque, c'est beaucoup plus que Jarnac. Écoutez bien : un silence de sphinx vous interpelle, les pyramides se détachent dans le clair-obscur. Les mystères financiers du Haut Protectorat vous échappent. Comment pourriez-vous imaginer ce qui se passe vraiment dans les banques, au G20, ou au FMI ? Qui vous protégera le mieux ? Attendez, attendez, la réponse mûrit dans l'ombre.

30/01/2011

MARINE

On n'a jamais entendu parler du père de Jeanne d'Arc, mais voici Marine Le Pen, bon sang ne saurait mentir. Elle embrasse son papa démodé, elle l'avale, elle le double sur sa gauche, et, au fond, les contraires passant les uns dans les autres, cette solide blonde au sourire carnassier ferait une très bonne candidate du Parti communiste français. Évidemment, ce qu'elle dit ne tient pas debout, mais ça n'a aucune importance. La fibre populaire est là, un troublant charisme, une volonté à toute épreuve, un prénom magique. Il paraît que le Haut Protectorat s'inquiète de sa montée en puissance. Une diabolique surprise n'est donc pas exclue, sa présence au second tour de l'élection présidentielle, comme lorsque Chirac l'a emporté sur papa avec 82 % des voix. Ce serait beau : drapeaux français contre drapeaux européens, des foules survoltées, et, en face de Marine, qui ? Le sauveur DSK, ou la sauveuse Martine ? Ne rêvons pas : le franc ne reviendra pas, l'euro tiendra le coup grâce aux Chinois.

30/01/2011

CÉLINE

Je ne comprends pas ce cliché répété sans cesse à propos de Céline : « Très grand écrivain, mais parfait salaud ». J'attends que ceux qui emploient ce genre de formule m'expliquent ce qu'est pour eux un « très grand écrivain ». En général, comme ils n'ont pas lu grand-chose, ils bafouillent. Je préfère m'abstenir de rentrer dans cette polémique interminable, truquée et vaseuse.

Parler d'un écrivain sans le citer est, de toute façon, une imposture. Je choisis donc de laisser la parole à l'accusé.

Céline, en 1948, en exil au Danemark où il vient de passer dix-huit mois en prison dans le quartier des condamnés à mort, a la vision d'une « planète de fous homicides ». Il est allé chercher le Diable, il l'a trouvé, il est en enfer, et l'enfer est beaucoup plus médiocre que prévu : « On voudrait un peu de véritable luciférisme, on ne rencontre que de prudents rentiers de l'horreur. » Il écrit des choses comme ça : « Le temps ne s'efface pas chez moi, il grave. » Ou bien : « Si je cesse de danser une seconde, la mort m'emporte. » Il danse donc, avec son « moulin à prières » interne, dans le couloir de la mort.

Et aussi : « Pauvre destinée que la nôtre sur la route des étoiles ! Embûches, mirages, gouffres, néant ! C'est trop pour nous. » Ou bien : « Il faudrait écrire des romans du matin au soir. » L'embêtant, c'est la terrible jalousie des autres (écrivains, critiques, journalistes) : « Une méchanceté envieuse, lâche, imbécile, féroce, implacable, naturelle, banale, fastidieuse, c'est ça l'opinion. » Autrement dit la « médiocrité vexée », la pire. Et enfin : « Priez le Diable pour moi, il va plus vite que le Bon Dieu ! Tout le prouve. » Vous entendez enfin la voix de Céline ? Non ? Tant pis.

30/01/2011

RÉVOLUTIONS

Ce qu'il y a de bien, dans les révolutions populaires, c'est qu'elles dévoilent de larges tranches de temps. La révolution est la jeunesse du temps. Qui s'attendait aux embrasements de Tunisie, d'Égypte, de Libye ? Personne, et sûrement pas la diplomatie française, qu'on a vue se ridiculiser en quelques jours. Tranches de temps, tranches de mensonges et de corruption à tous les étages. Et voici la jeunesse qui, tout à coup, se soulève, entraîne des foules, tient bon, réveille l'espace verrouillé depuis trente ou quarante ans. Admirable jeunesse, qui semble retrouver le vieux mot d'ordre de la Révolution française : « Vivre libre ou mourir. » Beaucoup de morts, en effet, surtout en Libye, où des massacres se poursuivent pendant que j'écris ces lignes. Le Tunisien Ben Ali, a dit récemment un diplomate français, n'était pas un dictateur, plutôt un « gangster éclairé ». Que d'amabilités du monde entier pour les gangsters éclairés ! Vous passez de Mme Ben Ali et son pillage systématique de la Tunisie, à Moubarak à l'énorme fortune, vous arrivez chez le plus sinistre fou, Kadhafi, boucher de son peuple, reçu en triomphe à Paris, il y a trois ans. Souvenez-vous : tapis rouge, courbettes officielles, installation ahurissante de sa tente en plein Paris. Cette visite a-t-elle eu lieu ? Peut-être pas, puisque le site de l'Élysée a décidé d'effacer les traces de cette opération à milliards hyperfolklorique. C'est ainsi que le sang fait disparaître, quand il le faut, les images. En réalité, dans ces révoltes multiples, c'est toute une époque qui bascule, et rien, quoi qu'il arrive, ne sera plus comme avant. Walter Benjamin l'a remarquablement noté : « Le désir de rompre la continuité de l'Histoire appartient aux classes révolutionnaires au moment de l'action. Dans la soirée du premier jour de la révolution, en juillet 1848, simultanément, mais par des initiatives indépendantes, on tira des coups de feu sur les horloges des tours de Paris. » Oh, vieux temps, dégage !

Un seul mot a été crié partout contre chaque gangster plus ou moins éclairé : « Dégage ! »

27/02/2011

DSK

Pendant ce temps, les petites histoires politiques hexagonales prennent un tour cocasse. Il est passionnant d'apprendre que la première dame de France, Carla Bruni, soudain, n'est plus « de gauche ». Elle l'était donc. De son côté, la sympathique Anne Sinclair, après avoir déclaré qu'il fallait être « tordu » pour ne pas trouver son mari « de gauche », nous communique son vote personnel futur : le Messie, attendu par tous les Français, ne devrait pas se représenter au FMI mais briguer le titre de monarque républicain. Les sondages le disent, les médias (c'est-à-dire Dieu) vous l'intiment. Pourquoi pas, donc, un plébiscite évitant les pénibles primaires socialistes ? Le socialisme, au fait, c'est quoi ? DSK a répondu : « C'est l'avenir, l'espoir, l'innovation. » Là, je dois avouer que j'ai eu une bouffée paranoïde. C'est moi que DSK regardait à cet instant, et c'est en pensant à moi qu'il ciselait sa formule.

27/02/2011

FEMMES

Le match médiatique entre Carla Bruni et Anne Sinclair sera de toute beauté. Mais attention : Martine Aubry et Ségolène Royal n'ont pas dit leur dernier mot, et Marine Le Pen, avec des sondages en hausse constante, bouscule déjà l'échiquier. Si elle arrive, comme son père autrefois, au second tour, elle sera, bien entendu, écrasée, mais avec un score nettement supérieur. On entendra beaucoup *La Marseillaise* des deux côtés, à défaut d'un hymne européen qui tarde à venir. Une pensée, tout de même, pour la courageuse Bernadette Chirac ; pour le mari, qu'on ne voit jamais, d'Angela Merkel ; pour l'épouse de Hu Jintao, peu bavarde ; et surtout pour Ruby, la dernière jeune victime astucieuse de l'incroyable Berlusconi. Berlusconi ? Un comble de machisme décomplexé, comme les féministes italiennes viennent, paraît-il, de s'en aviser. Mieux vaut tard que jamais.

27/02/2011

MACHIAVEL

Je ne saurais trop recommander à Nicolas Sarkozy et à DSK, pour leurs longs et intéressants voyages en avion, la lecture (je n'ose pas dire la relecture) du *Prince*, de Machiavel [224]. Pour Sarkozy, ceci : « La première conjecture qu'on fait d'un souverain et de sa cervelle, c'est de voir les hommes qu'il tient autour de lui. » Et ceci : « Quand tu vois un ministre penser plus à soi qu'à toi, et qu'en tous ses maniements en affaires il regarde à son profit, ce ministre ne vaudra jamais rien et tu ne dois pas t'y fier. » C'est peu dire qu'un remaniement ministériel s'impose au Prince : il doit être exaspéré par les énormes gaffes à répétition qui l'entourent. Sarkozy est-il naïf ? Abusé ? Victime des flatteurs ? À la recherche de conseillers plus intelligents ? Qu'il m'appelle : je suis l'avenir, l'espoir, l'innovation. Qu'il médite, surtout, cette pensée : « Les hommes se découvrent à la fin méchants, s'ils ne sont pas, par nécessité, contraints d'être bons. »

Pour le circonspect DSK, conseil du *Prince* : « Si quelqu'un se gouverne par circonspection et si le temps et les affaires tournent de telle sorte que sa manière soit bonne, il réussira ; mais si la saison change, il sera détruit parce que lui, il ne change pas sa façon de faire. » Avertissement : « Ainsi l'homme circonspect, quand il est temps d'user d'audace, en est incapable, et c'est la cause de sa ruine ; et si son naturel changeait avec le vent et les affaires, sa fortune ne changerait pas. » Mieux : « Je crois qu'il vaut mieux être hardi que prudent, car la fortune est femme, et il est nécessaire, pour la tenir soumise, de la battre et de la maltraiter. » Ah, ces Italiens ! Des misogynes incorrigibles !

Pourtant, le 10 juin 1514, Machiavel écrit à un ami : « Amour ne tourmente que ces gens-là qui prétendent lui rogner les ailes ou l'enchaîner quand il lui a plu de venir voler à eux. Comme c'est un enfant, et plein de caprices, il leur arrache les yeux, le foie et le cœur. Mais ceux qui accueillent sa venue avec allégresse, et qui le flattent et le laissent s'envoler quand il lui plaît, et quand il revient l'acceptent volontiers, ceux-là sont toujours certains de ses faveurs et de ses caresses, et de triompher sous son empire. » Le 3 août, il ajoute : « Dans mes amours, je trouve toujours plaisir et bonheur. » Voilà une politique !

27/02/2011

JAPON

Comment parler d'un torrent d'images, toutes plus catastrophiques les unes que les autres ? Tremblement de terre, tsunami géant, centrale nucléaire abîmée, malheur, morts, peur, ouragan de boue, radioactivité, Fukushima rimant brusquement avec Hiroshima, milliers de disparus, l'enfer. Je laisse la parole à Paul Claudel en 1923 : « Le Japon est, plus qu'aucune autre partie de la planète, un pays de danger et d'alerte continuelle, toujours exposé à quelque catastrophe : raz de marée, cyclone, éruption, tremblement de terre, incendie, inondation. Son sol n'a aucune solidité. Il est fait de molles alluvions le long d'un empilement précaire de matériaux disjoints, pierres et sable, lave et cendres, que maintiennent les racines tenaces d'une végétation semi-tropicale. [...] L'homme d'ici est comme le fils d'une mère très respectée, mais malheureusement épileptique. [...] C'est une chose d'une horreur sans nom que de voir autour de soi la grande terre bouger comme emplie tout à coup d'une vie monstrueuse et autonome. [...] Un choc, encore un autre choc, terrible, puis l'immobilité revient peu à peu, mais la terre ne cesse de frémir sourdement, avec de nouvelles crises qui reviennent toutes les heures. » Était-il nécessaire dans ces conditions d'installer des réacteurs nucléaires au bord de l'eau ? Tout de suite, polémique mondiale sur le nucléaire. Êtes-vous pour ? Contre ? Tout le monde parle en même temps, sauf les réfugiés et les corps qui ont tout perdu. Qu'est devenue cette jeune femme agitant un drap blanc à la fenêtre de sa chambre, au dernier étage d'un immeuble cerné par l'eau ? On ne sait pas.

27/03/2011

LIBYE

Fallait-il intervenir en Libye contre le fou meurtrier Kadhafi ? Sans doute, mais plus tôt aurait été mieux, afin d'éviter un enlisement probable. Vous êtes maintenant priés d'admirer les merveilles de la technique, nouvelles armes, perfectionnements en tout genre, obscurité, frappes, Dieu reconnaîtra les siens. Y a-t-il des guerres justes ? Sûrement, à moins de suivre le cynique et infréquentable Céline : « En vrai, un continent sans guerre s'ennuie. [...] Sitôt les clairons, c'est la fête ! [...] grandes vacances totales ! et du sang ! de ces voyages à n'en plus finir ! » Ou bien : « Massacres par myriades : toutes les guerres, depuis le Déluge, ont eu pour musique l'optimisme. [...] Tous les assassins voient l'avenir en rose, ça fait partie du métier. » Et dans *Voyage au bout de la nuit* : « La poésie héroïque possède sans résistance ceux qui ne vont pas à la guerre, et mieux encore ceux que la guerre est en train d'enrichir énormément. » Si je suis personnellement pour le « printemps arabe » ? Mais bien sûr ! À fond ! À bas Ben Ali, Moubarak, Bouteflika, Mohammed VI ! Vive les insurgés du Yémen et de Bahreïn ! Il paraît qu'assassiner Kadhafi serait mal vu des chefs d'État en exercice. Et alors ? Ce serait quand même plus simple, et moins cher.

27/03/2011

GALLIMARD

Les éditions Gallimard fêtent leur centenaire, c'est-à-dire leur insolente jeunesse. Depuis mon petit bureau de la revue trimestrielle *L'Infini* (le numéro 114 vient de paraître), j'observe ce lieu, unique au monde, où des grands écrivains morts sont plus vivants que jamais. Avec un peu d'imagination, on les rencontre ici tous les jours. Ce matin, par exemple, Gide est concentré, Claudel furieux, Malraux et Aragon agités, Sartre grognon, Camus soucieux, Paulhan évasif, mais Queneau rit de son rire chevalin célèbre. Majestueux, Gaston passe en dandy jardinier. Valéry virevolte, Cioran s'amuse, Bataille essaie de se débarrasser de Blanchot, Artaud murmure des exorcismes, Genet vient chercher de l'argent liquide. Le duc de Saint-Simon est très surpris de ses huit volumes en Pléiade impeccablement présentés, et d'être, en même temps que Retz ou Sévigné, considéré comme un « écrivain français ». Sade apprécie ses élégantes gravures pornographiques du XVIIIe siècle, Voltaire sourit en caressant les treize volumes de sa correspondance. Montaigne, Pascal, Bossuet, Molière, La Fontaine, Diderot, Rousseau, Chateaubriand, Balzac, Stendhal, Baudelaire, Flaubert, Lautréamont, Rimbaud, Mallarmé, Proust, Breton, Céline, passent en coup de vent dans les arbres. Peu importe qu'ils se détestent ou s'ignorent les uns les autres, ils volent, c'est l'essentiel. Avec la nuit, la Banque centrale de la Littérature, paquebot romanesque géant, largue ses amarres et flotte à travers les siècles, sur des heures liquides. À son poste de commandement amiral, Antoine, l'heureux propriétaire des lieux, a d'ailleurs, sur sa cheminée, une maquette de bateau à voiles.

27/03/2011

KAFKA

La situation politique française me laisse assez froid. Le gros steak de DSK, avec salade préparée par sa femme, a un peu disparu dans la tornade de l'Histoire. Une finale DSK-Sarkozy a déjà l'air d'un vieux film. Non, non, une vraie finale féminine Martine-Marine, voilà ce qu'il nous faut pour électriser visiblement le pays ! En attendant, je vous propose de relire les *Lettres à Max Brod*, de l'immortel Franz Kafka [225]. Ainsi, le 30 juin 1922 : « La chambre que j'avais jusqu'à présent était très jolie, avec deux fenêtres et une belle vue, et elle avait, dans son agencement très pauvre mais qui ne faisait pas hôtel, quelque chose que l'on peut appeler une "sobriété sacrée". » Kafka, un mois après, explique pourquoi il ne veut pas voyager : « Je me dis que je serai tenu à l'écart de ma table de travail durant quelques jours. Et cette réflexion ridicule est en vérité la seule qui soit fondée, car l'existence de l'écrivain est vraiment dépendante de sa table de travail. S'il veut échapper à la folie, il n'a pas droit de s'éloigner de son bureau, et il doit s'y accrocher avec les dents. Définition de l'écrivain, d'un tel écrivain, et explication de son effet, s'il y a effet : il est le bouc émissaire de l'humanité, il permet aux hommes de jouir d'un péché sans être en faute, presque sans être en faute. » Et puis : « En réalité, je suis parti de chez moi, et il me faut toujours écrire pour rentrer chez moi, même si ma maison a peut-être disparu dans l'éternité. Écrire n'est rien d'autre que le drapeau de Robinson sur le plus haut sommet de l'île. »

27/03/2011

DSK

Quel rapport y a-t-il entre DSK et un libertin des Lumières ? Aucun. Prenons le prince de Conti, décrit ainsi dans les Mémoires de Saint-Simon : « Galant avec toutes les femmes, amoureux de plusieurs, bien traité de beaucoup. » On ne voit pas ce grand seigneur, saisi par une pulsion irrésistible, se jetant sur une pauvre femme de chambre dans ses appartements ni coincer une romancière de l'époque dans un escalier.

Je note que les féministes, qui ont bien raison de protester contre une certaine propagande machiste, ont choisi comme slogan : « les hommes se lâchent, les femmes trinquent », et non pas, ce qui aurait été plus courageux, « nous sommes toutes des femmes de ménage noires et musulmanes ». De toute façon, au point où nous en sommes, le film à très grand spectacle ne fait que commencer, il s'obscurcira de jour en jour sur fond de millions de dollars. En attendant, DSK est devenu le mari le plus coûteux du monde. Sa femme est héroïque, saluons son système nerveux.

La raison profonde de ce tsunami ? L'ennui. Un ennui angoissant, suffocant, irrépressible, qui a envahi, de plus en plus, ce roi du monde financier, déjà virtuel président de la République française. Si vous croyez que c'est drôle d'aller de réunion en réunion, de voir défiler sans arrêt des milliards de dollars pénalisant les Grecs, les Espagnols, les Portugais, les Irlandais, d'être assuré du pire tout en disant le contraire, de respirer au cœur d'une catastrophe, c'est le stress assuré.

Dominique Strauss-Kahn n'en pouvait plus, il a voulu une sensation neuve, du risque, de la prédation, une revanche sinistre, sans doute, sur une mère castratrice. Tragédie, descente aux enfers, soit, mais aussi repos, grand repos. Comme il aura maintenant le temps de lire et d'écouter de la musique, je vais lui envoyer mon roman *Femmes*, qui lui apprendra beaucoup de choses, et un bon enregistrement du *Don Giovanni* de Mozart (lequel devrait être interdit aux États-Unis, puisqu'il comporte au moins deux scènes de viol). Où dois-je envoyer des fleurs à la malheureuse « Ophelia » ? Je ne sais pas.

29/05/2011

BEN LADEN

Il est étonnant qu'un des immeubles où DSK aura été détenu se soit trouvé à côté de Ground Zero, lieu où erre, la nuit, le fantôme de Ben Laden. Son corps pourrit quelque part en mer, mais on oublie trop vite son nom de code dans l'opération de son assassinat : « Geronimo » ! Geronimo, le grand chef apache qui a passé son temps à scalper des Américains, le héros subliminal de tous les westerns ! Vous avez vu la photo où, à la Maison-Blanche, Obama et Hillary Clinton regardent le meurtre en direct, comme dans un jeu vidéo. Pas de photo du cadavre (trop horrible), pas de tombeau, immersion précipitée, contre les règles les plus sacrées de l'islam. Il paraît que Ben Laden, en cachette de ses femmes, regardait le soir, dans son bunker pakistanais, des cassettes pornographiques. Comme Kadhafi, sans doute, ou Bachar El-Assad, ce massacreur sans complexes. La principale information, dans tout ce charivari ? Peut-être celle-ci : l'or a connu une hausse de 29 % en 2010. Voilà qui peut rassurer les milliers de jeunes manifestants, promis au chômage, de la Puerta del Sol, à Madrid.

29/05/2011

JEAN-PAUL II

Le mois de mai avait pourtant bien commencé, avec la béatification de Jean-Paul II, à Rome. La grande supériorité des monarchies consiste à stabiliser le temps. En Angleterre, mariages et naissances ; à Rome, des cérémonies. Pour le nouveau Bienheureux (qui sera canonisé un jour ou l'autre), la fête recueillie, les fleurs, la foule, la télévision, tout n'était qu'ordre, beauté, luxe, calme et sérénité. En lui offrant, autrefois, mon livre sur *La Divine Comédie*, de Dante, j'ai été béni par un saint, et j'en ressens chaque jour les bienfaits. Mais le clou de la béatification était la religieuse française miraculée : radieuse, elle portait, avec dévotion, un reliquaire en cristal, avec, à l'intérieur, une ampoule du sang du pape prélevé après la tentative d'assassinat contre lui. Aurait-elle été saisie d'un tremblement parkinsonien, tout s'effondrait. Mais non, Dieu existe, et, contrairement à ce que pensait Sartre, Dieu est un excellent romancier.

29/05/2011

SARTRE

Il y a trente ans, lors de l'élection de Mitterrand à la présidence de la République, on pouvait lire, à la une du

702

Monde, un article sensationnel, une vraie fanfaronnade, pour ne pas dire une rodomontade, du critique Bertrand Poirot-Delpech, devenu, par la suite, membre de l'Académie française. Le titre ? *Un écrivain-né*. Je cite : « Un peu comme le Sartre des *Mots* la chose écrite a pris, chez le nouveau président, la place laissée vacante par la transcendance chrétienne. C'est en quelque sorte sa dimension mystique. » « La littérature est toujours pour moi un paradis privilégié », a-t-il redit aux *Nouvelles littéraires* à la veille du second tour. Il pourrait écrire, comme Hugo dans ses *Cahiers* : « Je suis un homme qui pense à tout autre chose. »

Sartre est mort en 1980, il n'a donc pas pu lire ces lignes extravagantes, mais on peut, sans effort, imaginer sa nausée. Voir Mitterrand mis sur le même plan que lui et Hugo, lui aurait paru d'une singulière folie. On aimerait savoir aujourd'hui ce qu'il écrirait sur DSK, le FMI, la gauche, Sarkozy, le Printemps arabe, le puritanisme américain, l'incroyable misère espagnole. On peut, en tout cas, relire *Les Mots*, ce chef-d'œuvre, alors que la prose de « l'écrivain-né » Mitterrand a, depuis longtemps, rejoint la platitude générale. Écoutons-le donc : « Plutôt que le fils d'un mort, on m'a fait entendre que j'étais l'enfant du miracle. De là vient, sans doute, mon incroyable légèreté. Je ne suis pas un chef, ni n'aspire à le devenir. Commander, obéir, c'est tout un. […] De ma vie, je n'ai donné d'ordre sans rire, sans faire rire ; c'est que je ne suis pas rongé par le chancre du pouvoir : on ne m'a pas appris l'obéissance. »

Dans ses *Carnets*, Sartre écrit aussi : « Je hais le sérieux. » Et aussi : « Il n'est pas possible de se saisir soi-même comme conscience sans penser que la vie est un jeu. » Vous avez bien lu : la vie est un jeu, le pouvoir est un chancre. Il serait temps que la France retrouve un peu de ses esprits. Seule la bonne littérature y aide. Sinon, comme on peut le constater, le chancre sévit partout.

29/05/2011

AUBRY

Je suis comme vous, je trouve que le feuilleton politique français est lourd, lent, crispant, déprimant. Après le polar porno DSK (dont les épisodes ennuyeux vont se succéder longtemps), j'attends avec impatience la candidature de Martine Aubry, qui va relancer l'action dans tous les sens. Grâce à l'humour corrézien de Chirac, Hollande vient de recevoir une déclaration d'amour sous forme de pavé de l'ours. Allons plus loin : Chirac s'ennuie, il ne peut plus supporter Bernadette, qui lui vante tous les jours Sarkozy, il trouve Hollande plutôt mignon, il veut s'amuser, légaliser le cannabis, légitimer le mariage homosexuel, faire sa révolution personnelle. Il divorce, demande la main de Hollande, lequel accepte de l'épouser, et ils sont tous les deux élus dans un fauteuil à la présidence de la République.

Ce que la France de toujours doit éviter par-dessus tout, c'est qu'une femme soit enfin présidente. Depuis la loi salique, qui exclut les femmes du pouvoir suprême, là est le vrai problème, le seul. Nous sommes donc encore sous l'Ancien Régime, et, après tout, les femmes n'ont le droit de vote que depuis 1945. Voyez ce que le sénateur Bérard, pourtant de « la gauche démocratique », disait encore en 1919 : « Plus que pour manier le bulletin de vote, les mains des femmes sont faites pour être baisées,

baisées dévotement quand ce sont celles des mères, amoureusement quand ce sont celles des femmes et des fiancées. Séduire et être mère, c'est pour cela qu'est faite la femme. »

Les exemples de sexisme ordinaire sont innombrables et peuvent aussi bien venir de la jalousie des femmes contre les femmes. Je rêve toujours d'une finale Martine-Marine. Mais si c'est un match Sarkozy-Aubry, voilà un magnifique spectacle en perspective ! Allez Aubry !

26/06/2011

Li Na

Vous êtes submergés par une sorte de folie planétaire : sécheresse, bactéries en goguette, concombres et steaks hachés suspects, massacres tolérés en Syrie et au Yémen, faillite de la Grèce. Je n'aurais jamais cru possible de voir un jour un Premier ministre chinois sourire devant l'Acropole, en vrai propriétaire des lieux. Les Chinois achètent la Grèce, ce qui fait un sacré trou dans l'Histoire. Ils achètent les ports pour s'introduire en Europe, mais aussi les aéroports, les trains et bientôt les plages. En messagère inattendue, voyez la merveilleuse Li Na, victorieuse de Roland-Garros. Rapidité, légèreté, maîtrise, elle annonce l'ère des Chinoises de l'avenir. Déjà imbattables au ping-pong, voilà les Chinois au tennis. Je me souviens avoir disputé autrefois une partie de ping-pong à Pékin avec des lycéens chinois. Ils me laissaient gagner par courtoisie, mais je ne pesais pas lourd. Au tennis, Li Na me balaierait d'un revers de la main désinvolte. Allez Li Na !

26/06/2011

Rue Gallimard

L'ancienne rue Sébastien-Bottin, dans le 7^è arrondissement de Paris, s'appelle désormais rue Gaston-Gallimard (1881-1975). Elle n'a étrangement qu'un seul numéro : le 5. Gaston, le grand-père d'Antoine, l'actuel propriétaire des éditions du même nom, est une légende, indissociable de celle de La Nouvelle Revue française (NRF). Dans son discours émouvant, le maire de Paris n'a cité, pour s'en démarquer, qu'un seul nom d'écrivain français : Drieu La Rochelle, directeur politiquement incorrect de la NRF pendant l'Occupation nazie, et suicidé en 1945. Le maire l'a qualifié de « grand écrivain », ce qui est sans doute exagéré par rapport à un beaucoup plus grand écrivain compromettant, Céline. Cependant, à la fête du soir, où une foule a bu et dansé dans les jardins, un observateur visionnaire aurait pu discerner dans les arbres un certain nombre de fantômes locaux réconciliés : Gide, Valéry, Claudel, Proust, Breton, Drieu, Aragon, Camus, Genet, Sartre, Malraux, Céline. Il y avait du champagne, et la fête a recommencé le lendemain pour les mille employés de cet endroit enchanté. Je travaille donc maintenant au 5, rue Gaston-Gallimard. Photo de Gaston : grand-bourgeois dandy anarchisant, chapeau et fume-cigarette. Après cent ans d'existence, la rentrée littéraire, ici, bat déjà son plein.

26/06/2011

Théophile Gautier

Théophile Gautier (1811-1872) est l'immortel jeune homme au gilet rouge qui s'est rendu célèbre, en 1830, lors de la bataille d'*Hernani*. Le premier romantisme français a eu un panache extraordinaire. Gautier écrit, par exemple : « Nous regardions, en ce temps-là, les critiques comme des cuistres, des monstres, des eunuques et des champignons. » Dans sa belle biographie de Gautier, qui vient de paraître[226], Stéphane Guégan cite ce souvenir du révolté de l'époque, qui pourrait être signé aujourd'hui par un ancien soixante-huitard : « Cette soirée décida de notre vie ! Bien du temps s'est écoulé depuis, et notre éblouissement est toujours le même. Nous ne rabattons rien de l'enthousiasme de notre jeunesse, et toutes les fois que retentit le son magique du cor, nous dressons l'oreille comme un vieux cheval de bataille prêt à recommencer les anciens combats. »

Gautier s'est parfois trompé (il ne voit pas la Révolution de Manet, par exemple), mais son combat est très bien décrit par Guégan : « Poète, journaliste, librettiste, grand voyageur, Gautier défendit d'autant plus la pleine liberté de l'artiste et l'autonomie de l'art qu'il les savait impossibles. Sa sacralisation du créateur, étrangère à celle des prophètes du passé ou de l'avenir, est toute de provocation et de libertinage, d'adaptation stratégique et donc de détournement. Moderne et antimoderne par résistance aux effets pervers du nivellement démocratique, Gautier dressa la gratuité de l'art et l'aristocratie de l'artiste en remparts à toute forme d'utilitarisme direct, d'embrigadement idéologique et de morale. La sienne, peu corsetée, fut d'abord celle de la jeune France des années 1820, première génération à se proclamer comme telle, contre le vieillissement et le raidissement du pays légal. »

Cette « jeune France » existe-t-elle toujours sous le rouleau compresseur du conformisme ambiant ? Peut-être. En tout cas, quelqu'un a traité Gautier de « parfait magicien des lettres françaises », et ce n'est pas n'importe qui : Baudelaire, qui, à l'époque, lui dédie un livre bientôt poursuivi par la justice. Son titre ? *Les Fleurs du mal.*

26/06/2011

CERCUEILS

Les socialistes vous parlent de survie, leur approche de la sexualité n'est pas claire, alors que le vrai pouvoir symbolique est la maîtrise de la mort. La guerre de Libye a été plus longue que prévue, et très coûteuse. N'empêche, c'est une avancée décisive pour la démocratie, dont BHL est à la fois le ministre et le prophète. En revanche, l'Afghanistan – et ses morts français dont on vous répète sans arrêt qu'« ils ne sont pas morts pour rien » – vous paraît de plus en plus bizarre. Sous la pluie, dans la cour des Invalides, Sarkozy a géré la mort avec détermination : des cercueils sous drapeau, des épinglages de décorations sur des coussins, la sonnerie aux morts, les familles, un curé sobre, la France éternelle, quoi : sabre, goupillon, trois couleurs. Si vous n'êtes pas émus par ce genre de cérémonie, allez-vous faire pendre ailleurs.

28/08/2011

INDIGNÉS

Quel plus beau spectacle que celui du dalaï-lama et de Stéphane Hessel, hilares, ayant découvert le bonheur ! Quelle plus étonnante démonstration de puissance que ces deux millions de jeunes gens acclamant le vieux Benoît XVI, à Madrid, pour les JMJ ! Les très jeunes filles, surtout, sont enthousiastes, elles veulent déjà un mari, des enfants, la tranquillité, la sécurité. Elles ont l'air étonné de voir des « indignés » s'opposer au pape, notamment des malabars homosexuels s'embrassant à pleine bouche au passage du bon vieillard.

Dans le genre « indigné », il faut distinguer : il y a les indignés sublimes (ceux qui se font massacrer tous les jours en Syrie), les indignés classiques (ceux de la crise économique, en Espagne ou en Grèce), les indignés inquiétants (l'incendie de Londres), les indignés suicidaires (talibans), les indignés cinglés (le tueur d'Oslo), les indignés inattendus (Israël), les indignés hurleurs appelant à la mort de tel ou tel tyran (Libye, Égypte). Mes préférés sont les indignés cocasses (les antipapistes).

Mais n'oublions pas les futurs indignés de la rentrée littéraire, centaines de romans sacrifiés (pas forcément publiables), réseaux de la critique sociologique, pression du marché, vedettes immédiatement proclamées, par exemple le dernier gros pavé naturaliste et illisible américain, dont le rôle est d'écraser toutes les dentelles françaises. Les colonisés sont résignés, ils savent qu'ils doivent s'incliner devant les millions d'exemplaires vendus des stars internationales. La littérature dans tout ça ? Je ne vois pas.

28/08/2011

DSK

Rêvons un peu : après son retour triomphal à Paris, place des Vosges (on se serait cru à l'Élysée), DSK, avec

Claire Chazal, réussit un sans-faute millimétré à la télévision, avec une audience de quatorze millions de personnes. Est-il convaincant ? Peu importe. Il reconnaît une « faute morale » (pas physique), on croit même entendre, en filigrane, le mot « péché ». Bon, absolution, promesse de sérieux à l'avenir, plus question de « légèreté » avec les femmes, discrétion, retenue, distance.

Les plaignantes se plaignent toujours, mais c'est le passé, le film est saturé, l'avenir nous appelle, allons vite aux choses sérieuses, la Grèce, la crise, les banques, le destin de l'euro et de la planète. Là, devant une telle compétence mondiale, tout le monde se tait et attend une performance future. DSK un jour ministre ? Pourquoi pas ? Mais de qui ? Pourquoi pas de Sarkozy, réélu en Libye, et capable de bousculer la primaire socialiste ?

Fini la rigolade, la rigueur est là, la France est en danger, l'union nationale s'impose. On parle beaucoup trop d'un « pacte de Marrakech » conclu entre DSK et Martine Aubry, sans s'apercevoir qu'un pacte, beaucoup plus profond et secret, a été signé, il y a longtemps, entre l'actuel président de la République française et son éventuel successeur désigné. Je ne dis pas que DSK sera ministre de la Justice, n'exagérons pas, mais son retour à Bercy, ou dans les environs, est inévitable. Cette nouvelle ouverture à gauche aurait tout son poids. Un argument électoral massue ? La peur et le besoin de protection assumés par des professionnels du job. Une nouvelle cohabitation n'est d'ailleurs pas exclue, avec Hollande (enfin un vrai nom français !) comme Premier ministre, Valls au ministère de l'Intérieur, Ségolène Royal présidente de l'Assemblée nationale, Montebourg aux Transports, et Aubry à la Culture (c'est mon vœu personnel).

25/09/2011

710

11-SEPTEMBRE

La commémoration du 11 septembre 2001, date capitale de l'Histoire, est troublante. Pendant vingt-quatre heures, vous voyez défiler sur les écrans, en boucle, les deux avions suicidaires faisant exploser les tours du World Trade Center, superbe œuvre d'art architecturale, mais aussi, dans les fantasmes de religieux fanatiques, arrogantes mosquées du diable. Le Dieu coranique, poussé à bout, lance ses kamikazes dans les flammes, et, à force de voir les images de cet attentat en direct, il est presque impossible de ne pas les trouver d'une effrayante beauté.

De quoi s'agit-il ? D'une œuvre d'art criminelle comme destruction d'une grande œuvre d'art. Vous voyez des corps humains se jeter par les fenêtres, vous savez qu'il va y avoir trois mille morts, mais vous êtes obligés, maintenant, d'entendre le cri « Allah est grand ! » poussé par des terroristes entrant en enfer. C'est tragique, mais le plus tragique est peut-être la figure de Bush, à l'époque, apprenant la nouvelle, avec sa petite cravate rouge de fonctionnaire provincial.

Et plus tragique encore, c'est la prolifération, aujourd'hui, de galeries de peinture autour de Ground Zero. Installations nulles d'« art contemporain », panneaux monochromes ou vêtements pendus à des tringles, censés évoquer le traumatisme de la destruction. C'est consternant de bêtise, de laideur et de conformisme. Pauvre Amérique, empêtrée dans ses guerres, avec, en plus, ses républicains fous.

Tristesse, aussi, de voir l'excellent Philip Roth dans un mauvais film de télé, transformé en radoteur de la mort, avec, comme témoins, deux femmes âgées et très laides,

dont l'hypernévrosée Mia Farrow. La musique douloureuse (on pouvait le craindre) est de Gustav Mahler. Roth
écrit debout, il est visiblement gêné d'être enregistré par
un type qui se fout de la littérature. Pourra-t-il encore
composer plutôt que de se suicider ? On l'espère pour
lui. Il rit d'un drôle de rire. C'est un ami.

25/09/2011

MALLETTES

On est content pour Villepin de sa relaxe dans l'affaire
Clearstream, mais, tout à coup, des mallettes pleines de
billets de banque, en provenance d'Afrique, encombrent
les médias. Des millions et des millions de dollars sortent
de l'ombre pour y revenir aussitôt, tout en arrivant,
depuis longtemps, au plus haut niveau de l'État. La
France est-elle une république bananière ? Ces bananes
pèsent lourd, surtout, comme s'en plaint, paraît-il, un des
protagonistes lorsqu'elles sont en billets de petites coupures. C'est long à compter, on n'en finit pas. Ce drainage
d'argent a sa grandeur barbare. Ballet de mallettes,
musique politique. On s'en doutait, mais on n'imaginait
pas un aussi prodigieux opéra. Le principal porteur de
mallettes a d'ailleurs été décoré récemment de la Légion
d'honneur par le président lui-même. Une mallette à
Légion d'honneur ? Je vais proposer ce chef-d'œuvre à
une galerie d'avant-garde.

25/09/2011

Primaire

C'est entendu, François Hollande est président de la République pour les sept mois à venir. Comme il n'a aucune décision de pouvoir à prendre, il peut se donner du bon temps, peaufiner son programme, inquiéter ses alliés, distribuer les promesses. Tout ce qui ira mal sera de la faute de Sarkozy. L'euro s'effondre ? C'est la faute à Sarko. Son charme n'opère plus sur Angela Merkel, qui lui offre pourtant un nounours pour son bébé ? C'était fatal. Les banques boudent, la Grèce explose, l'Italie périclite, la crise s'aggrave, le triple A français est menacé ? Sarko, toujours Sarko. Hollande, lui, plane, se réserve. Peut-il rassurer les marchés financiers ? Non, mais les Français, pour l'instant, le plébiscitent. Martine Aubry a eu tort de le traiter de « gauche molle ». Comme si les Français n'étaient pas pour une gauche molle ! Bien sûr que si ! Le Sénat pépère passe à gauche ? La gauche flasque gagne du terrain partout. Échec de la droite dure, en tout cas, mais résurrection possible d'une droite tiède épaulée par un centre flou. Attention quand même à un Sarko survolté en avril 2012. D'ici là, le président Hollande doit soigner son triple A personnel. Que faire ? Se marier d'abord, et, pour combattre le A de Carla et Giulia, adopter une petite fille d'origine hollandaise. Le prénom est tout trouvé : Juliana, en hommage à la célèbre Juliana, reine des Pays-Bas, de 1948 à 1980. Le président Hollande a eu quatre enfants avec Ségolène Royal, sa compagne actuelle en a eu trois d'un précédent mariage, il faut donc passer impérativement de sept enfants à huit, d'où la petite fille à rajouter au film. Hollande est normal, il doit donc normaliser son existence. On ne le voit pas, sauf coup de théâtre, reprendre une vie conjugale avec Ségolène Royal, laquelle est déjà, comme je l'ai annoncé, présidente de l'Assemblée nationale. Il faut donc que le président épouse « la femme de [s]a vie », et se présente en nouveau bon petit père tranquille. C'est le conseil de l'agence de notation Moody's. C'est aussi le mien, mais c'est *Paris Match* qui décide.

30/10/2011

AUTORITÉ

Plus la corruption augmente, plus on vous tiendra au courant, avec retard, d'affaires anciennes. Valises ou mallettes d'autrefois, valse de billets fantômes, gâchis à Karachi, prestidigitations en tous genres. Voyez cette fourmi courir : elle vous cache une baleine pourtant, sous vos yeux. On se prend à rêver de choses impossibles, vérité, style, honnêteté, autorité, sainteté. Exemple, ce message n° 298, émis à dix-huit heures, le 6 juin 1942, en provenance des Forces françaises libres. Il est signé du général de Gaulle, et c'est une réprimande adressée au général Leclerc : « Dans votre compte rendu télégraphique du 3 juin, le troisième paragraphe n'est digne ni de moi ni de vous. Il n'est pas impossible que je commette des erreurs que mes subordonnés devraient ensuite réparer. Ce serait d'ailleurs leur simple devoir. Mais comme je porte la lourde charge de réparer les erreurs de tant d'autres, je dois vous rappeler au respect qui m'est dû. »
On dirait un pape s'adressant à un cardinal.

30/10/2011

ENCORE DSK

À propos des papes, on vérifie tous les jours à quel point l'Église catholique occupe les fantasmes. Après un pape qui doute de son élection dans le film *Habemus papam*, nous voici brusquement, avec *Les Borgia*, chez des papes qui ne doutaient de rien en passant leur temps en orgies diverses. Oh, rendez-nous les Borgia ! Arrêtez ce triste film réel DSK ! Que peut-il se passer dans la tête de cet ex-président virtuel de la République ? On ne saura pas, sauf si DSK s'explique lui-même. Cette nouvelle affaire lilloise laisse pantois. J'aime beaucoup le surnom du proxénète belge, acteur des fournitures « avec colis » dans les chambres de l'hôtel Carlton, « Dodo la Saumure ». Des flics compromis, des livraisons de prostituées à Washington, pourquoi tant de légèreté, tant d'imprudences ? Libido compulsive ? Viagra ? Hallucination permanente ? Que DSK accepte donc d'écrire ses Mémoires. Qu'il lise enfin, pour rougir, *Histoire de ma vie*, de Casanova. Qu'il raconte tout, avec détails. Je publie, on fait un tabac. Il faut élucider cette énigme de la nuit sexuelle. Titres possibles : « *Les Affinités mystérieuses* », ou bien (sujet très actuel) « *La Virilité dans tous ses états* ».

30/10/2011

ÉDUCATION

Il est urgent d'instituer, dans tous les lycées et collèges, des cours de goût. Ils seront obligatoires, comme ceux du catéchisme autrefois. Les jeunes gens et les jeunes filles y

715

seront appelés à se respecter, et tout simplement à se regarder et à s'écouter. La diminution des viols deviendra évidente. Programme : le lundi, architecture, le mardi, peinture, le mercredi, musique, le jeudi, sculpture, le vendredi, littérature. Chaque élève devra savoir réciter par cœur deux ou trois fables de La Fontaine, et quatre poèmes de Baudelaire tirés des *Fleurs du mal*. Exemple :

> « *Mais le vert paradis des amours enfantines,*
> *Les courses, les chansons, les baisers, les bouquets,*
> *Les violons vibrant derrière les collines,*
> *Avec les brocs de vin, le soir, dans les bosquets* »

Etc.

Livre à lire et à relire : *Histoire de ma vie*, de Casanova [227]. Chaque élève devra réciter ce paragraphe : « Le tempérament sanguin me rendit très sensible aux attraits de toute volupté, toujours joyeux, et toujours empressé de passer d'une jouissance à l'autre, et ingénieux à les inventer. » Et aussi : « En me rappelant les plaisirs que j'ai eus, j'en jouis une seconde fois, et je ris des peines que j'ai endurées et que je ne sens plus. Membre de l'univers, je parle à l'air, et je me figure rendre compte de ma gestion, comme un maître d'hôtel le rend à son maître avant de disparaître. »

On ne tiendra aucun compte des protestations intempestives des parents d'élèves. Les projections de reproductions de Fragonard, Manet, Picasso, auront un succès fou. Quant à vous, vous devez, séance tenante, vous procurer le catalogue somptueux de l'exposition « Casanova, la passion de la liberté » à la Bibliothèque nationale. Il coûte seulement quarante-neuf euros. C'est pour rien.

27/11/2011

DSK À PÉKIN

Et le revoilà ! Rasé de frais, en pleine forme, invité par le géant d'Internet en Chine, pour une conférence de quarante-cinq minutes à Pékin. Il parle un anglais parfait, survole l'économie mondiale, critique la gestion de l'euro, sourit à son nouveau destin qui s'annonce. Les camarades chinois ont réussi un coup fumant : si les Américains ont arrêté DSK à New York pour une affaire confuse, il est célébré dans la capitale de l'empire du Milieu. Tout va bien : Anne Sinclair a été élue « femme de l'année » au détriment de Christine Lagarde, notre séducteur national prend des cours de civilisation érotique accélérée. Doué comme il est, il parlera couramment chinois dans deux mois. Quelqu'un de bien informé m'assure que les *escort girls* chinoises qui accompagnaient DSK étaient toutes des petites-filles des anciennes jeunes expertes convoquées par Mao, le samedi soir, dans le pavillon des Chrysanthèmes de la Cité interdite. Finies les aventures glauques avec n'importe quelle Blanche maladroite surveillée par « Dodo la Saumure » ; oubliées les bousculades et les vulgarités d'autrefois ! Place aux nuits de Chine raffinées et câlines ! Si j'étais à la place des socialistes, je reprendrais vite ce ténor comme candidat à la présidence française. Lui seul, réhabilité, blanchi, peut l'emporter largement sur Sarko, Marine Le Pen, Hollande, Bayrou. Il faut tout reprendre, réécrire le scénario, enfiévrer ce pays morose, quitter la Corrèze, le Pas-de-Calais, les Bouches-du-Rhône, s'aligner sur le choix éclatant de Pékin. DSK président ? C'est l'évidence. Crise, chômage, récession, agonie de l'euro, devenir mondial de la monnaie chinoise, lui seul a les solutions.

01/01/2012

717

SEINS

Le spectacle, désormais, abonde en contradictions hurlantes. D'un côté, les crises d'hystérie des Coréens du Nord à la mort de leur dictateur (femmes convulsées en pleurs, cris de détresse) ; de l'autre, la disparition d'un vrai saint laïc de la liberté, deuil émouvant, à Prague, pour Václav Havel. D'un côté, les massacres à huis clos en Syrie ; de l'autre, les manifestations anti-Poutine. Le vieux Benoît XVI, très fatigué (on le serait à moins), bénit cette planète de plus en plus folle, et parle de la « *lassitude* » des chrétiens occidentaux abrutis dans leurs fêtes, tandis qu'on tue des chrétiens un peu partout, au Niger et ailleurs. Le clou spectaculaire est quand même la brusque irruption des implants mammaires sur vos écrans. Cachez-moi tous ces seins que je ne saurais voir ! Dans cette charcuterie dangereuse et démente, il y a eu des milliers d'implantations, il y aura maintenant des explantations. On plante, on implante, on explante, on réimplante, voilà le menu. Si vous voulez rire quand même, lisez ou relisez le petit roman prophétique de Philip Roth, *Le Sein*, publié en anglais en 1972, et seulement en 1984 en français[228]. Plus fort que *La Métamorphose*, de Kafka, difficile à faire. Un homme est soudain transformé en gros sein et raconte ses aventures. C'est ahurissant et tordant.

01/01/2012

AGITATION

Qui veut faire perdre Sarkozy ? Tout le monde, ou presque, à commencer par lui-même (« *Cinq ans, ça suffit* »). Là-dessus, Hollande se réveille, modère ses mouvements de bras, enflamme ses partisans, sort comme un loup du bois, évite le flou, se durcit à gauche. Le changement s'impose de toute façon, malgré la crise, la perte du triple A, l'insécurité, le chômage et le désordre mondial. Sarkozy protecteur contre les marchés financiers ? Non, Hollande. Cependant, les médias s'agitent et trouvent une parade : si la finale opposait Marine Le Pen à Bayrou ? Ce serait Bayrou à coup sûr, terrassant, en tracteur, la Walkyrie blonde qui n'a toujours pas ses cinq cents parrainages, déni évident de démocratie.

Au fond, les candidats masculins rêvent tous de se retrouver avec Marine Le Pen en face d'eux pour gagner confortablement sans problème. Chirac, prophète de la Corrèze, l'a dit : un républicain doit voter Hollande. La seule chose qui me retient de me déclarer pour ce dernier est sa proximité avec Mazarine Pingeot, laquelle vient de s'exprimer ainsi, à la télévision, à propos de mon nouveau roman [229] : « L'écriture de Sollers est inintéressante, et son livre n'a aucun intérêt. » Par table tournante, François Mitterrand m'a aussitôt fait savoir que sa fille exagérait. Il croit aux forces de l'esprit, lui, moi aussi.

Cela dit, vous avez probablement jeté un coup d'œil sur les prétendants républicains à la Maison-Blanche. Là, vraiment, ça fait peur : Argent, Argent, Dieu, Famille, les visages sont à vomir. Le plus riche est mormon. Il a été envoyé autrefois par sa secte à Bordeaux, pour convaincre les indigènes du coin de ne plus boire de vin. Échec total.

29/01/2012

CULTURE GÉNÉRALE

La suppression de l'examen de culture générale à Sciences-Po a fait couler beaucoup d'encre. Mais enfin, assez d'hypocrisie : lorsque Sarkozy s'est laissé aller à traiter par-dessus la jambe *La Princesse de Clèves*, j'ai vu beaucoup d'indignés qui n'avaient jamais ouvert ce chef-d'œuvre de leur vie. On sait que la formation des étudiants doit être avant tout pratique, et leur adaptation aux marchés financiers automatique. Pourquoi les embêter avec la culture ? Ils ont leur culture à eux, et vous n'allez pas leur faire perdre leur temps avec l'histoire, la peinture, la musique, la littérature.

Je propose autre chose aux médias, radios et télévisions : toute personnalité politique sera interrogée pendant cinq minutes en direct sur des œuvres incontournables. Que Bayrou réponde sur l'*Olympia*, de Manet, Hollande sur les *Mémoires* de Casanova. On sera curieux d'entendre Eva Joly sur *Les Fleurs du mal*, de Baudelaire, avec récitation de deux vers qui vibreront sous son charmant accent. Marine Le Pen sera étonnante à propos de *Guernica*, de Picasso. On pourra juger de l'ouverture d'esprit du laïcard Mélenchon en lui demandant ce qu'il pense de sainte Thérèse d'Avila. Le triste François Baroin devra s'exprimer sur André Breton, et la sémillante Valérie Pécresse sur Sade.

Nadine Morano improvisera sur *Un bar aux Folies Bergère* de Manet, et Sarkozy sur *Les Demoiselles d'Avignon* de Picasso. On osera demander à Anne Sinclair ce qu'elle éprouve en relisant *Les Liaisons dangereuses*. Marielle de Sarnez, avec son beau visage de martyre, se confiera sur *La Religieuse*, de Diderot. On piégera

Villepin avec une citation particulièrement tordue de Rimbaud. Christine Boutin fustigera Céline, et Jean-François Copé, Aragon. Le prochinois Raffarin devra expliquer rapidement les moments forts de l'érotisme asiatique. François Fillon, enfin, dira en quelques mots ce qu'il pense de Marx, Rachida Dati de Freud, et Carla Bruni de Nietzsche. Alain Juppé confessera, pour finir, son goût pour les vins du Médoc et Jean-Louis Borloo son addiction à l'eau minérale.

29/01/2012

ANONYMOUS

Tout se passant de plus en plus sur le Net, ces terroristes d'un nouveau genre m'intriguent, au point que je me demande parfois si je ne suis pas l'un des leurs. Ils peuvent se manifester n'importe où, n'ont aucune structure établie, c'est tout le monde et n'importe qui, jeunes, anciens, hackers professionnels, amateurs. Ils sortent parfois au grand jour, avec des masques reproduisant le visage d'un catholique anglais du début du XVIIe siècle, membre de la Conspiration des poudres, qui voulait faire exploser Westminster. Ils ne sont pas violents, ils ne font pas de politique, leur seule revendication est la libre circulation des données (ce que ne peut que redouter tout pouvoir existant). Ils disent des choses étranges : « Vous êtes. Je suis. Chacun est. » Ou bien : « Nous sommes Anonymous, nous sommes légion, nous ne pardonnons pas, nous n'oublions pas. Unis comme un seul, indivisibles, redoutez-nous. » Ou encore : « Anonymous peut être un monstre horrible, insensible et indifférent. » On comprend que les dictateurs s'énervent, et que toutes les polices soient sur les dents. Moralité : l'anarchisme est toujours vivant, la preuve.

04/03/2012

FRANC

Cette fois, c'est fini : les billets imprimés en francs ne sont plus échangeables à la Banque de France. Une queue interminable, le dernier jour, se pressait devant les guichets. Les collectionneurs prennent le relais. J'apprends que le Debussy (avec un peu de mer sur la gauche) est très rare et très recherché. Ces billets, on s'en souvient, étaient une impressionnante collection de visages en couleurs, avec une majorité de grands écrivains. Je revois ainsi Victor Hugo, Racine, Corneille, Molière (cinq cents francs), et l'un de mes préférés, Quentin de La Tour (cinquante francs). Je rêve encore du Delacroix (cent francs) reproduisant un tableau qu'il vaut mieux oublier, *La Liberté guidant le peuple*. J'avoue avoir eu un faible pour Montesquieu (deux cents francs) et, plus intimement, pour Pascal (cinq cents francs). Le Cézanne, tardif (cent francs), aura été l'avant-dernier billet en peinture (il serait très surpris, Cézanne, de savoir qu'une version de ses *Joueurs de cartes* a été achetée, à prix d'or, par le Qatar). Avant d'entrer au Panthéon, Marie Curie a été la première femme à valoir cinq cents francs, et à clore ainsi, de façon atomique et féministe, cette liste fantastique renvoyée au cimetière de l'Histoire. Marie Curie, à cinq cents francs, a pris la place de Pascal (j'en ai gardé trois, leur prix de collection va monter sous peu). Le billet inoubliable est quand même celui de Voltaire (dix francs seulement, mais quelle allure !).

Ah, si l'euro coule, rendez-nous Voltaire ! L'association Voltaire à Ferney vient de fêter le deux cent cinquantième anniversaire de ce lieu rendu célèbre par la présence de ce dérangeur universel. Je reçois ainsi la plus belle récompense de ma vie : une carte de membre d'honneur. Le 22 juillet 1761, Voltaire écrit à Mme du Deffand cette phrase extraordinaire : « Quand je vous aurai bien répété que la vie est un enfant qu'il faut bercer jusqu'à ce qu'il s'endorme, j'aurai dit tout ce que je sais. »

04/03/2012

CAUCHEMARS

Le bruit m'endort, le silence m'éveille. Les chiffres m'abrutissent, la musique me ranime. Les attentats racistes me glacent, et l'incroyable histoire du tueur fou de Toulouse me pétrifie. C'est donc passablement ralenti que je vais arriver à la fin de cette interminable campagne présidentielle. L'horreur des assassinats ciblés par l'homme au scooter a momifié le Président, qui n'est jamais aussi maître de lui que devant des cercueils. Le ministre de l'Intérieur est passé du livide au rose, et l'union nationale funèbre aura duré deux jours, avant que les passions se redéchirent de plus belle, chacun appelant au rassemblement. De toute façon, aucun événement barbare n'a jamais arrêté la publicité et les marchés financiers. Le cinglé islamiste a été bousillé après trente-deux heures de confusion, j'hésite à prendre part pour le GIGN ou le

Raid, je ne sais plus très bien si Dieu est bon ou mauvais. J'observe le candidat socialiste, Sisyphe héroïque avec son rocher en caoutchouc, s'égosiller et défendre religieusement l'harmonie laïque. Sarkozy, lui aussi, crie beaucoup, à l'unisson des autres candidats au poste suprême.

La nuit, en rêve, tout se complique : je vois des drapeaux tourbillonner, des adversaires vociférer, des visages convulsés hurler, et j'ai l'impression que ma salle de bains n'est pas sûre. Marine Le Pen, haletante, a fini par obtenir ses cinq cents signatures, alors qu'elles ont été accordées sans problème au mystérieux Cheminade, qui m'intrigue de plus en plus. Pauvre Villepin ! Pauvre Lepage ! Heureux Poutou ! Radieuse Arthaud ! Mélancolique Dupont-Aignan ! Vorace Mélenchon ! Tortue Joly ! Stagnant Bayrou ! Vite, le choc final et frontal Sarkozy-Hollande ! Qui reprendra la Concorde ? Qui sauvera la Bastille ? Françaises, Français, encore un effort pour cinq ans d'efforts !

01/04/2012

ABÎMES

Désastre humain : le jeune possédé de Toulouse abat froidement, et à bout portant, des enfants juifs, il filme ses assassinats, il meurt en martyr. Il y a des crimes qui sont des abîmes, celui-là en est un. Comme quoi le Mal, pour l'appeler par son nom avec une majuscule, est toujours plus profond que ne le croient les gentils humanistes. Mais il y a aussi des désastres naturels et techniques, comme celui de Fukushima. Aucun reportage ne peut donner le sentiment intime de cette catastrophe. Pour cela, il faut un écrivain véritable, Michaël Ferrier[230] :

« La pluie tombe, mais ce n'est plus la pluie, le vent souffle, mais ce n'est plus le vent : il porte avec lui le césium et le pollen, des bouffées de toxines et non des parfums. La mer, tout en continuant à rugir, devient muette de terreur. Elle dilue autant qu'elle peut ces résidus mortifères. Le jour est inhabitable. La nuit s'installe et n'apporte pas l'oubli, juste la crainte de nouveaux rêves, plus sombres et plus fétides à chaque fois. L'horreur est une atmosphère : particules perdues, nuages poudreux, rayonnements douteux. Nous en sommes arrivés – ou revenus – au stade météorologique de notre histoire : nous confions notre destin au vent, aux vagues. »

Et aussi : « La demi-vie n'est pas une moitié de vie. Techniquement, c'est un cycle de désintégration. Les déchets et les produits de l'industrie nucléaire mettent un certain temps à se désintégrer, temps pendant lequel ils demeurent nocifs. La demi-vie est la période au terme de laquelle un de ces produits aura perdu la moitié de son efficacité ou de son danger. Cela peut se compter en jours, en années, en siècles ou en millénaires. »

01/04/2012

BORDEAUX CHINOIS

Le débat filandreux autour de l'abattage rituel religieux rendrait toute âme sensible athée et végétarienne. Je me sens déjà vaguement coupable de manger du porc, de fumer, de ne pas avoir de barbe, d'adresser la parole à ma voisine, de boire de l'alcool et du vin. Un verre de bon bordeaux me calme et me ramène à la raison, pratiquée depuis longtemps dans ma belle ville natale.

Mais que vois-je soudain ? Les Chinois ont envahi les environs de Bordeaux, achètent des châteaux, se passionnent pour les crus locaux et les importent en masse. Céline (fanatique buveur d'eau) s'est trompé : les Chinois ont dépassé la Champagne et Cognac, ils sont dans les vignes, ils se poivrent au vin rouge. Regardez Lili, énergique et ravissante Chinoise de vingt-huit ans : elle vous annonce une nouvelle ère dont personne ne semble se rendre compte. Comme le dit un vigneron bordelais : « En France, lors des voyages présidentiels à l'étranger, on parle de TGV, de Dior, des avions. Mais les vignerons qui représentent l'équivalent de cent quatre-vingts Airbus par an, on n'en parle pas... Chirac aimait la bière, Sarkozy le Coca... » Une rumeur prétend qu'à la fin de sa vie, pour apaiser sa conscience, Mao buvait en douce du Margaux dans son pavillon de la Cité interdite. Simon Leys vous dira que c'est impossible, mais il ne sait peut-être pas tout.

01/04/2012

SAINT-PATRICK

Pendant que Poutine avale son dixième verre de vodka, en versant une larme de crocodile sur sa réélection contestée mais réelle, les Irlandais, en pleine forme malgré leurs difficultés, fêtent le 17 mars, tous et toutes en vert et blanc, la Saint-Patrick, du nom de leur évangélisateur au début du Ve siècle. Poutine et les Chinois laissent massacrer les Syriens, mais les Irlandais pensent que saint Patrick est le patron de la bière. Obama trinque avec eux, en hommage à ses origines maternelles irlandaises (point que je partage avec lui, puisque j'ai une arrière-grand-mère du même pays).

Le vieux Benoît XVI est-il protégé par saint Patrick à Cuba ? Rien n'est impossible. Mais c'est ici le moment de se souvenir de l'immense James Joyce, impénitent buveur de vin blanc, mort en exil, à Zurich, le 13 janvier 1941, à deux heures du matin. Il avait coutume de dire que, sans l'aide de son saint patron, il ne serait jamais arrivé à rien. Sur son bureau, après sa mort, on a trouvé un dictionnaire de grec et un livre intitulé *Je suis disciple de saint Patrick*. On connaît la formule de Joyce, plus que jamais actuelle : « L'Histoire est un cauchemar dont j'essaye de me réveiller. »

01/04/2012

MARINE

On ne l'attendait pas à ce niveau, mais c'est fait, et tout le monde en parle. Le Président candidat sentait une vague forte monter vers lui, mais voilà, elle n'était pas bleu clair, mais massivement bleu marine. Le rouge Mélenchon se flattait d'avoir ressuscité l'idéal communiste et de terrasser la blonde agitée : hélas, hélas, Stalingrad n'a pas tenu, et une bonne partie du peuple français s'est déportée sur la droite.

Hollande est en tête, soit, et même virtuellement élu, il s'abîme de plus en plus la voix dans les meetings, mais restons prudents, le second tour s'annonce sanglant, simpliste, vociférant, et des milliers de drapeaux bleu-blanc-rouge vont tourbillonner dans les têtes. Le Président propose trois débats à son challenger socialiste, on regrette de ne pas voir ça tous les soirs, dans le genre interminable primaire au sommet.

Bref la participation a été intense, l'Histoire est en marche, Robespierre a été remplacé au pied levé par Jeanne d'Arc, le Président déclare la patrie en danger, veut transformer le 1er Mai en fête du « vrai travail » national, peut-être s'est-il mis à prier le soir, pendant que le candidat de gauche compte sur la sagesse immémoriale de la Corrèze. Et Bayrou ? me dites-vous. Bayrou ? Comme d'habitude, avec une belle obstination paysanne, il attend son heure. Ce serait l'heure de la raison centrale, celle qui ne vient jamais. Les élections ne sont pas raisonnables.

Cela dit, les dernières déclarations de Sarkozy à propos de la littérature m'ont consterné. Après avoir taclé *La Princesse de Clèves* et Fabrice del Dongo dans *La Chartreuse de Parme*, il dit maintenant que le livre qui lui tombe des mains est *Les Liaisons dangereuses*, de Laclos. Une France forte sans Stendhal et Laclos ? Quelle erreur.

29/04/2012

LÉGITIME DÉFENSE

Étrange pays, la France, qui n'en finit pas de stupéfier ses voisins par sa démocratie éruptive et brouillonne. Pour l'instant, la palme démocratique revient quand même à la Norvège qui écoute sans broncher les explications de son tueur forcené. En se livrant à son massacre, dit-il, il se trouvait en état de « légitime défense » contre l'immigration massive et l'islamisation de l'Occident. Il délire, mais veut être considéré comme pleinement rationnel (la prison, donc, pas l'asile psychiatrique). La légitime défense est un beau concept. Supposons que je me retrouve dans un train bondé, envahi par des mères débordées et des enfants qui hurlent. À un moment, ce bruit me rend fou, je sors ma kalachnikov, je tire sur tout ce qui crie, et je plaide ensuite la légitime défense par rapport à l'agression auditive dont j'étais l'objet. Serais-je compris ? J'en doute.

29/04/2012

STUPIDITÉ

Voici un petit livre décapant qu'il faut vous procurer sans délai : *Les Lois fondamentales de la stupidité humaine* [231]. Ne cherchez pas à connaître l'auteur, un certain Carlo M. Cipolla, mort, paraît-il, en 2000, dont l'éditeur nous cache peut-être la véritable identité. Voici la première loi, d'une évidence troublante : « Chacun sous-estime toujours inévitablement le nombre d'individus stupides existant dans le monde. » Attention, l'individu stupide n'est pas l'imbécile, ce serait trop simple. Ce qui le rend particulièrement dangereux, c'est qu'il peut paraître rationnel et intelligent. « Jour après jour, avec une monotonie imparable, chacun est harcelé par des individus stupides qui surgissent à l'improviste, dans les lieux les plus malcommodes et aux moments les plus improbables. »

L'auteur ne craint pas d'affirmer scientifiquement que la stupidité est un fait de nature et non de culture : « Que l'on évolue dans les cercles les plus distingués ou que l'on se réfugie parmi les chasseurs de têtes de Polynésie, que l'on s'enferme dans un monastère ou que l'on décide de passer le reste de sa vie en compagnie de femmes belles et lascives, on rencontre toujours le même pourcentage d'individus stupides, pourcentage qui dépassera toujours vos attentes. » Ne pas confondre avec la bêtise (ce pas en avant aurait enchanté Flaubert) : « Est stupide celui qui entraîne une perte pour un autre individu ou pour un groupe d'individus, tout en n'en tirant lui-même aucun bénéfice et en s'infligeant éventuellement des pertes. » Et voici le plus inquiétant, comme on peut, une fois de plus, le vérifier ces temps-ci : « Les partis politiques et la bureaucratie se sont substitués aux classes et aux castes, et la démocratie s'est substituée à la religion. Dans un système démocratique, les élections générales sont un instrument tout à fait efficace pour garantir le maintien d'une fraction importante d'individus stupides parmi les puissants. Un pourcentage très élevé des électeurs est composé d'individus stupides et les élections leur offrent à tous à la fois une occasion formidable de nuire à tous les autres sans rien y gagner. » Vérifiez.

29/04/2012

CHINOIS

Les Chinois sont déjà un peu partout dans la région de Bordeaux, comme cette charmante actrice populaire, Zhao Wei, qui vient d'acheter un petit domaine du côté de Saint-Émilion. Ces Chinois me suivent à la trace, puisque je les retrouve dans l'île de Ré, en face de chez moi, en train d'étudier les marais salants et l'obtention de la fleur de sel. Le vin, le sel : il ne leur reste plus qu'à me traduire intégralement et à susciter une prolifération de commentaires.

Je n'aurais jamais cru possible une telle situation, lors du voyage que j'ai organisé en Chine, en 1974, au nom de la revue *Tel Quel*. Sur ce voyage, qui a fait couler beaucoup d'encre, on lira la réédition du *Voyage en Chine* de Marcelin Pleynet[232], excellent journal, moins dupe que n'a voulu le croire Simon Leys (trop fixé sur Barthes) et plein de notations élégantes et sensibles sur les paysages et les corps chinois. Pleynet est avant tout un poète, ce qui fait que ses notes traversent le temps en toute liberté. Dans ce livre, quelques photos en couleur de l'époque, émouvantes.

Pour rendre leur visite aux Chinois, rien de mieux que les *Écrits de Maître Wen*[233] (ou *Livre de la pénétration du mystère*), un vieux classique à pratiquer chaque jour : « Pour peu que les viscères se placent sous la dépendance du cœur et lui restent soumis, la résolution triomphe, la conduite sera ferme, l'entendement florissant, les humeurs concertées, en sorte que l'on voit tout, entend tout et réussit en tout. Le souci ne trouvera nulle part à s'introduire ni les miasmes par où attaquer. » Bonne chance, et vive la crise !

29/04/2012

Normalitude

François Hollande était normal, soit, mais en quelques jours, avec une rapidité foudroyante, il est passé de normal à normal supérieur. Les forces de l'Esprit ont fondu sur lui comme sur un cardinal devenant pape. La République aussi a ses mystères, surtout la Troisième, qui, à travers ce faux mou, vient de se réinstaller chez elle, après bien des péripéties. Pas besoin de Quatrième, de Cinquième, voire de Sixième. La Troisième est l'état normal de l'Hexagone normal dans un monde de plus en plus anormal. Tout le monde s'est trompé : c'est un vrai dur, Hollande, il peut tenir bon sous une pluie battante, supporter sans ciller la foudre sur son avion, embrasser Angela Merkel comme la charcutière du coin, épater Obama, séduire le G8 et l'Otan, enlever sa cravate, remettre sa cravate, boutonner impeccablement son veston. La normalitude vient de loin, des heures et des heures de patience, de rages rentrées, de louvoiements, de compromis sans lâcher la corde. Jules Ferry, Jules Grévy, Marie Curie, ombres tutélaires, voyez l'ascension de ce petit homme vif, spirituel, sec sous son enveloppe trompeuse : c'est la France. Et la France enfin paritaire, avec des prénoms de femmes qui font rêver, Najat (irradiante), Marisol (prometteuse), Fleur (énigmatique), Aurélie (combattante). Le mariage gay, l'adoption d'enfants par des couples du même sexe ? Normal. Le perchoir de l'Assemblée nationale à Ségolène Royal ? Normal. La Justice incarnée par la souriante Taubira ? Normal. La sobriété, la baisse des rémunérations du Président et des ministres ? Normal. L'école placée au premier plan de la République des professeurs ? Normal, normal, normal.

Ah, bien sûr, je vois des insatisfaits de toujours, ennemis de la République, qui trouvent que tout cela manque de romantisme. Mais il est important de vérifier à quel point la fonction peut créer l'organe. Qui aurait cru que la France s'appellerait un jour Hollande, un nom qui résonne comme la normalité absolue ? Dans les tempêtes qui s'annoncent, l'autorité du normal peut s'avérer décisive sur une planète folle. Comme le dit Laozi, ce Corrézien chinois méconnu : « Qui connaît la norme constante est éclairé, qui l'ignore est aveugle. L'aveuglement attire le malheur. Connaître la norme constante, c'est tout accueillir ; qui tout accueille est universel. »

27/05/2012

CRI

On a du mal à croire à la crise, quand on voit le prix atteint par un tableau du peintre norvégien Edvard Munch : *Le Cri*. Chez Sotheby's, à New York, au milieu des smokings et des robes longues, ce cri effrayant et célèbre est devenu l'œuvre d'art la plus chère jamais adjugée aux enchères : quatre-vingt-dix millions d'euros. En une soirée, Sotheby's a raflé deux cents millions d'euros, montant le plus élevé atteint par l'entreprise dans cette catégorie. Les acheteurs restent anonymes, mais les milliardaires russes ou arabes du Golfe sont soupçonnés. L'émir du Qatar aurait déboursé deux cents millions d'euros pour *Les Joueurs de cartes* de Cézanne, mais rien n'est sûr. Vous me direz que *Le Cri* de Munch (tableau au demeurant détestable) devrait maintenant s'appeler

Épouvante d'un Grec. Ah, c'est sûr, Munch n'est pas Fragonard ! Mais son prix, dans les circonstances actuelles, est normal.

27/05/2012

CRISE

Normal pourrait être un bon titre de roman fantastique. J'y pense. Le narrateur pourrait s'appeler Descartes, René Descartes. Il observerait avec intérêt l'entrée en Bourse, plutôt ratée, de Facebook, neuf cent un millions d'internautes dans le monde (qui en compte déjà, mais ce n'est qu'un début, deux milliards trois cents millions). Ce Mark Zuckerberg, vingt-huit ans aujourd'hui, dix-neuf ans lors de son coup de poker génial, a l'air tout à fait normal. Il garde son look d'étudiant prolongé à capuche, et, comme le dit le *New York Times*, « la capuche, c'est exactement le contraire de la cravate Hermès... Ça veut dire : "je suis trop occupé à faire des choses vraiment très importantes pour le reste du monde pour me préoccuper de mon apparence." » L'ambition de Facebook ? « Connecter le monde entier. » C'est en bonne voie, mais il reste beaucoup à faire, notamment en Chine. D'un trombinoscope en ligne, Facebook est devenu l'identité numérique de près d'un milliard de personnes, portrait évolutif de l'activité sociale de ses utilisateurs. Comment, vous n'êtes pas connecté ? Et vous prétendez exister ?

27/05/2012

CINÉMA

Vous ne bloguez pas, vous ne tweetez pas, vous n'envoyez pas de textos, vous êtes insensible aux merveilles des ordinateurs et des iPad, vous n'existez pas, mais le pire blasphème, c'est que vous n'allez même pas au cinéma.

Vous plaignez sincèrement les somnambules du Festival de Cannes. Vous ne lisez pas sur tablette, vous êtes un drogué du papier, et la preuve, c'est que vous restez enfantinement en extase devant des mots imprimés. Ceux-ci, par exemple, de Jules Verne, dans *Vingt mille lieues sous les mers*, qui vient d'être réédité en Pléiade[234].

« Je vois encore la pose du capitaine Nemo. Replié sur lui-même, il attendait avec un admirable sang-froid le formidable squale, et lorsque celui-ci se précipita sur lui, le capitaine, se jetant de côté avec une prestesse prodigieuse, évita le choc et lui enfonça son poignard dans le ventre. Mais tout n'était pas dit. Un combat terrible s'engagea. »

Non, non, pas de film, des mots, et encore des mots, plus puissants que les images :

« Le requin avait rugi, pour ainsi dire. Le sang sortait à flots de ses blessures. La mer se teignit de rouge, et, à travers ce liquide opaque, je ne vis plus rien.

« Plus rien, jusqu'au moment où, dans une éclaircie, j'aperçus l'audacieux capitaine, cramponné à l'une des nageoires de l'animal, luttant corps à corps avec le monstre, labourant de coups de poignard le ventre de son ennemi, sans pouvoir toutefois porter le coup définitif, c'est-à-dire l'atteindre en plein cœur. Le squale, se débattant, agitait la masse des eaux avec furie, et leur remous menaçait de me renverser. »

Voilà l'arrivée inattendue du capitaine Nemo et de sa mer rouge sur la Croisette. Inutile de dire qu'il obtient tout de suite le Requin d'or.

27/05/2012

TWEET

Prions pour le Président : il s'est mis, Dieu sait comment, dans la pire des situations qu'évoque mon catéchisme à l'usage de l'homme amoureux normal. Je résume : zéro femme (ascèse monastique), une seule femme (maman), deux femmes (l'enfer), trois femmes (respiration mais problèmes logistiques). Bien entendu, on peut dépasser ce chiffre, sans aller jusqu'à la boulimie de DSK, qui laisse d'ailleurs impassible Anne Sinclair sur son socle. La frénésie sexuelle, on ne le sait pas assez, ramène à maman, qui peut fermer les yeux sur ces acrobaties passagères.

En revanche, quand deux femmes s'affrontent pour la possession du même homme, ce dernier marche sans cesse sur des charbons ardents, le souci permanent et la dissimulation épuisante l'habitent. Chacune ne pense qu'à l'autre. Qui est la vraie ? Laquelle a le pouvoir ? La mère des enfants ? La nouvelle compagne avec ses propres enfants ? Une concurrente plus jeune en attente d'enfant ? Mettez la politique dans le coup, et vous obtenez l'affaire sensationnelle du tweet.

Ne plaisantons pas, c'est du sérieux, de la souffrance pure, un coup de poignard administré par la première lame de France. Les élections, la crise, l'euro, les massacres de Syrie, les impôts à venir, la progression lente et sûre du Front national, tout cela n'est rien par rapport

736

au tweet. C'est un sommet dans le genre. On peut en imaginer d'autres qui feraient du bruit : la reine d'Angleterre, en plein jubilé, tweetant qu'elle a toujours détesté sa couronne, le pape révélant au grand jour son homosexualité, Michelle Obama avouant sa relation avec un jeune Blanc, Sarkozy admettant son ancienne liaison torride avec Liliane Bettencourt, ou moi, après tout, faisant état de la demande incroyable et gênante que m'a adressée Marine Le Pen, un soir : « Embrasse-moi sur la bouche. »

Ce n'est plus la politique qui fait la loi, mais le tweet inattendu, énorme, transgressif. À quoi pensait le Président en accrochant des décorations sur les cercueils des soldats français morts en Afghanistan ? Au tweet. Ce n'est plus du vaudeville, mais du Shakespeare. Une seule solution pour sortir de ce cauchemar : une nouvelle prétendante au rôle de première dame de France, un mariage à tout casser, et, vite, un bébé. Espérons que cette nouvelle aventurière courageuse nous préviendra par un tweet.

24/06/2012

CANNABIS

Tout ça pour dire qu'on peut relire un excellent roman, *Femmes*[235], publié il y a presque trente ans. Tous les cas de figure y sont strictement répertoriés, et, à mon avis, le livre n'a pas pris une ride. Par ailleurs, je vois que la droite s'inquiète d'une éventuelle dépénalisation du cannabis qui, bien entendu, n'aura pas lieu. J'ai rarement été interrogé sur cette question, alors qu'un certain nombre de mes livres portent la trace évidente de l'usage intensif de cette substance. Ah, le bon afghan très noir d'autrefois !

J'aurais dû être poursuivi, à l'époque, pour avoir intitulé un de mes livres de cette simple lettre : *H*. On ne pouvait pas être plus clair. Comme tout le prouve aujourd'hui, la morale a repris sa vitesse de croisière, et les intellectuels conférenciers de la croisière vous font la morale à jet continu. Il ne faut surtout pas ouvrir ces volumes délétères, signés Thomas de Quincey, Baudelaire, Antonin Artaud, Henri Michaux, William Burroughs et bien d'autres. Autant d'écrivains dangereux et antisociaux.

24/06/2012

TWEET

Un tweet peut-il transformer l'Histoire ? On l'a vu avec celui, désormais célèbre, de Valérie Trierweiler. Il continue à hanter l'actualité, il plane sur l'Élysée, le président de la République en rêve toutes les nuits, même DSK n'arrive pas à reprendre la main dans l'information. On le laisse volontiers tranquille, ce baiseur frénétique, il gagne beaucoup d'argent avec ses conférences de super-spécialiste économique, comme Sarkozy à New York, qui n'a pas à se plaindre de ce côté-là.

Qu'est-ce qu'un tweet réussi ? Le comble du décalage, une incongruité majeure, un vent de folie dans les sphères du pouvoir. Imaginez la suite : Michelle Obama tweete soudain qu'elle s'ennuie de plus en plus avec son Barack à la Maison-Blanche. La femme de Romney, on ne sait pourquoi, insulte brusquement les mormons et se convertit au catholicisme. Une Pussy Riot révèle son ancienne liaison torride avec Poutine. Martine Aubry et Jean-Marc Ayrault tweetent ensemble qu'ils se sont fiancés dans le train fantôme de la foire de Lille. Le majordome du pape balance que ce dernier voulait se marier. Voilà des tweets lourds ! À quoi bon rivaliser et faire entendre sa faible voix dans l'océan des sites ?

J'insiste : au moment de légiférer sur le « mariage pour tous », comment accepter que le président Hollande se dérobe à cette injonction ? Il doit impérativement se marier, et vite. Il a déjà eu quatre enfants avec Ségolène Royal, Valérie Trierweiler en a trois de son côté. Pourquoi pas, enfin, une réconciliation générale, avec mariage global ? Ou alors que le président nous étonne : il n'aura aucun mal à trouver une jeune et jolie Corrézienne, à laquelle il pourra faire un enfant dans la foulée. Lisez ce tweet émouvant envoyé de Tulle : « François va m'épouser, c'est le plus beau jour de ma vie ! » Mais non, un autre tweet ahurissant arrive : « Ici Manuel Valls, j'épouse François. Nous allons adopter deux filles ! »

Voilà les vraies nouvelles : la sécurité, le terrorisme, le chômage, les impôts, les licenciements deviennent aussitôt des détails. La crise est surmontée, le retour virtuel de Sarkozy est oublié. Vive le viril président Hollande, cet Hercule de Tulle !

19/10/2012

CONCEPTION

Ayant eu l'imprudence de parler de la PSA (procréation spirituellement assistée) à propos de la Vierge Marie, je suis submergé de demandes d'explications. Je ne peux ici que renvoyer les curieuses et les curieux au catéchisme de l'Église catholique, au sujet d'un événement qui a changé le cours de l'Histoire. Revenons donc à la PMA (procréation médicalement assistée) et à la GPA (gestation pour autrui), pratiquées aujourd'hui un peu partout dans le monde. Aux États-Unis, par exemple, une mère porteuse reçoit entre vingt-cinq mille et trente-cinq mille dollars par grossesse, plus huit mille dollars si elle est enceinte de jumeaux. À propos de l'Immaculée Conception (Marie conçue sans péché), nous avons un témoignage troublant, celui de Flaubert, dans une lettre de 1859. « Le dogme de l'Immaculée Conception me semble un coup de génie politique de l'Église. Elle a formulé et annulé toutes les aspirations féminines du temps. Il n'est pas un écrivain qui n'ait exalté la mère, l'épouse ou l'amante. La génération, endolorie, larmoie sur les genoux des femmes, comme un enfant malade. On n'a pas idée de la *lâcheté* des hommes envers elles. » Les choses ont-elles changé depuis Flaubert ? Pas sûr.

08/02/2013

CONTRACEPTION

Les pilules contraceptives sont-elles dangereuses ? Les gynécologues sont-ils vraiment sérieux ? Toutes ces questions agitent l'enceinte de l'Assemblée nationale. Je comprends qu'une femme ait envie de récupérer ses ovocytes stockés à son moment de plus grande fertilité, mais je me demande si je ne dois pas faire décongeler mes paillettes de spermatozoïdes entreposées en Suisse il y a trente ans. Mon contrat stipule qu'une jeune et jolie femme, quelles que soient ses origines et ses orientations sexuelles, pourra en faire usage si elle peut réciter par cœur un paragraphe d'un de mes livres. Ne soyons pas trop exigeant : dix lignes suffiront. Quel joli bébé ! Comme il me ressemble !

08/02/2013

DÉCEPTION

La fondation Egg Donation (don d'ovules), aux États-Unis, est le leader du recrutement des mères porteuses pour la GPA. L'agence CSP a trente-deux ans d'expérience, et déjà mille sept cents enfants dans quarante-cinq pays. Avec 40 % de clients étrangers, elle est pionnière en matière de « création de familles ». La star Elton John sert ici de publicité pour célébrer la naissance d'un deuxième enfant entre son compagnon et lui. Cependant, Nicole, trente et un ans, semble déçue. Elle a connu six échecs avec un couple norvégien, et puis, dans la foulée, une fausse couche. « Avec tous ces traitements, dit-elle, mon corps est fatigué. Quant à mon état émotionnel, il est un peu bouleversé. »

08/02/2013

BEAUVOIR

Prenez donc l'air avec des lettres de Simone de Beauvoir. En 1948, elle est aux États-Unis avec son amant Nelson Algren, ce qui ne l'empêche pas d'écrire des lettres d'amour à Sartre : « Mon petit, vous m'avez fait cadeau d'un beau voyage et vous m'avez donné une belle vie, heureuse et pleine, où tout ce qui m'arrive est heureux parce que vous existez. […] Au revoir, mon doux petit, mon petit allié. Travaillez bien, soyez sage, ne vous tuez pas en avion. Je vous embrasse de toute mon âme. Je vous aime. Votre charmant castor. » Notre époque manque trop de charmants castors.

08/02/2013

PARADIS

Je rêve : il fait chaud, je suis aux Caraïbes, et ma chambre, avec terrasse, dans l'élégante bâtisse blanche de style colonial de la banque Stanford, ouvre directement sur un superbe palmier. Le ciel est, par-dessus le toit, très bleu, très calme. Les îles Vierges, je vous le dis, il n'y a pas mieux comme paradis. J'ai évité Chypre à la dernière minute, j'ai filé à Malte, et de là, à Singapour, puis retour aux îles Caïmans, et enfin, après l'Uruguay, voici les Petites Antilles. Les voyages sont légers et instantanés quand on est porté par les banques. Les Bahamas, les Bermudes, le Liechtenstein, les Maldives, les Seychelles, n'ont plus de secrets pour moi. Mes cent cinquante milliards d'euros, gagnés grâce à ma « Jouvence du Dr Sollers », recommandée par *Le Monde*, *L'Express*, et tous les laboratoires pharmaceutiques, n'en finissent pas de grossir. Rien à voir avec le Viagra, beaucoup trop brutal, style DSK ou Cahuzac. Non, du fluide, de l'enveloppement, de la distance, un côté chinois. Je rêve, je rêve.

12/04/2013

MENSONGE

On me demande ce que le professionnel capillaire Cahuzac a voulu dire avec son expression « je me suis enfermé dans la spirale du mensonge ». Le mensonge éhonté, les yeux dans les yeux, serait donc une spirale ? Définition géométrique : « Courbe plane décrivant des révolutions autour d'un point fixe en s'en éloignant de plus en plus. » La « spirale de Cahuzac », invention suisse, mériterait de rentrer dans l'histoire des mathématiques. On comprend que, spiralé comme il est, il veuille rester député à treize mille euros par mois. Pas de profits négligeables dans une spirale. Tous les élus l'ont compris, et tremblent pour leur patrimoine.

12/04/2013

PLAGIATS

Le grand rabbin de France a menti, il avoue ses emprunts, les explique, s'accuse, et reconnaît même, dans la foulée, n'être pas agrégé de philosophie. Benoît XVI a-t-il eu raison de faire confiance à un tel pécheur ? Mais oui, faute avouée est déjà pardonnée.

12/04/2013

HOLLANDE

Un ami me reproche de trouver Hollande « sympathique ». Il n'est pas de mon avis, ce qui prouve qu'il reste insensible à la violence des attaques contre ce pauvre persécuté, qu'on a pu voir zigzaguer dans les rues de Tulle avant de trouver quelqu'un à embrasser en toute sécurité. Je vais envoyer un peu de ma « Jouvence » à Hollande. Si ça ne marche pas, je modifierai la formule.

12/04/2013

TRANSPARENCE

La transparence patrimoniale et le contrôle de la fortune des élus ne me suffisent pas, d'autant plus que des écrans de fumée ne seront sans doute jamais levés. Puisque le mariage pour tous a déclenché une sorte de guerre civile, il me paraît donc nécessaire que la transparence soit aussi de mise dans la vie privée des représentants du peuple. Dans ce but, quelles que soient ses tendances sexuelles, chaque élu, chaque élue rédigera une déclaration annuelle de comportement. Précisions pratiques, fréquence des relations physiques, couleur des fantasmes, indices de satisfaction, nature des infidélités conjugales, escapades diverses, changements de partenaire, rêves de divorce, niveau d'affectivité, grossesses douteuses, certificats médicaux, attitude par rapport aux enfants. Bien entendu, les demandes de mariage seront particulièrement étudiées. La Commission de contrôle paritaire, renouvelable tous les neuf mois, gay et non gay, statuera en toute indépendance, et délivrera les autorisations républicaines.

19/04/2013

MORALISATION

L'effet moralisateur de ces mesures, après les scandales DSK et Cahuzac, ne se fera pas attendre. Il n'y a pas que le chômage, la compétitivité économique et le pouvoir d'achat. Le monde du désir s'exprime. Je peux déplorer, à titre personnel, que les figures de Frigide Barjot et de Christine Boutin surgissent au premier plan de l'information (je n'aperçois pas leur possibilité, sauf caricaturale, dans l'un de mes livres), mais je reste à l'écoute des vociférations progressistes ou réactionnaires de mon temps. Le contrôle sexuel doit rejaillir sur la stabilité sociale, laquelle se trouve très en danger. Cette affaire de mariage va booster les professions libérales, notaires, avocats, médecins, curés, magistrats. Les dossiers d'adoption créeront une fièvre particulière (sans parler de ceux, futurs, de la PMA et de la GPA). La recomposition des familles sera permanente, coup de fouet à la croissance et à la consommation. Les chômeurs ou les chômeuses du mariage paieront une amende spéciale. Tout le monde doit être plus ou moins marié avant la fin du quinquennat.

19/04/2013

POÉSIE

Les enfants, à l'école, devront réciter, chaque matin, un poème de Michel Houellebecq, notre grand écrivain national, « le plus lu dans le monde entier ». La presse est unanime et enthousiaste. Houellebecq, aujourd'hui, c'est Hugo, Baudelaire, Lautréamont, Mallarmé et

Verlaine, en plus clair et en plus populaire. Les spécialistes vous le disent à chaque instant, vous pouvez leur faire confiance.

19/04/2013

RÉCITATION

Voici ce que seront les récitations émouvantes des enfants, tirées des chefs-d'œuvre de Houellebecq :

« Ainsi, générations souffrantes,
Tassées comme des puces d'eau,
Essaient de compter pour zéro
Les capteurs de la vie absente,
Et toutes échouent, sans trop de drame
La nuit va bien recouvrir tout
Et l'épuisement monogame
D'un corps enfoncé dans la boue. »

Je m'arrête. Je pleure. Je ne grandirai jamais. Je me débats dans la boue.

19/04/2013

MORALE

Rien de plus nécessaire que l'introduction de la morale laïque à l'école. Je souffre encore, aujourd'hui, de ne pas avoir connu cette formation élémentaire. De là, un parcours erratique et contradictoire, un manque de sérieux et un humour mal placé, tout cela aggravé par des lectures dont l'immoralité n'est plus à prouver. L'immense poète communiste Paul Éluard trouvait déjà que les *Fables* de La Fontaine étaient foncièrement immorales. Il avait raison. Je ne suis pas fier d'avouer à la commission de contrôle que j'ai adoré me réciter à haute voix *Les Fleurs du mal*, du réactionnaire Baudelaire, sans oublier les monstrueuses inventions du marquis de Sade, lues en cachette de mes professeurs. On ne m'a pas assez appris à me méfier de ces influences délétères. J'étais anarchiste à cinq ans, surréaliste à douze et, immanquablement, ultragauchiste par la suite, avant de célébrer, ultime provocation, la grande intelligence perverse des jésuites. Mon cas aurait pu être évité, dès le jardin d'enfants. Je ne connais pas de formule plus dangereuse que celle de Rimbaud : « La morale est la faiblesse de la cervelle. » Veillons à ce qu'elle ne soit pas reprise de nos jours.

26/04/2013

DATES

Les magazines s'agitent. Sommes-nous en 1789 ? Dans les années 1930 ? Allons-nous tout droit, après les manifestations contre le mariage pour tous, vers une explosion d'extrême droite, une sorte de « 1968 à l'envers » ? Le nouveau calendrier, promulgué après le 11-Septembre et les attentats de New York, est-il écorné par l'odieuse tragédie du marathon de Boston ? L'armée française sera-t-elle encore au Mali en 2017 ? La libération providentielle des otages prouve-t-elle l'existence de Dieu ? Toutes ces questions, et bien d'autres, jour après jour, finissent par donner au temps une couleur bizarre. Est-il sorti de ses gonds, le temps, dans les paradis fiscaux ? Si nous sommes en 1789, Robespierre est déjà là, et les têtes roulent massivement dans la sciure, place de la Concorde. Si nous nous retrouvons dans les années 1930, Staline est à la manœuvre, et Hitler ne manquera pas de surgir. J'ai peur. Faites-moi la morale.

26/04/2013

CHIFFRES

Combien de manifestants ? Quarante-cinq mille ou deux cent soixante-dix mille ? Trois mille cinq cents ou quinze mille ? La police a ses raisons que les passions ignorent. La plus belle pancarte que j'ai vue, brandie par les militants gays, est celle-ci : « Les amoureux naissent libres et égaux en droits. » L'idée selon laquelle on naîtrait « amoureux » m'a paru très belle. Que la conséquence en soit le mariage et l'adoption peut se discuter à l'infini, mais la République a tranché, dans un grand moment fraternel et égalitaire. Une Assemblée nationale debout, laissant éclater sa joie socialiste malgré la crise, le chômage, les licenciements et la baisse du pouvoir d'achat, voilà une grande leçon d'idéal moral à inscrire dans les annales.

26/04/2013

AMOUR

Christiane Taubira parle d'amour comme personne. Elle est transportée, transportante, transvasante. Enfin,

748

une femme politique qui ne craint pas de faire sans arrêt des citations poétiques et philosophiques ! Vous me direz que ses références sont disparates, mais ça n'a aucune importance. Il y a l'amour, l'amour, et encore l'amour. Elle annonce le temps des cerises, le retour des gais rossignols et des merles moqueurs. Je la serre dans mes bras reconnaissants, je sens que je pourrais vivre avec elle d'amour et d'eau fraîche.

26/04/2013

INQUISITION

Vous êtes américain, et vous apprenez que Big Brother Obama vous surveille. Vous êtes listé, écouté, enregistré, radiographié par la NSA, National Security Agency, surnommée, à cause de son opacité, « No Such Agency », « l'agence qui n'existe pas ». Un type étonnant, Edward Snowden, vient de faire défection dans ce trou noir, trahison très gênante pour les services de renseignements électroniques. Mais le plus stupéfiant est qu'il est allé se réfugier à Hongkong, pour disparaître ensuite en Chine. Cet homme, qui en sait beaucoup trop, ancien de la CIA, après être passé par la guerre en Irak, dit des choses de ce genre, à propos des États-Unis : « Je ne veux pas vivre dans une société qui fait ce genre de choses. Je ne veux pas vivre dans un monde où tout ce que je fais et dis est enregistré. » Bonne chance en Chine ou en Russie, Snowden ! Si vous restez vivant, envoyez-moi une carte postale ! Je ne le dirai à personne, c'est promis.

14/06/2013

PASSION

On imagine ce que Hitchcock aurait tiré de toute cette histoire, et de la cavale de Snowden à Hongkong. James Stewart aurait été parfait dans le rôle. Plus je revois les films de Hitchcock, plus ils me semblent beaux, intenses, irréfutables. Comment faire mieux que le martyre éblouissant de Tippi Hedren dans *Les Oiseaux* ? Renseignez-vous sur le très bizarre Monsieur Hitchcock en lisant le n° 123 de la revue *L'Infini*. Un jésuite américain raconte ses visites à Hitchcock à la fin de sa vie. Ce dernier ne s'intéresse plus au cinéma, désormais envahi de « robots », dit-il. Mieux : il demande à deux jésuites de célébrer la messe chez lui. Il y assiste avec sa femme, Alma, et répond « à l'ancienne », en latin. Finalement, très ému, il pleure. Ce témoignage tardif a d'abord été publié dans le *Wall Street Journal*. Un des biographes de Hitchcock venait d'écrire que Hitchcock lui-même lui avait fait savoir qu'il « n'avait permis à aucun prêtre de lui rendre visite, ou de célébrer une messe informelle chez lui ». Conclusion du témoin jésuite : « Que, dans ses derniers jours, le réalisateur ait, délibérément et avec succès, fait croire à des gens de l'extérieur exactement le contraire de ce qui s'est passé, voilà qui est du pur Hitchcock. »

14/06/2013

INDEX DES NOMS
DES PERSONNES CITÉES OU DÉSIGNÉES

Louis XIV, roi de France, 40, 148, 282, 401, 438, 444, 569, 575, 650
Louis XVI, roi de France, 376, 401
Louis XVII, Louis-Charles, dauphin de France, dit parfois, 301
Louis, Émile, 277
Louÿs, Pierre, 348
Loyola, Ignace de, 495
Lu Jia, 247
Lubac, Henri de, 564
Luchini, Fabrice, 244
Lucrèce, 444
Lucy, 163
Lustiger, Aron Jean-Marie, 147, 252, 266, 547
Luther, Martin, 409
Lyon-Caen, famille, 207
Maar, Henriette Theodora Markovitch, dite Dora, 95
Mac Arthur, Ellen, 356, 357
Machiavel, Niccolò di Bernardo dei Machiavegli, dit aussi Nicolas, 319, 332, 337, 381, 694, 695
Madelin, Alain, 99, 147
Madoff, Bernard, 609, 635
Madonna, Madonna Louise Ciccone, dite, 237, 396
Magnan, André, 167, 501
Mahler, Gustav, 712
Mahomet, [131], [183], 453-456, 458, 497, 518, 621, 648
Maintenon, Françoise d'Aubigné, marquise de, 443, 444, 575

Mallarmé, Stéphane, 503, 698, 745
Malraux, André, 154, 314, 316, 320, 369, 583, 605, 698, 706
Mamère, Noël, 147, 294, 299, 300, 305
Manach, Pedro Mañach, dit Pedro, 214
Manaudou, Laure, 314, 494, 596
Mandela, Nelson, 396
Mandelstam, Ossip, 16, 363
Manet, Édouard, 67, 112, 155, 156, 159, 314, 359, 360, 503, 676, 707, 716, 720
Manuel II Palaiologos, [497]
Mao, Mao Zedong, dit, 29, 41, 124, 180, 187, 210, 352, 410, 480, 485, 486, 500, 504, 508, 521, 523, 551, 583, 587, 650, 680, 681, 717, 726
Marat, Jean-Paul, 464
Marcadé, Bernard, 518
Maréchal, Éric, 368
Marie-Antoinette, Marie-Antoinette de Habsbourg-Lorraine, reine de France, dite, 401, 447, 516
Maritain, Jacques, 564
Martel, Charles, 276
Martin, René, 444
Marto, Francisco, [42]
Marto, Jacinta, [42]
Marty, Éric, 646
Marx, Karl, 29, 35, 138, 384, 548, 593, 602, 632, 633, 721
Materazzi, Marco, 487
Matisse, Henri, 78, 79, 159, 174
Mattei, Jean-François, [244]

Saint Laurent, Yves Mathieu, 137
Saint-Exupéry, Antoine de, 366
Saint-John Perse, Alexis Léger, dit, 211, 283, 618
Saint-Josse, Jean, 147
Saint-Simon, Louis de Rouvroy, duc de, 85, 254, 285, 644, 698, 700
Saint, Eva Marie, 443
Sainte-Beuve, Charles Augustin, 134
Salieri, Antonio, 260
Salluste, 444, 541
Salomon (téléspectateur), 188
Salomon, roi, 37, 491
Sand, Aurore Dupin, baronne Casimir Dudevant, dite George, 249, 279
Sandler, Assir, 179
Sapho, 165
Sarkozy, Andrée Bouvier, Mme Pal, [525], [563]
Sarkozy, Cécile Ciganer, Mme Jacques Martin puis Mme Nicolas Sarkozy et Mme Richard Attias, dite Cécilia, 382, 418, 450, 484, 536, 542, 544, 546, 550, 574, 578, [657]
Sarkozy, Giulia, 713
Sarkozy, Jean, [525]
Sarkozy, Louis, [525]
Sarkozy, Nicolas Sarközy de Nagy-Bocsa, dit Nicolas, 203, 208, 221, 252-254, 268, 275, 283, 303, 308, 309, 316, 319, 340, 341, 344, 357, 380, 382, 388, 389, 398, 401, 402, 405, 408, 417, 421, 423, 431, 448, 462, 463, 470, 472, 478, 482, 484, 489, 498, 499, [509], 512, 515, 516, 519, 521, 522, 524, 525, 531-533, 536, 539-543, 545, [546], [547], 548, [549], 556, [557], 562-566, [568], 569, 573-576, 578, 580, [583], [584], [588], [593], [594], 596, 607, 611, 624-626, 629, 632, 635, 636, 641, 648, 661, 663, [667], 673, 674, 679, 684, 685, 688, 694, 699, 703-705, 708, 710, 713, 717-720, [723], 724, 726, [727], 728, 737-739
Sarkozy, Pal Sarközy de Nagy-Bocsa, dit Pal, [309]
Sarkozy, Pierre, [525]
Sarnez, Marielle Lebel de Sarnez, dite Marielle de, 720
Sarraute, Natalia Tcherniak, Mme Raymond Sarraute, dite Nathalie, 137
Sartre, Jean-Paul, 26-28, 35, 89, 243, 287, 288, 301, 369, 474, 481, 512, 567, 570, 620, 632, 645, 652, 698, 702, 703, 706, 742
Savigneau, Josyane, 403
Schelling, Friedrich Wilhelm Joseph von, 17
Schiele, Egon, 425
Schiffrin, Jacques, 369
Schneider, Marcel, 289
Schneider, Michel, 496
Schopenhauer, Arthur, 435

Index des titres d'œuvres et des noms de personnages cités ou désignés

782

784

NOTES

1. Vladimir Nabokov, *Parti pris*, Robert Laffont, Pavillons, 1999.

2. S. M. Eisenstein, *Dessins secrets*, Le Seuil, 1999.

3. Mark Polizzoti, *André Breton*, Gallimard, 1999.

4. Louise Michel, *Je vous écris de ma nuit*, Les Éditions de Paris – Max Chaleil, 2005.

5. *Le Débat*, n° 107, Gallimard, nov.-déc. 1999.

6. Véronique Vasseur, *Médecin-chef à la prison de la Santé*, Le Cherche-Midi, 2000.

7. Bernard-Henri Lévy, *Le Siècle de Sartre*, Grasset, 2000.

8. François Mauriac, *La Paix des cimes : chroniques 1948-1955*, Bartillat, 2000.

9. James Joyce, *Finnegans Wake*, Gallimard, Du monde entier, 1982.

10. Georges Clemenceau, *Claude Monet*, Plon et Nourrit, 1928, et Perrin, 2000.

11. Charles Joseph de Ligne, *Pensées et fragments*, Arléa, 2000.

12. Philippe Sollers, *La Fête à Venise*, Gallimard, 1991 ; Folio n° 2463, 1993.

13. *Ibid.*, *Le Secret*, Gallimard, 1993 ; Folio n° 2687, 1995.

14. *Ibid.*, *Passion fixe*, Gallimard, 2000 ; Folio n° 3566, 2001.

15. Jack Kerouac, *Lettres choisies : 1940-1956*, Gallimard, 2000 ; traduction de Pierre Guglielmina.

16. Gao Xingjian, *Le Livre d'un homme seul*, L'Aube, 2000.

17. Philippe Sollers, *Femmes*, Gallimard, 1983 ; Folio n° 1620, 1984.

18. Jean Genet, *Lettres au petit Franz : 1943-1944*, Le Promeneur, 2000.

19. Philippe Sollers, *La Divine Comédie : entretiens avec Benoît Chantre*, Gallimard, Folio n° 3747, 2002.

20. *Ibid.*, *Le Secret*, Gallimard, 1993 ; Folio n°2687, 1995.

21. Jean-Jacques Schuhl, *Ingrid Caven*, Gallimard, 2000 ; Folio n° 3686, 2002.

22. *Évangile de saint Jean*, Rivages-Poche, Petite Bibliothèque, 2000 ; traduction et présentation de Bernard Pautrat.

23. Charles Baudelaire, *Nouvelles lettres*, Fayard, 2000.

24. Paul Morand, *Journal inutile : 1968-1972* et *Journal inutile : 1973-1976*, Gallimard, Les Cahiers de la NRF, 2001.

25. Bernard Frank, *Portraits et aphorismes*, Le Cherche-Midi, 2001.

26. *L'Atelier de Francis Bacon*, Thames and Hudson, 2001.

27. François de La Rochefoucauld, *Maximes et mémoires*, Rivages-Poche, Petite Bibliothèque, 2001.

28. Sous la direction de Jean Clottes, *La Grotte Chauvet : l'art des origines*, Le Seuil, 2001.

29. Charles Baudelaire, *Les Paradis artificiels*, Gallimard, Folio Classique n° 964, 2007.

30. Henri Michaux, *Œuvres complètes, Vol. 2*, Gallimard, Pléiade n° 475, 2001.

31. Michel Houellebecq, *Plateforme*, Flammarion, 2001.

32. Cecilia Bartoli, *Gluck : Italian Arias*, Decca, 2011.

33. Victor Hugo, *Choses vues*, Gallimard, Quarto, 2002.

34. Jean-Jacques Schuhl, *Ingrid Caven*, Gallimard, 2000 ; Folio n° 3686, 2002.

35. André Glucksmann, *Dostoïevski à Manhattan*, Robert Laffont, 2002.

36. Jean-Pierre Robert, *L'Écho du silence*, Gallimard, 2002.

37. Ezra Pound, *Les Cantos*, Flammarion, Mille et une pages, 2002.

38. Alain Minc, *Le Fracas du monde. Journal de l'année 2001*, Le Seuil, Journal du nouveau siècle, 2002.

39. *Le Grand Ricci*, Desclée de Brouwer, 2001.

40. Stephen Vizinczey, *Éloge des femmes mûres*, Éditions du Rocher, 2001.

41. Alphonse Daudet, *La Doulou*, Mille et une nuits, 2002.

42. Simone Weil, *Cahiers : février 1942-juin 1942 : la porte du transcendant*, Gallimard, 2002.

43. Dominique de Villepin, *Le Cri de la gargouille*, Albin Michel, 2002.

44. Philippe Sollers, *Les Folies françaises*, Gallimard, 1988 ; Folio n° 2201, 1990.

45. *Le XVIIIe siècle français au quotidien*, Complexe, 2002.

46. *Ibid.*

47. *Ibid.*

48. Auguste Renoir, *Auguste Renoir : écrits et entretiens*, Éditions de l'Amateur, 2001.

49. Christine Angot, *Pourquoi le Brésil ?*, Stock, 2002.

50. Philip Roth, *La Tache*, Gallimard, 2002.

51. André Versaille, *Voltaire, un intellectuel contre le fanatisme*, La Renaissance du Livre, 2002.

52. Sylviane Agacinski, *Journal interrompu : 24 janvier - 25 mai 2002*, Le Seuil, 2002.

53. André Gide, *Le Ramier*, Gallimard, 2002.

54. Raoul Vaneigem, *Pour l'abolition de la société marchande, pour une société vivante*, Payot, Manuels Payot, 2002.

55. Guy Debord, *Commentaires sur la société du spectacle*, Gallimard, 1992 ; Folio n° 2905, 1996.

56. Roland Barthes, *Sollers écrivain*, Le Seuil, 1979.

57. Voltaire, *Dictionnaire philosophique*, Gallimard, Folio Classique n° 2630, 1994.

58. Arkadi Vaksberg, *Staline et les Juifs : l'antisémitisme russe, une continuité du tsarisme au communisme*, Robert Laffont, 2003.

59. Jacques-Alain Miller, *Le Neveu de Lacan : satire*, Verdier, 2003.

60. *Philosophes taoïstes, Vol. 2, Huainan zi*, Gallimard, Pléiade n° 494, 2003.

61. Françoise Giroud, *Demain déjà : Journal 2000-2003*, Fayard, 2003.

62. Bernard Henri-Lévy, *Qui a tué Daniel Pearl ?*, Grasset, 2003.

63. François Meyronnis, *L'Axe du néant*, Gallimard, 2003.

64. Yannick Haenel, *Évoluer parmi les avalanches*, Gallimard, 2003.

65. Citée dans Christine Ockrent, *Françoise Giroud, une ambition française*, Fayard, 2003.

66. Dominique de Villepin, *Éloge des voleurs de feu*, Gallimard, 2003.

67. Frédéric Pajak, *Nietzsche et son père*, PUF, 2003.

68. Gabrielle Wittkop, *La Marchande d'enfants*, Verticales, 2003.

69. Jean-Jacques Rousseau, *Les Rêveries du promeneur solitaire*, Gallimard, Folio Classique n° 186, 1972.

70. Cardinal de Retz, *Mémoires*, Gallimard, Folio classique n° 3835, 2003.

71. Friedrich Nietzsche, *L'Antéchrist*, suivi de *Ecce Homo*, Gallimard, Folio Essais n° 137, 1990.

72. Voir Song Gang, « La fureur de Zhuangzi », in Collectif, *Du pouvoir, cahier 1,* Centre Marcel-Granet, PUF, 2003.

73. Guy Debord, *La Société du spectacle*, Gallimard, Folio n° 2788, 1996.

74. *Ibid., Commentaires sur la société du spectacle*, Gallimard, Folio n° 2905, 1996.

75. Pierre Mérot, *Mammifères*, Flammarion, 2003.

76. Marc Fumaroli, *Chateaubriand : poésie et Terreur*, Éditions de Fallois, 2003.

77. Cité dans Émile Brami, *Céline : « Je ne suis pas assez méchant pour me donner en exemple. »*, Écriture, 2003.

78. Bernard Lecomte, *Jean-Paul II*, Gallimard, 2003.

79. Jean Cocteau, *Essai de critique indirecte*, Grasset, Les Cahiers Rouges, 2003.

80. Patrick Modiano, *Accident nocturne*, Gallimard, 2003 ; Folio n° 4184, 2005.

81. Liang Qiao, *La Guerre hors limite*, Rivages, Bibliothèque Rivages, 2003.

82. Donatien Alphonse François de Sade, *Anne-Prospère de Launay : l'amour de Sade*, Gallimard, 2003.

83. Lu Jia, *Nouveaux principes de politique*, Zulma, 2003.

84. William Gaddis, *Agonie d'agapè*, Plon, 2003.

85. Valery Larbaud, *Le Vagabond sédentaire : Voyager avec Valery Larbaud*, La Quinzaine littéraire, 2003.

86. Romain Colomb, *Notice sur la vie et les ouvrages de Henri Beyle dit Stendhal*, À Rebours, 2003 ; préface de Gérard Guégan.

87. *La Mer dans la littérature française, Vol. 1, De François Rabelais à Jules Michelet*, et *Vol. 2, De Victor Hugo à Pierre Loti*, Plon, 2003.

88. Jean-Claude Ameisen, *La Sculpture du vivant : le suicide cellulaire ou la mort créatrice*, Le Seuil, Points Sciences n° 151, 2003.

89. Dominique Noguez, *L'Homme de l'humour*, Gallimard, 2004.

90. Daniel Accursi, *La Nouvelle Guerre des dieux*, Gallimard, 2004.

91. Marc Weitzmann, *Une place dans le monde*, Stock, 2004.

92. Frédéric Berthet, *Daimler s'en va*, Gallimard, 1988.

93. Sous la direction de Pierre Boncenne, *Faites comme si je n'avais rien dit*, Le Seuil, 2004.

94. Pierre Bourdieu, *Esquisse pour une auto-analyse*, Raisons d'agir, 2004.

95. *Le Lecteur*, n° 2, Éditions du Rocher, 2004.

96. Collection « En verve », Horay.

97. *La Nouvelle Revue française*, n° 569, Gallimard, 4 mars 2014.

98. Philippe Sollers, *Les Folies françaises*, Gallimard, 1988 ; Folio n° 2201, 1990.

99. Simone de Beauvoir et Jacques-Laurent Bost, *Correspondance croisée : 1937-1940*, Gallimard, 2004.

100. Simone de Beauvoir, *Lettres à Nelson Algren, Un amour transatlantique : 1947-1964*, Gallimard, 1997 ; Folio n° 3169, 1999.

101. Marcel Schneider, *Mille roses trémières : L'amitié de Paul Morand*, Gallimard, 2004.

102. Denis Diderot, *Romans et contes*, Gallimard, Pléiade n° 25, 2004.

103. *Ibid.*, *Lettres à Sophie Volland*, Gallimard, Folio n° 1547, 1994.

104. Jean-Jacques Lefrère, Jean-Hugues Berrou et Pierre Leroy, *Rimbaud ailleurs*, Fayard, 2004.

105. Anne-Lise Stern, *Le Savoir-déporté : camps, histoire, psychanalyse*, Le Seuil, La Librairie du XXIe siècle, 2004.

106. Jacques Lacan, *Le Séminaire, Vol. 10, L'angoisse*, Le Seuil, 2004.

107. Arnaud Viviant, *Le Génie du communisme*, Gallimard, 2004.

108. Roger Kempf, *L'indiscrétion des frères Goncourt*, Grasset, 2004.

109. Marc Lambron, *Les Menteurs*, Grasset, 2004.

110. François Mauriac, *D'un Bloc-Notes à l'autre : 1952-1969*, Bartillat, 2004.

111. Philippe Sollers, *Le Saint-Âne*, Verdier, 2004.

112. Henri Cartier-Bresson, *Tête-à-tête : portraits*, Gallimard, 1998.

113. Antonin Artaud, *Œuvres*, Gallimard, Quarto, 2004.

114. *Ibid.*

115. Hubert Haddad, *Julien Gracq, la forme d'une vie*, Zulma, 2004.

116. Novalis, *Œuvres philosophiques complètes, Vol. 2, Semences*, Allia, 2004.

117. Catherine Robbe-Grillet, *Jeune mariée : Journal, 1957-1962*, Fayard, 2004.

118. Frédéric Pajak, *Mélancolie*, PUF, 2004.

119. Jean-Marie Planes, *Reste avec nous car le soir tombe*, Mollat, 2004.

120. François Cheng, *Toute beauté est singulière : peintres chinois de la Voie excentrique*, Phébus, 2004.

121. Mirabeau, *Le Rideau levé ou L'Éducation de Laure*, Jean-Claude Gawsewitch, 2004.

122. Machiavel, *Discours sur la première décade de Tite-Live*, Gallimard, 2004.

123. Guy Debord, *Commentaires sur la société du spectacle*, Gallimard, 1992 ; Folio n° 2905, 1996. Voir aussi l'ultime numéro de la revue *Archives et documents situationnistes*, Denoël.

124. Mariano Miguel Montanés, *Pablo Picasso : les dernières années*, Assouline, 2004.

125. Philippe Alméras, *Dictionnaire Céline : une œuvre, une vie*, Plon, 2004.

126. Philippe Sollers, *Dictionnaire amoureux de Venise*, Plon, 2004.

127. *Ibid., Le Cavalier du Louvre : Vivant Denon, 1747-1825*, Plon, 1995 ; Gallimard, Folio n° 2938, 1997.

128. *Libération*, 1er décembre 2004.

129. Philippe Sollers, *Casanova l'admirable*, Plon, 1998 ; Gallimard, Folio n° 3318, 2000.

130. *Éros invaincu : la bibliothèque Gérard Nordmann*, Cercle d'art, 2004.

131. Georges Bataille, *Romans et récits*, Gallimard, Pléiade n° 511, 2004.

132. *Des voix sous la cendre. Manuscrits des Sonderkommandos d'Auschwitz-Birkenau*, Calmann-Lévy, 2005.

133. Simone Breton, *Lettres à Denise Lévy, 1919-1929*, Éditions Joëlle Losfeld, 2005.

134. Boris Pasternak, *Écrits autobiographiques, Le Docteur Jivago*, Gallimard, Quarto, 2005.

135. Mazarine Pingeot, *Bouche cousue*, Julliard, 2005.

136. André Gide et Jacques Schiffrin, *Correspondance : 1922-1950*, Gallimard, 2005.

137. Jacques Lacan, *Le Séminaire, Vol. 23, Le sinthome : 1975-1976*, Le Seuil, 2005.

138. Viktor Pelevine, *Critique macédonienne de la pensée française*, Denoël, 2005.

139. Revue *Commentaire* n° 109, printemps 2005.

140. Catherine Brun, *Pierre Guyotat : essai biographique*, Léo Scheer, 2005.

141. Pierre Guyotat, *Carnets de bord, Vol. 1, 1962-1969*, Lignes-Manifestes, 2005.

142. Pierre Guyotat, *Éden, éden, éden*, Gallimard, 1970.

143. Henri Atlan, *L'Utérus artificiel*, Le Seuil, La Librairie du XXIᵉ siècle, 2005.

144. *Débat* n° 135, Gallimard, mai-août 2005.

145. Jean-Claude Milner, *La Politique des choses*, Navarin, 2005.

146. Michel Houellebecq, *La Possibilité d'une île*, Fayard, 2005.

147. Philippe Sollers, *Mystérieux Mozart*, Plon, 2001 ; Gallimard, Folio n° 3845, 2003.

148. Philip Short, *Mao Tsé-Toung*, Fayard, 2005.

149. William Faulkner, *Si je t'oublie, Jérusalem*, Gallimard, L'Imaginaire, 2001.

150. Cecilia Bartoli, *Opera proibita*, Decca, 2005.

151. François Weyergans, *Trois jours chez ma mère*, Grasset, 2005.

152. *Ibid.*, *Salomé*, Léo Scheer, 2005.

153. Laure Adler, *Dans les pas de Hannah Arendt*, Gallimard, 2005.

154. Martin Heidegger, *Approche de Hölderlin*, Gallimard, 1962.

155. Friedrich Nietzsche, *Le Cas Wagner*, Gallimard, 1980 ; Folio Essais n° 169, 1991.

156. Donatien Alphonse François de Sade et Anne-Prospère de Launay, *« Je jure au marquis de Sade, mon amant, de n'être jamais qu'à lui... »*, Fayard, 2005.

157. Baltasar Gracián, *Traités politiques, esthétiques, éthiques*, Le Seuil, 2005.

158. Simon Leys, *Les Idées des autres : pour l'amusement des lecteurs oisifs*, Plon, 2005.

159. Pierre Joxe, *Pourquoi Mitterrand ?*, Philippe Rey, 2006.

160. Philippe Sollers, *Femmes*, Gallimard, 1983 ; Folio n° 1620, 1984.

161. Marguerite Duras et François Mitterrand, *Le Bureau de poste de la rue Dupin et autres entretiens*, Gallimard, 2006.

162. Voltaire, *Le Siècle de Louis XIV*, Le Livre de Poche n° 21010, 2005.

163. *Anthologie de la littérature latine*, Gallimard, Folio Classique n° 4272, 2005.

164. Jean Echenoz, *Ravel*, Minuit, 2006.

165. Valère Novarina, *Lumières du corps*, P.O.L, 2006.

166. Jean-Denis Bredin, *« On ne meurt qu'une fois » : Charlotte Corday*, Fayard, 2006.

167. Angie David, *Dominique Aury*, Léo Scheer, 2006.

168. Philippe Sollers, *Le Secret*, Gallimard, 1993 ; Folio n° 2687, 1995.

169. Bernard-Henri Lévy, *American Vertigo*, Grasset, 2006.

170. Voltaire, *Ecrits autobiographiques*, Flammarion, GF n° 1273, 2006.

171. Carl von Clausewitz, *De la guerre : édition abrégée*, Rivages-Poche n° 530, 2006.

172. Guy Debord, *Œuvres*, Gallimard, Quarto, 2006.

173. Erwin Chargaff, *Le Feu d'Héraclite : Scènes d'une vie devant la nature*, Viviane Hamy, 2006.

174. Jung Chang et Jon Halliday, *Mao*, Gallimard, 2006.

175. Christine Angot, *Rendez-vous*, Flammarion, 2006.

176. Michel Schneider, *Marilyn dernières séances*, Grasset, 2006.

177. Luc de Clapiers Vauvenargues, *Vauvenargues, Voltaire : Correspondance 1743-1746*, Éditions du Sandre, 2006.

178. Jonathan Littell, *Les Bienveillantes*, Gallimard, 2006.
179. *Ibid.*
180. Judith Housez, *Marcel Duchamp : biographie*, Grasset, 2007.
181. *Ibid.*
182. Bernard Marcadé, *Marcel Duchamp*, Flammarion, 2007.
183. Pierre Antilogus, Philippe Trétiack, *Oui, vous pouvez devenir chinois en 45 minutes chrono*, NiL, 2007.
184. Stendhal, *Les Privilèges*, Rivages-Poche, 2007.
185. Shitao, *Les Propos sur la peinture du moine Citrouille-Amère*, Plon, 2007 ; traduction de Pierre Ryckmans.
186. *Les Trente-six stratagèmes : manuel secret de l'art de la guerre*, Rivages Poche, 2007 ; traduction de Jean Levi.
187. Vente de la collection Pierre Leroy, Sotheby's, le 27 juin 2007, Galerie Charpentier.
188. David Alliot, *L'Affaire Louis-Ferdinand Céline : Les archives de l'ambassade de France à Copenhague 1945-1951.* Horay, 2007.
189. Louis-Ferdinand Céline, *Cahiers Céline, Vol. 9, Lettres à Marie Cavanaggia : 1936-1960*, Gallimard, 2007.
190. *Écrits gnostiques : La bibliothèque de Nag Hammadi*, Gallimard, Pléiade n° 538, 2007.
191. Gustave Flaubert, *Correspondance, Vol. 5, 1876-1880*, Gallimard, Pléiade n° 539, 2007.
192. Louis-Ferdinand Céline, *Cahiers Céline, Vol. 9, Lettres à Marie Cavanaggia : 1936-1960*, Gallimard, 2007.
193. Simone de Beauvoir, *Lettres à Nelson Algren, Un amour transatlantique : 1947-1964*, Gallimard, 1997 ; Folio n° 3169, 1999.
194. Marie-Dominique Lelièvre, *Sagan à toute allure*, Denoël, 2008.
195. Philippe Sollers, *Le Secret*, Gallimard, 1993 ; Folio n° 2687, 1995.
196. Ernst Jünger, *Journaux de guerre*, Gallimard, Pléiade n° 540 et n° 541, 2008.
197. Guy Debord, *Correspondance, Vol. 7, Janvier 1988-Novembre 1994*, Fayard, 2008.
198. Philippe Sollers, *La Fête à Venise*, Gallimard, 1991 ; Folio n° 2463, 1993.
199. Pierre Bergé, *L'Art de la préface*, Gallimard, 2008.

200. François Mauriac, *Journal, Mémoires politiques*, Robert Laffont, 2008.

201. Alessandro Mercuri, *Kafka Cola : sans pitié ni sucre ajouté*, Léo Scheer, 2008.

202. Philippe Sollers, *Les Voyageurs du Temps*, Gallimard, 2009 ; Folio n° 5182, 2011.

203. Jean-Jacques Lefrère, *Lautréamont*, Flammarion, 2008.

204. Yannick Haenel et François Meyronnis, *Prélude à la délivrance*, Gallimard, 2009.

205. Claude Lanzmann, *Le Lièvre de Patagonie*, Gallimard, 2009 ; Folio n° 5113, 2010.

206. Yannick Haenel et François Meyronnis, *Prélude à la délivrance*, Gallimard, 2009.

207. Louis-Ferdinand Céline, *Cahiers Céline, Vol. 10, Lettres à Albert Paraz, 1947-1957*, Gallimard, 2009.

208. *Le Monde*, 26 mai 2009. Puissance du style : Julien Coupat a été libéré jeudi.

209. Lautréamont, *Œuvres complètes*, Gallimard, Pléiade n° 218, 2009.

210. Philip Roth, *Exit le fantôme*, Gallimard, 2009 ; Folio n° 5252, 2011.

211. Louis-Ferdinand Céline, *Lettres*, Gallimard, Pléiade n° 558, 2009.

212. Isabelle Rimbaud, *Rimbaud mourant*, Manucius, 2009.

213. Philippe Sollers, *Casanova l'admirable*, Plon, 1998 ; Gallimard, Folio n° 3318, 2000.

214. *Écris-moi si tu m'aimes encore : Une correspondance amoureuse du XVIIIᵉ siècle*, Bayard, 2010.

215. Yang Xiong, *Maîtres mots*, Belles Lettres, 2010.

216. *Histoires littéraires*, n° 41, Éditions du Lérot, 2010. Du même auteur : *Rimbaud, lettres posthumes*, Fayard, 2010.

217. Michel Onfray, *Le Crépuscule d'une idole : l'affabulation freudienne*, Grasset, 2010.

218. Louis Gillet, *Stèle pour James Joyce*, Pocket, 2010.

219. Sous la direction de Nicolas Idier, *Shanghai : histoire, promenades, anthologie et dictionnaire*, Robert Laffont, 2010.

220. Denis Diderot, *Lettres à Sophie Volland : 1759-1774*, Non lieu, 2010.

221. Homère, *L'Iliade*, Le Seuil, 2010.

222. Stendhal, *Journal*, Gallimard, Folio Classique n° 5082, 2010.

223. Philippe Sollers, *Trésor d'Amour*, Gallimard, 2011 ; Folio n° 5485, 2012.

224. Machiavel, *Le Prince*, Gallimard, Folio Classique n° 1173, 2007.

225. Franz Kafka, *Lettres à Max Brod : 1904-1924*, Rivages-Poche n° 708, 2008.

226. Stéphane Guégan, *Théophile Gautier*, Gallimard, 2011.

227. Voir aussi mon *Casanova l'admirable*, Gallimard, Folio n° 3318, 2000.

228. Philip Roth, *Le Sein*, Gallimard, Folio n° 1607, 1984.

229. Philippe Sollers, *L'Éclaircie*, Gallimard, 2012 ; Folio n° 5605, 2013.

230. Michaël Ferrier, *Fukushima : Récit d'un désastre*, Gallimard, 2012.

231. Carlo M. Cipolla, *Les Lois fondamentales de la stupidité humaine*, PUF, 2012.

232. Marcelin Pleynet, *Le Voyage en Chine*, Marciana, 2012.

233. *Écrits de Maître Wen : Livre de la pénétration du mystère*, Belles Lettres, 2012 ; traduction et notes de Jean Levi.

234. Jules Verne, *Voyages extraordinaires*, Gallimard, Pléiade n° 579, 2012.

235. Philippe Sollers, *Femmes*, Gallimard, 1983 ; Folio n° 1620, 1984.

Suite de la page du même auteur

Dans les collections « L'Art et l'Écrivain », « Livres d'art » et « Monographies »

Rodin. Dessins érotiques, 1986.
Les Surprises de Fragonard, 1987.
Le Paradis de Cézanne, 1995.
Les Passions de Francis Bacon, 1996.

Dans la collection « À voix haute » (CD Audio)

La Parole de Rimbaud, 1999.

Aux Éditions Grasset

Vision à New York, entretiens avec David Hayman (Figures, 1981 ; Méditations / Denoël ; Folio n° 3133).

Aux Éditions Plon

Carnet de nuit, essai, 1989 (Folio n° 4462).
Le Cavalier du Louvre : Vivant Denon, 1747-1825, essai, 1995 (Folio n° 2938).
Casanova l'admirable, essai, 1998 (Folio n° 3318).
Mystérieux Mozart, essai, 2001 (Folio n° 3845).
Dictionnaire amoureux de Venise, 2004.
Un vrai roman, mémoires, 2007 (Folio n° 4874).

Aux Éditions Lattès

Venise éternelle, 1993.

Aux Éditions Desclée de Brouwer

La Divine Comédie, entretiens avec Benoît Chantre, 2000 (Folio n° 3747).
Vers le paradis : Dante au Collège des Bernardins, essai, 2010.

Aux Éditions Carnets Nord

Guerres secrètes, 2007 (Folio n° 4994).

Aux Éditions Robert Laffont

Illuminations, essai, 2003 (Folio n° 4189).

Aux Éditions Calmann-Lévy

Voir, Écrire, entretiens avec Christian de Portzamparc, 2003 (Folio n° 4293).

Aux Éditions Verdier

Le Saint-Âne, essai, 2004.

Aux Éditions Hermann

Fleurs, Le grand roman de l'érotisme floral, 2006.

Au Cherche-Midi éditeur

L'Évangile de Nietzsche, entretiens avec Vincent Roy, 2006 (Folio n° 4804).
Grand beau temps, 2008.

Aux Éditions du Seuil

Une curieuse solitude, roman, 1958 (Points-romans n° 185).
Le Parc, roman, 1961 (Points-romans n° 28).
L'Intermédiaire, essai, 1963.
Drame, roman, 1965 (L'Imaginaire n° 227).
Nombres, roman, 1968 (L'Imaginaire n° 425).
Logiques, essai, 1968.
L'Écriture et l'Expérience des limites, essai, 1968 (Points n° 24).
Sur le matérialisme, essai, 1971.
Lois, roman, 1972 (L'Imaginaire n° 431).

H, roman, 1973 (L'Imaginaire n° 441).
Paradis, roman, 1981 (Points-romans n° 690).
L'Année du tigre, journal, 1999 (Points n° 705).

Aux Éditions de La Différence

De Kooning, vite, essai, 1988.

Aux Éditions Cercle d'Art

Picasso le héros, essai, 1996.

Aux Éditions Mille et une nuits

Un Amour américain, nouvelle, 1999.

Aux Éditions 1900

Photos licencieuses de la Belle Époque, 1987.

Aux Éditions Stock

L'Œil de Proust. Les dessins de Marcel Proust, 2000.

Préfaces

Paul Morand, *New York*, GF Flammarion, 1988.
Madame de Sévigné, *Lettres*, Scala, 1992.
Femmes : mythologies, en collaboration avec Érich Lessing, Imprimerie nationale, 1994.
D.A.F de Sade, *Anne Prospère de Launay : L'Amour de Sade*, Gallimard, 2003.
Mirabeau, *Le Rideau levé ou l'éducation de Laure*, Jean-Claude Gawsewitch Éditeur, 2004.
Willy Ronis, *Nues*, Terre bleue, 2008.

Mise en page par Meta-systems
59100 Roubaix